KB054951

걸프 사태

구주지역 동향 1

걸프 사태

구주지역 동향 1

한국학술정보

| 머리말

걸프 전쟁은 미국의 주도하에 34개국 연합군 병력이 수행한 전쟁으로, 1990년 8월 이라크의 쿠웨이트 침공 및 합병에 반대하며 발발했다. 미국은 초기부터 파병 외교에 나섰고, 1990년 9월 서울 등에 고위 관리를 파견하며 한국의 동참을 요청했다. 88올림픽 이후 동구권 국교 수립과 유엔 가입 추진 등 적극적인 외교 활동을 펼치는 당시 한국에 있어 이는 미국과 국제 사회의 지지를 얻기 위해서라도 피할 수 없는 일이었다. 결국 정부는 91년 1월부터 약 3개월에 걸쳐 국군의료지원단과 공군수송단을 사우디아라비아 및 아랍 에미리트 연합 등에 파병하였고, 군 · 민간 의료 활동, 병력 수송 임무를 수행했다. 동시에 당시 걸프 지역 8개국에 살던 5천여 명의 교민에게 방독면 등 물자를 제공하고, 특별기 파견 등으로 비상시 대피할 수 있도록 지원했다. 비록 전쟁 부담금과 유가 상승 등 어려움도 있었지만, 걸프전 파병과 군사 외교를 통해 한국은 유엔 가입에 박차를 가할 수 있었고 미국 등 선진 우방국, 아랍권 국가 등과 밀접한 외교 관계를 유지하며 여러 국익을 창출할 수 있었다.

본 총서는 외교부에서 작성하여 30여 년간 유지한 걸프 사태 관련 자료를 담고 있다. 미국을 비롯한 여러 국가와의 군사 외교 과정, 일일 보고 자료와 기타 정부의 대응 및 조치, 재외동포 철수와 보호, 의료지원단과 수송단 파견 및 지원 과정, 유엔을 포함해 세계 각국에서 수집한 관련 동향 자료, 주변국 지원과 전후복구사업 참여 등 총 48권으로 구성되었다. 전체 분량은 약 2만 4천여 쪽에 이른다.

2024년 3월

한국학술정보(주)

| 일러두기

· 본 총서에 실린 자료는 2022년 4월과 2023년 4월에 각각 공개한 외교문서 4,827권, 76만여 쪽 가운데 일부를 발췌한 것이다.

· 각 권의 제목과 순서는 공개된 원본을 최대한 반영하였으나, 주제에 따라 일부는 적절히 변경하였다.

· 원본 자료는 A4 판형에 맞게 축소하거나 원본 비율을 유지한 채 A4 페이지 안에 삽입하였다. 또한 현재 시점에선 공개되지 않아 '공란'이란 표기만 있는 페이지 역시 그대로 실었다.

· 외교부가 공개한 문서 각 권의 첫 페이지에는 '정리 보존 문서 목록'이란 이름으로 기록물 종류, 일자, 명칭, 간단한 내용 등의 정보가 수록되어 있으며, 이를 기준으로 0001번부터 번호가 매겨져 있다. 이는 삭제하지 않고 총서에 그대로 수록하였다.

· 보고서 내용에 관한 더 자세한 정보가 필요하다면, 외교부가 온라인상에 제공하는 『대한민국 외교사료요약집』 1991년과 1992년 자료를 참조할 수 있다.

| 차례

정 리 보 존 문 서 목 록					
기록물종류	일반공문서철	등록번호	2012090526	등록일자	2012-09-17
분류번호	772	국가코드	XF	보존기간	영구
명 칭	걸프사태 동향 : 구주지역, 1990-91. 전5권				
생 산 과	서구1과/동구1과/중근동과	생산년도	1990~1991	담당그룹	
권 차 명	V.1 독일/이탈리아/터키				
내용목차	1. 독일 2. 이탈리아 3. 터키				

0001

1. 독일

0002

관리번호	90/1141

원 본

외 무 부

종 별 : 지 급

번 호 : GEW-1299 일 시 : 90 0802 1400

수 신 : 장관(중동,정일)

발 신 : 주 독 대사

제 목 : 이락의 쿠웨이트 침공(자료응신 35)

당관 이양 참사관이 금 8.2. 주재국 외무부 중동국 CLAUS 담당과장에게 문의한바, 금일 오전 주재국 외무부는 다음요지의 정부입장을 외무부 대변인을 통해 발표하였다하며, 금일중 이락대사를 초치, 동입장을 전달할 예정이라함

- 이락의 쿠웨이트 침공, 점령을 강력히 규탄하며, 이락군이 지급, 무조건 쿠웨이트로부터 철수할것을 촉구함

- 이락, 쿠웨이트간의 분쟁이 평화적으로 해결되어야하며 유엔 안보리가 본건에 관하여 적절한 조치를 취할것을 기대함

(대사 신동원-차관)

예고:90.12.31. 까지

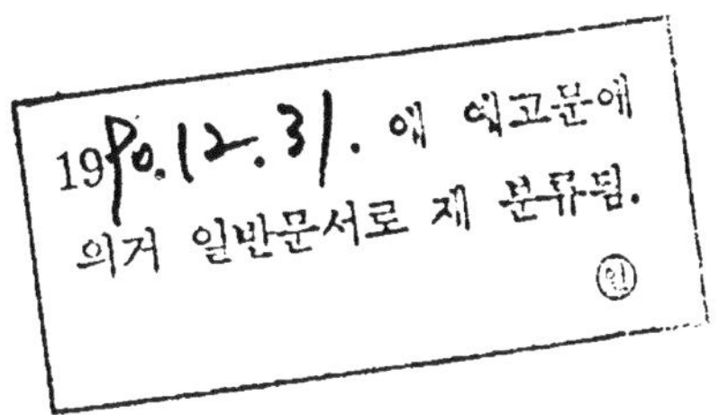

중아국	장관	차관	1차보	2차보	정문국	청와대	안기부

PAGE 1 90.08.03 02:44

외신 2과 통제관 CN

0003

원 본

외 무 부

종 별 :

번 호 : GEW-1302 일 시 : 90 0802 1700

수 신 : 장관(중동)

발 신 : 주독대사

제 목 : 이락의 쿠웨이트 침공

대: GEW-1299

당관이 입수한 연호 주재국 외무부 대변인의 성명 텍스트를 하기 송부하니 참고바람

THE FEDERAL GOVERNMENT CONDEMNS THE OCCUPATION OF KUWAITBY IRAQ. THE FEDERAL GOVERNMENT STRONGLY SUPPORTS THE DEMANDFOR THE IMMEDIATE AND UNCONDITIONAL WITHDRAWAL OF THE IRAQITROOPS FROM KUWAITI TERRITORY. DISPUTES SHOULD BE SETTLEDBYPEACE FUL MEANS. THE FEDERAL GOVERNMENT EXPECTS THE UNITEDNATIONS SECURITY COUNCIL TO CONCERN ITSELF WITH IRAQ SACTION. FEDERAL FOREIGN MINISTER GENSCHER HAS INSTRUCTED THEFOREIGN OFFICE TO IMMEDIATELY CALL IN THE IRAQI AMBASSADORIN BONN TO EXPLAIN TO HIM THE POSITION OF THE FEDERALGOVERNMENT. END

(대사 신동원-국장)

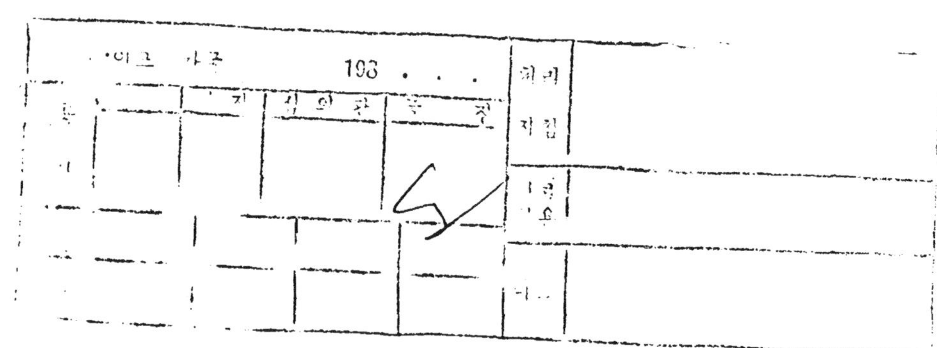

중아국 차관 1차보 구주국 정문국 안기부

PAGE 1

90.08.03 05:38 DA

외신 1과 통제관

0004

발 신 전 보

분류번호	보존기간

번 호 : WUK-1318 900809 0100 DN 종별 : 긴급

수 신 : 주 수신처참조 대사, 총영사

WFR -1517 WGE -1136
WIT -0721 WUS -2634
WJA -3358

발 신 : 장 관 (중근동)

제 목 : 이라크의 쿠웨이트 합병

사담 후세인대통령은 8. 8 쿠웨이트를 합병한다고 발표하였는바 이에 대한 주재국의 공식반응과 언론 반응을 지급 보고바람.

수신처 : 주 영국, 불란서, 서독, 이태리, 미국 및 일본 대사

(중동 아국장 — 이두복)

보안 통제	美

앙 고 재	90년 8월 8일	중근동과	기안자 성명		과 장		국 장		차 관	장 관
					美		李			

외신과통제

0005

원 본

외 무 부

종 별 :

번 호 : GEW-1343 일 시 : 90 0809 1700

수 신 : 장관(중근동)

발 신 : 주독대사

제 목 : 쿠웨이트 합병

대: WGE-1136

대호 표제관련 주재국 외무부가 8.8. 발표한 주재국 정부의 입장(독어및 당관 영역본)과 동사태 관련 당지 언론의 논설기사(영문요약)을별첨 FAX 송부함

(대사 신동원-국장)

별첨: GEW(F)-073

중아국 장관실 1차보 2차보 차관 장관 청와대 안기부

PAGE 1

90.08.10 02:48 CG

외신 1과 통제관

0006

주 독 일 대 사 관

GEW(F) - 0 73

수 신 : 장 관 (중근동)

발 신 : 주 독 대 사

제 목 : GEW-1343 의 별첨

(표지 포함 총 5 매)

5 - 1

0007

ion des oressereferats des auswaertigen amts 178/90

esreqierunq verurteilt die von der regierung in bagdad
e voelkerrechtswidrige annexion kuwaits.

diese eklatante verletzunq der rechte eines unab-
i staates und seiner bevoelkerung nicht anerkennen.

rt die irakische regierunq auf, ihren schritt unver-
rueckqaenqiq zu machen.

erat - auswaertiqes amt
. 09. auqust 1990

0008

f-2

(Translation)

Information issued by the Press Section of the Auswärtiges Amt, 178/90

The Federal Government condemns the annexation of Kuwait decreed by the government in Baghdad as a breach of international law.

The Federal Government will not recognize this glaring violation of the rights of an independent state and its people.

The Federal Government calls on the Iraqi government to rescind this measure immediately.

Press Section, Auswärtiges Amt
Bonn, August 8, 1990

0009

5-3

Editorial opinions of Iraq's annexation of Kuwait, newspapers of August 9, 1990

Frankfurter Allgemeine: no editorial on annexation. One editorial on Bush's measures (p. 1: Iraq's aggression is a test case for the vision of a more peaceful world in the wake of East-West understanding. If the combined efforts of a number of countries under U.S. leadership are successful, a limit will be set for a ruthless dictator and the cards in the Near East will be reshuffled.)

One long article on Hussein's calculations (p. 8: Hussein has said he will not attack Saudi Arabia, but not much trust can be placed in these words. It is unclear whether Arab states will be able to agree on a mutual defense force. "The Gulf Cooperation Council has failed to ward off an attack against one of its members. The billions spent on the defense of their countries appear to have been wasted. Now that foreign powers have intervened on their behalf, perhaps the Gulf States will be able to get a joint military action together themselves." --Wolfgang Köhler)

Die Welt, editorial, p. 2 (Enno v. Loewenstern):

After Hussein's attack on Kuwait, it comes as no surprise that Iraq has annexed Kuwait. Hussein didn't bother to stage a popular vote in which he could pretend to have 99% of the population of Kuwait behind him. The haste with which Hussein has acted is an indication that he has cold feet. "There is no opposition in Iraq, at least no open opposition. If anyone were to oppose Hussein, he would be dealt with quickly. But Saddam Hussein knows better than anyone else that he is living on borrowed time."

0010

General-Anzeiger, editorial p. 2 (Herbert Leiner):

Hussein's annexation of Kuwait is an attempt to reduce the debt accrued during the war with Iran by means of "robbery, lying, and tricks." He may have miscalculated. For the time being there will be no Iraqi oil flowing.

Moscow and Washington are working together to dampen the crisis for the first time--Hussein may have miscalculated here, too, and it may prove fatal.

The Arab states have done little to curb Hussein's exercise in power. Many of them evidently are afraid to take action. King Hussein of Jordan took the side of Iraq yesterday, a dangerous game. But he may have no choice.

It is to be feared that Iraq's action will release a new wave of violence in the Near East. What will happen to those held hostage? Will Hussein make use of poison gas? It can only be hoped that there is no new tragedy in the near future.

Süddeutsche Zeitung: no editorial on annexation.

An editorial on the reaction of the world community to Iraq's aggression (p. 4: The first round has gone to the madman in Baghdad, but the second has gone to the international community. It has created an international citizens' defense committee. Hussein should know that he has miscalculated, but the experience of the last 30 years has shown that dictators are slow learners.)

0011

관리 번호	90/1636

외 무 부

종 별 : 지 급

번 호 : GEW-1365 일 시 : 90 0812 0100

수 신 : 장 관(통일)

발 신 : 주 독 대사

제 목 : 대이락 제재

대:WECM-0020

1. 대호건과 관련, 당관 이상완 참사관이 주재국 외무부 관계관과 접촉, 동관계관은 주재국은 대이락 제재조치로 이락및 쿠웨이트로 부터의 원유수입을 금지하는 조치를 기히 취하였고 (주재국의 대쿠웨이트, 이락원유 수입 비중은 전체 수입의 약 2 프로) 또한 대이락 상품 수출을 전면 금지하는 조치를 취하였으며 경제부등 관계부처에서 이를 시행하고 있다함

2. 동건 관련 8.13(월)및 14(화) 외무부및 경제부 담당관과 면담 예정한바 추가 관련 조치등 상세사항 파악 추후보 하겠음

(대사 신동원-국장)

예고:90.12.31. 일반 90 12 31

통상국 차관 1차보 2차보 구주국 중아국 청와대 안기부

PAGE 1

90.08.12 15:48

외신 2과 통제관 DL

0012

관리번호	90-408

분류번호	보존기간

발 신 전 보

번 호 : WUK-1351 900813 1854 DP 종별 :

수 신 : 주수신처 참조 ~~대사, 총영사~~ WJA -3423 WFR -1546 WGE -1161 WAU -0562

발 신 : 장 관 (미북) 기협

제 목 : 이라크.쿠웨이트 사태

1. 금번 이라크의 쿠웨이트 침공과 이에 대한 미국정부의 강력한 대응, 국제적인 경제제재 조치 및 군사적 움직임 등 일련의 사태는 그 심각성으로 인해 향후 동 사태가 진정된 이후에도 세계경제 및 정치정세에 다대한 영향을 끼치게 될 것으로 사료됨

2. 본부로서는 현재 이라크.쿠웨이트 사태가 향후 상당기간 가변적이 될 것으로 사료되나, 아국의 중장기 정책수립에 참고코저하니 우선 현재까지 밝혀진 귀주재국 정부의 입장, 학계 및 전략문제 전문가들의 다각적인 견해, 언론 해설 등을 예의분석하여, 앞으로 사태 종결후 예상되는 중동정세 및 세계정세(경제 포함)의 변화 등에 관하여 가급적 조속 보고바람.

3. 본건과 관련하여서는 앞으로도 귀주재국 정부의 입장, 각계 의견을 예의 관찰, 분석하여 수시로 보고바람. 끝.

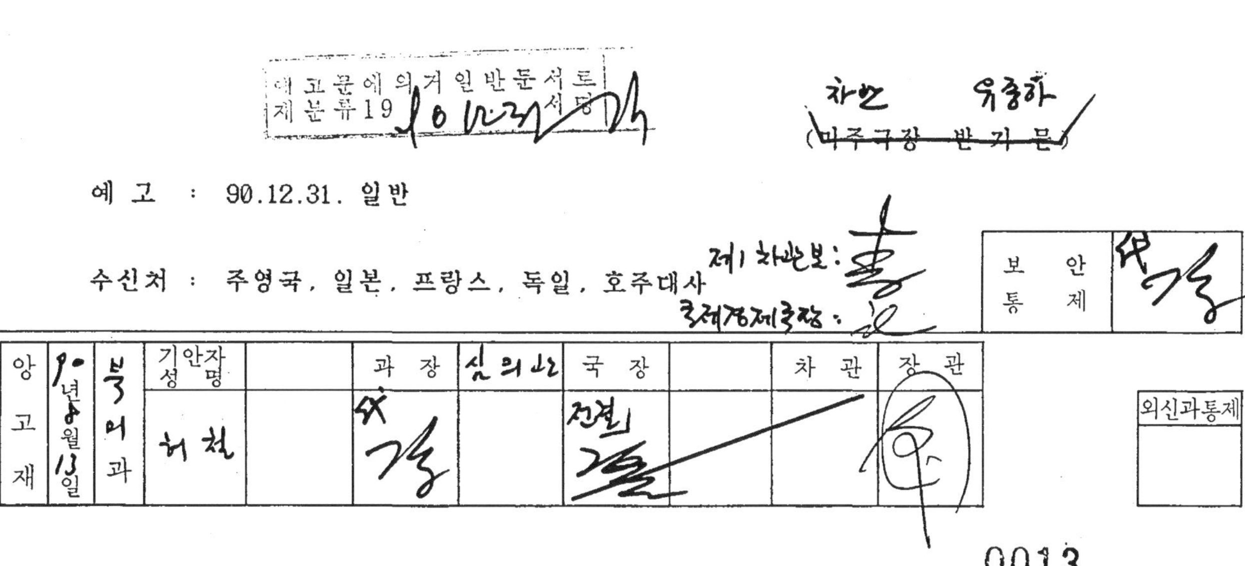

예고문에 의거 일반문서로 재분류19 (10) 서명

차관 유종하 (~~미주국장 반 기 문~~)

예 고 : 90.12.31. 일반

수신처 : 주영국, 일본, 프랑스, 독일, 호주대사

제1차관보:
국제경제국장:

보 안 통 제	

앙 고 재	90년 8월 13일	북미과	기안자 성명		과 장	심의관	국 장		차 관	장 관
			허 철				전결			

외신과통제

0013

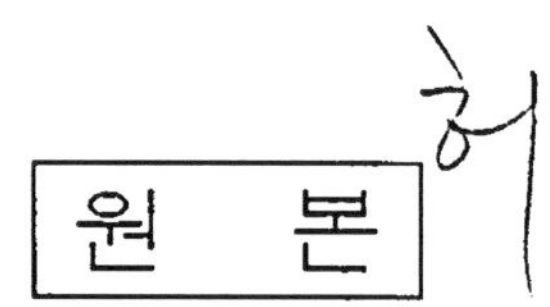

외 무 부

종 별 :

번 호 : GEW-1370 일 시 : 90 0813 1730

수 신 : 장 관(미북,기협)

발 신 : 주 독 대사

제 목 : 이라크-쿠웨이트 사태

대: WGE-1161

대호관련 표제건 당지 FRANKFURTER ALLGEMEINE지의 기사(당관 영역본)을 우선 별첨 송부함

별첨: GEW(F)-074

(대사 신동원-국장)

미주국	차관	1차보	2차보	통상국	정문국	청와대	안기부	대책반
경제국								

PAGE 1

90.08.14 01:20 ER

외신 1과 통제관

0014

주 독 일 대 사 관

GEW(F) - 074

수 신 : 장 관 (미북, 기협)

발 신 : 주 독 대 사

제 목 : GEW - 1330의 별첨

(표지 포함 총 2매)

1

0015

German military and Iraq, newspapers of August 13, 1990

Frankfurter Allgemeine, p. 4

"A group of three naval mine hunting craft and two mine sweepers as well as a tender and a supply ship will set out from Wilhelmshaven for the Mediterranean on Thursday for an unlimited tour. This was decided by Vice Admiral Braun, the Commander of the Fleet, on Sunday, according to an announcement made by the Defense Ministry. Braun thus followed the instructions of the Governemnt given on Friday. The formation will be under the command of Frigate Captain Nolting. The ships involved are the tender "Werra", the supply ship "Westerwald", the three mine hunting craft "Marburg", "Koblenz", and "Wetzlar", and the minesweepers "Überherm" and "Laboe".

The ships carry a total crew of 382 men, of whom 40 are officers, 170 petty officers, 175 enlisted men (111 of them draftees), and four physicians. The formation has not been placed under the command of the U.S. 6th Fleet in the Mediterranean. Instead, it was decided that the formation would be under the direct command of the Fleet Commander in Glücksburg, who is responsible for coordinating the deployment of German ships with the Allies in the event they are needed.

The chairman of the FDP in Nordrhein-Westfalen and Federal Minister of Education, Möllemann, has rejected the idea of sending Bundeswehr troops to the Persian Gulf, which has been approved by SPD parliamentarians Horn and Kolbow; Möllemann called the idea "megalomania". Möllemann said on Radio Luxembourg on Sunday: "This is out of the question with the FDP." However, he added that in the future constitution of a united Germany it should be laid down that soldiers of the Bundeswehr can be deployed as part of a UN peace-keeping force.

According to the Auswärtiges Amt, there are currently 600 Germans in Iraq and 300 in Kuwait."

0016

관리번호	90/1327

외 무 부

종 별 :

번 호 : GEW-1373　　　　일 시 : 90 0813 1830

수 신 : 장관(통일, 경협)

발 신 : 주 독 대사

제 목 : 대 이락 제재

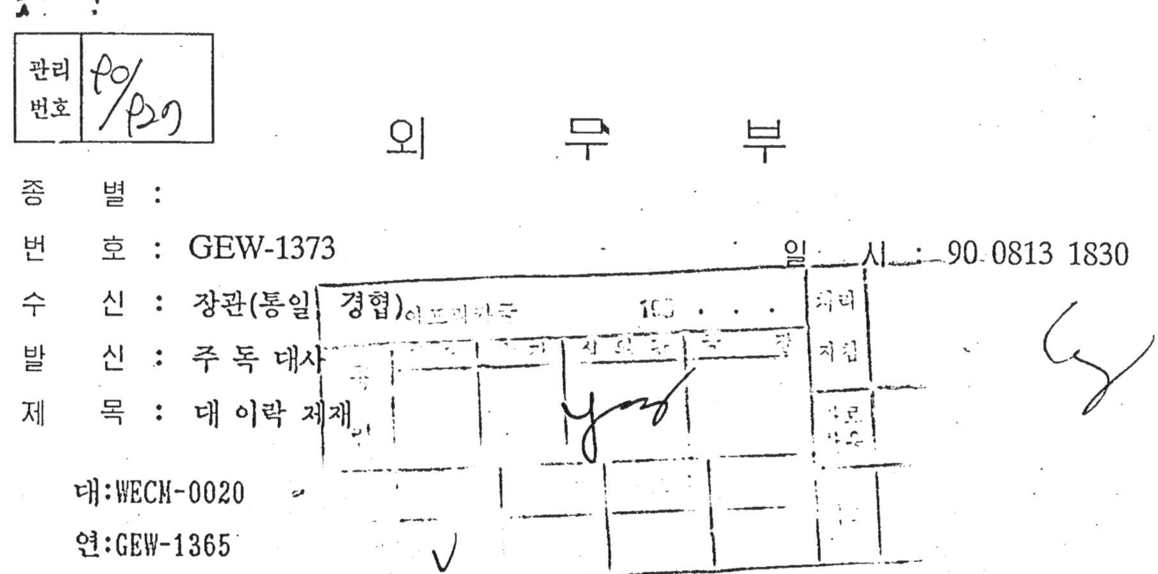

대:WECM-0020

연:GEW-1365

1. 대호 당관 이상완 참사관은 8.13. 외무부 ACKERMANN 특수 경제정책 과장을 면담 아래 보고하

가. 주재국은 EC 결정및 유엔안보리 결정에따라 석유금수를 비롯한 모든상품의 수입은 물론 대이락 모든상품의 수출을 전면 금지하는 조치를 취하고 시행중임

나. 독일정부는 추가로 모든 이락및 쿠웨이트의 자산을 동결하고 이락의 쿠웨이트 침공이전에 발생하였던 상품결제(상품수입 관련 지불등)을 포함한 모든 재정적 거래도 전면 금지하였음

다. 쿠웨이트 망명정권(침공후의 소위 신정부는 승인치 않고 있음)등이 자산사용을 신청할 경우에는 중앙은행(BUNDESBANK)에서 접수, 검토하는 절차를 마련하고 있으며, 정부와 함께 허가여부를 결정함. 현재 이와관련 허가된 사항은 없다함

라. 주재국이 추가하여 더 취하고자하는 경제조치가 있는가의 질문에 대하여 주재국은 모든 관련조치를 취하고 있으며 현재 단독의 추가조치 시행은 생각치 않으나, UN 의 추가결의가 있으면 주재국은 이를 수용, 공동조치를 취할 것이라고 하였음

마. 동과장은 중동사태의 전망이 어려우나 앞으로 2-3 일이 고비일 것으로 예견된다함

2. 주재국의 대이락 및 쿠웨이트 주요경제관계는 아래와 같음

가. 교역현황(89 년)

1)독일의 수입(단위 1000 DM, ()안은 전체 수입중 비율)

이락 279,614(0.1)

통상국	장관	차관	1차보	2차보	~~통상국~~	정문국	정와대	안기부
경제국					아주국			

PAGE 1　　　　90.08.14　02:19

외신 2과　통제관 FE

0017

쿠웨이트 297,940(0.1)

2)독일의 수출

이락 2,199,036(0.3)

쿠웨이트 860,370(0.1)

나. 투자현황(90 년 현재의 현황)

1)독일의 투자

대이락: 없음

대쿠웨이트 5 백만 DM

2)이락및 쿠웨이트의 대독일투자

쿠웨이트 50 억 DM

이락: 없음

다. 채무

1)이락의 대주재국 채무

대은행: 35 억 DM

대기업(HERMES 대외수출보험기관의 보증을 통한 주재국 기업): 50 억 DM

대기업(HERMES 의 보증이 없이 대주재국 기업을 부터의 채무): 50 억 DM

2)쿠웨이트의 대주재국 채무: 191 백만 DM

라. 이락및 쿠웨이트 체류국민 현황

쿠웨이트: 약 300 명(대부분 체류허가를 받고 체류하는 상사관계자및 가족)

이락: 약 500 명(상동)

(대사 신동원-국장)

예고:90.12.31 일반

'90 12.31

PAGE 2

0018

관리번호	P0-1026

미북 (종합대책전반) 송

외 무 부

종 별 : 지 급

번 호 : GEW-1376 일 시 : 90 0813 1930

수 신 : 장관(기협,통일,미북,구일)

발 신 : 주 독 대사

제 목 : 이락-쿠웨이트 사태

대:WGE-1127, 1161

대호 당관 이상완 참사관은 8.13. 외무부 원유담당관 DOMASCH 를 면담 아래보고함

1. 금번 사태의 전망

가. 이락의 대사우디 공격은 그시기를 이미 잃은 것으로 보아 실행은 어려울것이고 사우디내의 반왕정, 사회주의 노선 세력의 대내적 봉기 분위기를 고조시키면서 기회를 포착하려 할것임. 이락으로서는 사우디내에서 수년간 멕카에서 있었던 이러한 반정부운동의 재등장을 기대할 것임. 이락은 현재및 중동사태 진정후에도 사우디내에서 파레스타인 계열등 사우디 부의 혜택을 받지 못하고 왕정에 반대하는 세력이 증가함을 기대하면서 수년전 멕카에서 있었던 이러한 반왕정운동의 재등장을 기대하여 그어떠한 구실을 포착하려할 것임.

나. 이락은 쿠웨이트에 대하여는 원래부터 이락영토에 속하였음을 훗세인이수차 언급한것으로 보아 쿠웨이트의 예속을 기정사실화 할려할것이고, 또한 이락은 팔레스타인등 사회 빈곤계층과 왕정반대세력을 종용 쿠웨이트 지배를 지속하려 할것임

2. 원유수급및 유가전망

가. 사태이전인 8.1. 은 바렐당 20 불, 발발일 이후 수일간은 발렐당 30 불로 앙등하였으나, 금 8.13. 은 바렐당 26.7 불로 하락하는등 단기간에는 가격변동의 폭이 크게 작용할것이나, 중기(3 개월 정도)로볼때 바렐당 약 23 불선으로 유지될것으로 전망됨.

나. 일부 산유국의 증산계획 언급및 움직임(사우디 2 백만 바렐, UAE 1 백만 바렐, 베네주엘라, 멕시코등 산유국의 증산언급)및 북해유전의 증산 가능성이이락및 쿠웨이트의 산유량 감소를 COMPENSATE 할것임으로 중장기로보아 유가는안정적 방향으로 갈것으로 전망됨

경제국	장관	차관	1차보	2차보	미주국	구주국	통상국	청와대
안기부	대책반							

PAGE 1

90.08.14 03:24

외신 2과 통제관 FE

0019

다. 주재국의 대이락 쿠웨이트 원유수입량및 전체의 비율은 아래와 같음

89 년도

-대쿠웨이트 수입 657 천 MT(1 프로)

-대이락 수입 863 천 MT(1.3 프로)

-이락, 쿠웨이트로부터의 수입비율: 2.3 프로

90 년도(상반기)

-대쿠웨이트 수입 168 천 MT(0.8 프로)

-대이락 수입 151 천 MT(0.4 프로)

-이락, 쿠웨이트로부터의 수입비율: 1.2 프로

라.89 년도 쿠웨이트, 이락 산유량은 아래와 같음을 참고 바람(단위 백만톤)

쿠웨이트 91 백만

이락 138 백만

(대사 신동원-차관)

예고:90.12.31. 까지

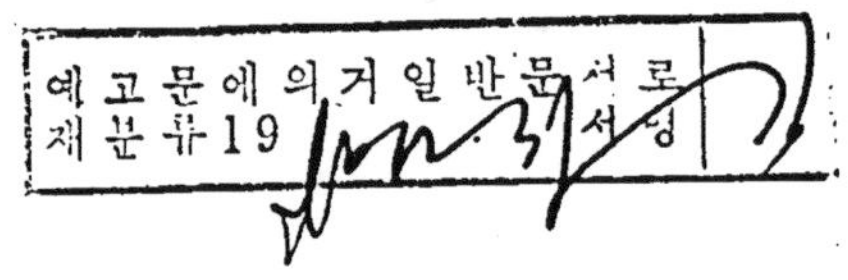

0020

원 본

외 무 부

종 별 :

번 호 : GEW-1379 일 시 : 90 0814 1500

수 신 : 장 관 (미북, 중근동, 기협)

발 신 : 주 독 대사

제 목 : 이락-쿠웨이트 사태

대: WGE-1147, 1161

1. 주재국 외무부 대변인은 금 8.14. 개최되는 EPC 회의에서는 표제사태가 논의될 예정이며, 특히 모든 외국인이 쿠웨이트나 이락을 자유롭게 출국하게 하기 위한 방안을 강구하기 위한 실무작업반이 구성될 것이라고 8.13. 발표하였음

또한 동대변인은 쿠웨이트 주재 외국공관 폐쇄및 바그다드로의 이전에 관한 이락측의 요청에 관하여 언급, 외국공관이 쿠웨이트에서 업무를 수행할수 있어야 하며,쿠웨이트주재 외교공관의 폐쇄는 불가하다 (OUT OF THE QUESTION)고 언명하였음

2. 한편 주재국 경제전문가 협의회 (소위 5 WISEMEN) 의 SCHNEIDER 위원장은 현금의 중동위기가 필연적으로 서독의 경제성장에 부정적인 영향을 줄것으로는 생각지 않으나 유가상승으로 물가가 상승될 경우 임금인상 요구가 증대될것을 경고하였음

3. 당지 언론은 금 8.14. 논평기사에서 유엔헌장에 의거한 평화유지조치 (PEACD KEEPING ACTION) 에서의 서독참여를 다음과 같이 촉구하고 있음

가. WELT 지: 미국은 독일의 통일추진을 도와주었음. 세계의 중요지역에서 한 침략자가 저지를 분쟁상태에서 독일이 반중립주의 (HALF-NEUTRALISM) 를 취하는 것은합당치 않음

나. SUDDEUTSCHE ZEITUNG: 유엔이 군사적인 협조를 요청해올 경우 서독정부는 기본법을 핑계로 숨을수 없을 것임. 귀찮은 일을 남에게 하도록 두어두는 것은 단기적인 사고방식이며 장기적으로 볼때 독일에 도움이 되지 않을 것임. 기본법은 STRAIT JACKET 이 되어서는 않됨.

4. 금 8.14. FRANKFURTER ALLGEMEINE 지의 사설기사 (당지 영역본)을 별첨 송부함.

(대사 신동원-차관)

미주국 1차보 중아국 경제국 정문국 안기부 2차보 대책반 구주국

PAGE 1 90.08.15 03:00 FC

외신 1과 통제관

0021

첨부: GEW (F)-075

PAGE 2

0022

주 독 일 대 사 관

GEW(F) - 0175

수 신 : 장 관 (미북, 중근동, 기협)

발 신 : 주 독 대 사

제 목 : GEW - 1379의 별첨

(표지 포함 총 3 매)

배부처	장관실	차관실	一차보	二차보	기획실	의전장	아주국	미주국	구주국	중아국	국기국	경제국	통상국	정문국	영교국	총무과	감사관	공보관	외연원	청와대	총리실	안기부	[illegible]
								/		/		/											

3 - 1

0023

49 228 213444 KOREAN EMBASSY D-5300 BONN 1 W/GERMANY 043 P01 14.08.90 17:55

From: Frankfurter Allgemeine
Date: August 14, 1990 (p. 1)
Title: If the Crisis Goes On (Nm.)

The military presence confronting Iraq is growing bigger every day, and as paradoxical as it may sound, the chances of a miliatry conflict are growing correspondingly smaller. In a military conflict based on modern technology, the advantage lies with the defender. An Iraqi attack on Saudi Arabia would involve such considerable costs in the meantime that Saddam Hussein, insofar as he calculates his chances sensibly, will not give the command for such an attack. American troops in Saudi Arabia have a defensive mission; they do not have the capability necessary to retake Kuwait militarily. There are many signs that both sides are reinforcing the positions already taken with the aim of maintaining them. Nevertheless, in a tense situation like that on the Gulf, the spark of an "incident" would be enough to start a larger "fire".

The hope of taking back the "booty" captured by Iraq was based from the beginning on the effectiveness of political and economic sanctions. Observing these sanctions and forcing others to respect them will become more difficult as time goes on and as the danger of an armed conflict appears to diminish. Then the references to economic interests that fell silent at the moment of danger will be heard once again and people will begin to calculate the losses and sacrifices a shortage of oil involve. It will take a good deal of political energy to maintain the sanction and boycott front against Iraq, one that may be necessary for months.

NATO member Turkey will be put to a particularly difficult test. The government in Ankara courageously joined the front against its danger neighbor at the very beginning. But it will have to take into account the importance of a growing Islamic fundamentalism at home. The fact that Saddam Hessein has decided to play this game was made clear by his call to carry on a holy war, a "jihad",

0024

3-2

the Muslim war against the unbelievers. Among the masses living in misery in the Islamic world, this call has found a good deal of resonance. The West will not be able to calm this mood with promises of solidarity. The boycott against Iraq can only be maintained if the willingness to participate in it is strengthened with promises of economic help.

0025

3-3

49 228 213444 KOREAN EMBASSY D-5300 BONN 1.W/GERMANY 043 P03 14.08.90 17:57

관리번호	90/958

원 본

외 무 부

종 별 :

번 호 : GEW-1389 일 시 : 90 0816 1630

수 신 : 장관(중근동,미북,구일,기협)

발 신 : 주 독 대사

제 목 : 이락,쿠웨이트 사태

당관 이양 참사관이 금 8.16. 주재국 외무부 DASSEL 중동국장을 면담, 표제사태에 관하여 문의한바, 동인의 반응 다음과 같음

1. 표제사태는 연일 악화되어가고 있는것으로 보며, 전반적인 상황으로보아열전화 가능성이 평화적해결 가능성보다 더욱 큰것으로 전망됨

2. 주재국 정부로서는 이락, 쿠웨이트 지역에 거류하는 교민들을 철수시키기 위하여 양자및 다자관계의 모든 CHANNEL 을 동원, 노력하여 왔으나 현재까지 아무성과가 없어 안타까운 실정임

실질적으로 외국인 특히 서방외국인들은 이라크의 볼모가 된셈임.

3. 이라크측의 주쿠웨이트 외교공관 폐쇄및 바그다드 이전 요청에 대하여 주재국측의 일차적인 반응이 있었으나 이문제는 EPC 테두리 내에서 동요청을 거부하는 공동보조를 취하게 될것으로 예상됨.(EPC 는 아직까지 이에대한 공식입장을 결정하지는 않았음)

주쿠웨이트 서독대사관은 교민보호등 정상적인 업무수행을 계속하고 있음

4. 서독 소해정 (MINESWEEPERS)의 걸프만 파견문제는 아직 결정된것은 없으며, 8.21. 개최될 WEU(서구연맹) 각료회의 결과를 보아 주재국정부의 입장이 수립될 것으로 보임.

실제로 이문제는 서독군을 NATO 해당지역 이원지역으로 파견하는 것이 기본법에 저촉되는 것이 아니냐는 법률적문제와 소해정이 걸포만사태 대응에 적합한 장비를 갖추지 못하고 있는 기술적문제(방공가능장비 결여)가 연결되어 있음

(대사 신동원-국장)

예고:90.12.31. 일반

90.12.31

중아국	장관	차관	1차보	2차보	미주국	구주국	경제국	통상국
청와대	안기부							

PAGE 1

90.08.17 11:21

외신 2과 통제관 FE

0026

외 무 부

종 별 :

번 호 : GEW-1567 일 시 : 90 0916 2000

수 신 : 장 관 (미북,구일,중근동,기정,국방)

발 신 : 주 독 대사

제 목 : 페르시아만 사태 관련 동정보고

1. 콜 총리는 미군의 페르시아만 주둔경비 분담문제및 걸프사태협의를 위해 이태리에이어 9.15.독일을 방문한 BAKER 미 국무장관과 회담하고 총 33억 마르크의 지원을 약속 하였음

2. 세부 지원내용

가. 동경비중 16억 마르크는 미국이 자유로이 사용할수 있는 금액으로(SELBST LEISTUNGEN), 4억2천만마르크는 EC 와의 협의하에 지원, 나머지 12억8천만 마르크는 금번사태로 큰 피해를 입고 있는 제3국에 대한 지원, 개발원조의 형태로 지원함

나. 콜 총리 발표내용(9.15)

0 사우디주둔 미군에 대해 독일 민간항공기, 선박을 통한 수송지원, 동경비 독일부담(독일교통부는 대미지원을 위해 총 74척의 선박리스트를 미측에 기제시)

0 차량, 무선장비, 공병시설, 포크레인등 중장비, 식수운방장비및 화생방장비(화학가스 탐지용 FUCHS 장갑차 60대) 지원

0 걸프사태에 깊이 관여된 터키에 군사장비지원, 이를 위해 OZAL 터키수상과 세부사항 협의예정

0 유엔의 대이락 경제제재조치로 큰 피해를 입고있는 요르단, 이집트, 터키등 3개국에 대한 직접적인 재정지원을 위해 동국가의 대독 채무경감(이집트 9억 7500만, 요르단 2억, 터키 1억100만 마르크)

3. 관찰및 평가

0 서독정부가 과도한 통독비용부담에 대한 야당및 일반국민의 우려, 당분간 통독문제에 전념하고자하는 겐셔 외무장관과의 걸프사태 지원관련 의견 불일치등에도 불구하고 미정부가 기대했던 이상의 재정지원을 약속하게된 배경은 통독과정에 있어 부시 대통령의 적극적인 지원에 대한 사의표명, 미의회및 NATO사령관의 독일의

미주국 1차보 구주국 중아국 정문국 안기부 국방부 통상국 대책반 2차보

PAGE 1 90.09.17 07:36 FC

외신 1과 통제관

0027

소극적인 걸프사태 지원에 대한 비난여론과 최근 사우디정부의 독일측의 소극적인 지원에대한 불만 표시등이 종합적으로 작용한 것으로 보임

0 한편 콜총리는 그간 수차 걸프사태 관련 국제적인 책임분담의 중요성을 강조해 왔던바, 현재 기본법 규정상 불가능한 서독연방군의 걸프만 파병을 가능하게 하기위해 12.2.통독선거후 기본법 개정가능성을 시사하였음

4. 관련사항 계속 추보 하겠음

(대사 신동원-국장)

0028

원 본

외 무 부

종 별 :

번 호 : GEW-1704 일 시 : 90 1010 1800

수 신 : 장 관(중근동,구일)

발 신 : 주 독 대사

제 목 : 걸프사태 주재국 반응

1. 이스라엘에서의 팔레스타인인 22명 사망사태 관련, 주재국 외무부측은 10.9, 깊은 경악 (TIEFEBESTUERZUNG) 을 표시하고, 금번 사태를 예로들어 중동사태 해결의 시급성을 강조한 것으로 보도됨

2. 연방하원내 CDU/CSU 교섭단체의 대변인도 금번사태에 경악을 표시했으며, SPD도 이스라엘의 금번 무력사용을 철권정책 이라 비난함. 녹색당은 걸프사태 해결노력과 함께 팔레스타인문제 해결을 위한 조치의 필요성을 역설함

3. 한편 SAUD AL-FAISAL 사우디 외무장관은 10.10. 유엔에서의 귀국길에 본을 방문, 겐셔외무장관과 걸프사태를 협의하며, 바이체커 대통령도 예방할 예정이라함.

(대사 신동원-국장)

중동·아프리카국	193 . . .				처리지침	
공람	담당	과장	심의관	국장	자료활용	
무	중근동				비고	
본	√					

중아국 1차보 구주국 정문국 안기부

PAGE 1

90.10.11 09:16 WG

외신 1과 통제관

0029

원 본

외 무 부

종 별 :

번 호 : GEW-1722 일 시 : 90 1012 1730

수 신 : 장 관(중근동,구일)

발 신 : 주 독 대사

제 목 : 걸프사태 동정

연: GEW-1704

1.FAISAL 사우디 외무장관은 예정대로 주재국을 방문, 콜수상및 겐셔 외무장관과 회담한바, 주로독일의 대걸프지역 지원문제, 사우디의 대독, 무기수입문제등을 협의한 것으로 알려졌음.동회담후 기자회견에서 FAISAL 장관은 사우디 정부는 독일의 사우디 파병을 환영한다고 밝히고, 대독 무기구매도 희망, 독일로부터 구매한 무기는 사우디의 자위목적에만 사용될 것이라 강조함

2.상기 사우디측의 무기판매 요청과 관련 주재국 STOLTENBERG 국방장관은 10.11. 기자회견에서, 독일은 분쟁지역에 대하여는 무기를 판매치않는다고 기존정책을 재확인하면서, 사우디 정부의 무기 판매 요청에는 응하지 않을방침임을 밝힘.

(대사 신동원-국장)

중동아프리카국	198 . . .				처리지침	검토필(1990. 10. 15.)
공람	담당	과장	심의관	국장		
사본	✓					

중아국 1차보 구주국 정문국 안기부 미주국 통상국 대책반

PAGE 1

90.10.13 09:54 WG

외신 1과 통제관

0030

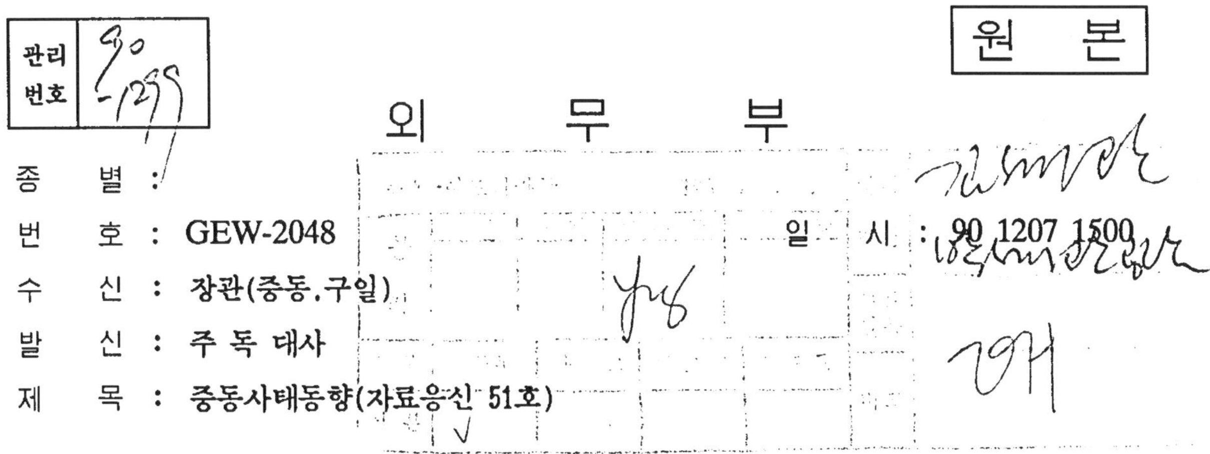

관리번호 90-1299

원 본

외 무 부

종 별 :

번 호 : GEW-2048 일 시 : 90 1207 1500

수 신 : 장관(중동,구일)

발 신 : 주 독 대사

제 목 : 중동사태동향(자료응신 51호)

12.6. 당관 전참사관은 외무부 DASSEL 중동과장을 접촉, 중동사태 관련한 최근 주재국의 동정을 문의한바 다음 반응이 있었음을 참고로 보고함

1. 사담 후세인은 최근 미국의 이락 외상초청, 국무장관 이락방문 제의등 일련의 회담제의와 관련, 이락억류중인 인질을 전원석방할 의사를 표명하였는바, 이는 협상에 유리한 고지를 점하기 위한 또하나의 술책으로 보임.

2. 이러한 후세인의 태도표명은 이락이 대내외적인 압력, 특히 무기및 부품, 탄약등의 부족으로 상당한 어려움이 있음을 반증하는 것이나 이에도 불구하고인질의 전면석방이 이루어지면 유엔안보리 결의 요구사항의 하나가 충족된다는점에서 적극적 진전이라 평가할수 있음.

3. 주재국은 포함한 EC 각국은 12.4. 브랏셀 EC 외상회담에서 EC 전체의 통일된 입장을 이락측에 전달키로 하고, AZIZ 이락 외상의 방미가 이루어지면 귀로에 이태리를 방문토록하여 EC 의장국인 이태리 외상이 쿠웨이트의 완전한 주권회복등 EC 측의 기본입장을 이락측에 재전달할 예정임.

4. 사무후세인으로서는 쿠웨이트로부터의 완전철수는 자신의 종말을 의미함으로 이를 결행키 어려운점이 있는바, 철수의 대가로 부비안섬, 일부유전지드등의 활양, 조차(LEASE)등이 협상조건으로 제시될 가능성이 있음.

5. 현재 이락에 있던 독일인질들은 일부 계속체류를 희망하는 독일인을 제외하고는 전원 귀국하였음.

(대사-국장)

예고:91.6.30. 까지

91.6.30. 에 예고문에 의거 일반문서로 재분류됨

구주국	장관	차관	1차보	2차보	중아국	청와대	안기부	대책반

PAGE 1

90.12.08 04:48

외신 2과 통제관 DG

0031

외 무 부

종 별 :

번 호 : GEW-0004 일 시 : 91 0103 1730

수 신 : 장 관(구일,중근동) (사본:국방부장관)

발 신 : 주 독 대사

제 목 : 중동사태관련 독일군터키파견(자료응신 제1호)

1. 91.1.2 DIETER VOGEL 주재국 정부 부대변은 정부성명을 통하여, 걸프사태를 유엔 안보리결의의 토대위에서 평화적인 수단으로 해결함이 독일정부의 목표라고 밝히고, 유사시에 대비, NATO방위계획 위원회의 요청에따라, 이태리, 벨기에와 함께 NATO 기동타격대 의일환으로 주재국 공군비행대를 터키에 파견하는데 동의하였다고 발표하였음.

2. 이에따라 주재국은 ALPHA-JET 형 전투기 18대를 터키 ERHAC 공항으로 곧 파견하게 됨. 단, 지상군은 파견되지 않는다 함.

3. 상기 관련, 야당인 SPD 는 기본법 제 115조 A항 규정 (독일영토에 대한 무력공격이나 무력에 의한 위협의 존재여부 결정은 연방 상.하원의 동의를 득해야 함)을 들어 동 결정에는 의회의 표결이 필요하다고 주장하였으나, 정부측은 기본법 제 24조에 규정된 집단 안보체제 참여의무에 따라 의회의 표결절차 없이 NATO 의 요청을 수락하게된 것으로 알려 짐.끝.

(대사-국장)

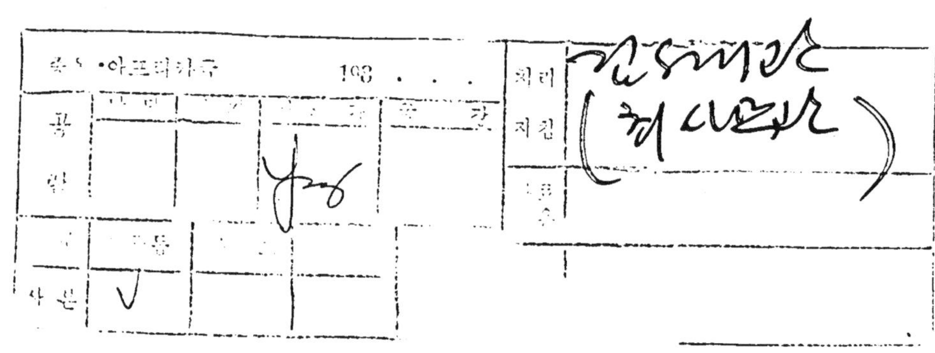

구주국 1차보 중아국 안기부 국방부

PAGE 1 91.01.04 09:45 WG

외신 1과 통제관

0032

원 본

외 무 부

종 별 :

번 호 : GEW-0025　　　　일 시 : 91 0105 1100

수 신 : 장 관 (중근동,구일,정일)

발 신 : 주 독 대사

제 목 : 걸프사태관련 EC 특별 외상회의(자료응신 2호)

1. 1.4. EC 외무장관들은 걸프사태의 평화적 해결방안을 모색하기 위해 룩셈부르크(의장국)에서 회동, 걸프사태관련 1.9.미.이락 외무장관간의 제네바회담에 이어 1.10. POOS 룩셈부르크 외상과의 회담을 위해 AZIZ 이락 외상을 룩셈부르크로 초청할 것을 결의하였다 함.

2. 또한 동회의에서는 DUMAS 프랑스 외상의 제의에 따라 이락군이 쿠웨이트에서철수하는 대신, 다국적군이 이락에 대한 불가침을 약속하기로 합의하였으며 모든 군대의 철수후 중동문제 해결을 위한 국제회의를 개최하는 안은 계속 검토키로 하였다 함.

3. 상기 EC. 이락 회담은 POOS 외상외에도 90년 하반기 의장국인 이태리, 금년 하반기 의장국인 화란의 대표도 참석할 것이라 함. GIANNI DE MICHLIS 이태리 외상이밝힌 바에 의하면 POOS 외상은 내주부터 구라파 순방예정인 베이커미 외무장관과 1.7.만날 것이라 함.

4. 주재국 겐셔 외무장관은 1.4. DUMAS 프랑스 외상과의 개별회담을 가진후, 미.이락 외무장관회담이 성사될 경우 EC. 이락 접촉가능성이 클 것이라고 말하고, 금번특별 외무장관회의 협의내용은 EC 의 대미 유대관계의 재확인이며, EC 의 대이락 접촉 시도는 중동문제 해결을 위한 국제회의 개최및 이락의 쿠웨이트 철수에 대한 가능성을 제시한 것이라 언급함.

(대사-국장)

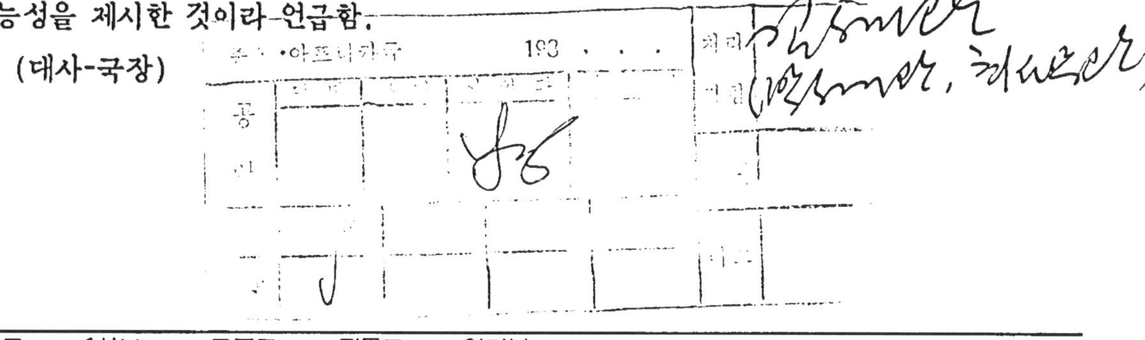

중아국　1차보　구주국　정문국　안기부

PAGE 1　　91.01.07 00:24 FC

외신 1과 통제관

0033

관리번호	91/54

외 무 부

종 별 :

번 호 : GEW-0030　　　　일 시 : 91 0108 1130

수 신 : 장관(경일,기협,중근동)

발 신 : 주 독 대사

제 목 : 페르사만 사태

대:WGE-0003,1842

연:GEW-0006

당관 이상완 참사관은 1.7. 외무부 DASSEL 중동국장을 면담, 페만사태 관련 동 국장의 견해를 탐문 아래 보고함

1. 페만 전쟁 발발 가능성

- 이락의 태도 경화, EC 중재접촉 거부, 미국이 양보 불허등 제반사정으로 볼때 페만 전쟁은 어떠한 기적적인 사태 발생이 없한한 발발할것이 거의 확실히 예견됨

- 1.9. 예정, 이락 외무장관 회담은 별 성과없을 것으로 전망

- 베이커 장관의 1.8. 방독은 제네바 회담전 우방국 접촉, 미측입장 통보와 우방국 결속을 강화키 위한 것일 것임

2. 전쟁 소요기간 양상

- 미국 단기전 승리 유도, 조기해결 노력할 것임

- 이락 외부지원없이 약 3 개월간은 병참 지원능력이 있을 것으로 예상

- 미 유전지대 폭격 피하고 군사시설을 폭격목표로 치중할 것으로 봄

- 이락은 전쟁경험이 있고 소련 현대장비등을 갖추고 있어 전력이 상대적으로 약하지 않을 것임.

3. 대 이스라엘 관계

- 양측 선제공격 피할것임.

- 이스라엘 측 방어태도 취하다 공격을 받으면 보복전을 전개할 것으로 봄

4. 아랍의 단결

- 이락의 성전유도등으로 아랍국의 단결을 꾀할 것이나 사우디, 이집트, 시리아의 대이락 공동행동 발표 예정으로 있음으로 볼때 적대 아랍국의 친 이락화는 불가능할

경제국　장관　차관　1차보　2차보　중아국　경제국　청와대　안기부

PAGE 1　　　　91.01.09　00:54

외신 2과　통제관 CF

0034

것임.

- 이락은 팔레스타인을 활용, 대 이스라엘, 대 미 반아랍 연합전선 모색할 것이나 이미 한계에 달함

5. 소련의 태도

- 소련은 키내문제가 심각하므로 전쟁발발시 적극적 개입하지 않을 것임

- 소련의 대이락 접근책에 미온적 태도 견지

6. 터키와의 관계

- 커키는 NATO 일원임으로 이락은 터키와의 교전을 피할 것임

- 이락, 터키 전쟁발발하면 NATO 가 즉각 개입됨으로 이락은 NATO 와의 전쟁을 피하기 위하여 대 터키공격을 자제할 것임

7. 원유문제

-이락은 쿠웨이트 유전 폭파시도 예상

- 미국의 유전파괴 회피에도 불구, 동지역의 유전시설을 대규모로 파괴될 것임

- 전쟁기간이 진행됨에 따라 유전 파괴도는 격증 예상

- 사우디의 이락, 터키 경유 대 구주 송유관 대부분 파괴

- 독은 페만 사태 발발이후 이락, 쿠웨이트 원유도입을 중단하고 있어 큰 영향은 없을 것임

- 전쟁이후 송유관의 재건설, 송유관 내부가 완전 청소되어야 사용가능함으로 원유 공급의 회복이 장기간 지연될 것임

- 유전공(OIL WELL) 재사용은 기술적 난관(수압, 기압등 관계 요인 변경으로 재산유에 기술적 곤란 심대)

- 따라서 전쟁후에도 복구와 원상회복에 장기간이 소요, 최소한 3 개월 이상 소요

8. 전후 국제질서

- 경제도 문제이나 세계 국제정치 구도에 획기적 변화가 예상됨

- 세계는 서방, 동구, 제 3 세계국으로 분류, 대립이 첨예화 될것임

- 남북문제가 심각하게 대두, 대립할 것임

- 아프리카등 빈곤국가들은 원조제공 국가에 따라 적.우방 관계가 수시로 변경될 것임

- 냉전체제는 부활되지 않을 것이고 동맹, 비동맹 이념은 퇴색할 것임

-지리적으로 동서구분 희박하고 경제력에 따라 소속진영이 재편성될 것으로전망

PAGE 2

0035

(대사-장관)

예고:91.12.31. 일반

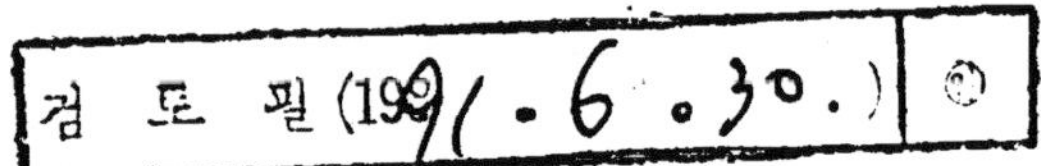

PAGE 3

0036

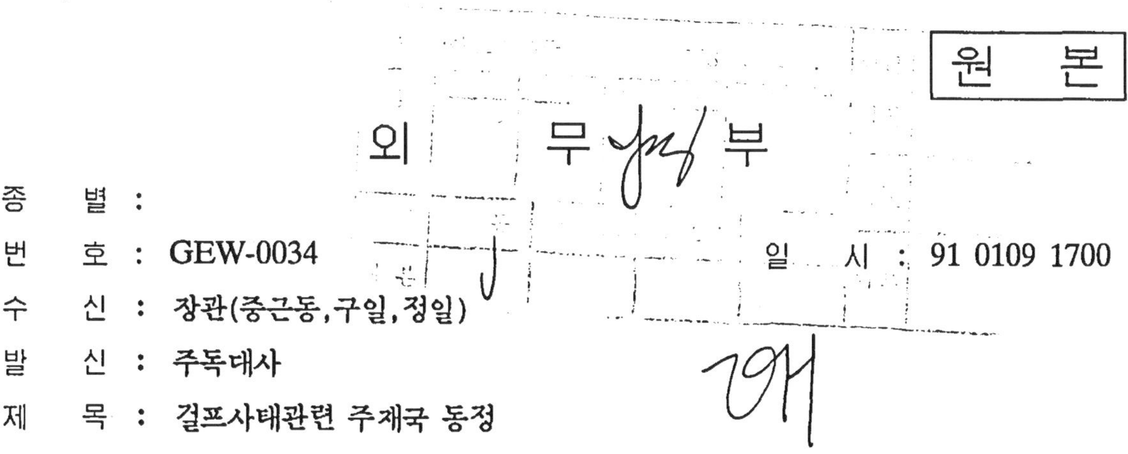

원 본

외 무 부

종 별 :

번 호 : GEW-0034 일 시 : 91 0109 1700

수 신 : 장관(중근동,구일,정일)

발 신 : 주독대사

제 목 : 걸프사태관련 주재국 동정

1.베이커 미 국무장관과 후세인 요르단 국왕은 1.8.주재국을 방문, KOHL 수상, 겐셔 외상등과 걸프사태의 해결방안에 관해 협의하였음.

2.상기 방문결과 관련 SIETER VOGEL 정부 부대변인은 1.8.아래와 같이 발표하였슴.

0 콜수상과 베이커 미 국무장관은 1시간 반에 걸쳐 중동사태에 관해 협의하고 유엔 안보리 결의에 입각하여, 이락의 쿠웨이트 점령으로 파괴된 국제법 질서를 바로잡는 것이 걸프사태의 유일한 해결책이라는데 의견이 일치를 보았음. 콜수상은 걸프사태의 평화적 해결이 독일의 이익에도 부합함을 언급하고 미.이락 외무장관회담은동사태 해결의 관건이라고 강조함

0콜수상은 후세인 요르단 국왕과의 면담에서 이락이 상금 유엔 안보리 결의 수락용의를 표명하지 않는데 대해 우려를 표명하고, 1.9. 미.이락 외무장관 회담은 걸프사태의 평화적 해결의 성패를 가늠하는 관건이라고 언급하였음. 후세인 국왕은 콜수상에게 동 사태의 평화적 해결및 동지역에서의 긴장완화에 기여하고자 하는 자신의노력과 이락에 인접한 요르단의 어려운 처지(난민유입, 대이락 금수조치의 여파등)를 설명하였슴. 이에대해 콜 수상은 동감을 표하고 독일이 요르단에 2억 마르크의 특별 원조를 기제공했음을 언급 하였슴.

3.겐셔 외상과의 회담후 베이커 국무장관은 미국은 1.15.이전까지 걸프사태의 평화적, 정치적해결을 위해 주력할 것이라 언급함. 베이커장관은 이락군의 쿠웨이트 철군 시한이 경과하더라도 자동적으로 전쟁상태를 의미하는것은 아니며, 이는 유엔 안보리 결의가 무력사용을 허용한 것에 불과하며 이를 강제하거나 필수불가결한 것으로 한것은 아니기 때문이라고 말함.

4.주재국 외무부는 이락주재 대사관 직원들에 대해 귀국조치를 취한 것으로

중아국 1차보 미주국 구주국 정문국 안기부

PAGE 1 91.01.10 08:06 DN

외신 1과 통제관

0037

알려짐. 현재 RICHARD ELLERKAMANN 대사가 본부와의 업무협의를 위하여 귀국하였으며 기타 직원 5명은 안전을 이유로 귀국조치한 것으로 발표함. 외무부 관계관에 확인한바에 의하면 또한 주재국정부는 12.21.당지 주재 이락 외교관 7명에 대하여 출국을 요청하였으며 이들은 출국 완료했다 함.

(대사-국장)

원 본

외 무 부

종 별 :

번 호 : GEW-0068 일 시 : 91 0113 0100

수 신 : 장관(중근동,구일)

발 신 : 주독대사

제 목 : 페만사태 관련 동정

1.주재국 WEIZSAECKER대통령은 1.10.외교단 신년하례시 페만사태와 관련, 국제적 긴장의 제거와 분쟁해결을 위한 유엔의 역할을 강조하고 창조주를 믿는 모든 인류는 걸프 전쟁이 방지되기를 희망하고 있으며 이를 위하여 기도하고 있다고 언급하였음.

또한 동 대통령은 전쟁의 방지를 위하여는 이락이 무력사용을 포기,평화지향적 임을 입증하여야 함이 전제가 된다고 언급함. 또한 동대통령은 이락의 쿠웨이트침공과 같은 일이 허용되는한 세계의 자원은 어디서든지 끊임없이 무기로 사용될

것이라고 주의를 환기함.

2.주재국 여야 정치지도자들은 미.이락 외무장관 회담의 결렬에도 불구하고 페만위기의 평화적 해결이 절망적인것은 아니고 희망적인 기회가 아직 있다는 입장을 피력하고 있는바,주요 정치지도자의 견해와 사회단체의 움직임을 요약 보고함

가.정부대변인 VOGEL

독일정부는 이락측이 제네바회담에서 UN결의를 준수할 의사를 비치지 않음에 유감을 표시하고 이락측은 UN의 무력사용 허가일이 얼마남지 않은 현시점에 사태의 심각함을 확실히 인식하여야 하며 독일정부는 UN사무총장의 해결 노력을 전적으로 지지함을 재확인

나.야당 사민당 당수 VOGEL

제네바 회담 결렬 유감,경제.환경에 심각한 타격을 줄 전쟁 임박함을 경고함

다.사민당 외교정책 담당 전문의원 VOIGT

UN 무력사용 허가일 경과 이후에도 전쟁이 자동적으로 발발함은 회피하여야

중아국 2차보 구주국 정문국 안기부

PAGE 1

91.01.13 18:43 BX

외신 1과 통제관

0039

함. 한편 대 이락 제재조치는 계속적으로 더욱 강화하여야 함. 정부의 계속적인 무기 지원은 정부의 신뢰도와 평화의지를 약화케 할것임

라. KOHL 수상

콜수상은 1.11. 이락에 대하여 평화적 해결을 재촉구함

마. 사민당 명예당수 BRANDT

유엔결의는 모든 국가에게 무력사용 허가일 경과후 무력사용을 정당화하게 하나 그에 따른 책임도 수반됨을 명심하여야 함.

전쟁은 이락이 쿠웨이트로부터 철수하여야 방지될수 있을 것임을 강조하고, 협상에 있어서는 파레스타인 문제해결에 진지한 태도를 취함이 현명할 것임을 피력함

바. 겐서 외상

겐셔 외상은 1.11. 라디오 인터뷰에서 이락이 유엔 최후통첩을 준수한후 국제적인 중동문제회담을 개최할 것을 주장

사. 독일 주교회의 LEHMAN 주교

1.13. 평화추구 기도를 일제히 행할것을 촉구

아. 환경단체 GREENPEACE

독일연방아원의원들에게 662통의 반전 전보발송

자. 녹색당

모든 여성 연방하원의원들에게 당파를 초월한 반전운동 전개 촉구

차. 반전데모.

야당, 교회단체, 평화단, 사회단체들은 1.12. 전국주요도시에서 반전데모를 결행

(대사 -국장)

PAGE 2

0040

관리 번호	91/1084

원 본

외 무 부

종 별 : 지 급

번 호 : GEW-0078　　　　일 시 : 91 0114 1900

수 신 : 장관(중근동,영사,구일)

발 신 : 주 독 대사

제 목 : 걸프사태관련 주재국의 안전대책

연:GEW-0051

1. 걸프사태와 관련 주재국정부가 취하고 있는 안전대책을 참고로 보고함

가. 테러관련 동향

0 주재국관계기관은 테러행위는 반드시 전쟁이 발발한 이후에 자행될 것이며, 특히 이락의 정보기관(군부및 민간 2 개기관)과 팔레스타인의 배후지원및 조종에 따라 테러를 준비하고 있는 것으로 보고있는바, 주요 조직으로는 ANO, PLF,ALF 등과 그외에도 PFLP-GC(본부:시리아), PFLP, PSF, DFLP, HAWARI, BURO17 등이 있음

나. 주재국의 대처 활동

0 이락및 친아랍국가 대사관에 대한 감시강화

-주재국 정부는 지난 12.21. 이락 외교관을 추방조치하였는바, 이들은 무기보관등 테러활동을 지원하였거나 지원할 가능성이 있는 자들이었음

0 또한 주재국 거주 친이락성향의 아랍인들 가운데 주요인물 60 명을 선정,테러 행위에 감담치 말도록 경고

0 아랍인에 대한 입국비자 발급제한

- 이락, 쿠웨이트, 예멘, 레바논, 리비아, 요르단, 팔레스탄인 피난민 여권소지자들에 대한 관광비자 발급을 완전 금지 하였음

- 상용, 치료등 특별한 목적으로 입국을 희망하는 자는 본인이 직접 독일공관에 출두해야하며, 담당영사가 직접인터뷰를 하여 비자발급 타당성을 검토하는등 신중조치

0 국경 출입자 검색강화

- 비행기 탑승자들의 라디오 소지 절대불허(화물로 탁송하는 것도 금지)

-공항당국은 검색강화로 인해 소요되는 시간을 감안, 여행자들이 충분한 시간여유를 갖고 공항에 나오도록 홍보하고 있음

중아국　장관　차관　1차보　2차보　구주국　영교국　안기부

PAGE 1　　　　91.01.15 06:04

외신 2과 통제관 CH

0041

2. 주재국 안전 관련 당국자는 현재로서 중요한 조치는 항공교통안전에 대한 대책수립, 특히 미국, 영국, 사우디, 이스라엘등을 경유하는 항공기에 대한 검색을 특히 강화함이 좋을 것이라는 언급이 있었는바, 아측 대책술비에 참고 바람.

(대사-국장)

예고:91.12.31. 일반

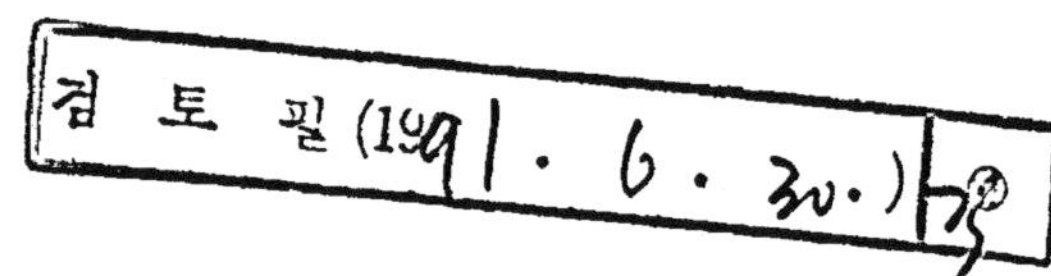

PAGE 2

0042

원 본

외 무 부

종 별 :

번 호 : GEW-0079 일 시 : 91 0114 2000

수 신 : 장 관(중근동,구일,기정동문,국방)

발 신 : 주 독 대사

제 목 : 페만사태관련 주재국 성명

연: GEW-0068

주재국 KOHL 수상은 금 1.14.연방하원 특별회의에서 페만사태 관련 정부 성명을 발표한바 아래 요약 보고함

- 아 래 -

- 이락이 쿠웨이트로부터 철수하여야 할 시한이 명일로 박두함.

군사적 대결을 회피할수 있는 조건은 이락이 쿠웨이트로부터 철수하고 쿠웨이트의 주권이 회복되어야 하는 것임. 이락의 쿠웨이트 점령.합병은 국제사회의 기본질서와 원칙을 파괴한것이며 이를 묵인하면 새로운 침략을 고무하는 것임.

- 법질서를 회복키 위한 UN 의 노력을 평가하며, UN 의 역활을 지지함. 유엔 결의 678은 대이락 마지막 경고이며 다국적군이 투입되는 경우 결의 내용과 합치하는 것임.

- 유엔 안보리는 냉전 종결후 집단안보의 중요역할을 하고 있음. 독일은 안보리의 모든활동을 지지하고 EC, 미국과 협력자로서 SOLIDARITY 를 같이하며 주역을 맡고있는 영,불은 물론 지원이 필요한 에집트, 요르단, 터키에도 연대감을 표시함.

- 이락은 쿠웨이트 합병을 팔레스타인문제와 연계하고 있으나 우리는 이연계를 단호히 거부하였음. 이 두문제는 별개로 해결되어야 함.

- 우리는 동맹국과 페만위기 해결후 여타지역문제를 취급하도록 합의하였음. EC 는 이미 1.4.이것을 분명히 하였음을 상기함.

- 앞으로 중동에 안정적 안전구도가 정착되도록하여야하고 이를 위하여 군비제한과 대량살상수단의 제조와 소지금지외에 이지역의 경제확장과 사회적 격차를 극복하여야 하며 개발정책에 앞서이지역의 정치적문제의 해결이 선행 되어야 함

- 그러나 이순간에 있어서 중요한것은 쿠웨이트 생존권을 보호하는 것과 분쟁의 평화적 해결을 위한 모든방법을 다하는 것임.

중아국 1차보 구주국 정문국 안기부 국방부

PAGE 1

91.01.15 09:24 WG

외신 1과 통제관

0043

- 만약 이락이 이성을 찾지 못하면 2차대전이후 가장 심각한 군사분쟁이 발발할것이 우려되며, 대량살상무기로 인한 인명피해도 심각할것이며, 정치적, 경제적 소실도 클 것임. 이러한 사태방지를 위해 가능한 노력을 다하였음.

- 아직까지 이락측이 불응하고 있으나 평화와 전쟁의 열쇄는 후세인이 가지고 있음. 따라서 후세인에게 쿠웨이트에서 철수할 것을 이자리에서 다시 호소함.

- 독일의 정책은 구라파의 평화의 기트를 마련하는데 기여한바 이러한 모델은 중동을 포함 여타지역에서의 평화적 협력방식이 되어야 함.

(대사-국장)

PAGE 2

0044

원 본

외 무 부

종 별 :

번 호 : GEW-0080 일 시 : 91 0114 2000

수 신 : 장 관(중근동,구일,기정동문,국방)

발 신 : 주 독 대사

제 목 : 페만사태 관련 데모

연: GEW-0068

1. 주재국의 대부분의 주요 대도시에서는 1.12.대규모 페만전쟁 방지와 평화를 호소하는 쉬위가 발생하였고 금 1.14.도 계속되었음.

북독의 KIEL 로부터 남독의 MUEUCHEN 에 이르는 약 70개의 도시에서 행하여진 12일의 시위에는 백림 5만, 프랑크푸르트 2만, 뮨헨 1만, 듀셀돌프 1만등 약 20만명이 참가한 것으로 추산되고 있고, 이는 1983년 의 독일내 중거리 핵미사일 배치 반대시위 이래 최대규모로 알려짐.

2.야당 SPD 연방하원의원 WIECZOREC-ZEUL 은 시위를 통하여 '단 하루의 전쟁보다 1,000일의협상을 선호한다'고 하고 군중들은 '중동에서의 전쟁방지'를 호소하는 프렉카드등을 들고 반전호소를 행하는 시위를 하였음.

3.금 1.14.은 특히 BONN 에서는 시위대들이 수상실, 대통령 집무실, 외무부앞에서 반전구호를 외치면 행진하였음.

(대사-국장)

중아국 1차보 구주국 정문국 안기부 국방부

PAGE 1

91.01.15 09:24 WG

외신 1과 통제관

0045

김

·비특

외 무 부

종 별 : 긴 급

번 호 : GEW-0100 일 시 : 91 0117 0345

수 신 : 장 관(중근동, 구일, 기정동문, 국방)

발 신 : 주 독 대사

제 목 : 페만전쟁

페만전쟁 발발관련 당지시간 1.17. 02:30 현재 주재국 반응 아래와 같이 보고함

1.콜 수상은 페만사태의 평화적 해결노력은 실패하였으며, 독일은 우방과 협조하여 전쟁의 조속한 종식을 위하여 모든 노력을 달할것이라고 말함

2.외무부와 접촉한바, 공보관이 03:30분경 등청예정이라 하는바, 접촉 새로운 사항 입수되는 대로 추보 예정임.

(대사-국장)

중아국	차관	2차보	미주국	구주국	중아국	정문국	청와대	안기부
국방부	장관	1차보	총리실					

PAGE 1

91.01.17 12:22 WG

외신 1과 통제관

0046

긴

외 무 부

mi/

종 별 : 긴 급

번 호 : GEW-0101 일 시 : 91 0117 0420

수 신 : 장 관(중근동, 구일)

발 신 : 주 독 대사

제 목 : 페만전쟁(2)

연: GEW-0100

1. 주재국 외무부와 현지시각 04:00 접촉, 겐셔장관의 반응 여부를 문의한바, 아직 발표되지 않았다고 함. 당관 비상대책반은 계속 외무부와 접촉, 추보 예정임.

2. 페만전쟁과 관련, 독일내에는 04:00 현재 산발적인 반전데모가 있으나, 치안상 특이사항은 아직 없는 것으로 보도됨.

(대사-장관)

중아국	장관	차관	1차보	2차보	미주국	구주국	중아국	정문국
청와대	총리실	안기부						

PAGE 1

91.01.17 12:28 WG

외신 1과 통제관

0047

관리 번호	91/2048

	분류번호	보존기간

발 신 전 보

번 호 : WUS-0179 910117 1105 FK 종별 : 초긴급

수 신 : 주 수신처 참조 대사. 총영사

발 신 : 장 관 (중근동)

제 목 :

WJA -0228 WUK -0113
WGE -0079 WFR -0087
WCA -0056 WJO -0081
WSB -0116 WTU -0027

귀지에서 파악할수 있는 페르샤만의 전황을 수시로 긴급 보고 바라며, 이스라엘의 참전 여부가 금후 사태 발전의 큰 변수가 될것인바, 이에 관한 정보도 적극 수집 보고 바람. 끝.

(장 관) ~~(미 상 목)~~

수신처 : 주 미, 일, 영, 독, 불, 카이로, 요르단, 사우디, 터키 대사

예 고 : 91.6.30. 일반

보안 통제	72

앙 고 재	91년 1월 17일	중근동과	기안자 성명		과 장		국 장		차 관	장 관
			김현		72					고와

외신과통제

0048

외 무 부

종 별 :

번 호 : GEW-0111 일 시 : 91 0117 1520

수 신 : 장관(중근동,구일,기정동문,국방)

발 신 : 주독대사

제 목 : 페만전쟁(4)

연: GEW-0100

콜 주재국 수상은 금 1.17. 연방하원에서 제16대수상으로 취임한후 아래요지의표제관련 성명을 발표하였음.

-독일정부도 함께한 걸프사태의 평화적 해결을 위한 다각적인 노력이 이락 지도층의 거부로 실패한데 대해 깊은 실망을 금치 못함. 전쟁사태의 책임은 전적으로 이락에게 있음.

-국제사회의 여론은 말할 것도 없이 이락의 쿠웨이트에서의 무조건 철수, 쿠웨이트 주권의 재창조임.

-걸프지역 독일군은 군사작전에 투입되지 않을 것이나, 미국, 영국, 프랑스등 우방국이 정의와 자유를 지키기 위해 큰 임무를 떠맡은 사실을 한시라도 잊어서는 안될 것임.

-중동지역의 평화질서 정착을 위해서는 무엇보다도 팔레스타인인들의 자결권이,이스라엘을 포함한 모든 역내 국가의 생존권및 안전과 조화를 이루어야함. 포괄적인정치문제가 선결된 뒤 경제발전, 사회적인 격차 해소를위해서 독일정부는 동지역에대한 경제개발 원조를 제공할 용의가 있음.

-독일정부는 독일시민에 대한 위험에 대처하고 안전을 확보하기 위한 예방책및 에너지 자원안전 수급조치도 강구하였음.

-이런상황에서 어느때 보다도 합리적이고 신중한 행동이 요구되는바, 책임감, 현명한 행동으로 이어려운 상황을 극복해 나가야 될 것이며, 동사태가 조속 종결되도록 노력해야 할것임

-독일은 동맹국들과 함께 책임을 적극적으로 수행할 것이며 이에 기여하고자 함.

(대사-국장)

중아국	장관	차관	1차보	2차보	미주국	구주국	중아국	정문국
청와대	총리실	안기부	대책반					

PAGE 1 91.01.18 02:14 CG

외신 1과 통제관

0049

원 본

외 무 부

종 별 :

번 호 : GEW-0127 일 시 : 91 0118 1700

수 신 : 장관(중근동,구일,정일,기정동문,국방)

발 신 : 주독대사

제 목 : 페만전쟁(10) 자료응신 4호

1.표제관련 1.17.파리에서 개최된, 주재국을 포함한 WEU(서구연합) 9개국 특별각료회의(회원국 외무및 국방장관이 참석, 덴막, 그리스, 노르웨이, 터키 대표가 옵서버로 참석)및 EC 외무장관 회의후 발표된 공동성명 특이사항을 다음 보고함(1.18.외무관계관 브리핑)

가. WEU 각료회의

- 연합군의 군사행동이 전적인 지지표명

- 이락의 국제법 위반행위, 특히 무력충돌시 적용되는 국제협약을 위반하지 않기로 경고함

- 회원국 상호간의 협조강화, 특히 해군활동의 상호협조 긴밀화를 위한 조정위 설치및 연락관파견 예정

-전쟁종료후 동지역 국가들의 이지역의 장기적평화.안정을 위한 안보관계를(SECURITY RELATIONSHIP) 구축 희망

- 금번 전쟁으로 피해를 입은 국가들에 대한 이도적인 원조의 계속제공

나. EPC 외무장관 회의

- 이락의 쿠웨이트 철수 실현을 위해 무력 사용조치가 필요했음에 유감표명. 이락측의 즉각적인 전투행위 중지 촉구

- 동지역에서의 국제법 질서 회복후, 이지역의 평화, 안정및 발전을 위해 적극 기여할 것을 다짐.

-회원제국은 새로운 지중해 정책을 통하여 유럽-아랍제국간 대화, GCC 국가및 아랍 마르렙연맹등 국가와의 협력강화를 희망

- 중동사태 해결을 위한 국제회의 개최에 관한 지지 재천명

- EC 는 페만전쟁의 희생자를 위한 긴급 원조계획 실시계획

중아국 장관 차관 1차보 2차보 미주국 구주국 중아국 정문국
청와대 총리실 안기부 국방부

PAGE 1

91.01.19 04:44 DQ

외신 1과 통제관

0050

(대사-국장)

PAGE 2

0051

외 무 부

종 별 :

번 호 : GEW-0128 일 시 : 91 0118 1700

수 신 : 장관(중근동,구일,해신,기정동문,국방)

발 신 : 주독대사

제 목 : 페만전쟁(11)

1. 페만 전쟁관련 중국의 태도 관련 당지에서 수신된 AFP 통신기사 아래 보고함

제목: 중국언론 이락에 대한 공격비난 자제-북경, 1.18. 중국언론은 금요일 다국적 군대의 이락공격에 대한 비판을 자제하고 단지 사실만을 보도함. 중국은 이락에대한 무력개입을 허용하는 UN 결의 678호에 대해 기권한 단 하나의 상임이사국임. 중국은 '일말의 희망'이 빛이 있는한 이위기에 대한 외교적 해결을 주장했었고 페만지역에 대한 다국적 군대의 개입을 비판해왔음.

(대사-국장)

중아국	장관	차관	1차보	2차보	미주국	구주국	중아국	정문국
청와대	총리실	안기부	공보처					

PAGE 1

91.01.19 04:46 DQ

외신 1과 통제관

0052

외 무 부

종 별 :

번 호 : GEW-0131 일 시 : 91 0118 1700

수 신 : 장관(중근동,구일,해신,기정동문,국방)

발 신 : 주독대사

제 목 : 페만전쟁(14)

1.페만사태 발발에 대해 당지 ADN 통신으니'중국, 분쟁당사국에 자제 촉구' 제하기사 보도전문을 아래 보고함

- 중국은 골프만 전쟁발발에 대하여 우려와 당혹감을 보였음. 국영 신화사통신은분쟁당사국이 동시에 자제해 줄것을 촉구한다고 보도하고, 국제사회가 이분쟁의 평화적 해결의 길을 찾을수 있도록 이같은 자제가 간절히 요구된다고 보도했음

- 신화사통신은 중국 외무부 대변인이 쿠웨이트에서 철수하도록 촉구했음을 인용보도했음

0 중국은 이락이 1.15.까지 쿠웨이트에서 철수해야 한다고 촉구했던 유엔 결의를 지지하지 않았던 단 하나의 유엔 안전보장 이사회의 상임 이사국임.

-당시 유엔주재 중국대사는 유엔결의 678호에 대해 거부권을 행사하지는 않았으나 표결에 기권한바 있음

(대사-국장)

√중아국 장관 차관 1차보 2차보 미주국 구주국 √중아국 정문국
청와대 총리실 안기부 국방부 공보처

PAGE 1 91.01.19 04:51 DQ

외신 1과 통제관

0053

원 본

외 무 부

종 별 :

번 호 : GEW-0132 일 시 : 91 0118 1700

수 신 : 장관(중근동,구일,해신,기정동문,국방)

발 신 : 주독대사

제 목 : 페만전쟁(15)

이락의 이스라엘 공격에 대해 DIETER VOGEL주재국 정부대변인은 아래와 같이 성명을 발표함

- 독일정부는 이스라엘의 대도시 텔아비브와 하이파의 주민거주 지역에 대해 이락이 로켓트 공격을 한것은 페만사태의 당사자가 아닌 나라에 대해 행한 중대한 침략행위라고 비난하지 않을수 없음.

-독일정부는 이스라엘 정부와 국민에 대한 이락정부의 거듭되는 공격위협에도 불구하고 이스라엘 국민이 침착성과 자제를 잃지 않고 있는데 대해 환영함

-이스라엘 페만사태에 군사적으로 개입하는 것은 중근동 아시아의 긴장상태를 현저히 증대시키고 페만사태를 조기에 종식시킬수 있는 기회를 감소시키게 될것임

(대사-국장)

중아국	장관	차관	1차보	2차보	미주국	구주국	중아국	정문국
청와대	총리실	안기부	국방부	공보처				

PAGE 1

91.01.19 04:51 DQ

외신 1과 통제관

0054

외 무 부

종 별 :

번 호 : GEW-0139　　　　일 시 : 91 0119 2000

수 신 : 장관(중근동,구일,기협,기정동문,국방)

발 신 : 주 독대사

제 목 : GULF 만 전쟁(16)

1.주재국 연방경제부는 1.18. 독일 석유사업체협회 (석유 판매회사로 구성, 석유법에 따라 석유비축을 의무화 하도록 되어있음) 에게 동협회 비축분중 65만톤을방출토록 지시 하였으며 동협회는 회원사에게 석유를 시장가격으로 제공함

2.연방 경제부는 석유의 절약과 사용의 절제를 호소하는 일방, 금번 방출조치가 독일비축분 (130일분, 약 6천만톤)의 극히 일부이며 독일은 전쟁 지역으로 부터의 원유도 입분량기 작고세계 석유 공급이 안정적임을 지적, 국민의 위기감을 불식토록 홍보함

3.연방경제부는 금번 조치가 IEA 와의 합의에 따라 취한 조치임을 지적함

(대사-국장)

중아국	장관	차관	1차보	2차보	미주국	구주국	경제국	정문국
청와대	총리실	안기부	국방부	대책반				

상황실

PAGE 1　　　　91.01.20 08:08 DA

외신 1과 통제관

0055

갈
비불
MVb(14)

외 무 부

종 별 :

번 호 : GEW-0140 일 시 : 91 0120 1230

수 신 : 장관(중근동,구일,기정동문,국방)

발 신 : 주독대사

제 목 : 걸프전쟁(17)

이락의 대이스라엘 미사일 공격과 관련 주재국 조야는 다음과 같은 반응을 보임

1.1.19. WEIZSAECKER 대통령: 이스라엘 대통령앞 멧세지를 발송,'경악과 심심한동정'을 표명하고 이스라엘 정부의 신중한 태도에 '존경을 표한다'고 언급

2. KOHL 수상: 이사라엘 공격을 '강력히규탄'하고, 독일정부는 이스라엘 정부가 '계속 사려깊은 태도를 취해 줄것'을 희망함

3.겐셔 외무장관: 이스라엘 외상앞 멧세지에서'이러한 범법적인 폭력행위는 정당화 될수없는 것'이라 표명함

4.사민당 VOGEL 당수: 이락의 공격을 '잔인한 도발'이라 비난하고, 이스라엘의 태도에 사의 표명

5.사민당 LAMSDORFF 당수: 이라크 공격은 '중대한 국제법 위반행위'라고 비난하고, 이스라엘의 보복공격이 있으면 이락에 대항하는 국제적 단합을 약화시킬 것이라

언급.

(대사-국장)

중아국	장관	차관	1차보	2차보	구주국	상황실	정와대	총리실
안기부	국방부	사무국	정무국					

PAGE 1

91.01.20 22:32 BX

외신 1과 통제관

0056

기

외 무 부

종 별 :

번 호 : GEW-0141 일 시 : 91 0120 1230

수 신 : 장관(중근동,구일,경일,기정동문,국방)

발 신 : 주독대사

제 목 : 걸프전쟁(18)

1.주재국 정부는, 최근 이락의 화학무기 생산에 주재국 상사가 개입 금수조치를위반 했다는 보도관련, HOELLERMANN 경제장관 주재로 수상실,외무, 재무, 법무부등차관급 대책회의를 1.21.소집할 것이라함.

2.또한 수상실 STAVENHAGER 국무장관은 상기 금수조치 위반 혐의로 수개건에 대한 조사가 진행중에 있다고 밝힘.

(대사-국장)

중아국 ✓	장관 ✓	차관	1차보 ✓	2차보	미주국	구주국	경제국	청와대
총리실	안기부	국방부	상황실	정문국				

PAGE 1

91.01.20 22:35 BX

외신 1과 통제관

0057

외 무 부

종 별 :

번 호 : GEW-0152 일 시 : 91 0121 1830

수 신 : 장 관(기협, 중근동,기정동문,국방)

발 신 : 주 독 대사

제 목 : 걸프전쟁(유가,주가동향)(20)

대: WGE-0089

91.1.21(월) 1200 기준 다음 보고함

0 유가 안정세 지속

-디젤유: 1.10 DM, 무연휘발유: 1.18 DM

0 주식시세 0.63 프로 하락

-종합주가지수: 596.77(1.18. 600.52)

0 DM 의 대미 달러 환률 1.2 프로 상승

- 1.4970(1.18. 1.5153)

0 금값 하락(1온스당)

-378 불(1.18. 378.25불)

(대사-국장)

경제국 2차보 중아국 안기부 국방부 동자부

PAGE 1

91.01.22 16:28 WG

외신 1과 통제관

0058

외 무 부

종 별 :

번 호 : FKW-0055 일 시 : 91 0121 1700

수 신 : 장관(구일,동구일,동구이,통일,경일,정일,기정동문)

발 신 : 주프랑크푸르트총영사

제 목 : 정세단신(자료응신 91-2호)

당지 언론에 보도된 주요정세 아래 보고함.

1. 걸프전쟁 관련 주재국 동향

0 NATO 사무총종(MANFRED WOERNER, 전직독일국방장관)과 독일 정부간에 의견불일치:WOERNER NATO 사무총장이 터키를 지원하여야할 것임을 주장함에 따라, 독일을 포함한 전NATO 회원국은 터키를 지원하여야 할것임을주장함에 따라, 독일정부는 NATO회원국으로서의 지원 범위에 대한 논란이 벌어지고 있음. 즉 BUNDESTAG 의 외무위원장인HANS STERCKEN(CDU) 는 NATO 군의 파견은 회원국의 방어만을 위한것이지, 제3국에대한 공격시에는 해당되지 않음을 발표하여, 독일군의 파견을 반대하고 있는 야당의주장과 어느정도 일치하고 있음. NATO 사무총장은 터키파견 독일군이 이라크영내로의 반격경우, 이는 공격이 아니라 UN 결의를 이행하는 것이라고 주장함.

0 독일군 및 의료진 파견현황

- 터키 ERHAC 에 ALPHA 제트기 18대 및 200명의 독일공군 주둔(이들은 1월말에 교체 예정임)

- 독일 해군 선단(구축함 2척, 순양함 2척 및 보급선 2척으로 구성)이 1.21 서부 지중해로 출항예정: 독일 국방부는 이를 정규훈련 이라고 발표

- 자선단체의 위생요원 및 자원봉사자들 조만간 전선에 파견 예정

- 독일 적십자사 이라크로부터 이란으로 탈출 난민 40,000여명을 위한 난민대피소 건립위해 1.21출발예정

0 주요인사 의견

- 국방차관 WILLY WIMMER(CDU): SPD 의견처럼 독일은 단지 인도주의적, 경제적,외교적 협조만을 제공할수 있음.

구주국	장관	차관	1차보	2차보	미주국	구주국	구주국	중아국
경제국	통상국	정문국	상황실	청와대	총리실	안기부		

PAGE 1 91.01.22 04:46 DN

외신 1과 통제관

0059

- SPD 차기당수, BJOERN ENGHOLM : 인도주의적원조 지지

- FDP 청년조직: 유사시는 의무병을 제외하고 단지 직업군인 및 자원병만 파병해야 함.

- KOHL 수상: 비록 의회로 하여금 파병여부 결정에 동참하도록 할것이나, 최종결정은 정부가 내려야할것임.

- 정부대변인, DIETER VOGEL : NATO 조약의 효력범위에 대한 독일 정부의 공식견해는 긴박한 결정이 요청될 경우에야 발표가능할것이나, 독일정부는 NATO 지역 이외의 군사활동을 금지하고 있는 독일 기본법에 구속되어 있다고 인식하고 있음.

2. 소련 개혁주도세력의 해직 및 사퇴

0 최근 발트공화국 사태 전후로 소련 개혁정책을 주도하여 왔던 하기 7인의 고르바초프 대통령의 자문위원은 해직되거나 사퇴 하였음.

- ALEXANDER JAKOWLEW(개혁정책 입안자)
- LEONID ABALKIN(부수상)
- STEP SITARIAN(..)
- JEWGENI PRIMAKOW(근동전문가)
- JURI OSSIPIAN(경제자문)
- STANISLAW SCHATALIN(경제자문)
- NIKOLAJ PETRAKOW(..)

(총영사 강승구-국장)

외 무 부

종 별 :

번 호 : GEW-0207 일 시 : 91 0125 1800

수 신 : 장관(구일, 중근동)

발 신 : 주 독대사

제 목 : 겐셔 외무장관 이스라엘 방문

1.겐셔 외무장관과 SPRANGER 경제협력 장관은 1.24-25.간 예정의 이스라엘 방문차 텔아비브에 1.25. 정도 도착함 (이와는 별도로 SPD 에서도 VOGEL 당수, RAU NRW 주 수상, HANS KOSCHNICK 의원, NORBERT GANSEL 의원등이 동일 오후 이스라엘에도착함)

2.겐셔 외무장관은 도착과 동시에 금번 방문은 독일이 연합국 특히 이스라엘 편에 동참하는 것을 표시하기 위한 방문이라고 말했음. 겐셔장관과 SPRANGER 경제협력장관은 텔아비드 피폭장소를 두차례 방문, 이스라엘에게 금번 3차에 걸친 이락의대이스라엘 미사일 공격으로 파괴된 가옥의 복구비용으로 500만 마르크를 전달하고,독일정부가 2억5천만 마르크의 인도적인 원조를즉각 제공 하겠다고 약속함. 겐셔 장관은 전기 2억 5천만 마르크는 정치적인 제스처가 아닌 도덕적인 차원의 원조라고말함

3.겐셔 장관은 LEVY 이스라엘 외상과 장시간 면담후 가진 기자회견에서 이스라엘의 생존권을 강조 하였으며 기자회견에서 독일기업의 대이락군사시설 건설참여와관련한 독일의 책임에관한 빗발치는 질문을 받았음. 한편 LEVY 이스라엘 외무장관은 독일의 '도덕적인 역사적인' 죄과를 수차례 강조하고 독일로부터 금전적 원조만을 기대하지 않는다고 언급함. 겐셔장관은 이락 독가스 공장건설에 독일이 참여한데대해 분노를 느끼는 사람들을 충분히 이해한다고 말함.

4.겐셔 장관은 1.25. 사미르 이스라엘 수상, HERZOG 대통령등을 예방했는바, 이스라엘은 독일연방군이 보유하고 있는 미사일 요격용 'PATRIOT' 형 미사일을 이스라엘에 제공해줄것을 요청 하였으며, 겐셔장관은 이를 KOHL 수상에게 전달할 것이라고 말하였음

5.한편 독일 유태인 중앙협의회의 갈린스키 위원장은 독일정부 대표단의 금번 이스라엘 방문을 긍정적으로 평가함. 끝.

구주국 장관 차관 1차보 2차보 미주국 중아국 청와대 총리실
안기부 대책반

PAGE 1

91.01.26 06:57 DA
외신 1과 통제관

0061

원 본

외 무 부

종 별 :

번 호 : GEW-0208 일 시 : 91 0125 1800

수 신 : 장 관(구일,중근동)

발 신 : 주 독 대사

제 목 : 독일, 이락 외교관 추가추방

주재국 정부는 1.24.이락 외교관 28명을 출국조치시켰으며, 이로써 독일에는 대사포함 4명의 이락외교관만이 잔류하게됨. 독일 외무부 발표에의하면 이번조치는 겐셔 외무장관의 지시에 따른것이라고하며 그이유로서는 현재 상황하에서 과다한 인원이 필요하지 않기 때문이라고 함(이락에는 현재 독일 외교관이 전원 철수 하였음)

(대사-국장)

중아국	차관	1차보	2차보	구주국	정문국	청와대	총리실	안기부
대책반	장관							

PAGE 1 91.01.26 07:44 ER

외신 1과 통제관

0062

원 본

외 무 부

종 별 :

번 호 : GEW-0220 일 시 : 91 0128 1730

수 신 : 장관(중근동,구일)

발 신 : 주독대사

제 목 : 주재국 대규모 반전시위

1.1.26. 1200-1600간 본 에서는 전국 각지에서 모인 약20만명이 참가하는 현재까지 최대규모의 반전 데모가 벌어짐. 금번 평화시위는 SPD,녹색당, 독일노조연합등이주도하였으며 '미래의 파괴는 용인할수 없다- 전쟁중지'라는 모토 아래 시종 평화적으로 개최 되었음.

2.동집회에서는 전국 노조연합 위원장,백림교구 주교등의 연설이 있었으며 금번시위에서는 전반적으로 반미구호나 반이스라엘구호는 상당히 줄어든 대신 독일기업이 이락의 군사장비 건설및 기술지원에 참여한데 대한 자성의 목소리가 반미 감정 이상으로 표출되었음.

시위 참여자들은 또한 이락의 쿠웨이트 점령및 대이스라엘 공격에 대해서도 비판하였음.

3.금번 반전데모와 관련 주재국 제정당들은 다양한 입장을 보이고 있음. SDU/CSU 교섭단체의장 DREGGER 는 독일이 유엔의 평화임무의 일부를 분담할 것을 촉구하면서도 동분담의 형태에 대해서는 자세히 언급하지 않음. CSU당수 WAIGEL 재무장관은금번 시위에 대해 신랄히 비판하면서 윤리의식만으로 쿠웨이트의 자유,이스라엘의 안전이 보장되지 않는다고 언급함.VOGEL SPD 당수는 금번 시위가 반미. 반이스라엘 주의로 흐르지 않았음을 보여주었으며 금번 시위가 평화에 대한 갈망, 전쟁이 아직도정치수단으로서 사용되고 있는데 대한 위기감에 기인하였다고 말함. 라이란트-팔츠주 WAGNER 수상은 독일이 걸프전쟁에서 소극적인 태도를 취함으로서 동맹국으로부터 고립이 되었으며 NATO 와 유럽정치에 있어서의 영향력이 약화될 것이라고 우려함.

4.한편 지난 주말에는 걸프전쟁 관련 미국을 지지하고 독일이 명확한 입장을 내세우지 않고 있는데 대해 비판하는 데모가 주재국내에서 산발적으로 벌어졌음.

중아국 장관 차관 1차보 2차보 미주국 구주국 정문국 청와대
종리실 안기부

PAGE 1 91.01.29 03:01 DQ

외신 1과 통제관

0063

(대사-국장)

PAGE 2

0064

원 본

외 무 부

종 별 :

번 호 : GEW-0233 일 시 : 91 0129 1630

수 신 : 장 관 (미북,중근동,구일,기정동문,국방)

발 신 : 주 독 대사

제 목 : 걸프사태 관련 주재국 추가지원

연: GEW-0179

1. 금 1.29.주재국 정부 대변인 DIETER VOGEL공보처장은 정부성명을 통하여, 걸프전쟁 관련 독일의 추가지원금으로 금년 1월부터 3월까지 총 55억 미불을 미국에게 추가지원하는 내용의 콜수상의 대미지원안이 금일 각료회의에서 가결되었다고 밝히고, 동금액은 쿠웨이트를 해방하기 위한 유엔 결의안을 실행하고 있는 미국에 대한 독일의 유대감의 표시라고 언급하였음.

2.금번 추가지원이 결정됨으로써 주재국은 걸프사태 관련 총90억 미불을 지원하게 되며, 그중미국에는 약 67억 3,600만불을 지원하게 되는것임

3.상기 대미지원의 상세내용, 지출방법등을 외무부 관계관에 문의한바, 추가지원 총액만 결정되었을뿐 상세사항은 관련 부처간 협의를 거쳐 추후 발표할 예정이라함을 참고바람.

(대사-국장)

미주국	장관	차관	1차보	2차보	구주국	중아국	중아국	정문국
청와대	총리실	안기부	국방부					

PAGE 1

91.01.30 09:21 WG

외신 1과 통제관

0065

관리번호	91-[illegible]

외 무 부

종 별 :

번 호 : GEW-0244 일 시 : 91 0130 1800

수 신 : 장관(구일,중근동)

발 신 : 주 독 대사

제 목 : 겐셔 외무장관 동정

1. 당관이 입수한 첩보에 의하면 겐셔 외무장관은 2.5.-7. 간 이집트와 시리아를 방문할 예정이라 함

2. 겐셔 장관의 중근동지역 방문은 1.24-25. 간 이스라엘 방문에 이어 두번째의 동지역 방문인바, 방문 동정등 추보하겠음.

(대사-국장)

예고:91.6.30. 까지 재고문에 의거 일반문서로 재 분류됨.

토필(1991.6.30.)

구주국 차관 1차보 중아국

PAGE 1

91.01.31 07:18

외신 2과 통제관 BT

0066

관리 번호	91-711

외 무 부

종 별 :

번 호 : GEW-0260 일 시 : 91 0131 1830

수 신 : 장관(구일,중근동)

발 신 : 주 독 대사

제 목 : 겐셔 외무장관 동정

중근동

연:GEW-0244

연호 겐셔 장관의 이집트, 시리아 방문은 2.12. 로 연기되었다함.

(대사-국장)

예고:91.6.30. 까지 예고문에 의거 일반문서로 재 분류됨.

토필(1991.6.30.)

구주국 중아국

PAGE 1

91.02.01 07:18

외신 2과 통제관 BT

0067

원 본

외 무 부

종 별 :

번 호 : GEW-0275 일 시 : 91 0201 1800

수 신 : 장 관 (미북, 중근동,구일)

발 신 : 주 독 대사

제 목 : 걸프전 독일의 대미 추가지원

연: GEW-0245

연호 주재국의 걸프전 관련 대미 추가지원 결정에 대해 1.31.부시 미 대통령은콜수상에게 서한을 보내어, 독일의 걸프전 참전국에 대한 지원을 높이 평가하고 대미 추가지원액 55억불은 반이락 연합을 위한 상당한 지원이 될 것이라고 표명하였음.

(대사-국장).

미주국	장관	차관	1차보	2차보	구주국	중아국	정문국	청와대
총리실	안기부	대책반						

PAGE 1 91.02.02 08:27 FC

외신 1과 통제관

0068

외 무 부

종 별 :

번 호 : GEW-0360 일 시 : 91 0212 1930

수 신 : 장관(구일,중동1)

발 신 : 주 독대사

제 목 : 걸프사태 관련 독일의 정책

걸프전쟁, 발틱사태 등에 관한 주재국 정책관련, 주재국 정계에서 활발한 논의가 진행되고 있는바 그내용은 다음과 같음

1. 최근 CDU/CSU 의 DREGGER 원내 총무와 RUEHECDU 사무총장은 주재국이 외교정책을 제대로 명확히 밝히지 않음으로서, 연합국이 주재국의 걸프사태 관련한 독일의입장을 오해하고 있다고 비판 하였음.

DREGGER CDU 원내총무도 독일이 연합국에 총 156마르크 상당의 군사.재정 원조를하고 미국으로 하여금 주재국의 항구, 공항시설을 이용토록 하고 이스라엘을 지원 하였을뿐만 아니라 공군기를 터키에 파견한 독일에 대한 국제적인 비판은 주재국의 대외 홍보가 불충분 하였기 때문이며 이는 외교정책의 명확한 입장 설명이 부족한 매문이라고 언급함

2. 여타 CDU 정치인들도 겐셔 외무장관이 지난 1월 이스라엘을 방문하고 2.12.부터 중동국 순방을 계획 하면서도 미.영.불등 연합국을 중동전 발발이후 방문하지 않은데 대해 비판적이며, 콜수상의 부시, 미테랑, 메이저등 국가원수급 인사들과의 개인적인 친분이 이들 국가와의 우호관계를 유지하고 있다고 보고 있음

3. CDU 측에서는 겐셔 장관이 중동순방에서 귀국하는 즉시 연정 지도자들 간의 회의를 갖자고 제의함. CSU 대외정책 문제 대변인 LOWACK 의원은 겐서가 금일 중동을 순방함으로서 이스라엘은 또다시 독일 외교의 이중성을 보게 될것이라고 우려를 표시하면서 독일 외교의 명확한 방침이 없음을 비판함

4. SPD 의 대외정책문제 대변인 VOIGT 의원은 한걸음 더나아가 콜수상까지 비판의 대상에 포함시키고, 최근 자신의 미국 방문중 미국 정치인들이 독일에 대한 실망, 즉 콜수상과 겐셔 장관이 통독 과정에서는 미국과 수시로 협의 했으나 걸프사태 관련해서는 미국과의 협의에 등한히 하고 있다고 비판의 소리가 높음을 언급함

구주국 장관 차관 1차보 1차보 2차보 미주국 중아국 정문국
청와대 총리실 안기부 대책반

PAGE 1

91.02.13 06:35 DA
외신 1과 통제관

0069

5. CSU 의 KOSCHYK 의원은 리투아니아에서의 대다수 주민이 분리 독립을 원하는 이상 독일은 리투아니아의 독립에 대해 공개적인 지지를 표시해야 할것이며, 고르바쵸프의 입장을 지지해서는 않될 것이라고 말함. 걸프사태 관련 또한 겐셔 장관이 걸프전쟁 이후 중동 질서수립에 있어 후세인 요르단 국왕의 KEY ROLE 을 언급하고요르단과 이락과의 대화 첸넬을 유지하고 있는바, 이로 인하여 미국과의 관계를 악화 시키지 않아야할 것이고 사담 후세인에게 이익을 주어서는 안될 것이라고 말함

6. 당지 어론은 콜수상과 겐셔장관 사이에 외교정책에 관련한 이견은 없으나 외교기조는 겐셔장관의 의해 구상되고 있는 것으로 보도하고 있으며, 겐셔 외교는 한동안 다양한 이해관계를 능수 능란하게 조정하여 성공을 보였으나 현재는 불분명한외교 노선이 라고 비난에 봉착해 있다고 보고있음. 향후 주재국 내에서는 걸프전쟁 참전국에 대한 추가 재정지원과 유엔 평화군의 일부로서 독일군의 참전이 가능하도록 하는 기본법 개정문제가 본격 대두될 것으로 언론은 보고있음.

(대사-국장)

PAGE 2

0070

외 무 부

종 별 :

번 호 : GEW-0530 일 시 : 91 0228 1530

수 신 : 장관(구일,중근동,정일,기정동문,국방)사본:주독대사

발 신 : 주독 대사 대리

제 목 : 걸프전 정전에 대한 주재국 반응

1. 걸프전 정전과 관련, 2.28. KOHL 수상은 기자회견에서 다음요지의 입장을 밝혔음

0 정전으로 걸프전이 종료될수 있게 된것을 환영하며 희생자와 그유가족에 애도를 표함

0 연합국의 승리는 불의에 대한 정의의 승리이며 폭력에 대한 자유의 승리임

0 걸프전 임시휴전에 이어 곧 휴전회담이 뒤따라야 할 것인바, 종국적인 휴전은이라크가 포로석방및 쿠웨이트 납치인 석방, 지뢰제거등 연합국의 요구조건을 받아들이느냐 여부에 달려 있음

0 또한 이라크가 12개 UN 결의안을 실제 이행하느냐 여부도 중요함

0 이로써 이라크및 걸프지역내 향후 정치적 발전을 기대할수 있는 계기가 마련됨

0 군사적 대결의 종결에 따라 KUT지는 중.근동지역내 장기적이고 진정한 평화질서를 이룩하는것이 중요하며 이는 향후 수년간 커다란 정치적 도전이 될것임

0 팔레스타인문제, 레바논문제를 포함한 이지역내 문제해결을 위해 협상 해결방안 모색을 위한 모든 공동의 노력이 필요하며 또한 이스라엘의 안보도 보장되어야 함

0 독일연방정부는 여타 유럽국가들과 함께 이러한 평화질서 구축에 참여할 것임

2.주재국 겐셔 외무장관은 베이커 장관의 초청으로 걸프전 전후처리 협의를 위해 금2.28.워싱톤 향발 예정이라함.

(대사대리 안현원-국장)

구주국	장관	차관	1차보	2차보	미주국	중아국	정문국	대사실
청와대	총리실	안기부	국방부					

PAGE 1

91.03.01 07:51 DQ

외신 1과 통제관

0071

2. 이탈리아

0072

외 무 부

종 별 :

번 호 : ITW-0910 일 시 : 90 0804 1500

수 신 : 장 관(구일,중근동,기정,국방부)

발 신 : 주이태리대사

제 목 : 걸프전쟁 주재국 반응(자응90-67)

1.이라크의 쿠웨이트 침공과 관련 주재국각의는 8.3회의에서 이라크가 쿠웨이트로부터 즉각 무조건 철수할것을 촉구하면서 예방적차원에서 이태리내 전쿠에이트 자산을동결하고 대이락 무기수출을 재금지키로 결정하였음.

2. DE MICHELIS 외상은 8.3 기자회견에서,로마개최(8.4) EC 정무총국장 회의에서는 금번사태에 대한 EC 공동입장수립은 물론 대이락 제재조치도 결정될 가능성이 있다고 말하고,한편 이미 심각한 걸프지역 위기가 더악화되지 않도록 이태리정부는여타 아랍국가들과 계속 접촉중임을 밝혔음.

3.참고로 쿠웨이트는 이태리 FIAT 사 재단인 IFIL금융회사(7프로), Q8 및 MOBIL석유회사,GUCCI 사등에 주식참여하고 있다함.

(대사 김석규-국장)

구주국 1차보 중아국 정문국 청와대 안기부 국방부

PAGE 1

90.08.05 17:23 DP

외신 1과 통제관

0073

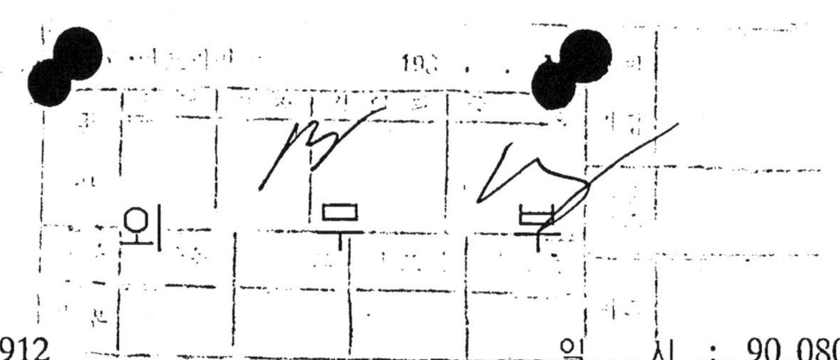

종 별 :
번 호 : ITW-0912 일 시 : 90 0805 2100
수 신 : 장관(구일,중근동,기정,국방부)
발 신 : 주이태리대사
제 목 : 걸프전쟁 주재국 반응

1.쿠웨이트 침공사태관련 긴급 소집된 EC 정무총구장회의(로마)는 8.4.오전 3시간반동안 회의를 가진후 대이락 경제제재 조치가 포함된 하기내용의 공동성명을 발표하였음.

-이락의 쿠웨이트 침공 규탄 및 무조건 즉각 철수 재천명
-침공자가 수립한 쿠웨이트내 정부당국 승인거부
-UN 안보리 결의 660호 지지 및 이락의 동 결의 준수 촉구
-쿠웨이트의 재산보호 노력
-6개 경제제재조치 채택
0 이락 및 쿠웨이트로부터 석유 수입금지
0 EC 각국내 이락재산 동결조치 채택
0 대이락 무기 및 기타 군사장비 판매금지
0 대이락 군사분야협력 전면중지
0 이락과 과학기술 협력중지
0 이락상품 GSP 수혜중지
-국가간 분쟁문제 평화적 해결노력 및 분쟁지 긴장해소 노력
-쿠웨이트 합법정부 회복등 분쟁문제 해결 위해 아랍국가와 접촉강화

2.상기 공동선언문합의에 따라 주재국 각의는 금 8.5(일) 회의에서 대이락 경제제재 시행조치를 채택할 예정이라함.

(대사 김석규-국장).

구주국 중아국 안기부 국방부 1차보 김문국

PAGE 1 90.08.06 08:05 CG
외신 1과 통제관

0074

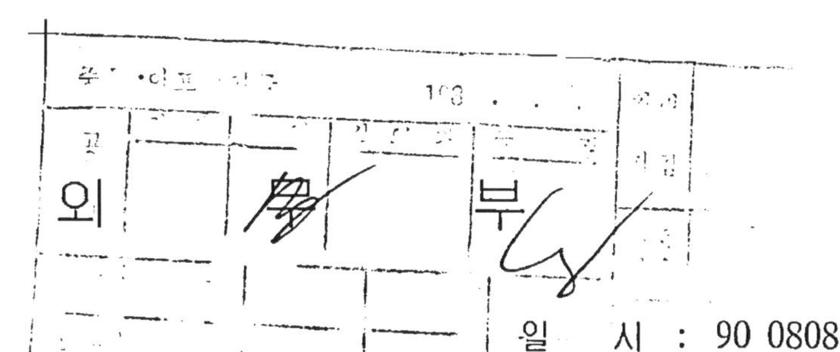

종 별 :

번 호 : ITW-0930 일 시 : 90 0808 1600

수 신 : 장관(구일,경일,경이,중근동,기협,기정,국방부)

발 신 : 주 이태리대사

제 목 : 이락, 쿠에이트사태

1.이락의 쿠에이트 침공에 대한 EC 및 UN 의대이락 경제 재재조치 (군수물자 금수, 무역금지 조치등)에 따라 이태리는 이락과 현재 진행중인 하기 주요사업 (군수물자 공급 및 건설공사 계약)의 불이행으로 많은 벌과금 부담등이 예상된다고함.

가.군수물자

0 FINCANTIERI 사 군함 11대(프리킷함 4, 코르벳함 6, 보조함 1) 및 헬기 10대 공급 계약 3.5조 리라 (약 30억불)

0 SELENIC-ELSAG 사 미사일(전자), OTOMELARA-FINBREDA (함포), FIAT 항공, ELMER, WHITEHEAD, SNIA 사등

나.공사계약

0 GIE 사(DANRA, MOSUL DAM, BAYI, EL ANBAR, ELMUSSAIB, SHEMAL 지역 발전시설)

0 IMPREGILO, ITALSTRADE 사의 공동수주 댐공사

0 SNAMPROGETTI, SAIPEM 사 송유관(IPSA 지역)및 윤활유 플랜드(BASSORA 지역)

0 SAIPEM, NUOVO PIGNONE 사 석유시추(KIRKUK 및RUNAILA 지역)

0 TPL 사 화학, 정유시설

0 DANIELI 사 전기, 철강시설

0 FOCHI 사 비료 및 액체관련 플랜트

2.상기 공급 및 공사계약 불이행시 일부사업은 이태리 수출보험공사 (SACE) 에의거 80 프로가 보상되나 국영기업인 FINTANTIERI 사의 군함 및 헬기공급은 계약액 과다로 SACE 에 의해 10프로 정도밖에 보상되지 않고 있어 추가부담은 정부에 의존할 것이라 함.

(대사 김석규-국장)

구주국 1차보 2차보 중아국 경제국 경제국 경제국 정문국 안기부
국방부

PAGE 1

90.08.09 05:05 DA
외신 1과 통제관

0075

외 무 부

종 별 :

번 호 : ITW-0936 일 시 : 90 0809 1300

수 신 : 장 관(구일,중근동,기정,국방부)

발 신 : 주 이태리 대사

제 목 : 걸프전쟁 주재국 반응

1.주재국 안드레오띠 수상은 8.8(수) 시실리 소재 SIGONELLA NATO 공군기지를 미군병참기지로 사용토록 허용한다고 발표하였음.

2.상기 기지 사용문제는 8.7(화)안드레오띠수상, 부쉬대통령간 전화통화(40분소요)에서 부쉬대통령이 안드레오띠 수상에게 요청하였다하며 이에 안드레오띠 수상은 NATO 회의 소집을 요청, 8.8(수) 브랏셀 NATO 회의에서 걸프사태 악화방지 위해미군에 기지사용등 병참지원을 결정하자, 동수상은 국내 연정 5당과 협의 5당의호의적인 반응에 따라 동기지 사용허용을 결정하였다 함.

3.미군을 주축으로한 다국적군에 이태리의 군사적참가는 현재 표면화되지 않고 있으나 8.9(금) 브랏셀 개최 EC 외상회담 및 NATO회의에서 거론될 것으로 보고있음.

4.참고로 실종된 이태리 ESPRESSO 기자외 실업인1명은 쿠웨이트에서 바그다드로옮겨진후 이락정부로부터 요르단 국경을 통해 출국토록 허가받았다함.

(대사 김석규-국장)

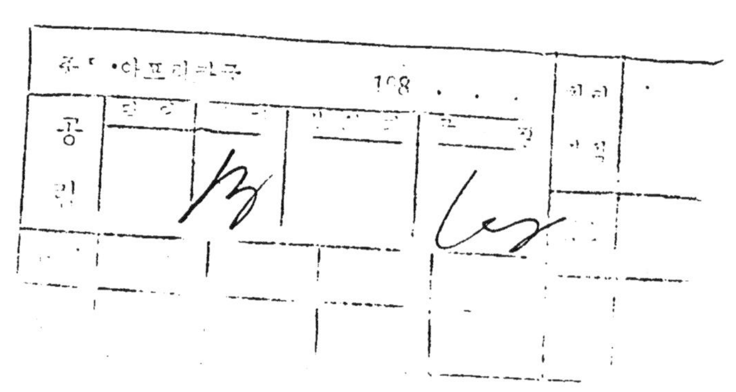

구주국 장관 차관 1차보 중아국 정문국 청와대 안기부 국방부 2차보

PAGE 1 90.08.09 22:24 EY

외신 1과 통제관

0076

	분류번호	보존기간

발 신 전 보

번 호 : WUK-1318 900809 0100 DN 종별 : 긴급

수 신 : 주수신처참조 대사. 총영사

WFR -1517 WGE -1136
√WIT -0721 WUS -2634
WJA -3358

발 신 : 장 관 (중근동)

제 목 : 이라크의 쿠웨이트 합병

사담 후세인대통령은 8. 8 쿠웨이트를 합병한다고 발표하였는바 이에 대한 주재국의 공식반응과 언론 반응을 지급 보고바람.

수신처 : 주 영국, 불란서, 서독, 이태리, 미국 및 일본대사

(중동아국장 — 이두복)

보안 통제	

앙 고 재	90년 8월 8일	중근동과	기안자 성명		과 장		국 장		차 관	장 관

외신과통제

0077

원 본

외 무 부

종 별 :

번 호 : ITW-0937 일 시 : 90 0809 1600

수 신 : 장 관(중근동)

발 신 : 주 이태리 대사

제 목 : 이락의 쿠웨이트 합병

대: WIT-0721

사담 후세인 대통령의 8.8 쿠웨이트 합병발표에 대해 주재국 정부의 공식반응은현재까지 없으며(별도로 수상 8.8 시실리 소재 SIGONELLA NATO 공군기지를 미군이사용할수 있도록 허용함) 언론은 연일 이락.쿠웨이트사태를 크게 다루고 있는데 추가, 합병으로 인해 걸프지역 긴장이 더 고조되고 있다고 보도함.

(대사 김석규-국장).

중아국 구주국 1차보 정문국 안기부

PAGE 1 90.08.10 00:55 EY

외신 1과 통제관

0078

외 무 부

종 별 :

번 호 : ITW-0939 일 시 : 90 0810 1600

수 신 : 장관(구일,중근동,기정,국방부)

발 신 : 주 이태리대사

제 목 : 걸프전쟁 주재국반응

1.주재국 안드레오띠 수상, 영국 대처수상간 가진 8.9(목) 전화통화 (40분소요)에서 대처 수상이 걸프군사 작전에 이태리의 참여를 공식적으로 종용한바 이에 대해 안드레오띠 수상은 하기 사유를 들어 일단 기다려 보자고 답하였다 함.

1)미국으로부터, SIGONELLA NATO 기지 사용 요청외에 군사참여에 대해 공식 요청이 없었음.

2)이태리는 걸프지역에 헌병적 역할을 맡을 생각이 없으며 또 모든 외교적 방법사용 이전에 무력형태 정책을 행사할 의향도 갖고 있지않음.

3.미국의 직접적 요청이 있을시 이태리 정부는 동군사참여 문제에 대해 의회의자문을 먼저 받아야함.

4)이락의 NATO 회원국에 대한 위협이 침략화될 경우(터키에) 이태리는 NATO 협정 의무내용을 준수 즉각 개입하여야 할것임.

2.이태리의 군사적 참여문제에 대해 이태리 정부는 금 8.10(금) 브랏셀 개최 EC 외상회담 및 NATO 외상회담 결과를 본다음, 의회 자문을 거쳐 참가여부, 방식등을 결정할것으로 보임. 현재 연정 5당내 자유, 공화당 및 사회 운동당이 군사참여에 대해 적극적 태도를 보이고 있으나 공산당 및 DP당은 반대의견을 표명하고 있음.

(대사 김석규-국장)

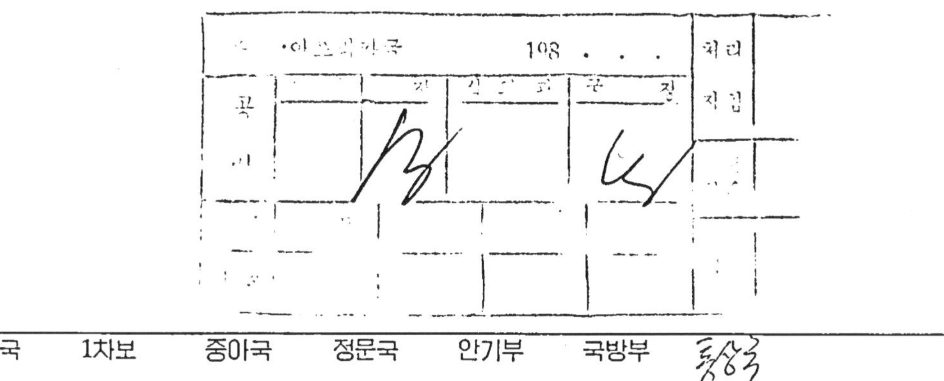

구주국 1차보 중아국 정문국 안기부 국방부 통상국

PAGE 1

90.08.11 06:37 DA

외신 1과 통제관

0079

외 무 부

종 별 :

번 호 : ITW-0960 일 시 : 90 0815 1200

수 신 : 장관(구일,중근동,기정,국방부)

발 신 : 주이태리대사

제 목 : 이태리의 걸프지역 군사적 참여문제(자응90-69)

연: ITW-0939

1. 주재국은 작 8.14 각의를 소집,이라크의 쿠웨이트 침공을 거듭 규탄하고 금번사태 해결을 위한 국제적인 노력에의 참여의 일환으로 군함3척(소형구축함 2척,보조함 1척,총인원 650명)을 파견키로 결정하였음.

2.정부는 동 결정에대한 의회 심의에 앞서 우선8.20 상기군함을 지중해 방향으로출항시켜 미국함대의 걸프지역 이동에 따른 동지역의 공백을 메꾸기로하고 8.21. 파리에서 소집예정인 서유럽연합(UEO) 이사회 및 주재국 의회의결정(상원 8.22,하원 8.23 소집예정)에 따라 걸프지역으로의 확대여부를 결정키로 하였음.

3.상기 각의에서 데 미켈리스 외상은 아랍정상회의시 사우디로의 군대파견문제관련,튜니시아 및 알제리아가 기권하였음을 상기시키면서 이들국가와 지중해를 접하고있는 지리적인 여건을 감안하여 이태리로서도 이들국가와 같은 신중한 행동을 취하는것이 바람직하다는 입장을 밝힘.

4.금번 걸프사태에 대한 이태리의 군사참여문제와 관련 주재국 PANORAMA 지(주간)의 국내여론 조사결과,69.2 프로가 동참여에 반대입장을 보였음.

5.한편 주재국 데미켈리스 외상은 8.10 EC 외상회의 합의에 따라 TROIKA 외상과함께 8.16-17간 사우디 및 요르단을 방문할 예정임.

(대사 김석규-국장)

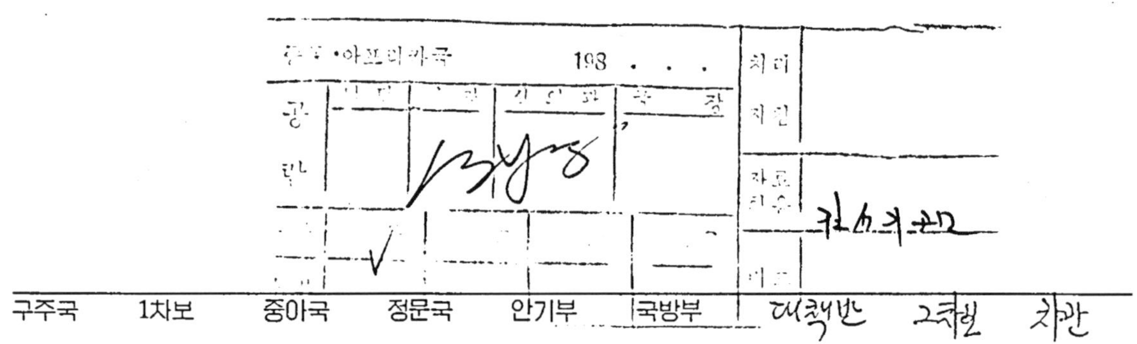

구주국 1차보 중아국 정문국 안기부 국방부 대책반 그차보 차관

PAGE 1

90.08.15 21:49 DP

외신 1과 통제관

0080

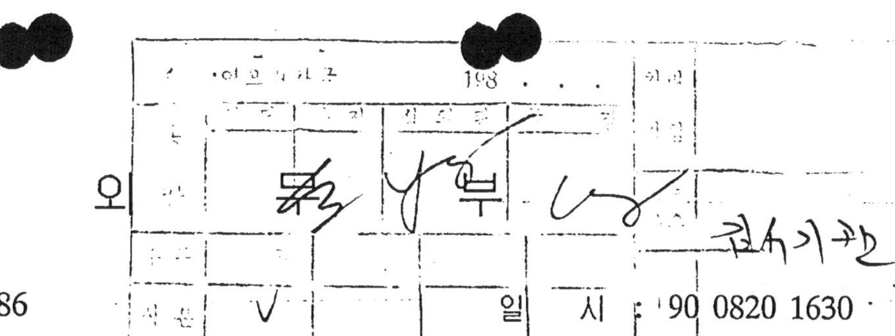

외 무 부

종 별 :

번 호 : ITW-0986 일 시 : 90 0820 1630

수 신 : 장관(구일,중근동,기정,주이태리대사)

발 신 : 주 이태리대사대리

제 목 : 걸프전쟁 주재국반응 (자응90-71)

주재국 데 미켈리스 외상은 EC TROIKA 외상과 사우디, 요르단, 이집트 방문후8.18 기자회견을 갖은바요지 아래 보고함.

0 중동방문 소감

-사담 후세인 이라크대통령은 아랍권내에서 예상보다도 더욱 고립된감을 느낌.

-어느 아랍국가도 이라크를 지원하지 않고 있으며 리비아 조차도 돕지 않고 있음

-카타피 리비아 국가원수는 유엔 주관하에 이라크군의 안전한 쿠웨이트 철수를보장한다면 리비아는 유엔안보리 결정을 받아 들릴것이며 이를 위해 리비아군을파견할 용의가 있다고 밝힘.

-아랍 지도자들은 서방진영의 결속을 촉구하였으며 이라크측에 서방진영이 분열되어 있다는 인상을 주지 않는것이 중요하다고 강조함.

0 군사적 참여 문제

-이태리의 군함파견은 정치적인 SIGNAL 이며 걸프지역에서의 무력사용은 불원함.

-이태리는 유엔 안보리의 결정을 존중하기 위해 군함을 파견한것임.

-명 8.21 파리에서 개최되는 서유럽기구(WEU) 회의에서 각국간 정치적인 COORDINATE 를 할것이며 각국의 참여문제가 결정 될것임.

0 현지 체류자 문제

-현재의 주요문제는 이라크, 쿠웨이트내 체류인의 문제임.

-쿠웨이트 체류 이태리인은 현재 안전하며 이라크측이 지정한 호텔로 강제 이송시키고 있지는 않은것으로 파악됨.

-현지 체류인 문제 해결을 위하여는 이라크에 대한 계속적인 정치적인 압력과 외교체널을 통한 노력으로 해결되어야 함.

-이들 문제 해결을 위해 유고 (비동맹 의장국)에 중재를 요청중임. 끝.

구주국 1차보 중아국 정문국 안기부 대책반 2차보 통상국

PAGE 1 90.08.21 04:55 DA

외신 1과 통제관

0081

원 본

외 무 부

종 별 :

번 호 : ITW-0991 일 시 : 90 0821 1300

수 신 : 장관(중근동,구일,기정,국방부,주이태리대사)

발 신 : 주이태리대사대리

제 목 : 쿠웨이트주재 주재국 공관철수문제(자응90-72)

1.주재국 외무성은 작8.20 이라크가 통첩한바 있는 쿠웨이트내 외교공관 철수를 거절하고 현지 공관원(대사,2등서기관 및 보조원3명)을 계속 잔류시킬 것이라고 발표하였음.

2.동 외무성은 또한 다만 외교관 가족은 금일 바그다드로 철수 시킬것이라고 밝히고 현지 이태리인(총138명)은 모두 안전하며 이태리대사관,대사관저,개인주택및 호텔에 산재해 있다고 발표하였음.

3.이라크 주재 대사관원중 6명이 작 8.20 처음으로 이라크 정부의 출국허가를 받아 요르단으로 월경한바, 이들은 기자회견을 통해 이라크의 상황은 비교적 조용하며,통신,은행거래,식량문제등에 별어려움이 없다고 밝힘.

4.한편 주재국은 이태리내 체류 이라크인에 대한 CENSUS 를 실시예정이라 하는바 약 2-3,000 명의 이라크인이 체류하고 있는것으로 알려짐.

(대사대리 황부홍-국장).

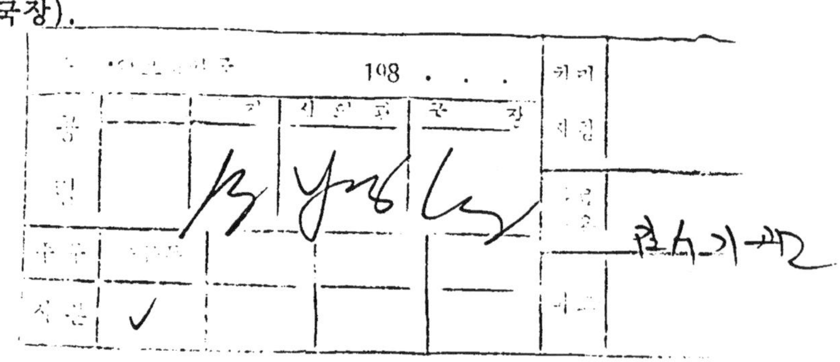

중아국 1차보 구주국 구주국(대사) 안기부 국방부 대책반 통상국 2차보

PAGE 1

90.08.21 21:31 CG

외신 1과 통제관

0082

기안

외 무 부

종 별 :

번 호 : ITW-0998 일 시 : 90 0822 1300

수 신 : 장 관 (구일,중근동,기정,국방부,주이태리대사)

발 신 : 주 이태리 대사대리

제 목 : 쿠웨이트내 이태리 인질석방 (자응90-73)

1. 주재국 안드레오띠 수상은 작 8.21 쿠웨이트내 이태리인이 타 서방6개국 (스페인, 아일랜드, 네델란드, 그리스, 벨지움, 덴마크)인질과 함께 곧 풀려나올 것이라고 밝히고 이는 걸프위기의 평화적 해결을 위한 중요한 단계가 될것이라고 언급함.

동인질석방은 이라크당국으로부터 이라크 주재이태리대사에게 통보되었다함.

2. 한편, 데 미켈리스 외상은 작 8.21 파리에서 개최된 서유럽연합 (WEU) 회의후지금까지 서방제국이 각각 취하여 왔던 대 이라크제재조치가 조정된 공동조치를 취하게 된데 중요성을 부여하고 이는 쿠웨이트로부터 이라크군을 철수시키기 위한 의도라고 밝힘. 동외상은 또한 이태리함대 (구축함 2, 지원함 1, 호위함 2)를 곧 걸프지역으로 파견할것 이며 이라크에 대한 경제제재조치로 피해를 입는 국가 (요르단, 터키등)에 대하여는 경제적, 재정적 지원을 할것이라고 밝힘.

동외상은 인질문제 관련, EC 국민에 위해를 끼치는 이라크국민은 응징할 것이나현재로선 유럽지역내 체류 이라크인에 대하여는 상응조치를 취할 계획은 없음을 언급함.

3. 주재국 상원은 금일 하원은 명일 회의를 소집 걸프전쟁에 대한 이태리의 군사적 참여문제를 결정할것임.

(대사대리 황부홍-국장)

구주국	1차보	중아국	정문국	안기부	국방부	구주국(미상)	2차보	통상국	미주국
대책반	2차보								

PAGE 1

90.08.23 00:53 FC

외신 1과 통제관

0083

외 무 부

종 별 :

번 호 : ITW-1007 일 시 : 90 0823 1300

수 신 : 장관(구일,중근동,기정,국방부,사본: 김석규대사)

발 신 : 주이태리 대사대리

제 목 : 쿠웨이트내 인질문제(자응 90-74)

연: ITW-0998

1. 연호 쿠웨이트내 이태리인질 석방문제관련 주재국 외무성에서는 아직 공식적인 입장을 밝히지 않고 있으며 담당실무자는 좀더 기다려봐야 알것 같다고 언급하였음.

2. 주재국언론은 이라크 당국이 이태리등 7개서방국가의 인질 석방을 부인한데 대해 이라크측이 동문제에 혼선을 야기시키고 있음을 지적하고 이는 EC 국가간의 결속을 저해시키려는 의도라고 보도함.

3. 한편 주재국 상원은 작 8.22. 이태리의 걸프지역 군사력 참여문제를 정부안대로 승인하였음.끝

(대사대리 황부홍-국장)

구주국 1차보 구주국(대사) 중아국 안기부 국방부 대책반 2차보

PAGE 1 90.08.23 22:16 DN

외신 1과 통제관

0084

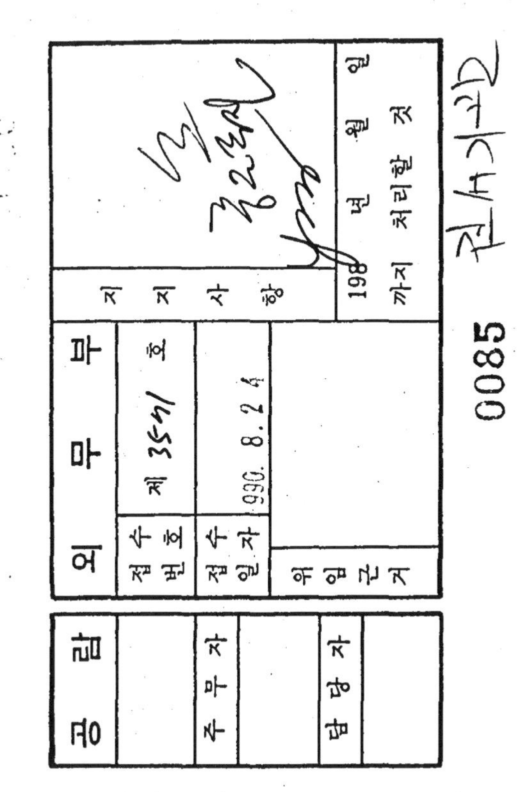

공람	
주무자	
담당자	

외 무 부		지시사항	
접수번호	제 3541 호		
접수일자	1990. 8. 24		
위임근거		198 년 월 일 까지 처리할 것	

0085

배 부 처

기획실		미주국		국제경제국		의연원	
의전실		구주국		통상국		총무과	
특전실		중아국	✓	정문국		감사관실	
아주국		국제기구조약국		영교국		여권과	

0086

AMBASCIATA D'ITALIA
SEOUL

The Italian Embassy presents its compliments to the Ministry of Foreign Affairs of the Republic of Korea and has the honour to transmit the following Official Declaration on the hostage crisis in Iraq and Kuwait adopted by the Foreign Ministers of the European Economic Community at the end of the extraordinary ministerial meeting of the EEC Political Cooperation Group held in Paris on the last 21th of August.

"The Community and its member states, deeply concerned at the situation of foreigners in Iraq and Kuwait, renew, their condemnation of the Iraqi decision to detain them against their will as contrary to International Law and fully support the Security Council Resolution 664 which requires Iraq to permit and facilate their immediate departure from Iraq and Kuwait. They denounce that the Iraqi Government has up to now reacted negatively to the many representations of the Community and its member States.

As members of the international community, which is founded not only on law but also on clear ethnical standards, the European Community and its member States express their indignation at Iraq's publicized intention to group such foreigners in the vicinity of military bases and objectives, a measure they consider particulraly heinous as well as taken in contempt of the law of basic humanitarian principles. In this context the fact that some foreigners have been prevented from contacting their consular or diplomatic missions or have been forcibly moved to unknown destination is a source of further deep concern and indignation. In this connection, they attach the greatest importance to the mission of two envoys of the Secretary General of the United Nations which is now taking place. They warn the Iraqi government that any attempt to harm or jeopardize the safety of any EC citizen will be considered as a most grave offense directed against the Community and all its member States and will provoke a united response from the entire Commuinity. They also warn Iraqi citizens that they will be held personally responsible in accordance with Internationl Law for their involvement in illegal actions concerning the security and life of foreign citizens.

./.

0087

They call on all those who may still influence the decisions of the Iraqi government to have these measures revoked and support the actions of the Security Council and the Secretary General of the United Nations to this purpose. They confirm their commitment to do all in their power to ensure the protection of the foreigners in Iraq and Kuwait and reiritate that they hold Iraqi government fully responsible for the safety of their nationals.

The Community and its member States, in the light of their condemnation of the Iraqi aggression against Kuwait as well as of their refudal to recognize the annexation of that State to Iraq, firmly reject the unlawful Iraqi demand to close the diplomatic missions in Kuwait and reiritate their resolve to keep those missions open in view also of the task of protecting their nationals."

The Italian Embassy avails itself of this opportunity to renew to the Ministry of Foreign Affairs of the Republic of Korea the assurances of its highest consideration.

Seoul, August 23, 1990

Ministry of Foreign Affairs
Republic of Korea

S E O U L

0088

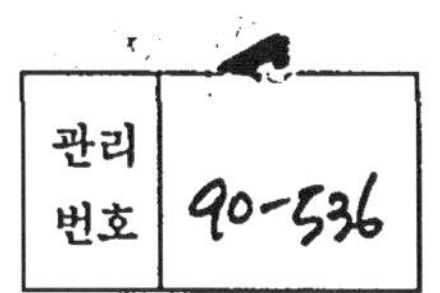

외 무 부

종 별 :

번 호 : ITW-1011 일 시 : 90 0824 1300

수 신 : 장관(구일,중근동,기정,국방부,주이태리대사)

발 신 : 주 이태리 대사대리

제 목 : 쿠웨이트 외교공관 폐쇄

연:ITW-0972,0991

대:WIT-0751

1. 당관 문병록 참사관은 금 8.24. 외무성 중근동 담당 FRANCHETTI 참사관과 재접촉, 표제관련 주재국의 입장을 타진한바, 이태리는 연호와같이 EC 와 공동으로 동 폐쇄조치를 수락할수 없다는 입장을 취하고 있으나 이라크당국이 강제로 공관을 폐쇄시킬 경우엔 동 조치가 국제법상 명백한 위반임을 들어 항의하되 이에 저항하지 말도록 현지공관에 지시하였다함.

2. 동인은 EC 공동으로 이에대한 대응조치를 강구중에 있다고 하면서 금일 개최되는 EC 정무총국장회의(로마) 및 명일 개최를 검토중인 EC 외상회의(브럿셀) 결과를 보아야 알것같다고 하였음.

3. 한편, 주재국 하원은 상원에 이어 작 8.23 정부의 대이라크 제재조치 및 군사적 참여를 승인하였음.

(대사대리 황부홍-국장)

예고:90.12.31. 일반.

1990.12.31.에 예고문에 의거 일반문서로 재분류됨

구주국	차관	1차보	2차보	구주국	중아국	통상국	청와대	안기부
국방부	대책반							

PAGE 1 90.08.24 22:24

외신 2과 통제관 DO

0089

관리번호	90-534

외 무 부

종 별 : 지 급

번 호 : ITW-1013 일 시 : 90 0823 2300

수 신 : 장관(중근동,구일,사본 김석규대사)

발 신 : 주 이태리 대사대리

제 목 : 쿠웨이트내 외교공관 폐쇄

연:ITW-1011

대:WIT-0751

1. 주재국 외무성 중근동 담당 FRANCHETTI 참사관은 금 8.24. 오후 당관 문병록 참사관에게 전화하여 이태리 정부는 EC 의장국으로서 금번 쿠웨이트내 외교공관 폐쇄 문제와 관련한 EC 결의사항을 PRO MEMORIA 로 전달함을 통보하여왔음.

2. 이태리 정부는 동 PRO MEMORIA (8.23. 자) 에서 지난 8.21. 파리에서 개최된 EC 외상회의결과 EC 국가는 쿠웨이트내 공관폐쇄에 관한 이라크의 불법요구에 저항키로하고, 현지 대사는 강제로 퇴거당하기까지는 현 위치에 잔류할것을 결의하였음을 알리면서 주요 관심국가와 이원칙에 따라 협력할것을 요망하였음.

3. 외무성측은 동 PRO MEMORIA 를 주요서방국가외에 한국, 일본, 비율빈, 인도, 이집트등 주요관심국가에 금일 동시에 통보한다고 하였음.

4. 동 PRO MEMORIA (이태리어 및 당관 번역문)와 EC 외상회의 선언문 (불어)은 파편 보고위계임.끝

(대사대리 황부홍-국장)

예고:90.12.31. 일반

1990.12.31.에 예고문에 의거 일반문서로 재분류됨

중아국 대책반	차관	1차보	2차보	구주국	구주국	통상국	청와대	안기부

PAGE 1

90.08.25 06:39

외신 2과 통제관 DO

0090

관리 번호	90-533

/ 7L

외 무 부

종 별 :

번 호 : ITW-1014 일 시 : 90 0823 2315

수 신 : 장관(중근동,구일,기정,국방부,사본:김석규대사)

발 신 : 주 이태리 대사대리

제 목 : 쿠웨이트내 외교공관 폐쇄(자응 90-77)

연:ITW-1011,1013

대:WIT-0751

1. 연호, 외무성 중근동담당 FRANCHETTI 참사관에 의하면 금일 당지에서 개최된 EC 정무총국장 회의에서는 만일 쿠웨이트주재 EC 국가 공관이 이라크당국에 의해 강제로 폐쇄될 경우엔 이를 이라크 당국에 강력히 항의하는 한편, 유엔 안보리에 제소하여 이라크의 처사를 규탄하고 동조치를 철회하도록 촉구하는 결의문을 채택하기로 합의하였다함.

2. 동인은 동건 관련 현재로서 별도의 EC 외상회의 개최계획은 없다고 함. 끝

(대사대리황부홍-국장)

예고:90.12.31. 일반

1990.12.31.에 예고문에 의거 일반문서로 재분류됨 7L

중아국	차관	1차보	2차보	구주국	구주국	통상국	정문국	청와대
안기부	국방부	대책반						

PAGE 1

90.08.25 06:42

외신 2과 통제관 DO

0091

외 무 부

종 별 :
번 호 : ITW-1017 일 시 : 90 0827 1300
수 신 : 장관(중근동,구일,기정,국방부)
발 신 : 주이태리 대사대리
제 목 : 걸프전쟁 주재국 반응(자응 90-77)

1. 데미케리스 주재국 외상은 작 8.26.금번 유엔안보리가 대이라크 경제 제재조치 강 행을 위한 무력사용 허용 결의안을 채택한데 중요성을 부여하면서 이는 유럽의 입장을 더욱 결속시킬것이라고 언급하였음. 동 외상은 이라크의 경제적,군사적 고립을 위해 정치적인 압력을 가중시킬것이라고 하면서 발트하임 오지리대통령의 자국민 석방을 위한 이라크 방문에 당혹함을 금할수 없다고 하였음.

2. 주재국은 의회의 승인에 따라 지중해로 파견되었던 군함 3척 (구축함 2, 지원함 1)이 8.24. 스웨이즈운하를 통과 걸프만으로 항해중인바,9월초 도착 예정이라함.

동지휘권및 작전지역등과 관련 주재국 외상은 유엔 및 금일 파리에서 개최되는 서 유럽 연합해군 참모총장회의 결정에 따를것이라고 언급하였음.

3. 이태리 대사관은 아직 이라크군에 의해 포위되지않은 상태이나 전기가 두절된상태여서 임시로 발전기를 사용중이라하며 조만간 수도물 공급도 중단될 것이라함.현지 체류인은 8.24. 현재 112명이며 모두 안전하다고 함.

4. 한편 주재국 꼬시가 대통령은 8.26. 라디오멧세지를 통해 쿠웨이트 잔류 외교관을 격려하였음.끝

(대사대리 황부홍-국장)

중아국 1차보 구주국 정문국 안기부 국방부 2차보 통상국 미주국 대책반

PAGE 1 90.08.27 23:09 DP
외신 1과 통제관

0092

원 본

외 무 부

종 별 :

번 호 : ITW-1079 일 시 : 90 0907 1915

수 신 : 장 관(중근동,구일)

발 신 : 주 이태리 대사

제 목 : 걸프사태관련 주재국 동정 (자응 90-78)

중근동 김서기관

주재국은 EC 의장국으로서 걸프사태의 정치적 해결을 위한 노력을 적극적으로 경주하고 있는바 최근의 주요동정은 아래와 같음.

1. 요르단 훗세인왕 방이(9.4)

2. 쿠웨이트 수상 방이 (9.5)

3. EC 외상회의 (9.7. 로마)

0 상세 파악되는대로 추보예정

4. 사우디 외상 방이 : 내주

5. LENOCI 외무차관 중동방문

0 9.10.-12.간 카탈,바레인,오만, UAE, 이란

6. DE MICHELIS 외상 방소 9.15. 끝

(대사 김석규-국장)

중아국 1차보 구주국 정문국 안기부 미주국 통상국 대책반

PAGE 1

90.09.08 09:40 WG

외신 1과 통제관

0093

원 본

외 무 부

종 별 :

번 호 : ITW-1105 일 시 : 90 0913 1630

수 신 : 장관(중근동,구일)

발 신 : 주 이태리대사

제 목 : 걸프사태 관련 주재국 동정

연: ITW-1079

1. 주재국은 EC 의장국으로서 걸프사태의 평화적 해결을 위해 주도적 노력을 경주하고 있는 바, 연호에 이어 주요 외교동정은 다음과같음.

0 안드레오띠수상: 방독(9.10)및 방불(9.,12) 정상회담 개최, 구주의회 참석(9.12) 연설

0 데 미켈리스외상: 시리아외상(9.12), 모로코외상(9.12), 아랍연맹사무총장(9.12), 사우디외상(9.13) 및 베이커 국무장관(9.14) 방이, 회담

2. 금번 각국 외상간의 회담중 특히 시리아 외상과의 회담은 시리아의 국제테러지원 관련 지난 수년간 서방국가와의 교류가 단절된 이래 처음으로 이루워진 것으로서 중요한 의의를 부여하고 있는바, 금번 회담후 데미켈리스 외상은 시리아와 EC 각국과의 관계개선을 위해 노력할 것임을 언급하였음.

3. 주재국은 또한 미테랑 불란서 대통령이 제의한 유럽/아랍국가간 회의(외상급)를 10.7.-8.간 베니스에서 개최키로 합의함. 끝

(대사 김석규-국장)

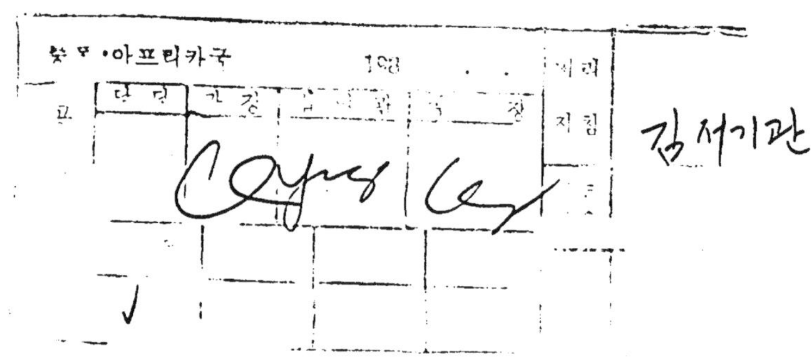

김서기관

중아국 1차보 구주국 구주국 정문국 안기부 대책반 미주국 통상국

PAGE 1

90.09.14 06:20 DA

외신 1과 통제관

0094

외 무 부

종 별 :

번 호 : ITW-1128 일 시 : 90 0917 1940

수 신 : 장 관 (중근동,구일,기정,국방부)

발 신 : 주 이태리 대사

제 목 : 걸프사태 관련 주재국 조치(자응 90-82)

연: ITW-1105

주재국은 9.14.및 9.16. 양일에 걸쳐 이라크에 대한 아래 추가적인 군사및 제재조치를 취하기로 발표한바 동내용 보고함.

1. 군사조치

0 9.14. 주재국 정부는 8대의 폭격기와 1대의 순양함을 추가로 파견키로 결정하고 의회에 동의를 요청함.

0 동결정은 베이커 국무장관의 방이에 앞서결정된 것으로서 그간의 미측의 요청에 부응하기 위한 조치로 보이는바, 베이커 국무장관은 금번 방문시 이태리 정부의 동조치에 사의를 표하는 한편 육군의 파병도 요청한 것으로 알려짐.

0 이태리 정부의 공군전투기 해외파견을 2차대전후 처음있는 일인바, 주재국 국방장관은 동추가조치의 일차적인 목적은 기존 파견 함대의 보호에 있다고 언급함.

0 한편 안드레오띠 수상은 베이커 장관 면담시 걸프사태의 평화적인 협상을 통한 해결의 중요성을 거듭 강조하면서 대이라크 경제봉쇄를 준수하지 않는 국가에 대한 경제 제재 조치를 취할것을 제의함.

2. 이태리 주재 이라크 대사관 무관 출국 조치

0 이라크측의 쿠웨이트 주재 불란서등 4국 공관난입 사건에 대한 상응조치로서 이태리 외무성은 9.16. 이태리 주재 이라크 대사관 무관단 7명을 10일이내에 출국할것을 통보함.

0 여타 이라크 외교관에 대하여는 로마시내로 부터 30키로미터 로 여행을 제한함.

0 데 미켈리스 외상은 동조치는 이라크의 서방대사관 공격에 대한 경고로서 본보기가 될것이며 EC 의 단합을 입증하는 강력한 증표라고 언급하고 금일 브럿셀에서 개최 되는 EC각료회의에서 보다 강력한 조치가 취해질 것이라고 밝힘.끝

중아국 1차보 구주국 정문국 안기부 미주국 통상국 대책반

PAGE 1

90.09.18 10:10 WG

외신 1과 통제관

0095

원본

외 무 부

암호수신

종 별 :

번 호 : ITW-1173 일 시 : 90 0928 1430

수 신 : 장관(중근동,구일,미북,기정,국방부)

발 신 : 주 이태리 대사

제 목 : 걸프사태 주재국 조치(자응 90-85)

연:ITW-1128,1133

대:WIT-0851(미북)

1. 연호, 주재국의 추가 군사조치에 따른 TORNADO 폭격기(8 대) 및 순양함(1척)은 9.25. 출발한바, TORNADO 편대는 UAE 의 아부다비근처 AL DHAFRAH 공군기지에 당일 도착함.

2. 주재국 정부는 작 9.27. 상기 비행편대의 임무를 파견함대의 보호를 중심으로하는 방어와 대이라크 경제제재조치에 따른 임무수행에 한정키로 결정하였음.

3. 주재국은 상기 추가군사조치에 따라 금년말까지 총 군사비로 1,300 억리리(113 백만불 상당)가 소요될 것이라 하는 바 작 9.27. 이중 우선 50 억리라 (4.423 백만불상당)를 하원에 상정, 승인하였음.

4. 한편 금 9.28. 외무성 관계관에 의하면 대호 전선국가에 대한 EC 의 경제원조규모는 유엔총회관계로 아직 구체적인 협의가 완료되지 않았으며, 이태리의 지원 규모도 현재 미정이라함. 끝

(대사 김석규-국장)

예고:독후일반

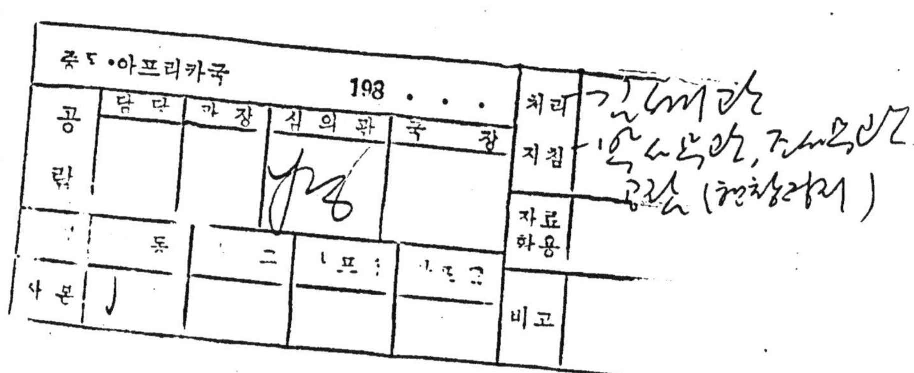

중아국 차관 1차보 2차보 미주국 구주국 정문국 청와대 안기부
국방부 대책반

PAGE 1

90.09.29 02:14
외신 2과 통제관 CF

0096

원 본

외 무 부

종 별 :

번 호 : ITW-1209 일 시 : 90 1008 1300

수 신 : 장관(중근동,구일,기정,국방부)

발 신 : 주이태리 대사

제 목 : 걸프사태 주재국 동정

(자응 90-86)

1. 주재국은 10.7. 쿠웨이트 잔류 외교관(대사및1등서기관)을 철수시킴.

동 철수에 앞서 데 미켈리스 외상은 상.하외무위원회에서 이태리 대사관이 이라크군에완전 포위되어 있어 더 이상 식량조달이 어려움에따라 부득이 철수한다고 밝히고, 동철수에도 불구 쿠웨이트주재 이태리대사관은 폐쇄시키지 않을 것이라고 언급함.

(10.7. 현재 미.영,카나다.바레인등 7개국 대사관이 계속 잔류)

2. 데 미켈리스 외상은 유엔총회 참석후 요르단,터키,이집트등 전선국가에 대한 EC 의원조액을 20억불로 결정하였음을 밝히고, 이중1/3은 91년도 EC 예산에서 , 나머지 2/3는 EC각국이 분담하게 될것이라고 언급함.

이와관련 주재국 마르텔리 부수상은 10.1.-4.간전선국가를 방문, 구체적인 지원방안을 협의함.

3. 주재국 의회는 10.4. 이태리내 쿠웨이트 재산보호조치의 일환으로 국내 쿠웨이트 재산에 대한 동결령을 가결함.

4. 로뇨니 국방장관은 9.30.-10.2.간 사우디, UAE,이집트등지를 방문, 정계.군 지도자와 면담하고 UAE 주둔 이태리 함대및 비행단 기지를 방문함.끝

(대사 김석규-국장)

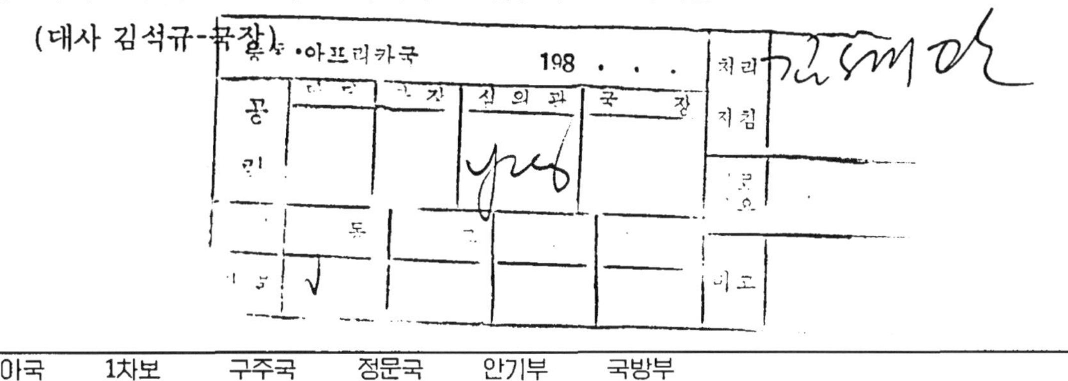

중아국 1차보 구주국 정문국 안기부 국방부

PAGE 1

90.10.09 00:17 DN

외신 1과 통제관

0097

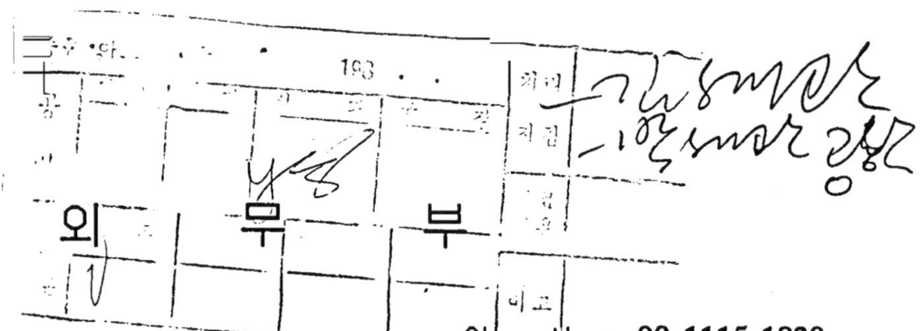

외 무 부

종 별 :

번 호 : ITW-1353 일 시 : 90 1115 1830

수 신 : 장관(구일,구이,중근동,기정,국방부)

발 신 : 주 이태리 대사

제 목 : 안드레오띠 수상 방미

1. 안드레오띠 수상은 11.12.-14.간 미국을 방문하고 귀국하였음. 동수상의 금번 방문은 EC의장국 자격으로서 들로르 EC 집행위원장 및데 미켈리스 외상이 수행함.

2. 금번 정상회담시엔 주로 걸프사태, 신대서양헌장, 우루과이 라운드 문제가 협의된 바 주요내용은 다음과 같음.

가. 걸프사태

안드레오띠 수상은 미측에 좀더 시간을 갖고 외교적인 해결방안을 모색하여 줄것을 요청하였으며 부쉬 대통령은 미군의 증파가 외교적인 노력을 불가능하게 하는것은 아니라고 답함.

안드레오띠 수상은 정상회담후 기자회견을 통해 걸프사태의 평화적인 해결을 위한 노력이 계속 집중되어야 함을 거듭 강조하고

1) 쿠웨이트의 해방

2) 모든 인질의 석방

3) 중동의 평화보장을 위한 안전 보장 제도확립을 주장함.

나. 신대서양 헌장

0 양국정상은 금번 CSCE 정상회담에서 서명을목표로 국제정세 변화에 따른 미- EC 간의 새로운 협력 관계를 규정한 신대서양 헌장 (TRANSATLANTIC DECLARATION) 을을 최종 협의함.

0 동 헌장에는 테러, 마약, 범죄, 공해, 핵,생화학, 민주주의 지지, 유엔지지, 자유무역 개발, 대동구 및 개도국 재정지원등이 포함됨.

다. 우루과이 라운드

0 양국정상은 UR 의 연내 타결에 적극적인 의지를 표명함.

0 농업보조금 삭감 관련 미측은 EC 측에 75프로의 보조금 삭감을 요청하는 한편EC

구주국 1차보 구주국 중아국 정문국 안기부 국방부

PAGE 1 90.11.16 06:13 DA

외신 1과 통제관

0098

측은 30프로 삭감을 주장함.

3. 한편 데 미켈리스 외상은 베이커 국무장관의 회담후 기자회견을 통해 EC 각국은 최근 수차의 회의를 통해 인질석방 관련 사담후세인과의 협상을 하지 않을 것을결정 하였음을 밝히고 현재 추진되고 있는 FANFANI 전 이태리 수상의 이라크 방문계획을 중단할 것을 촉구함.

동인은 또한 부분적인 인질석방은 결과적으로 미.영의 인질만 잔류하게 되고 이는 군사적인 개입을 초래할 것임을 경고하고, 유엔의 결의에 따라 군사적인 행동을 취하게 될 경우 이태리는 타국과 행동을 같이 할것이라고 밝힘.

(이태리는 인질석방 교섭을 위해 지난주 10명으로 구성된 좌파 하원의원이 이라크를 방문한바 있으며 다시금 FANFANI 전수상이 방문을 추진중인바, 각정당은 이에 각각 상반된 반응을 보이고 있음. 이태리의 현 이라크 인질수는 11.13. 현재 286명임).

끝

(대사-국장)

0099

외 무 부

종 별 :

번 호 : ITW-1424 일 시 : 90 1205 1600

수 신 : 장관(구일,중근동,기정,국방부)

발 신 : 주이태리대사

제 목 : 걸프사태 (자응90-99)

1. 주재국 DE MICHELIS 외상은 EC각료이사회(12.4 브럿셀)의 결정에 따라 EC의장국 외상자격으로 이라크외상과의 회담을 주선할 것임을 밝힘. DE MICHELIS 외상은동회담 주선이 미국및 여타국가와 밀접히 관련되어 있음을 언급하면서 걸프만의 전쟁과 평화는 사담후세인 대통령의 선택에 달려있음을 지적하고, 금번 회담은 이라크측에 정치적인 해결 방안을 택하도록 확신시키는데 목적이 있다고 밝힘. 동회담은 내주 EC 정상회의 개최전 이라크외상의 미국 방문귀로에 이루워질 것으로 예상하고 있는바, 결과 추보위계임.

2. 한편, 주재국은 지난달 이라크에 대해 25본상당의 의료품을 지원한바 있으며이와관련, 12.4. 이라크의회 대표단 (단장:법사위원장)이 주재국을 방문한 바, 동대표단은 주재국 의회및 정부측과 걸프사태 전반및 추가 의료지원 문제를 협의 예정임.

3. 상기 의료품 도착후11.26, 70명의 이태리 인질이 석방되었으며 현재 약200명이 잔류하고 있는바, 주재국은 공산당을 중심으로 인질석방 교섭위한 대표단의 파견을추진중임.끝.

(대사 김석규-국장)

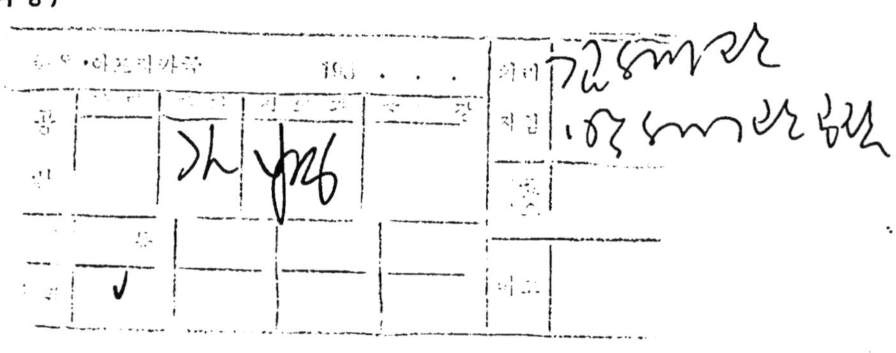

구주국 1차보 중아국 정문국 안기부 국방부

PAGE 1

90.12.06 01:58 DN

외신 1과 통제관

0100

원 본

암호수신

외 무 부

종 별 : 지 급

번 호 : ITW-0059 일 시 : 91 0112 1720000

수 신 : 장 관(중근동,구일,기정,국방부)

발 신 : 주 이태리 대사

제 목 : 폐만사태(자응 91-1)

대:WIT-64

1. 대호, 폐만사태관련 주재국은 작 1.11. 각의를 소집협의한 바 요지 아래보고함.

가. 데미켈리스 외상은 폐만사태 해결에는 안보리의 결의와 1.15. 철수시한의 준수가 기본요소임을 강조하고, 늦어도 1.15. 부터는 쿠웨이트로 부터의 철수가 개시되어야 하므로 불란서가 제시한바 있는 철수의사의 선언만하는 것에는 동의할 수 없다고 밝힘.

나. 동외상은 철수관련 두가지의 제안을 함.

1) 철수기간중에는 공격하지 않음을 보장함.

이를 위해 군수물자이외의 경제제재조치를 해제하고, 유엔은 옵서버및 평화군에 의한 철수 통제 역할을 수행하며, 이어 폐만지역 주둔 외군은 철수시킴.

2) 동 철수후 중동지역 안보협력회의 (CSCM) 개최를 위한 일련의 준비회의를 함. 동 준비회의는 91 년말까지 개최되어야 하며 이태리는 이에 참여할 용의가 있음.

다. 1.15. 까지는 평화적인 해결을 위해 최선의 외교노력을 경주할 것이며,현재로서는 걸프지역에 군사력을 추가지원하지 않기로 함.

라. 외교노력이 실패할시에는 1.16. 다시 각의를 소집 대책을 수립, 의회와협의, 전쟁참여 방법을 강구키로는 테러 방지 대책을 협의함.

2. 이에 앞서 데미켈리스 외상은 이라크외상이 EC TROIKA 와의 회담을 거절한것은 아니며, 이라크가 아닌 제 3 국 (알제리)에서 만날 용의가 있으나 이에 대한 본국정부의 허가를 요청하겠다고 언급하였다고 밝힘.

3. 데미켈리스 외상은 금/ 명일에 걸쳐 아라파트, 유고외상및 알제리, 요르단, 소련대표와 협의예정이며 안드레오띠 수상은 금일 가다피와 전화 협의를 함.

(비공식 소식에 의하면 데미켈리스외상은 알제리 외상 또는 EC 의장국 외상과

중아국 장관 차관 1차보 2차보 구주국 정문국 청와대 안기부
국방부

PAGE 1 91.01.13 06:44
외신 2과 통제관 CA

0101

바그다드에 갈 예정이라 함.)

4. 한편 주이라크 이태리대사관은 금/ 명일중 철수예정이며, 대호 이라크의1.16.-17. 철수가능성 보도는 확인되지 않고 있음. 끝

(대사 김석규-국장)

PAGE 2

0102

관리번호	91/1081

분류번호	보존기간

발 신 전 보

번 호 : WUS-0131 910114 1646 FC 종별 : 지급

수 신 : 주 수신처 참조 대사. 총영사

WJA -0173 WUK -0087
WSV -0117 WFR -0062
WUN -0071 WIT -0079
WSB -0084 WCA -0043

발 신 : 장 관 (중근동)

제 목 : 페만사태 비상 대책

연 : WUS-0107

연호와 같이 페만사태 비상 대책 수립에 참고코자 하니 1.13. 케야르 유엔 사무총장의 사담 후세인 대통령 회담, 유엔안보리 소집, 결과 및 1.14. 이라크 비상의회 소집, 기타 관련국가의 중재노력 등 유엔이 정한 이라크의 철군 시한을 앞두고 일련의 움직임에 주재국 정부, 언론계, 학계등의 관찰, 정세전망, 입장등을 파악 지급 보고 바람. 끝.

유엔이 정한 철군시한을 앞두고, 중동문제해결을 위한 국제적노력이 금후 48시간이내에 적극화 될것으로 보이는바, 귀주재국 이러한

당국, 연구소등의 긴밀히 접촉, 이러한 동향을 수시로 지급 보고바람

1991. 6. 30. 에 예고문에 의거 일반문서로 재분류됨

(차 관 유 종 하)

예 고 : 91.6.30. 까지

수신처 : 주미, 일, 영, 소, 불, 유엔, 이태리, 사우디, 이집트 대사

보안통제	

앙고재	91년 1월 14일	중근동과	기안자 성명		과 장		국 장		차 관	장 관
			조현		가					

외신과통제

0103

관리 번호	91-815

원 본

외 무 부

종 별 : 지 급

번 호 : ITW-0066 일 시 : 91 0114 1620

수 신 : 장관(중근동,구일,기정,국방부)

발 신 : 주 이태리 대사

제 목 : 페만사태(자응 91-2)

대:WIT-0079(890), 연:ITW-59

1. 주재국 데미켈리스 외상은 1.13. 페만사태 해결을 위해 아라파트 PLO 지도자가 중재 역할을 하여줄것을 기대하면서 "평화의 열쇠는 PLO 의 손에 있다"고언급하고 아라파트 지도자가 사담 후세인 대통령에게 쿠웨이트로부터 철수하도록 하는 일방적인 선언을 하여 줄것을 촉구하였음.

2. 데 미켈리스 외상은 1.12.(토) 아라파트 지도자와의 은밀한 전화통화를 통해 상기 중재노력을 요청하였으며 또한 외상 관방실장 발도찌 대사는 작 1.13. 당지 주재 PLO 대표를 외무성으로 불러 상기 PLO 측의 중재를 요청하였음.

3. 한편 가다피 리비아 지도자는 1.12.(토) 주재국 안드레오띠 수상을 비롯, 불란서, 스페인 정상과 전화협의를 하고 긴급 유엔 안보리 소집을 요구하였으나 데 미켈리스 외상은 기다피 지도자의 중재 노력에는 회의를 표시하면서 안보리 소집에도 부정적인 견해를 밝혔음.

4. 동사태 관련 주재국 외무성측은 데 미켈리스 외상이 EC TROIKA 외상의 이라크 방문 가능성을 언급한바 있으나 구체적으로 이태리측이 주도하는 중재노력은 없다고 하면서 금일 브럿셀에서 개최되는 EC 외상회의 결과를 보아야 알것 같다고 언급하였음.

5. 케야르 유엔사무총장과 사담후세인 대통령과의 회담에서는 별다른 진전이 없었던 것으로 밝혀졌으며, 금일 개최된 EC 외상회의에서는 이라크에 교섭단을 파견하지 않기로 결정하는 한편 사담후세인 대통령은 다시금 성전의 결의를 표시하였고 금일 개최된 이라크 비상의회는 동대통령의 결정을 지지하는 결의를 채택한 것으로 알려짐.끝

(대사 김석규-국장)

중아국	장관	차관	1차보	2차보	구주국	청와대	총리실	안기부
국방부								

PAGE 1

91.01.15 01:56

외신 2과 통제관 CH

0104

예고:91.6.30. 까지

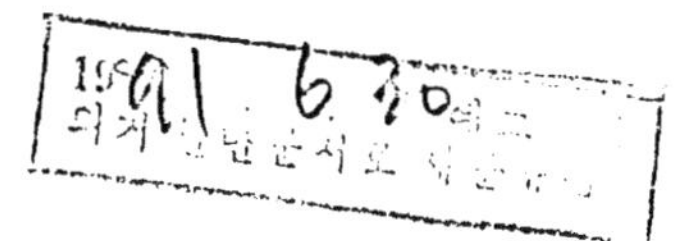

PAGE 2

0105

관리 번호	91-66

분류번호	보존기간

발 신 전 보

번 호 : WJA-0203 외 별지참조 종별 : WJT-0088 910115 1927

수 신 : 주 수신처 참조 ~~대사, 총영사~~

발 신 : 장 관 (미북)

제 목 : UN 안보리 철군 시한 경과 관련 성명 발표

1. 페만 사태와 관련 UN 안보리가 설정한 1.15. 이라크군 철수 시한이 임박함에 따라 독일 정부는 상기 시한전 이라크군의 철군을 촉구하는 수상실 명의 성명을 1.14. 발표하였음.

2. 본부 조치 결정에 참고코자 하니, 1.15. 시한을 전후하여 주재국 정부의 여사한 입장 표명이 있을 경우 발표 즉시 지급 보고 바람. 끝.

(미주국장 반기문)

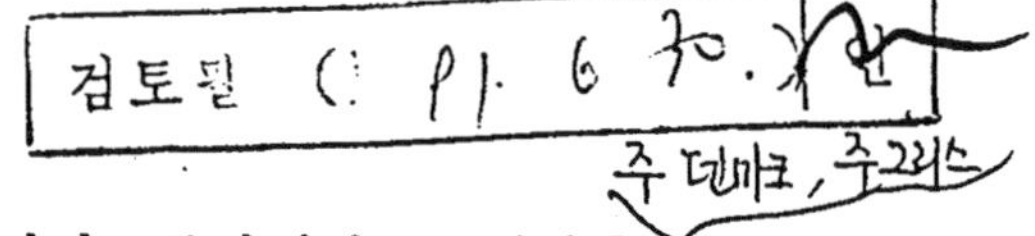
검토필 (91. 6. 30.)

예고 : 91.12.31. 일반

수신처 : 주일, 주영, 주불, 주카나다, 주이태리, 주벨지움, 주덴마크, 주그리스, 주터어키, 주호주대사 (사본 : 주미대사) 주카이로총영사, 주파키스탄, 주스웨덴, 주방글라데시, 주모로코, 주세네갈, 주체코, 주소대사

일반문서로 재분류(1991.12.31.)

중동아국장 대변인

보안 통제	

앙 고 재	91년 1월 15일	북미과	기안자 성명		과 장	심의관	국 장		차 관	장 관
							전결			

외신과통제

0106

유엔 안보리 철군 시한 경과후

~~대한민국 정부~~ 외무부 대변인 성명(안)

1991. 1. 16.

1. 대한민국 정부는 유엔 안보리 결의가 설정한 1.15. 철수 시한이 지났음에도 불구하고 이라크 정부가 쿠웨이트에 불법 주둔중인 이라크군을 아직 철수치 않고 있음을 유감스럽게 생각합니다.

2. 이에 따라 페르시아만 지역정세가 전쟁 발발 일보 직전으로 치닫고 있어 페르시아만 인근지역 전체는 물론 전세계인들을 공포와 불안에 떨게하고 있는데 대해 우리는 깊은 우려를 갖고 있습니다.

3. 우리 정부는 이라크 정부가 지금이라도 전세계 평화 애호인의 염원에 부응하여 유엔 안보리 결의가 요구하고 있는 바와 같이 쿠웨이트로부터 즉각 철군할 것을 거듭 촉구하는 바입니다.

4. 대한민국 정부는 이 기회를 빌어 페르시아만 지역에 파견된 미국을 비롯한 다국적군의 헌신적인 평화유지 노력에 깊은 경의와 찬사를 보내고자 합니다.

끝.

중동아국장 대변인

앙고재	북미과	91년 1월 15일	담 당	과 장	심의관	국 장	차관보	차 관	장 관
			[signature]	[signature]	[signature]	[signature]	[signature]		[signature]

0107

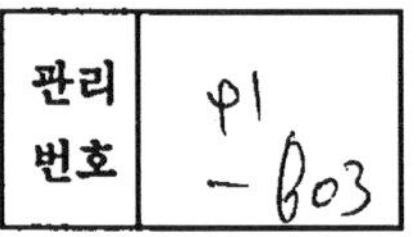

외 무 부

종 별 : 지 급

번 호 : ITW-0077 일 시 : 91 0115 1810

수 신 : 장관(중근동,미북,구일)

발 신 : 주 이태리 대사

제 목 : 페만사태

연:ITW-66

BEU:WIT-79(중근동), WIT-88(미북)

1. 주재국 외무성 대변인은 금 1.15. 이태리 정부는 페만사태 해결방안의 일환으로 금번 불란서가 제시한 안을 지지하며, 또한 무력 사용을 피하고 이라크군을 철수시킬수 있는 제안이면 어느 안이든지 지지한다고 발표하였음.

2. 안드레오띠 외상은 작 1.15. 당지 주재 PLO 대표와 면담 PLO 측의 중재 역할을 촉구한바, PLO 대표는 "중동문제에 관한 국제회의 개최에 강경한 제안이 이루어지면 사담후세인 대통령도 철수할수 있을 것"이라고 언급하였다고 밝힘.

3. 현편 주재국은 평화적 해결 방안이 실패할것에 대비 명 08:00 특별각의를 소집, 전쟁참여방안(전방, 후방 또는 순찰업무등)및 동 참여의 헌법상 저촉 여부등을 협의할 예정임.

4. 참고로 로마시민들은 전쟁 발발에 대비 비상용 식량 및 생필품을 구매하느라 수퍼마켓이 붐비는 현상을 빚고 있음. 끝

(대사 김석규-국장)

예고:91.12.31. 까지

검토필(1991. 6. 30.)

중아국	장관	차관	1차보	2차보	미주국	구주국	청와대	총리실
안기부								

PAGE 1

91.01.16 06:13

외신 2과 통제관 FE

0108

긴

외 무 부

암호수신

종 별 : 지 급

번 호 : ITW-0089 일 시 : 91 0117 1535

수 신 : 장관(중근동,미북,구일,기정,국방부)

발 신 : 주 이태리 대사

제 목 : 걸프전쟁(자응 91-4)

연:ITW-77

1. 표제관련 금 1.17. 주재국 안드레오띠 수상은" 그간 평화적인 해결을 위해 최선을 다하였으나 이라크측으로 부터 전쟁을 피할수 있는 단 한마디의 말도 ,단 한가지의 조치도 취한것이 없었다"고 언급하고 무력사용만이 유일한 해결 방법임을 천명하였음.

2. 주재국 정부는 유엔의 철수시한이 경과함에 따라 작 1.16. 특별각의를 소집, 걸프 지역의 평화와 안전을 위하여는 무력사용이 불가피함을 강조하고 유엔안보리의 결의를 준수하기 위해 이태리측이 걸프지역에서 국제 경찰의 역할을 수행할것을 결정하였음. 주재국 정부는 각의 직후 이를 의회에 회보하였으며 의회측은 철야 토의를 한바 금일 공산당등 일부 반대에도 불구 정부가 제출한 동참전안(현재로선 페만에 파견한 기존 해.공군 수준)을 승인하였음.

3. 주재국 외상은 베이커 국무장관으로 부터 45 분전 통보를 받고 이를 의회에 보고하였으며 국방장관은 대이라크 공격시 미측으로부터 현지 파견 이태리 군에 공격시간을 통보하지 않았다고 밝히고 미측의 공격 참여 요청이 있었어도 의회의 동의전이므로 참여할수 없었을 것이라고 언급하였음.

4. 한편 주재국 외무성은 금일 파리에서 WEU 회의와 EC 외상회의를 개최하며 동회의에는 데 미켈리스외상및 로나니 국방장관이 참석할 것이라고 발표하였음.

5. 참고로 주재국에서는 테러에 대비 미국계 학교가 휴교조치를 취하였으며, 시민들은 정부의 자제요구에도 불구하고 비상식량및 생필품을 매입하는 현상을 보이고 있음. 끝

(대사-국장)

중아국 장관 차관 1차보 2차보 미주국 구주국 청와대 안기부
국방부

PAGE 1 91.01.18 02:40

외신 2과 통제관 CA

0109

1828360. 김

외 무 부

암호수신

종 별 : 지 급

번 호 : ITW-0090 일 시 : 91 0117 1900

수 신 : 장관(중근동,미북,구일,기정,국방부)

발 신 : 주 이태리 대사

제 목 : 걸프전쟁

연:ITW-0089

연호 금일 파리에서 개최되고 있는 서구 연합회의 (WEU)에 참석중인 주재국의 데 미켈리스 외상 및 로냐니 국방장관은 현재 폐만에 파견중인 이태리의 공군기 및 함대는 다음부터 군사작전에 참여할 것이며, 미국의 군사작전 지휘를 받게 될것이라고 발표하였음. 끝

(대사-국장)

중아국 장관 차관 1차보 2차보 미주국 구주국 청와대 안기부
국방부

PAGE 1

91.01.18 04:41
외신 2과 통제관 CF

0110

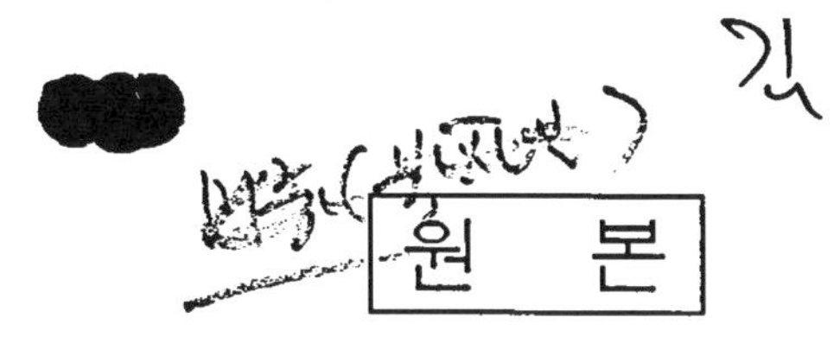

외 무 부

종 별 :

번 호 : ITW-0110 일 시 : 91 0121 1800

수 신 : 장 관(미북,중근동,구일)

발 신 : 주 이태리 대사

제 목 : 걸프전쟁 관련 언론 동향

대호: WIT-0100

1. 대호 주재국 유력지 LA REPUBBLICA 지의 사설을 요약 번역, 별첨 FAX 송부함.

2. 기타 관련 동향을 아래 보고함.

0 주재국은 페만에 10대의 TORNADO 전부기와 6대의 군함.(구축함 4대, 지원함 2대) 그리고 NATO일원으로 터키에 6대의 F-104를 파견 시키고있는 바, 이중 1.18.제1차로 걸프 작전에 참여한 TORNADO 전부기중 1대가 실종 (조종사 2명중1명은 이라크 OAA 확인)되었으며 1.20. 2차 작전을 성공적으로 수행함.

0 주재국은 전쟁 발발과 더불어 테러방지를 위해 경찰, 헌병, 세관경비대 및 3만명의 병력을 부입 주요시설에 대한 삼엄한 경비를 하고 있는바, 일부도시에서 미.영국계 학교및 회사등에 화염병 부척등 사소한 사건외에는 아직 특이한 테러행위는 발생치 않고 있음.

0 주재국에서는 이라크 외교관 (총 22명)에 대한 추방을 검토하고 있는 것으로 알려져 있으나 아직결정된바 없음.

첨부: ITW(F)-0001(3매).끝

(대사 김석규-국장)

미주국	장관	차관	1차보	2차보	구주국	중아국	정문국	청와대
총리실	안기부							

PAGE 1

91.01.22 16:22 WG

외신 1과 통제관

0111

원 본

외 무 부

종 별 :

번 호 : ITW-0142 일 시 : 91 0125 1830

수 신 : 장관(미북,중근동,구일,기정,국방부)

발 신 : 주이태리 대사

제 목 : 걸프전쟁 관련 주재국 반응(자응 91-8)

연:ITW-0123

걸프전쟁 관련 주재국의 주요 동정및 반응아래 보고함.

1. 주재국 '로뇨니 '국방장관은 작 1.24. 걸프전쟁개전후 처음으로 상원 국방위에서 전항을보고하면서 걸프전쟁이 조기에 끝날것 갑지 않다고언급하였음. 동인은 이라크측의 저항이 매우강하며 이라크는 600대의 전투기와 250대의 헬기를보유하고 있다고 설명하였음.동인은 또한현상황하에서는 이태리 군의 증파는 고려하고 있지않으며이라크가 터키를 공격할 경우에도 현지 주둔이태리 공군기가 작전에 자동적으로 참여하는 것이아니라 의회의 동의가 필요하다고 언급하였음.

2. 안드레오띠 수상은 1.23. 구주의회에서 연설을통해 EC의 걸프전쟁에 임하는 입장이강력함을 밝히면서 동전쟁으로 인해 EC가국제무대에서 찾하는 비중이 증대하였음을언급하고 전후 중동의 평화 안전과 경제적결속에 EC가 더욱 협력하여야 한다고강조하였음. 동인은 또한 유엔이 팔레스타인문제를 더이상 방관할수 없다고 주장하고, EC와아랍제국과의 대화,GCC 및 마그레브연맹과의협력관게 증대 필요성을 강조하였음.

한편 동수상은 연호 이태리정부의 이라크 외교관일부 추방사건관련, 이라크와의외교관게는 게속유지할 것임을 천명하고 이의 중요성을강조하였음.

3. 데미켈리스 외상은 연합국의 대동단결을강조하면서, 걸프전쟁이 이스라엘, 터키로 확대될것에 우려를 표명하고 이경우 아랍국가 특히튜니시아및 알제리아가 태도를 변화하게 될것에우려하였음. 동 외상은 또한 1.22.당지 이스라엘대사와 면담, 중동의 항구적 평화해결방안모색을 위한 중동 안보 협력회의 (CSCM)를개최할것을 거듭주장하고, 점령지에 있는팔레스타인인을 이스라엘인과 똑같이 보호할것을강조하였음.

미주국 차관 1차보 2차보 중아국 구주국 청와대 총리실 안기부
국방부 대책반

PAGE 1

91.01.26 08:16 ER
외신 1과 통제관

0112

4. 주재국은 이라크의 전력이 예상보다 강력함에놀라움을 표시하면서 대체로 금번 전쟁이 장기화할 것으로 보고 있음. 일부에서는 이라크의 전력으로보아 그대로 방치하였을 경우 1-2년내에 유럽까지사정거리가 미치는 미사일을 개발할수 있었을것으로보면서 이경우에는 핵전쟁만이 해결방안이 될수 있었을 것이라고 우려를표하였음.금번 전쟁의 전망에 대해 의회일각에서는 사담후세인이 이 전쟁을 장기전화한후 초토화된 쓸모없는 쿠웨이트 영토를연합국측에 물려줌으로서 미국의 대외 이미지를추락시키고 자신은 아랍의 영웅이 되려는 계략을꾸미고 있을지도 모른다고 예견하였음.

5. 주재국은 특히 군.경 병력을 동원 테러방지에집중하고 있음. 일부 이태리 공장,발전소등에서사소한 폭발물 사건이 있었으나 동사건이아랍계의 테러기도와의 관련여부는 밝혀지지않았음.

주재국은 그간 테러 혐의자 1명 체포, 10명을추방한데 이어 10여명을 추가로 추방할것을 검토하고있음.끝

(대사 김석규-국장)

PAGE 2

0113

긴

원 본

외 무 부

종 별 :

번 호 : ITW-0143 일 시 : 91 0125 1835

수 신 : 장관(미북,중근동,구일,기정,국방부)

발 신 : 주이태리 대사

제 목 : 걸프전쟁 관련 언론 동향(자응 91-9)

금 1.25.자 주재국 LA REPUBBLICA 지의 사설을 아래요약 보고함.

0 전 주이라크 소련 무관 MR. VLADIMIR SAKHAROV 에의하면 사담후세인은 과거 소련이 사용한 전략과유사한 전략을 쓰고있음. 즉 보다 강력한 적의공격에 대응하지 않고 최적기를 기다렸다가 모든전력을 동원하여 전격적인 공격을 가하는 것임.

0 미국방부측에서도 사담이 일일이 대응하지 않고군사상 대수롭지 않는 스쿠드 미사일을 사용하거나일부 전투기를 작전에 참여시키고 있음을확인하고 있음.

0 이라크는 아직도 600여 전투기, 많은 미사일및화학무기를 가지고 있으며, 연합군을 속일수 있는모형 무기도 가지고 있음.

0 미군은 이제 이에 대응한 작전을 시작하였음.미국은 50만이상이 은닉하고 있는쿠웨이트 요새를제거시키려 계획하고 있으며 이것이 곧 '차단후섬멸' 작전임.

육군과 해병대는 큰 손실을 줄이기 위해 마지막단계에 투입될 것임.

0 동작전은 또한 이라크의 경제적 군사적산업구조의 파괴와 이라크 정권의 제거를 의미함.

0 이러한 작전은 사담이 전쟁포로를 TV에출현시키고 스쿠드 미사일로 이스라엘을공격시킴으로써 그 필요성이 증대되었으며, 미국의여론도 이에 동조하고 있음.

0 이스라엘이 반격하지 않음으로서 연합국의결속을 보다 강화하였으며 장래의 평화를위해서도 유익함.

0 아직 결정적인 공격도 시작되기전이지만 전후의평화 문제를 이미 검토 하고 있음.

영,불은 보다 구체적으로 전후 문제를 검토하고있음. 미국은 중동에서의 이스라엘역할 강화를위해 향후 5년간 이스라엘에 대한 원조를배가시키는 문제를

미주국	차관	1차보	2차보	중아국	구주국	정문국	청와대	총리실
안기부	국방부	대책반						

PAGE 1

91.01.26 08:19 ER

외신 1과 통제관

0114

협의하고 있음.

0 불과 수주전에는 이번전쟁으로 이스라엘이고립될 것이라고 생각하였지만 소련독트린에젖어 있는 사담이 이전쟁으로 부터 놀라운 결과를맞게될것임.끝

(대사 김석규-국장)

0115

외 무 부

종 별 :

번 호 : ITW-0168 일 시 : 91 0129 1845

수 신 : 장 관(중근동,미북,구일,기정,국방부)

발 신 : 주 이태리 대사

제 목 : 걸프전쟁 주재국 반응(자응 91-12)

1. 주재국 외무성 BOTTAI 사무차관은 1.28.-29.간 이스라엘을 방문, 외무성 간부와 면담코 이스라엘국민에 대한 꼬시가 대통령의 결속 희망을 전달하고 이스라엘이 이라크의 공격에 대하여 반격을 취하지 않은데 사의를 표명하였음.동차관은 또한 방문기간중 팔레스타인 지도자들과 면담 이태리정부의 팔레스타인 문제에 대한 관심을 표명한바 동면담에 대해 이스라엘측은 공식적인 반응은 보이지 않았으나 외상과의 면담약속이 이유없이 취소됨으로서 불쾌감을 표시한 것으로 알려짐.

2. 최근 주재국은 이스라엘의 대이라크 반격자제관련, 이를 찬성하는 여론이 높아지고 있으며 일부 좌익계 중심의원들은 교황청에 대해 이스라엘과의 관계 정상화를 촉구하고 있는 바, 이런중에 안드레오띠 수상이 1.23.구주의회 연설시 이스라엘 국민에 대한 한마디의 격려가 없음에 대해 이스라엘측은 실망과 불만을 표하고 있음.

3. 한편 최근 교황은 평화촉구 호소연설중에서 이스라엘의 참전자제를 치하한바 있으며, 당지 주재유태인 단체는 이를 교황청의 대 이스라엘승인의 전 단계로 희망적으로 받아들이고 있음.끝

(대사 김석규-국장)

중아국	장관	차관	1차보	2차보	미주국	구주국	중아국	정문국
청와대	총리실	안기부	국방부					

PAGE 1

91.01.30 10:16 WG

외신 1과 통제관

0116

외 무 부

종 별 :

번 호 : ITW-0242 일 시 : 91 0212 1850

수 신 : 장관(중동일,구일)

발 신 : 주 이태리 대사

제 목 : 걸프전쟁 관련 주재국 동향

1. 주재국은 걸프전쟁의 조속한 종결을 위한 외교노력을 꾸준히 전개하고 있는바 동 주요동향은 다음과 같음.

0 DE MUCHELIS 외상 방쿨(2.12)

0 ANDREOTTI 수상 이란 대통령과 전화 협의 (2.10)

0 영국 HURD 외상 방이 (2.11)

0 이란 VELAYATI 외상 방이(2.14)

2. 이.영 양국 외상은 금번 전쟁의 목표가 이라크를 파괴시키는 것이 아니라 쿠웨이트의 주권을 회복하기 위한 것임을 확인하고, 전후 문제에 있어 사담 후세인의 역할을 배제 시키되 중동지역의 신질서는 중동국가의 구상과 재의에 비롯 되어야하며, 이스라엘이 팔레스타인 문제를 떠나 양자간 협상을 통해 중동문제를 해결하려 하여서는 안된다는데 의견의 일치를 봄.

3. 이태리 정부는 밀라노 지역 MALPENSA 공항을 다국적군 공군기의 중간 기지로 사용키로 함.

4. 한편 최근 걸프전쟁에 대한 주재국 여론조사 결과는 56프로 가 찬성, 36프로가 반대하고 있는것으로 나타났으며, 이는 작년 12월의 여론조사 (36프로 찬성, 52프로 반대)의 반대 현상을 보인바 동결과는 주로 언론의 영향인 것으로 분석하고 있음.

끝

(대사-국장)

중아국	장관	차관	1차보	2차보	미주국	구주국	정문국	청와대
총리실	안기부	대책반						

PAGE 1 91.02.13 06:23 DA

외신 1과 통제관

0117

원 본

암호수신

외 무 부

종 별 :

번 호 : ITW-0258　　　　일 시 : 91 0215 1810

수 신 : 장관(중동일,미북,구일,정일)

발 신 : 주 이태리 대사

제 목 : 걸프전쟁 관련 주재국 외교동향(자응 91-22)

연:ITW-0252

1. 이란외상 방이

0 연호, VELAYATI 이란 외상은 데 미켈리스 외상 및 안드레오띠 수상과 면담후 금 2.15. 모스코바로 향발함.

0 이태리 정부는 동면담후 이란의 평화적 해결 방안 모색 노력에 지지를 표하고, 이란 외상이 주장한 시민에 대한 공격 중지와 휴전 협상 필요성에 의견을 같이함.

2. EC TROIKA 외상 방소

0 데 미켈리스외상은 작 2.14. 상원 외무위에서, 이라크 외상의 모스코바 방문(2.16)에 관한 결과를 청취하기 위해 EC TROIKA (룩셈부르크, 이태리, 네델란드)외상이 곧 모스코바를 방문할 것이라고 밝힘.

3. 고르바쵸브 대통령 서한 접수

0 금 2.15. 주재국 수상실 대변인은 고르바쵸브대통령이 안드레오띠 주재국수상앞 서한을 통해 "이라크는 쿠웨이트로부터의 철수조건을 협의할 용의가 있는 것 같다"고 언급하였다고 밝힘.

0 이에 대해 주재국 국영 TV(RAI 1)은 크레므린 대변인의 발언을 인용, 아직 이라크가 쿠웨이트로부터 철수할 것이라는 분명한 SIGNAL 을 받지 못했으며 이태리 정부가 밝힌 이라크의 협상 가능성은 고르바쵸브 대통령이 이태리, 불란서, 미국에 서한을 보내 이라크 외상의 모스크바 방문후 뭔가 변화가 있기를 바란다는 희망을 표시한것이 과대 보도된것같다고 언급하였다고 보도함.

4. 한편 주재국은 금 2.15. 이라크 라디오가 보도한 이라크의 조건부 철수및 UN 결의 660 호 수락용의 표명에 대해 공식적인 반응은 보이지 않고 있으며 언론에서도 사실 보도만 함.

중아국	장관	차관	1차보	2차보	미주국	구주국	정문국	청와대
안기부								

PAGE 1　　　　91.02.16 09:36

외신 2과 통제관 EE

0118

CRESPO 구주의회 의장은 동 이라크제의에 대해 이라크는 먼저 쿠웨이트로부터 조건없이 철수하고, 이후 평화협상을 개시하여야 한다고 언급함. 끝

(대사 김석규-국장)

외 무 부

종 별 :

번 호 : ITW-0279 일 시 : 91 0220 1800

수 신 : 장 관(중동일,미북,구일,정일,기정,국방부)

발 신 : 주 이태리 대사

제 목 : 걸프전쟁관련 주재국 동향(자응 91-25)

연:ITW-0270

1. 주재국은 금 2.20. 각의에서 연호 소련측안을 협의한바, 동회의에서 안드레오띠 수상은 소련안은 유엔결의에 부합한다고 표명한 것으로 알려짐.

동회의후 크리스토포리 수상실 차관은 소련안은 '유엔결의와 완전히 일치'하는 것으로 판단한다고 밝히고 동문제 관련 이태리및 유럽과 미국간에 의결 불일치가 있는 것으로 알려진 것은 사실과 다르다고 부인하였음.

동 수상실 차관은 또한 부쉬대통령이 왜소련안에 대해 더이상의 논평을 하고 있지 않는가를 이해해야 한다고 부언하였음.

2. 작 2.19. EC 외상회의후 데 미켈리스외상은 소련제안 관련, 소련은 안을 제시한 것이 아니라 단지 이라크 지도자들에게 쿠웨이트로부터의 무조건철수를 APPEAL한것 이며, EC 12국은 이를받아들이지 않을수 없다고 언급하였음.

3. 주재국 언론은 금번 소련안 관련 DE CUELLAR유엔사무총장은, 지상전을 피하고 더이상의 유혈사태를 방지하는 획기적인 기회임을 표명하면서 부쉬대통령이 이를 거부 하여서는 안된다고 언급하였다고 보도하는 한편, 부쉬대통령은 비록 동 안이 불충분하다고 생각하지만 국제적인 여론은 대체로 사담이 무조건 철수를 한다면 미국측이 입장을 보다 온건하게 변경시킬것으로 보고 있다고 논평함.

4. 주재국 언론은 또한 모스코바발 소련 외무성 대변인 발표를 인용, 아지즈 외상이 이라크 회신을 가지고 곧 모스코바를 방문할 것이라는 INDICATION을 아직 받지 못하였으며, 그러나 가까운 시일내에 동 가능성을 배제하지는 않았다고 소개하면서 소련은 미국이 동안을 거부한 것으로 받아들이지 않고 있는 것 같다고 보도함.끝

(대사 김석규-국장)

중아국	1차보	미주국	구주국	정문국	안기부	국방부	2차보	차관	장관
총리실	청와대								

PAGE 1

91.02.21 09:25 WG

외신 1과 통제관 ·

0120

외 무 부

종 별 :

번 호 : ITW-0282 일 시 : 91 0221 1750

수 신 : 장 관(중동일,미북,구일,정일,기정,국방부)

발 신 : 주 이태리 대사

제 목 : 걸프전쟁 관련 주재국 동향(자응 91-26)

연:ITW-0279

0 연호, 주재국 수상및 수상실 차관의 소련안 지지발언 관련, 각의에 참석했던 각료들은, 안드레오띠 수상이 소련안에 관하여 일반적인 사항을 설명해 주었을뿐 각의에서는 동안에 대한 구체적인 논의나 정부입장의 결정은 없었다고 표명하였음.

0 수상실 대변인은 소련안에 대한 이태리와 미국간의 의견 불일치 보도와 관련, 양국간에는 의견 대립이 없으며 다만 상호 보완적이라고 표명하고, 부쉬대통령은 소련안을 전적으로 부정한것이 아니라 기술적, 군사적인 면에 대해 부정적인 입장을 취하고 있다고 밝힘. 또한 이태리 정부는 연합국과 대립되는 조치를 취하거나 이태리 단독으로 결정을 내리지는 않을 것이라고 부언하였음.

0 안드레오띠 수상은 동 각의 이후 미테랑 대통령과 전화 협의를 갖었으며, 부쉬대통령에게 멧세지를 보내 이태리는 미국의 우려를 충분히 이해하며 타 연합국과 의견을 달리하지 않음을 확인하였음.

0 작일 각의에 참석하지 못한 데 미켈리스 외상은 이태리의 입장은 타 EC 국의입장과 같다고 표명하고, 전쟁의 조속한 종결 희망을 표시하면서 아무도 이를 막지는 못 할것이라고 언급하였음.

0교황청 대변인은 금 2.21. 소련안에 대한 지지를 발표하였으며, 또한 구주의회 (스트라스버그)는 금일저녁 소련안에 대한 지지와 이라크에 대한 UN결의안의 준수를 촉구하는 결의안을 채택할것이라 함.

0 한 OSWP새국 언론은 소련 외무성 발표를 인용, 아지즈 이라크 외상이 소련안에 대한 회신을 가지고 이미 소련을 향발하였다고 보도하는 한편 바그다드라디오 보도를 인용 당지 시간 금 2.21.18:00 사담이 소련안에 대한 이라크 입장을 발표할 것이라고 밝힘.끝

중아국 1차보 미주국 구주국 정문국 안기부 국방부 2차보 차관 장관

PAGE 1

91.02.22 08:58 WG

외신 1과 통제관

0121

외 무 부

종 별 :

번 호 : ITW-0315 일 시 : 91 0228 1810

수 신 : 장 관(중근동,미북,구일,기정,국방부)

발 신 : 주 이태리 대사

제 목 : 걸프종전 관련 주재국 동향(자응 91-29)

1. 주재국 의회는 금 2.28. 양원 합동 외무위를 개최 이태리의 참전 결과를 보고 받은바, 이자리에서 데 미켈리스 외상은 금번 전쟁 종료가 다국적군의 단합과 단결의 결과라고 하면서 만족을 표명함.

라말파 공화당 서기장등이, 이태리의 지상전 불참과 소규모의 군사 참여로 인한 미국의 불만을 지적한데 대해 동외상은 이로인한 미국과의 분열은 없으며 이태리는 적절한 전쟁 임무를 수행하였다고 답하고, 3.4.(월) 미국을 방문 부쉬대통령 및 베이커 국무장관과 면담할 것이라고밝힘.

2. 데 미켈리스 외상은 또한 금일 기자회견을 통해 지중해/ 중동지역 안보협력회의 (CSCM)개최 필요성과 이를 위한 이태리 역할의 중요성을 강조하고, 동회의 개최를 유엔에 제의할 필요가 있다고 언급하였으며, 조만간 시리아, 이란, 쿠웨이트 그리고 바그다드를 방문예정이라고 밝힘.

3. 부쉬 대통령은 금일 안드레오띠 수상에게 멧세지를 보내, 걸프전기간중 상호협력하였듯 이전후 평화 구축과정에서도 긴밀히 협력할것을 요망하고 금번 걸프전 수행과정에서 미국과 이태리간에는 완전한 의견일치가 있었다고 강조함.

4. 한편 이태리 외무성은 조만간 쿠웨이트 주재대사를 귀임시킬 것이라 함.끝

(대사 김석규-국장)

중아국	장관	차관	1차보	2차보	미주국	구주국	정문국	청와대
총리실	안기부	국방부						

PAGE 1 91.03.01 10:57 WG

외신 1과 통제관

0122

외 무 부

종 별 :

번 호 : ITW-0330　　　　일 시 : 91 0305 1835

수 신 : 장 관(중동일,미북,구일,기정,국방부)

발 신 : 주 이태리 대사

제 목 : 걸프전후 문제 관련 주재국 동향(자응 91-32)

1.주재국 데 미켈리스 외상은 3.4. 미국을 방문, 베이커 국무장관과 걸프종전에 따른 제반문제를 협의함.

동회담에서 데 미켈리스 외상은 걸프전기간중 연합국간 단합을 이룬바와 같이 전후 문제해결을 위해 계속 결속할것을 다짐하고, 중동지역의 안보, 평화구축을 위해 그간 추진하여온 지중해/ 중동지역안보협력회의 (CSCM)를 개최할것을 제의함.

동외상은 또한 면담후 사담 정권이 오래가지않을 것임을 밝히고, 이라크가 제2의 레바논화 할가능성에 우려를 표명하는 한편, 불란서가 제의한 안보리 15개국 정상회의 개최에 회의적인 입장을 보임.

동 회담후 베이커 국무장관은 걸프전 기간중의 이태리의 협력에 사의를 표하고 CSCM 을 검토할것이라고 언급함.

2. 금번 데 미켈리스외상의 방미는 일부 이태리 정치지도자들이 이태리의 소규모적인 참전과 고르바쵸브안에 대한 지지등으로 미국과 균열이 생겼음을 비난하는 가운데 이루워진바, 금번양국 외상간의 회담 결과 양국간의 긴밀한 우호관계를 재확인하였음.

3. 이태리외상은 금번 EC 일반 이사회회의 결정에 따라 명 3.6. 다마스커스에서 시리아, 이집트및 GCC 6개국 대표와 회담하며, 3.8에는 트리폴리에서 마그레브국가의 대표 들과회담할 예정임.

4. 주재국 일부 언론은 전후 중동의 안보체제구축을 위해 연합국간에 NATO와 유사한 안보기구 설치안 (미.영국 비호하에 사우디, 이집트, 쿠웨이트, UAE, 오만으로 구성)이 마련되어 있으며 이란은 이란, 이라크, 걸프국, 파키스탄, 터키간 불가침조약을 체결할것과 이스라엘을 제외한 모든 중동국가가 참가하는 이스람기금을 창설할 것을 제의한 것으로 보도함.

중아국　1차보　2차보　미주국　구주국　정문국　안기부　국방부　차관　청관

청와대

PAGE 1

91.03.06　11:27 WG

외신 1과　통제관 ·

0123

5. 한편 주재국은 3.3. 주쿠웨이트 대사관을 재개하였음.끝
(대사 김석규-국장)

PAGE 2

0124

외 무 부

암호수신

종 별 :

번 호 : ITW-0382 일 시 : 91 0311 1825

수 신 : 장관(중동일,미북,구일,기정,국방부)

발 신 : 주 이태리 대사

제 목 : 주재국의 걸프전후 외교동향(자응 91-38)

1. 주재국 데 미켈리스 외상은 걸프전후 중동안보 및 질서 재편 협의를 위해 EC TROIKA 외상의 일원으로 시리아(3.6.), 이스라엘 (3.7), 리비아(3.8)를 방문한데 이어 단독으로 사우디(3.9-10), 쿠웨이트(3.10), 레바논(3.11) 시리아(3.12)및 이집트(3.12)를 방문함으로써 전후 중동문제 해결을 위한 외교노력을 경주함.

2. EC TROIKA 외상은 상기 방문시 "다마스커스 선언"에 대한 지지를 표명하고 지역문제 해결위한 점진적인 접근 방안을 협의한 바, EC 의 외교적 노력은 미국의 역할 증대로 별다른 반응을 받지 못한 것으로 평가됨. 이스라엘측과의 면담시 EC 측은 이스라엘이 유엔결의를 준수할 것을 거듭 촉구하였으며 이스라엘측은쿠웨이트 문제 해결은 이스라엘과 아랍간의 전쟁종료를 위한 1 차적인 단계이며 "다마스커스 선언"에 따른 8 개 아랍국가의 연합은 이스라엘을 포함한 8 PLUS1 이 되어야 함을 주장함.

3. 데 미켈리스 외상은 사우디 방문시 국왕(꼬시가 대통령의 멧세지 전달)및 외상등과 면담하고 사우디 외상 주최 만찬에 참석함.

동만찬에는 베이커국무장관, 클라크 카나다 외무장관및 "다마스커스 선언"서명 아랍외상이 참석한 바 동만찬후 데 미켈리스외상은 그간 각국과의 면담결과다음과 같은 세가지 인상을 받았다고 밝힘.

0 걸프전 승리로 미국은 EXTRAORDINARY PRESTIGE 를 얻음.

0 아라파트 PLO 지도자는 아랍세계에서 신용을 잃음.

0 중동 신질서 수립위해선 팔레스타인 문제 해결이 필요함.

4. 한편 이태리 외상의 금번 레바논 방문은 83 년 이래 최초의 서방 고위층의 방문으로서 레바논에 대한 외교적 우위확보 노력의 일환으로 보이는 바, 동외상은 현재 레바논 대통령에 대한 지지를 표명하고 레바논 재건을 위한 협조를 표명함.

데 미켈리스 외상은 또한 시리아군의 레바논 주둔이 레바논 사태 해결에 크게

중아국	차관	1차보	미주국	구주국	정문국	청와대	안기부	국방부

PAGE 1

91.03.13 06:45

외신 2과 통제관 DO

0125

공헌하고 있음을 밝히고 팔레스타인의 테러 중지 보장하에 이스라엘군의 국경지역으로부터 철수 가능성을 모색하기 위해 금일 시리아를 방문 예정임.

5. 이태리는 중동 안보 체제 구축을 위해 그간 주장하여온 지중해/중동 안보협력회의(CSCM)개최를 추진해온바 레바논을 비롯한 많은 아랍국가와 서방국가로부터 긍정적인 반응을 받은 반면 이스라엘로부터는 아무런 반응을 받지 못한것으로 보임.

6. 또한 주재국 "안드레오띠" 수상은 부시대통령의 초청으로 3.24. 와싱톤 방문 예정임.끝

(대사 김석규-국장)

3. 터키

0127

원 본

외 무 부

종 별 :
번 호 : TUW-0503
수 신 : 장 관 (구이, 중동)
발 신 : 주 터 대사
제 목 : 이락, 쿠웨이트 침공

구주국	일 시 : 90 0803 1942			
공람	담 당	과 장	심의관	국 장
지시사항				

자료응신: 제35호

이락의 쿠웨이트 침공에대한 주재국 반응을 아래보고함.

1.정부

- OZAL 대통령은 지방 출장일정을 취소 ANKARA로 급거 돌아와 국가안보회의를 소집, 사태 발전분석

- OZCERI 외무차관은 주터키 이락대사를 초치, 동침공사태에 대한 주재국 정부의 우려를 표명하고 동지역의 현 긴장상태가 평화적으로 해결되고 터키대사관, 근로자들의 생명과 재산이 보호되기를 바란다는 주재국 정부입장 설명

- 또한 외무부 대변인 성명을 통하여 이락이 쿠웨이트의 주권과 영토의 보전을 조속회복하기를 바라는 희망을 표시하고 인접국에서 발생한 동사태를 예의 주시하고 있음을 발표

2. 언론

주재국 언론은 동사태를 모두 톱뉴스로 보도하고 사설을 게재하는등 크게 관심을 표명하고 있으나 비교적 중립적인 논조유지

3. 기타

이락은 터키로 통과하는 HABUR 국경을 8.2.10:00시부터 폐쇄

(대사 김내성-국장)

구주국 1차보 중아국 정문국 안기부

PAGE 1

90.08.04 09:26 WG

외신 1과 통제관

0128

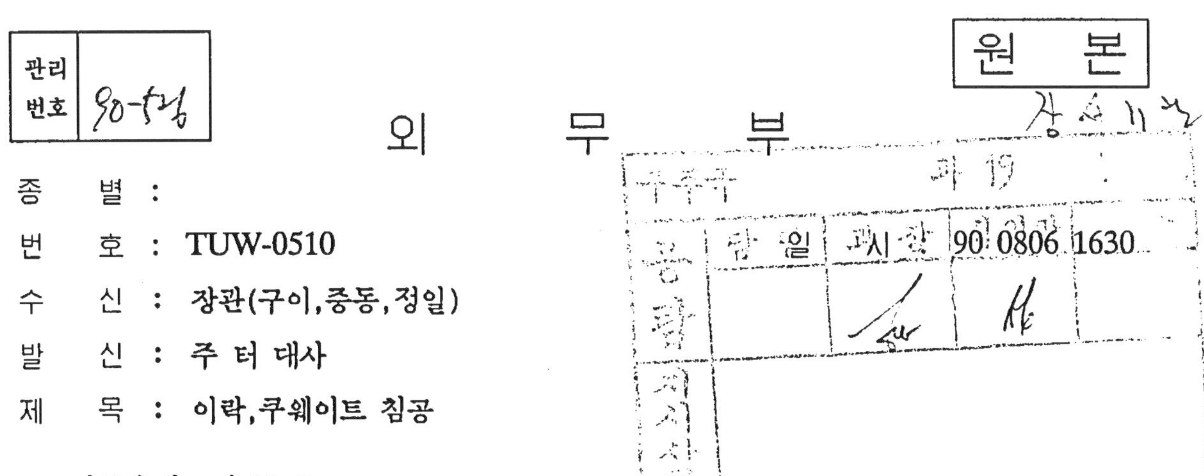

종 별 :

번 호 : TUW-0510

수 신 : 장관(구이,중동,정일)

발 신 : 주 터 대사

제 목 : 이락,쿠웨이트 침공

자료응신: 제 36 호

연:TUW-0503

1.TAHA YASSIN RAMAZN 이락 제 1 부수상은 HUSSEYIN 이락 대통령의 멧세지를 휴대하고 8.5 주재국 OZAL 대통령을 면담, 쿠웨이트 신정권의 승인, 터키를 경유 수출하는 이락 2 개 송유관의 폐쇄와 미국이 요청하는 대이락 경제제재 조치에 터키가 가담하지 말고 엄정한 중립을 지켜줄것을 요청하였으나, 터키는 쿠웨이트의 주권과 영토의 보전이 조속 회복되기를 바라며 이락군대의 쿠웨이트로부터의 무조건 철수를 요청한것으로 알려짐.

2. 또한 미국 BUSH 대통령은 OZAL 대통령과 통화, 터키가 2 개 송유관의 폐쇄등 대이락 경제제재 조치에 가담하여줄것을 요청하였으나 터키는 일단 중동분쟁에 중립을 지킬것임을 통보한것으로 알려짐.

3. 이락은 KIRKUR 유전으로부터 2 개의 송유관을 이용, 터키의 YUMURTALIK 항구를 통하여 1 일 150 만 바렐의 석유를 수출하고 있으며, 약 100 만 바렐은 사우디아라비아를 통하여 수출하고 있어 터키를 경유하는 2 개 송유관이 폐쇄될 경우 이락은 경제적으로 심한 타격을 받을것으로 전망됨.

4. 이란, 이락 전쟁의 엄정한 중립을 지켜온 터키는 유엔안보리의 대이락 경제제재 조치가 채택되고 이에대한 각국의 반응을 본후, 대이락 경제제재 조치여부를 검토할것으로 관측되고 있음.

(대사대리 민병규-국장)

예고:90.12.31. 까지

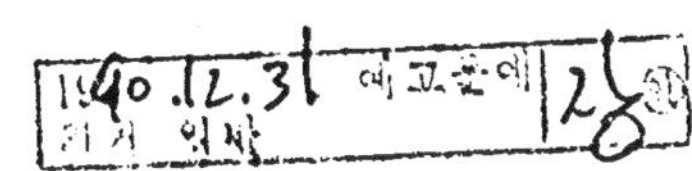

구주국 장관 차관 1차보 2차보 중아국 정문국 청와대 안기부

PAGE 1

90.08.07 00:11

외신 2과 통제관 CW

0129

관리번호	90-549

원 본

외 무 부

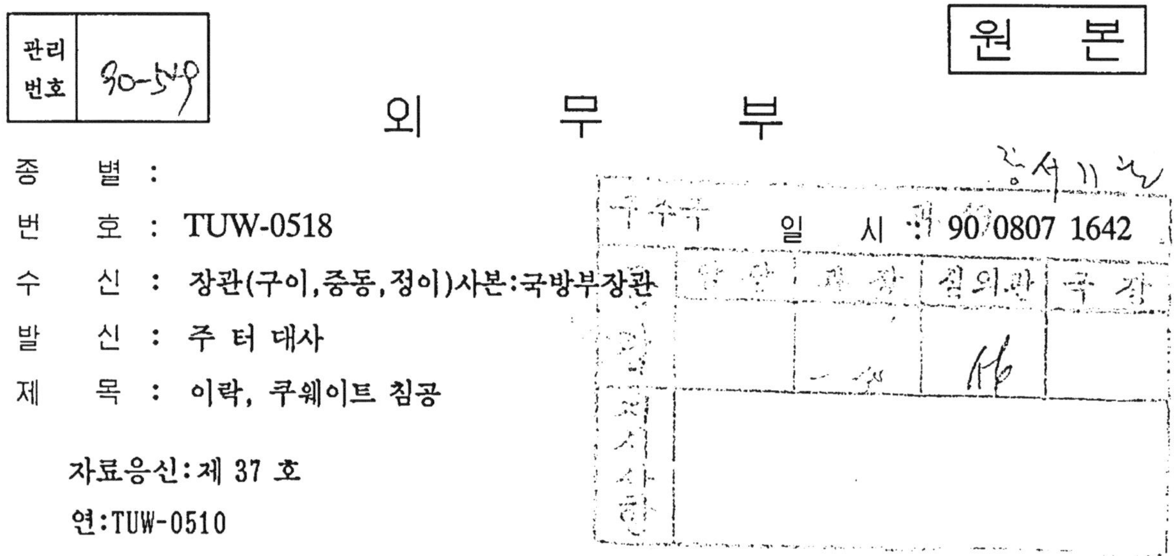

종 별 :

번 호 : TUW-0518

일 시 : 90 0807 1642

수 신 : 장관(구이,중동,정이)사본:국방부장관

발 신 : 주 터 대사

제 목 : 이락, 쿠웨이트 침공

자료응신:제 37 호

연:TUW-0510

1. 8.6 이락은 터키를 경유 수출하는 2 개의 석유관중 1 개를 폐쇄하고 잔여 1 개의 석유관도 75 프로 감량조치하였음.

2. BAKER 미 국무장관은 8.8 터키를 방문, 중동사태에서 터키의 대이락 경제제재 조치 합류및 군사개입 가능성에 대비한 터키기지 이용문제등을 협의할 것으로 보임. 이에대하여 터키는 향후 아랍국가와의 관계등을 고려하여 대이락 경제제재 조치에도 가능한한 늦게 합류하고 터키기지를 이용한 군사개입은 반대하는 신중한 입장을 보일것이 예상됨.

3. 터키는 전체 석유수입의 64 프로를 이락에 의존하고 있으며 현재 6 만명의 터키 근로자가 이락에 근무하고 있고 터키를 경유하는 송유관 수입이 연간 4 억불에 달하고 있어 대이락 경제제재 조치에 가담할 경우 연간 약 20 억불의 손해를 보게될것이라함.

4. 또한 터키는 그간 미 상원의 아르메니아인 법안, 미, 그리스 방위협정 서명에 따른 터.미관계 불편등과 EC 가입신청에 대하여 EC 제국으로부터 냉대를 받아왔으나 금번 중동사태로 지정학적인 중요성이 재인식된 부수적인 효과를 거두게 되어 금번 기회를 외교적으로 최대한 이용할것으로 관측됨.

(대사대리 민병규-국장)

예고:90.12.31. 일반

1990.12.31 예고문에 의거 일반

구주국 차관 1차보 2차보 중아국 정문국 청와대 안기부 국방부

PAGE 1

90.08.08 03:33

외신 2과 통제관 DO

0130

관리 번호	90/1298

외 무 부

종 별 :

번 호 : TUW-0522 일 시 : 90 0808 1145

수 신 : 장관(구이,중근동,정일)사본:국방부장관

발 신 : 주 터 대사

제 목 : 대 이락 제재

자료응신:제 38 호

1. 8.7. 주재국정부는 터키를 경유 수출해온 YUMURTALIK 항구에서의 이락 원유수출을 금지하고, 터키내 쿠웨이트, 이락 재산동결, 터키를 통한 이락의 수출입을 금지하는등 유엔의 대이락 경제제재 조치를 준수하는 조치를 발표 하였음.

2. 야당 및 언론은 주재국및이란, 이락 전쟁시 중립을 지켰음을 상기하고 성급한 주재국 정부의 대 이락 제재 조치에 비판적이나, OZAL 정부는 NATO 및 서 방국과의 결속등을 고려, 예상보다 빨리 제재 조치를 취한것으로 보임.

3. 주재국 NCIRLIK 기지에는 F-111 기 14 대가 새로 배치된 것으로 알려지고 있으며, 금 8.8. BAKER 미 국무장관의 방터시 주재국 군사기지의 이용문제가 논의될 것으로 관측됨.

(대사대리 민병규-국장)

예고:90.12.31. 까지

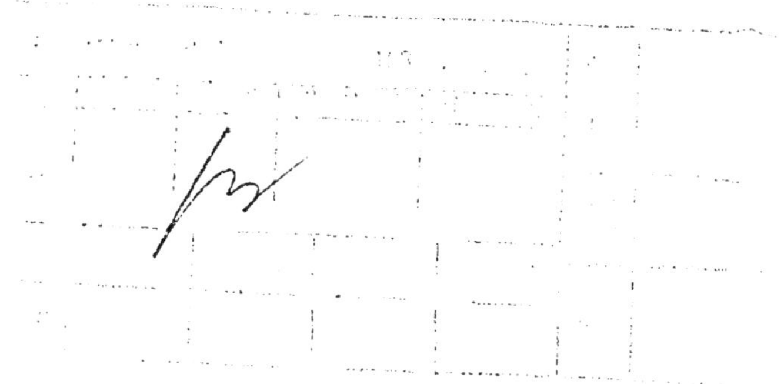

구주국 차관 1차보 중아국 정문국 청와대 안기부 국방부

PAGE 1

90.08.09 03:09

외신 2과 통제관 DH

0131

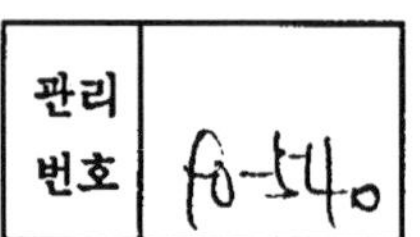

원 본

외 무 부

종 별 :

번 호 : TUW-0527

일 시 : 90 0809 1149

수 신 : 장관(구이,중근동,정일)

발 신 : 주 터 대사

제 목 : 이락,쿠웨이트 사태

자료응신:제 39 호

연:TUW-0522

표제와 관련, 주재국내 동향을 아래 보고함.

1.BAKER 미 국무장관 방터

가. 금 8.9 BAKER 미 국무장관은 터키를 방문, OZAL 대통령, AKBULUT 수상, BOZER 외상과 면담예정인바, 주요 협의의제는 아래와 같이 예상됨.

-터키군의 다국적군 참여 요청

-미군의 터키내 NATO 군사기지(특히 공군기지) 이용문제

-터키가 대이락 경제제재 조치에 참가함으로써 입은 경제적 손실에 대한 보상문제

나. 상기 미측 요청에 대하여 주재국은 이락으로부터 직접적으로 침공을 당하지 않는한 다국적군의 참여나 터키내 NATO 기지의 군사역할 수행은 피하려는 입장이나 미군의 NATO 기지 사용허가는 최근 INCIRLIK 공군기지가 F-111 기등으로 강화되고 있는것으로 미루어 불가피한 것으로 관찰됨.

다.BAKER 장관은 터키방문후 ALI BOZER 주재국 외무장관과 함께 NATO 외상회의에 참가예정임.

2. 군사경계령

공식적으로는 부인되고 있으나 이락과의 국경지대에는 군 F 경계령이 하달되고 만일의 사태에 대비한 준비가 진행되고 있는것으로 보임.

3. 임시의회 소집

의회는 야당측의 요구에따라 중동사태를 논의하기위한 임시국회를 8.12 소집 예정

4. 언론반응

주재국 언론은 이락의 쿠웨이트 합병 발표이후 전쟁이 불가피한 긴박한 상황임을

구주국 차관 1차보 2차보 중아국 정문국 청와대 안기부

PAGE 1

90.08.09 19:39

외신 2과 통제관 BT

0132

보도하고 있음.

(대사대리 민병규-국장)

예고:90.12.31. 까지

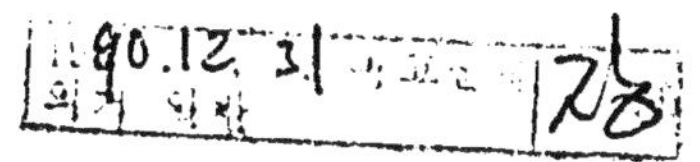

PAGE 2

0133

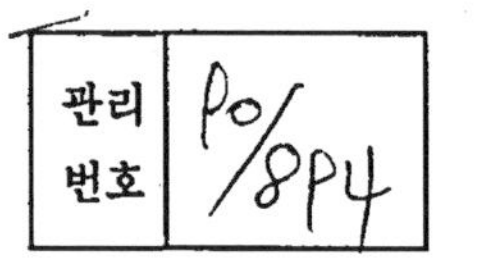

원 본

외 무 부

종 별 :

번 호 : TUW-0532　　　　일 시 : 90 0810 1930

수 신 : 장 관(중근동,구이)

발 신 : 주 터키 대사

제 목 : 이라크,쿠웨이트 사태(자료응신:제40호)

8.10 소직은 BURHAN ANT 외무부 중동과장을 면담, 표제에 대하여 문의한바, 아래 보고함.

1. 외국인 철수

-8.9 이라크 소재 25 개국 대사는 이라크 외상을 면담, 외국인의 출국허용에 관한 이라크 정부의 보장을 요청한바, 동외상은 최소한 향후 1 주일간은 외국인의 출국을 허용할수 없으며, 그이후는 사태의 진전에 따라 결정 될것이라고 답변 하였다함.

-주재국은 터키와 이라크 국경을 통한 터키인및 외국인 철수에 대비하여 숙박을 포함한 만반의 조처를 취하고 있음.

2. 쿠웨이트 주재 외국공관 폐쇄

주이라크 외무성은 현지 주재 대사관을 통하여 쿠웨이트 소재 외국공관을 8.24 이전 폐쇄하도록 요청하여 왔으나, 동 요청을 받아드릴 경우 이라크의 쿠웨이트 합병을 승인하는것이 되며, 받아 드리지 않을 경우 외교관의 신변안전 문제등이 우려되고 있어 아직 방침을 결정하지 못하고 있다함.

3. 터키국경 이라크군 집결설

외신이 보도하고 있는 터키국경의 이라크군 집결설에 관하여 문의한바, 이라크군의 이동이 있어 필요한 조치가 취해지고 있다는 반응을 보였음.

(대사대리 민병규-국장)

예고:90.12.31. 일반

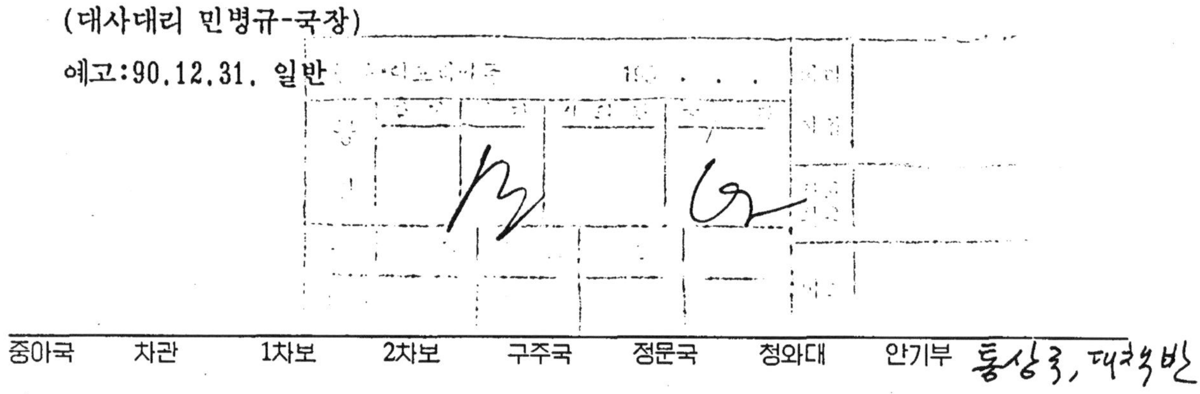

중아국　차관　1차보　2차보　구주국　정문국　청와대　안기부　통상국, 대책반

PAGE 1　　　　90.08.11　10:55

외신 2과　통제관 DL

0134

관리번호	90/866

원 본

외 무 부

종 별 :

번 호 : TUW-0533 일 시 : 90 0810 1945

수 신 : 장관(중근동,구이)사본:국방부장관

발 신 : 주 터 대사

제 목 : 이라크, 쿠웨이트 사태(자료응신 41호)

1. 8.9 BAKER 미 국무장관은 주(837)국 OZAL 대통령, AKBULUT 수상, BOZER외무장관과 면담, 이라크가 터키를 침공할 경우 NATO 의 집단안전보장 지원을받을것임을 확약하고, 터키군의 다국적 군 참여를 요청하였으나 주재국은 유엔결의에 의한 참여요청이 아닌한 터키군의 다국적 군 참여가 불가함을 통보한것으로 알려지고 있음.

2. 주재국 합참은 공군에대한 경계령 조치읃달을 공식 발표하였으며, 만약의 사태에 대비, 터.이라크 국경의 경계가 강화되고 있는것으로 보임.

(대사대리 민병규-국장)

예고:90.12.31. 일반

중아국 차관 1차보 2차보 구주국 청와대 안기부 국방부

PAGE 1

90.08.11 07:02

외신 2과 통제관 CF

0135

관리번호	90/867

원 본

외 무 부

종 별 :

번 호 : TUW-0535 일 시 : 90 0810 2125

수 신 : 장관(중근동,구이,영재) 사본:주이라크대사-중계필

발 신 : 주 터 대사

제 목 : 이라크 거주 아국인 터키 입국

스위스 TMCI 사 소속으로 이라크 전매청에 근무하는 민병돈은 금 10 일 09:30 이라크 ZAKHO - 터키 HABUR 육로국경을 통하여 주재국에 입국한 사실을 17:00 당관 이희철 부영사에게 터키 동남부지역 DIYARBAKIR 에서 전화로 다음과같이알려왔음.

1. 동인은 이라크의 쿠웨이트 침공 3 일전 출국비자(BY AIR)를 받아 놓았으나 동사태이후 전 출국비자가 무효화되므로, 이라크 이민국에서 출국비자를 "BY LAND"로 수정받아 요르단 국경을통하여 출국을 시도하였으나 불가능하여, 터키인 1 명과 같이 HABUR 를 통하여 당지에 입국했다함.

2. 요르단이 대이라크 경제봉쇄에 가담한 이후 요르단 국경의 경계는 더 강화되었으나 터키.이라크 국경인 ZAKHO 검문소에는 KURD 족이 근무하고 있어 출국이 보다 용이할것으로 판단하여, 동여권에 기재된 요르단경유 출국비자를 그대로 출입국 사무소에 제시하였으나 다행히 동사실이 발견되지 않고 이라크로부터출국할수 있었다함.

3. 바그다드-ZAKHO 간에는 수개의 검문소가 있으나 별다른 검문없이 국경까지 도착할수 있었으며, 검문초소에서도 별문제없이 출국허가를 받았다함.

4. 동인은 자신의 출국사실을 주이라크 대사관 박상하에게 통보하여 줄것과사태종료후 이라크 재입국을위하여 동인의 이름이 공표되지 않기를 요청하였음.

5. 참고로, 동인은 이스탄불및 쭈리히 경유 15 일경 서울도착 예정이라하며, 본국 연락처는 수원 전화 6-1749 임.

(대사대리 민병규-국장)

예고:90.12.31. 일반

중아국	장관	차관	1차보	2차보	구주국	영교국	청와대	안기부

PAGE 1

90.08.11 04:58

외신 2과 통제관 CF

0136

관리 번호	90/2055

외 무 부

종 별 :

번 호 : TUW-0540 일 시 : 90 0813 1729

수 신 : 장관(중근동,구이,정일)사본:국방부장관

발 신 : 주 터 대사

제 목 : 이라크, 쿠웨이트 사태

자료응신:제 42 호

1. 야당측에 의하여 이라크, 쿠웨이트 사태문제를 토의키위해 8.12(일) 임시 소집된 주재국 국회는 터키가 침공을 받을경우에 한하여 전쟁선포권, 터키군의 외국파견권및 외국군인의 터키주둔 승인권을 대통령에게 부여토록 결의하였음.

2. 주재국 헌법에의하면 상기 1 항의 권한이 국회의 권한으로 되어 있고, 다만, 국회 휴회중에 외국군의 급격한 침공이 있는경우에 한하여 대통령의 권한으로 규정되어 있어 정부는 이번에 포괄적으로 아무 조건없이 대통령이 수권받기를 희망하였으나 야당측에 의하여 상기와같이 제한적인 내용으로 결의된 것임.

3. 8.16-18 간 KAIFU 일본 수상의 주재국방문 계획은 최근의 중동사태로 인하여 무기연기 되었다함.

(대사 김내성-국장)

예고:90.12.31. 까지

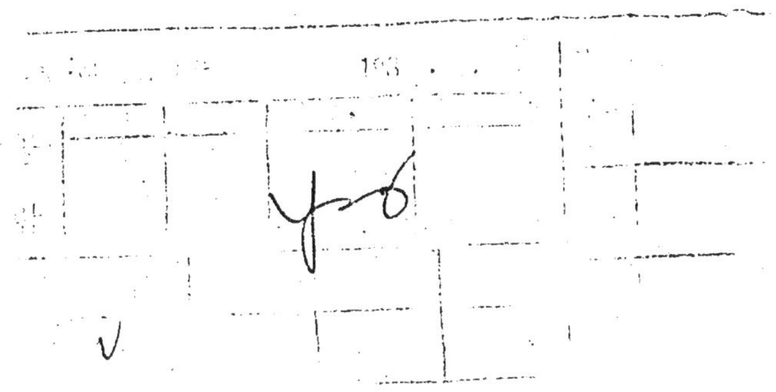

중아국	장관	차관	1차보	2차보	구주국	통상국	정문국	청와대
안기부								

PAGE 1

90.08.14 01:38

외신 2과 통제관 FE

0137

관리번호	90-549

외 무 부

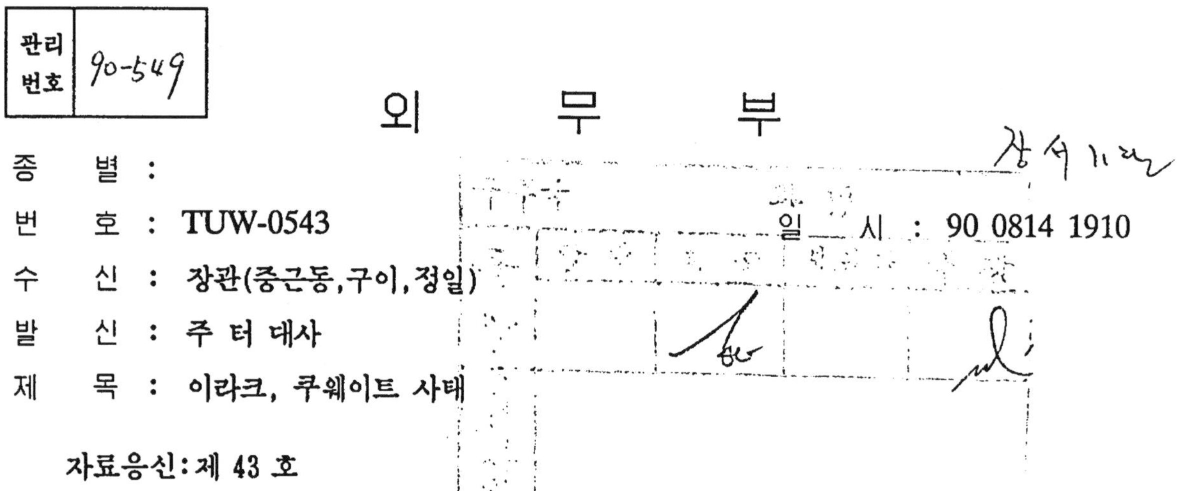

종 별 :

번 호 : TUW-0543 일 시 : 90 0814 1910

수 신 : 장관(중근동,구이,정일)

발 신 : 주 터 대사

제 목 : 이라크, 쿠웨이트 사태

자료응신:제 43 호

1.8.13. 급작히 터키를 방문한 SHEIKH SAAD ABDULLAM EL-SABAM 쿠웨이트 수상은 SHEIKH JABER EL-AHMED EL-JABER EL-SABAM 쿠웨이트 국왕의 친서를 휴대, 주재국 OZAL 대통령및 AKBULUT 수상을 면담, 최근의 중동사태에서 주재국이 쿠웨이트를 적극 지지하여 준데 대하여 사의를 표명하고, 또한 터키가 유엔의 대이락 경제제재 조치결의에 참가하므로써 받게되는 재정적 손실에대한 보상을 할 용의가 있음을 표명한것으로 알려짐.

2. 주재국은 사우디에 망명중인 쿠웨이트 정부를 합법정부로 인정하고 있으며 이라크의 쿠웨이트 침공과 합병을 비난하고 있음.

(대사 김내성-국장)

예고:90.12.31. 까지

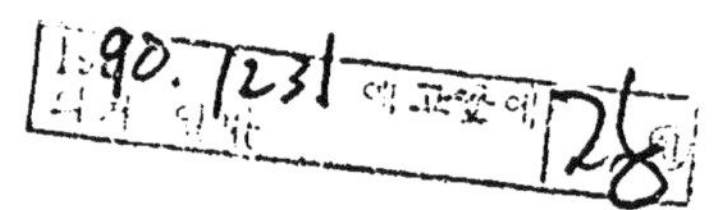

중아국	장관	차관	1차보	2차보	구주국	정문국	청와대	안기부

PAGE 1

90.08.15 04:55
외신 2과 통제관 CN

0138

원 본

외 무 부

종 별 :

번 호 : TUW-0555

일 시 : 90 0817 1739

수 신 : 장 관 (구이, 중근동)

발 신 : 주 터 대사

제 목 : 이라크의 이란점령지 철수제의에대한 주재국반응

8.16. MURAT SUNGAR 외무성 대변인은 이라크가 이.이 전쟁시 획득한 이란점령지로부터의 철수제의를 환영하며, 이라크의 동제의는 이.이 양국의 적대관계를 종식시키는데 기여할 것으로 믿는다고 말했음. 또한 동대변인은 이라크의 쿠웨이트침공을 재차 비난하고 쿠웨이트의 영토보전과 주권회복을 요구하는 한편, 최근 이라크의 쿠웨이트 침공으로 인한 걸프만 위기에 대해서도 이라크의 현실적이고 합리적인 정책을기대한다고 밝혔음.

(대사 김내성-국장)

구주국 1차보 중아국 안기부 통상국 대책반 2차보 차관

PAGE 1

90.08.18 00:31 CG

외신 1과 통제관

0139

	분류번호	보존기간

발 신 전 보

WBG-0294 900820 1643 FA

번 호 : 종별 :

수 신 : 주 수신처 참조 대사. 총영사

WSB -0341 WAE -0170
WYM -0184 WIR -0278
WTU -0386 WCA -0303

발 신 : 장 관 (중근동)

제 목 : 이라크.쿠웨이트 사태

1. 이라크측이 서방국민의 인질 가능성을 공언하고 다국적 지상군 배치 및 해안 봉쇄망 구축으로 양측의 전투 배치가 완료된 것으로 걸프 사태는 새로운 국면을 맞고 있는 것으로 분석됨. ~~(8.20 자 동아일보는 "미.중동 전면전 불가피" 라는 썬데이 타임쓰 기사를 전재함)~~

2. 이러한 군사 대치 상황에서 이라크측이 취할 가능성이 있는 선택 (OPTION)을 중심으로 향후 단기 전망을 주재국 정부 포함 다각적으로 파악 보고 바람. 끝.

(중동아프리카국장 이 두 복)

수신처 : 주 이라크, 사우디, UAE, 예멘, 이란, 터키 대사
주 카이로 총영사

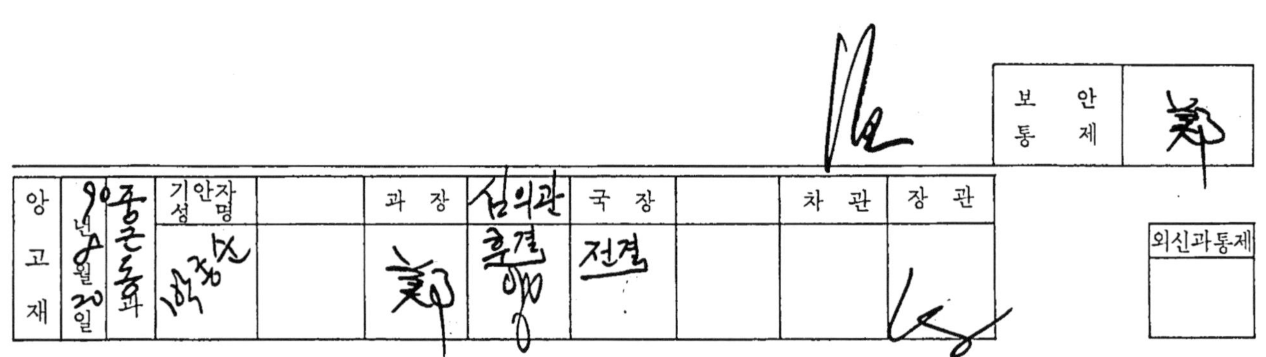

앙고재	90년 8월 20일	중근동과	기안자 성명		과 장	심의관	국 장		차 관	장 관
						후결	전결			

보안 통제	

외신과통제

0140

외 무 부

장서 22

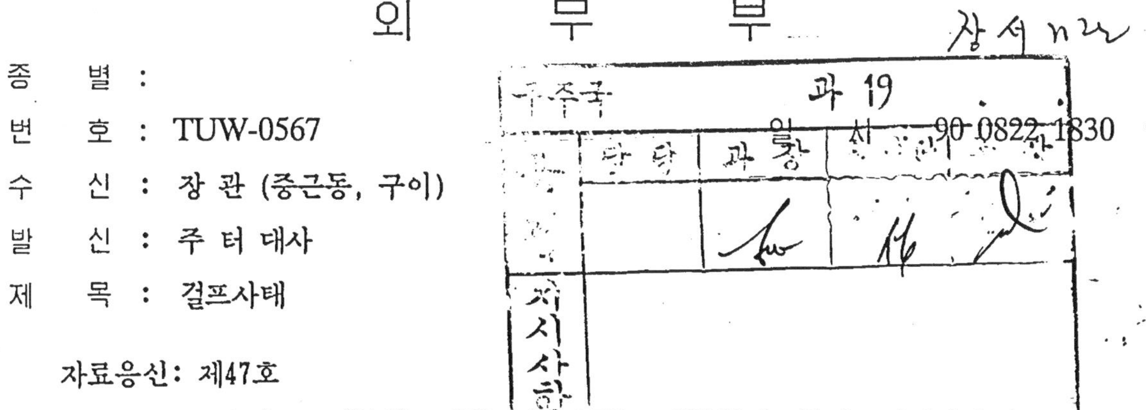

종 별 :

번 호 : TUW-0567 일 시 : 90 0822 1830

수 신 : 장 관 (중근동, 구이)

발 신 : 주 터 대사

제 목 : 걸프사태

자료응신: 제47호

1. 8.21. 주재국 대통령 대변인은 OZAL 대통령이 동일 안카라주재 JAWARD 이라크대사를 대통령궁으로 초치, SADDAM 이라크 대통령앞 구두멧세지 ('ON THE SITUATION OF FOREIGNERS IN KUWAIT AND IRAQ') 전달을 요청했음을 발표했는바, 이에는 이라크 당국의 이라크및 쿠웨이트 체류외국인 억류가 가져올 중대한 결과를 경고하는 내용이 포함된 것으로 알려짐

2. 터키인은 현재 쿠웨이트에 약 2,500명, 이라크에 약 4,000명이 있는바, 이들은 대부분 건설진출인력이며, 지금까지 이들에 대한 이라크당국의 활동제한 조치는 없는것으로 알려지고 있음.

(대사 김내성-국장)

중아국 1차보 구주국 정문국 안기부 대책반 미주국 통상국 2차보

PAGE 1 90.08.23 01:04 FC

외신 1과 통제관

0141

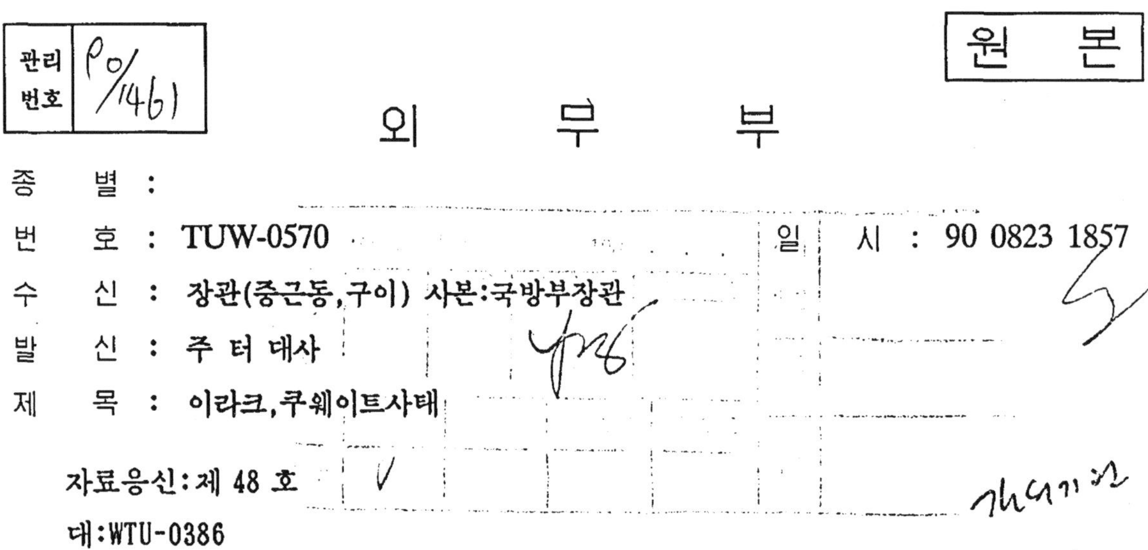

관리번호 90/1461

원 본

외 무 부

종 별 :

번 호 : TUW-0570 일 시 : 90 0823 1857

수 신 : 장관(중근동,구이) 사본:국방부장관

발 신 : 주 터 대사

제 목 : 이라크,쿠웨이트사태

자료응신:제 48 호

대:WTU-0386

본직은 대호와관련, 주재국 외무성(OZAR 중동 부국장), 당지 외교단및 언론계등과 접촉, 표기건에 관하여 의견을 교환한바 당지에서 보는 사태전망을 아래와같이 보고함.

1. 현재 미국과 그동맹국및 이라크간에 군사대결이 점차 증가하는 상황이기는 하나 당장 전쟁으로 확대될것 같지는 않다는 분석이 지배적임

2. 이라크로서는 새로히 사우디아라비아나 요르단을 공격할 가능성은 희박하며, 미국및 다국적군의 공격에 대비하여 제반 군사적인 조치와 미국인등 서구인을 인질로 이용한 미국의 공격억제 조치를 취하고 있는것으로 분석됨

3. 미국과 그동맹국들도 전쟁을 통한 문제해결보다는 이라크의 외교적인 고립과 경제제재 조치및 군사적인 위협등을 통한 대이라크 압력을 증가시킴으로써,전쟁없이 이라크로 하여금 쿠웨이트로부터 철수하도록 하는것이 합리적일것이므로 당분간은 이와같은 다각적인 압력을 이라크에 가해 나갈것으로 보임.

그러나 이와같은 압력에도 불구하고 이라크측이 쿠웨이트에서 물러나지 않는 경우에는 최종수단으로 군사행동을 취할 가능성은 있으나, 그것이언제 취해질것인지는 현재로서는 판단하기 어려움.

4. 따라서 SADDAM HUSEYIN 이 취할 가능성이 있는 선택은 가능한한 미국과의 전쟁대결을 피하면서 동사태를 정치적으로 해결코자 노력할것이나, 미국과 그동맹국및 온건아랍국의 압력이 계속되어 도저히 더 이상 버틸수 없다고 판단되는경우에는 쿠웨이트에서 군대를 철수시킬 가능성도 배제할 수 없음.

다만, 이경우 동인의 국내정치상의 지위가 영향을 받지않고, 아울러 그가

중아국 장관 차관 1차보 2차보 구주국 정문국 청와대 안기부
국방부 대책반

PAGE 1

90.08.24 02:50
외신 2과 통제관 CW

0142

아랍민족주의의 영웅으로서의 이미지를 계속 보지할수 있다면 쿠웨이트로부터 철수할수 있을것으로 보고있음.

5. 그러므로 앞으로의 걸프사태는 아라크군의 쿠웨이트로부터의 철수여부와그시기및 미국을 위시한 동맹국이 동사태를 평화적으로 해결코자하는 인내의 한계에따라 그향방이 좌우될것으로 봄.

(대사 김내성-국장)

예고:90.12.31. 까지

외 무 부

종 별 :

번 호 : TUW-0575　　　　일 시 : 90 0825 1243

수 신 : 장 관 (구이, 중근동) 사본:국방부장관

발 신 : 주 터 대사

제 목 : 주재국 외상동정

(자료응신: 제49호)

1. 걸프사태 협의를 목적으로 주재국 ALI BOZER 외상이 시리아, 요르단 및 에집트 방문을 위해 8.24. 출국하였는바, 동 외상은 OZAL 터키 대통령의 친서를 휴대하는것으로 알려짐.

2. 한편 주재국 GUNES TANER 경제담당 국무장관도 현재 걸프지역을 순방중인바, 사우디에 이어 8.24. UAE 를 방문함.

(대사 김내성-국장)

구주국　중아국　정문국　안기부　국방부　미주국　대책반

PAGE 1

90.08.25 18:50 CG

외신 1과 통제관

0144

외 무 부

장서11 (handwritten)

종 별 :

번 호 : TUW-0586 일 시 : 90 0831 1906

수 신 : 장 관 (중근동, 구이)

발 신 : 주 터 대사

제 목 : 쿠웨이트 주재공관 철수

1. 주재국 정부는 이라크가 지정한 쿠웨이트 주재 외국공관 폐쇄 시한인 8.24일이 지난후 8.28.대사를 포함한 쿠웨이트주재 터키 대사관 전공관원을 철수하였음.

2. 주재국은 이라크의 쿠웨이트 합병을 인정치 않고 있으며, 따라서 전공관원의철수 조치에도 불구하고 공관은 폐쇄된것이 아님을 밝히고 있음.

(대사 김내성-국장)

중아국 1차보 구주국 정문국 안기부 미주국 통상국 대책반 2차보

PAGE 1 90.09.01 08:03 FC

외신 1과 통제관

0145

관리번호	90-583

외 무 부

종 별 :

번 호 : TUW-0591 일 시 : 90 0904 0810

수 신 : 장관(중근동,구이,정일)

발 신 : 주 터 대사

제 목 : 이라크,쿠웨이트 사태

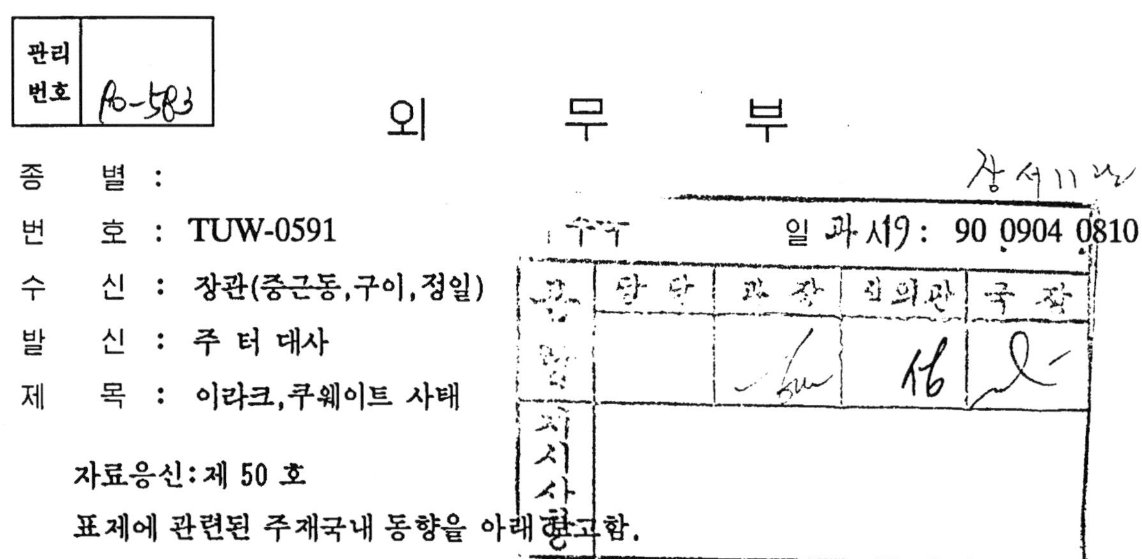

자료응신:제 50 호

표제에 관련된 주재국내 동향을 아래 보고함.

1. 터키군의 외국 파견권 요청

-OZAL 대통령은 9.1 정기국회 개원식에서 걸프사태와 관련 터키군의 외국 파견권및 외국군의 터키 주둔권을 포괄적으로 다시 대통령에게 위임. 긴급사태 발전에 신속히 대응함이 타당하다는 의사를 표명 하였음 (8.12. 터키국회는 터키가 침공을 받았을때 한하여 상기 권한을 위임한바 있음)

-동문제는 9.5 개최되는 각료회의에서 협의되어 국회에 재요청할것이라고 하며 국회토의시 이를 반대하는 야당측과 논란이 있을것이 예상됨.

-주재국 언론은 약 5,000 명 터키군의 다국적군 파견 가능성을 계속 보도하고 있음.

2. 터키, 이라크 각료급 회담개최

-5.29 터.이라크 국경지대인 HABUR 에서 이라크측의 요청으로 ISIN CELEBI 터키 국무장관과 이라크의 석유장관간의 회담이 개최되었음.

-이라크는 동회담에서 터키에게 의약품과 유아용 식품을 공급하여 줄것을 요청하였으며, 터키는 유엔안보리 제재결의 내용을 참작 동문제를 검토중인것으로 보임.

(대사 김내성-국장)

예고:90.12.31. 까지

중아국	차관	1차보	2차보	구주국	정문국	청와대	안기부	대책반

PAGE 1 90.09.04 17:34

외신 2과 통제관 BT

0146

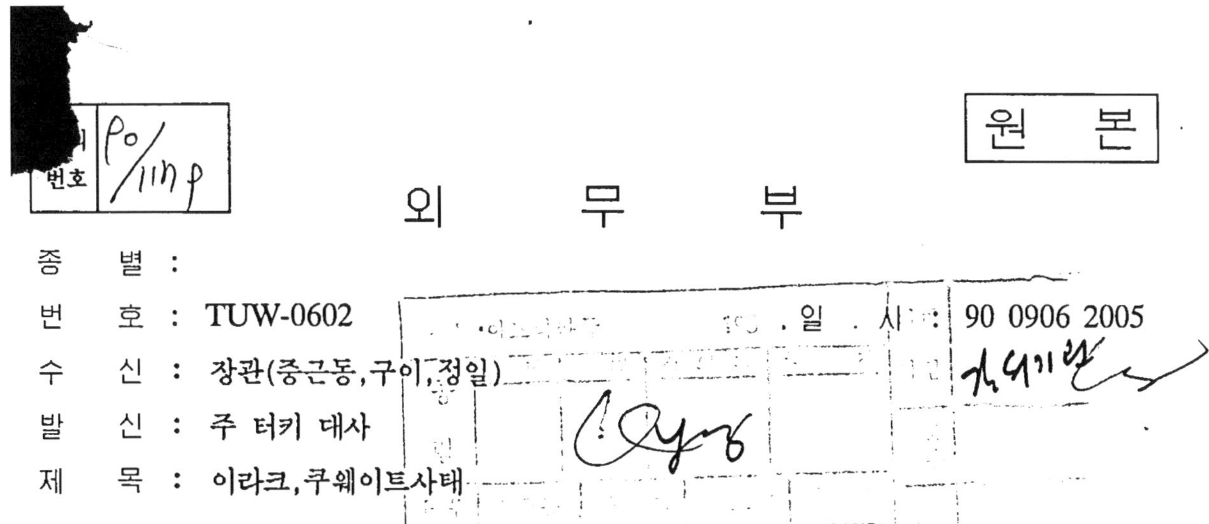

분류번호 P0/1117P

원 본

외 무 부

종 별 :

번 호 : TUW-0602 일 시 : 90 0906 2005

수 신 : 장관(중근동,구이,정일)

발 신 : 주 터키 대사

제 목 : 이라크,쿠웨이트사태

자료응신: 제53호

1. 9.5 비공개리에 개최된 주재국 국회는 터키군의 해외파견권, 외국군의 터키주둔허용 권한을 행정부에 부여토록 결의하였음.

2. 야당측은 국회의 권한인 상기 1 항권한의 포괄적인 행정부 위임은 터키의 전쟁참가 유도, 영토확장 의사표명이 될수 있다고 이를 격렬히 반대하였음.

3. 동권한의 행정부 수권으로 주재국은 걸프만에 1-2 척의 구축함 파견, 수천명 터키군의 다국적군 참여, 걸프사태가 악화될경우 미군의 INCIRLIK 소재 NATO 기지 사용에따른 주재국 국내정치상의 장애를 모두 제거하였으며, 군함파견및다국적군의 참여가 실현될것으로 보임.

4. 야당측과 언론의 반대에도 불구하고 OZAL 대통령의 주도하에 행정부가 상기 권한을 수권한 배경은 아래와같음.

가. 친서방정책을 추구하므로서 싸이프러스, 에게해내 그리스 도서의 군사화, EC 가입문제등에서 주재국의 발언권 강화시도

나. 정치적으로 적대시되어오고있는 그리스가 다국적군에 참여하는데 대한 심리적 부담해소

다. 당지 일부언론보도에 의하면 미국이 터키, 이라크 국경에 거주하고 있는 KURD 족을 이용, 이라크의 현정권전복을 시도하고 있어 종전후 터키 동남부에 KURD 독립국의 탄생이 가능성도 있으므로 이를 사전에 예방하기위한 대미접근정치.

(대사 김내성-국장)

예고:90.12.31. 일반

1990. 12. 31 예고문에 의거 일반문서로 재분류됨

중아국 대책반	장관	차관	1차보	2차보	구주국	정문국	청와대	안기부

PAGE 1

90.09.07 06:37

외신 2과 통제관 EZ

0147

외 무 부

종 별 :

번 호 : TUW-0638 일 시 : 90 0925 1900

수 신 : 장 관 (통일, 구이)

발 신 : 주 터 대사

제 목 : 걸프사태로인한 터키 피해액

구주국	과 19			
공람시사항	담 당	과 장	심의관	국 장

1. 주재국 대외무역청은 90.8-91.12(17개월)기간동안 걸프사태로인한 터키의 피해액 을 138.4억불로 추정집계, 발표하였는바, 분야별 구체적인 피해예상액은 아래와같음.

-수출: 18억불(90: 7억, 91: 11억)

-관광: 45억불(90: 10억, 91: 35억)

-외국인 자본투자: 11억불(90: 4억, 91: 7억)

-원유: 23억불(이중 송유관수입: 3.7억)

-수송및 건설: 20억불

-보험및 근로자송금: 3억불

-군사비 증액분: 10억불

-지역적인 피해: 1억불

-난민수용비: 1억불

-국영기업체 수입: 6.4억불

계: 138.4억불

2. 또한 주재국은 90.8.이후 현재까지의 피해액을 8억불로 보고있으며, 피해지원 우선순위는 수출업 및 건설업 분야인 것으로 알려짐.

(대사 김내성-국장)

통상국 구주국

90.09.26 05:08 CG

외신 1과 통제관

0148

외 무 부

종 별 :

번 호 : TUW-0641 일 시 : 90 0926 1749

수 신 : 장 관 (구이, 정일, 미북)

발 신 : 주 터 대사

제 목 : OZAL 대통령 미국방문

연: TUW-0597

9.25. 워싱톤에서 개최된 OZAL-BUSH 정상회의 개최결과를 아래 보고함.

1. 이라크의 쿠웨이트 침공후 터키를 경유하는 2개 송유관의 폐쇄등 대이라크 경제제재 조치에 적극 참여하고 있는 배경하에서 미국을 방문중인 OZAL 대통령은 미국정부 로부터 예외적인 환대를 받고 있으며, 아래 사항이 양국 정상회의에서 논의된것으로 당지 언론은 보도하고 있음.

가. F-16 항공기 생산지원

주재국은 미국과 F-16 전투기 합작부자 공장을설립, 160대를 생산중에 있는바, 동생산량을 2,000년까지 180대 추가 생산키로 합의하고 국산화율도 현재의 60프로에서 90프로로 상향조정 (추가생산 소요예산 약40억불)

나. 섬유 수출쿼터 확대

연간 200억불에 달하는 미국의 섬유 수입중 터키의 시장점유율은 4억불에 불과한바, 동섬유 쿼터증액

다. EC 가입 지원

터키는 1987. EC 정회원국 가입을 신청하고 EC 가입교섭을 적극 추진하고 있으나 가입실현 시기가 불투명한 실정인바, 동가입 노력에 미국의 적극적인 지원약속

라. 차관도입 지원요청

독일, 일본, EC, 세계은행, IMF 등차관도입에 미국의 지원요청

마. 군원증대및 군 현대화 지원

터키는 NATO 국가중 유일하게 이라크와 접경하고 있으며, 이번 사태로 전략적으로 중요한 위치에 있음을 입증 하였는바, 현재 연간 5억불에 달하는 미국의 대터키 군원증 대및 터키군 현대화지원

구주국 1차보 미주국 정문국 안기부

PAGE 1 90.09.27 06:24 DA

외신 1과 통제관

0149

2. 주재국은 12.18 만료된 미국과의 방위및 경제협력 협정(DECA) 을 1년간 자동연장한바 있으며, 대이라크 경제제재 조치에 참가함으로써 받게되는 손실도 원조보다는 교역증대라는 원칙하에 대외 교섭에 임하고 있으나 미국이나 EC로부터 구체적으로 확약받은 조치는 아직 없음.

(대사 김내성-국장)

관리번호	90-1706

외 무 부

종 별 :

번 호 : TUW-0705 일 시 : 90 1031 1931

수 신 : 장관(마그,구이)

발 신 : 주 터 대사

제 목 : 페만 정부조사단 파견

대:WTU-0454

10.31. 본직은 TUGAY OZCERI 주재국 외무차관을 면담, 대호 조사단의 주재국 방문계획에 관하여 협의, 아래와같이 보고함.(민참자관, AKKURT 참사관 배석)

1. 본직은 아국의 페만사태 지원결정 배경, 조사단 방문계획과 주재국에대한 지원내역(리스트 포함)을 통보하고 조사단의 주재국 체류기간이 짧으므로 관계부처 대표와의 합동회의를 주선함이 좋을 것이라는 의견을 제의하였음.

2. 동차관은 아국의 결정을 환영하고 감사한다고 하면서 외무부 정무차관보를 단장, 관계부처 대표로 구성된 주재국 대표단을 구성, PANEL 회의를 주선, 조사단의 방터가 실효를 거둘수 있도록 하겠다고 하였음. 또한 동차관은 동회의시 주재국은 중동사태에 대한 주재국의 정세 분석내용과 전망을 설명토록 하겠다하니 아측도 관계자료를 사전 준비지참하므로서 의견교환에 대비함이 좋을것으로 사료함.

3. 조사단 방문기간중 OZCERI 차관은 해외출장 예정이라 하며, 장관예방은 가능하면 주선토록 하겠다고 하였음.

(대사 김내성-국장)

예고:90.12.31. 일반

1990.12.31 예고문에 의거 일반

중아국 구주국

PAGE 1 90.11.01 20:17

외신 2과 통제관 DO

0151

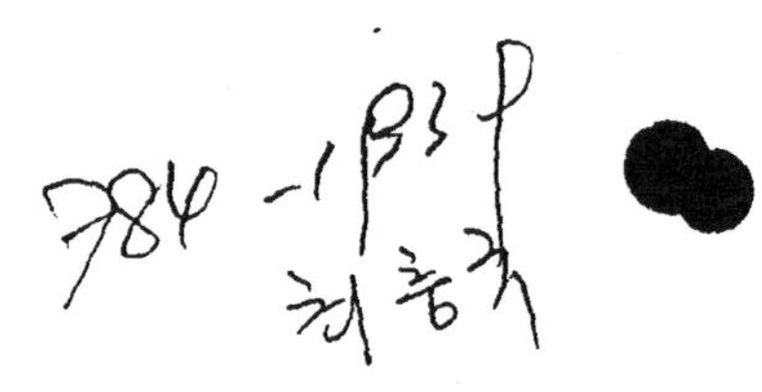

외 무 부

종 별 :

번 호 : TUW-0719 일 시 : 90 1108 1548

수 신 : 장 관 (구이,중근동,정이) 사본:국방부장관

발 신 : 주 터 대사

제 목 : 베이커 미국무장관 방터

자료응신:제 68호

1. 베이커 미국무장관이 11.6-7간 주재국을 방문, OZAL 대통령, 수상, 외무장관과 주로 걸프사태관련 회담을 가진후 모스크바로 향발한바, 아래사항이 논의된것으로보도됨.

가. 안보리 제재결의의 계속적인 충실한 이행의 중요성과 필요성 재확인

나. 걸프사태의 부분적 해결 수락불가및 이라크의 무조건 쿠웨이트 철수 계속요구

다. 우방국 연합의 단결과 협조 강조및 계속 보지 중요성 의견일치

라. 대이라크 제재조치 위반행위 적발및 방지조치 강화

2. 또한 동회담에서 베이커 국무장관은 GULF 전쟁발발시 터키의 지원, 즉 터키내 NATO공군기지 사용, 내지는 터키,이라크 국경에 제2의 전선을 구축하는 문제와 이와 관련한 미국의 대터키 군사,경제 지원문제를 거론하여 이들 문제가 양측간에 집중논의 되었을 것으로 당지에서는 관측하고 있음.

(대사 김내성-국장)

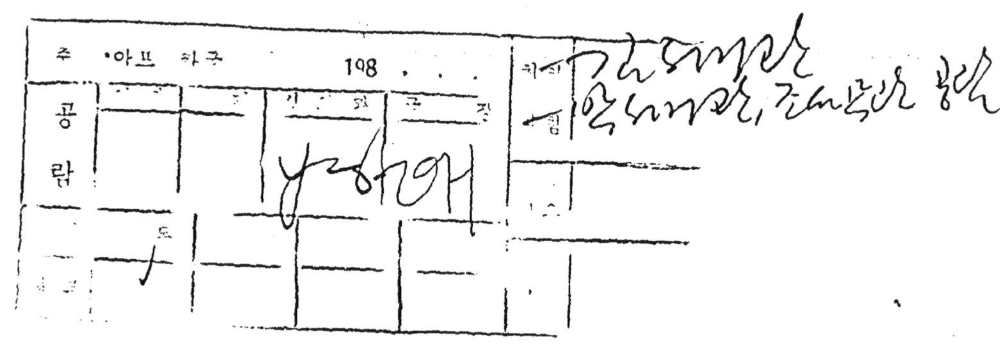

구주국 1차보 중아국 정문국 국방부 안기부

PAGE 1

90.11.09 01:00 DQ

외신 1과 통제관

0152

외 무 부

종 별 :

번 호 : TUW-0722 일 시 : 90 1108 1804

수 신 : 장 관 (구이, 중근동, 정일)

발 신 : 주 터 대사

제 목 : 외잘대통령 이란방문

(자료응신: 제69호)

1. 일황 즉위기념식 참석차 11.10. 당지 출발하는 주재국 외잘대통령은 동일 이란의 RAFSANCANI 대통령과 면담키위해 이란을 경유할 예정인 것으로 알려짐.

2. 외잘대통령의 돌연한 이란 방문은 10.31.BUSH 미 대통령이 외잘대통령에게 전화통화시 종용한 것으로서, 외잘대통령은 이란대통령에게 GULF 사태관련 터키입장을 설명하고 대이라크 안보리 제재조치 준수를 당부 및 설득할 것으로 알려지고 있음.

(대사 김내성-국장)

구주국 1차보 중아국 정문국 안기부

PAGE 1

90.11.09 05:02 CG

외신 1과 통제관

0153

관리번호	90/2154

외 무 부

종 별 :

번 호 : TUW-0789 일 시 : 90 1221 1705

수 신 : 장관(구이,정일,중근동)사본:국방부장관

발 신 : 주 터 대사

제 목 : NATO 기동타격대 터키파견

1.12.20 MEHMET YAZAR 국무장관(정부 대변인)은 주재국과 이라크 국경지역에 3 개 비행중대(50-54 대) 및 5 천명으로 구성된 NATO 기동타격대(ALLIED MOBILE FORCE) 파견문제가 현재 NATO 와 협의중에 있음을 공식적으로 확인하였음.

2. 동기동타격대 파견은 미국과의 방위및 경제협력협정(DECA)에 의거 주재국INCIRIK 공군기지에 주둔하고 있는 F-15,16,111 등 미군전투기가 중동전쟁에 참가할경우 이라크로부터 직접 공격대상이 될경우에 대비한 준비 또는 이라크를 쿠웨이트로부터 철수시키기 위한 또하나의 군사위협으로 관측되고있음.

3. 기동타격대 터키 파견문제는 11.30. 개최된 국가안보회의시에 이미 결정되었으나 동문제를 위요하고 TORUMTAY 군총사령관이 사임함에따라 대외발표가 늦어진것으로 알려지고 있으며, 야당측은 동기동타격대 터키파견은 주재국이 중동전에 자동 개입하게될 우려가 있다고 적극 반대하는 입장을 취하고있음.

(대사 김내성-국장)

예고:91.6.30 까지

1991. 6. 30 에 예고문에 의거 일반문서로 재분류됨

구주국 차관 1차보 중아국 정문국 국방부

PAGE 1

90.12.22 05:50

외신 2과 통제관 CA

0154

외 무 부

종 별 :

번 호 : TUW-0798 일 시 : 90 1225 1913

수 신 : 장 관 (중동, 구이, 정일)

발 신 : 주 터 대사

제 목 : 외잘대통령 걸프사태관련 성명

자료응신: 제 76호

1. 주재국 OZAL 대통령은 12.24. 대통령궁에서 발표된 성명을 통해 지난주말 주재국 제 1야당 사회민주 인민당의 이노뉴 총재의 바그다드 방문및 사담 후세인대통령과의 면담을 비난하는 내용을 포함하여 걸프사태에 관해 언급한바, 요지아래와 같음.

가. 사담 대통령이 동총재와 면담이후 발표한 성명은 이라크의 종래의 주장과 동일하여 새로운것이 없으며, 이같은 터키 정치인들의 이라크방문및 사담 대통령과의면 담은 이라크 정부로 하여금 오해를 갖게 할 우려가 였어 전쟁위험을 증가시키는결과를 초래할 것이라고 말하고, 유엔안보리 결의를 적극 지지한다는 터키정부의입장을 재확인함.

나. 이라크가 91.1.15.한 시한부 쿠웨이트 철수를 포함, 유엔안보리 결의를 이행하지 않을경우 무력개입이 불가피할 것으로 보며, 사담 대통령이 걸프사태를 팔레스타인 문제 해결과 연계해서 생각하고 있으나, 팔레스타인 문제를 걸프사태와 연계시켜서느$%?-7.', 걸프사태를 평화적으로 해결하는 유일한 방법은 사담 대통령이 유엔안보리 결의를 이행하는 것임.

다. 동구라파에서 부는 민주주의 바람이 이라크에서도 불기를 바람.

2. 주재국 사회민주인민당의 이노뉴 총재는 12.23. 이라크를 방문하고 사담 후세인 대통령과 2시간 동안의 면담을 가진바 있으며, 동친 KDN 12.24. 국회연설을통해 OZAL 대통령이 터키를 전화의 위험으로 끌어 들이는 정책을 추진하고 있다고비난 하였음.

(대사 김내성-국장)

중아국 구주국 정문국 1차보 안기부

PAGE 1 90.12.26 06:52 DA

외신 1과 통제관

0155

관리번호	91-2

원 본

외 무 부

종 별 :

번 호 : TUW-0008 일 시 : 91 0103 1837

수 신 : 장관(구이,정일,중근동)사본:국방부장관

발 신 : 주 터 대사

제 목 : NATO 기동타격대 파견

자료응신:제 2 호

연:TUW-0789

1. 1.2. NATO 는 주재국의 요청에따라 주재국과 이라크 국경지역인 ERHAC 공군기지(동남부 MALATYA 소재)에 42 대의 전투기(독일 ALPHA 젯트기 18 대, 이태리 F-104 전투기 6 대, 벨지움 MIRAGE 정찰젯트기 18 대) 및 500 여명의 지원병을 파견키로 결정하였으며 1.10 이전에 배치 완료될것이라함.

2. 이번 NATO 의 대터키 파병조치는 이라크가 NATO 회원국인 터키를 공격할경우에 대비한 방어목적으로 군사적 보다는 정치적인 의미가 큰것으로 평가되고있음.

3. 주재국은 이라크와의 국경지대인 동남부에 10 만명의 군 주둔, 이동외과병원 설치, 등화관제실시등 전쟁발발에 대비한 만반의 준비를 완료하고 있는것으로 알려지고 있음.

(대사 김내성-국장)

예고:91.6.30. 까지

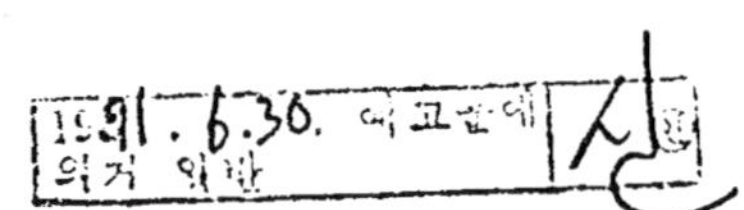

구주국 1차보 중아국 정문국 청와대 안기부 국방부

PAGE 1

91.01.04 07:45

외신 2과 통제관 BT

0156

관리번호	91-46

원 본

외 무 부

종 별 :

번 호 : TUW-0023 일 시 : 91 0109 1854

수 신 : 장관(중근동,구이)

발 신 : 주 터 대사

제 목 : 걸프사태

자료응신:제 4 호

1.BAKER 미국무장관이 1.9-1.10 간, HURD 영국 외상이 1.13-1.14 간 각각 주재국을 방문, 걸프사태 발전에관하여 주재국 정부와 협의를 가질예정임.

2. 1.9. 제네바에서 AZIZ 이라크 외상과 면담후 첫번째로 주재국을 방문하는BAKER 미국무장관은 터키내의 군기지사용, 터키, 이라크 국경에 제 2 의 전선이 형성될경우 병참지원, 미해군을위한 통신협력및 지원문제등을 협의할 것으로알려지고 있음.

3. 현재 야당측은 걸프사태가 전쟁으로 발전될경우 주재국의 자동적인 전쟁개입을 반대하고있으나 미군의 INCIRIK 기지사용 허가등 주재국의 군사기지 사용허가는 불가피할 것으로 관측됨.

(대사 김내성-국장)

예고:91.6.30. 까지

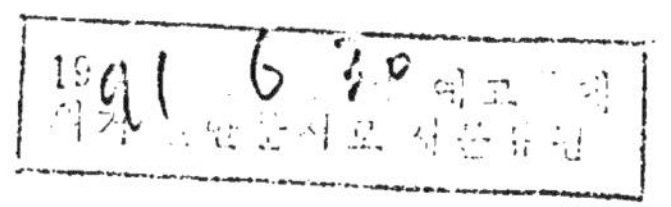

중아국 장관 차관 1차보 2차보 구주국 정문국 총리실 안기부

PAGE 1

91.01.10 08:01

외신 2과 통제관 BW

0157

관리번호	91-61

원 본

외 무 부

종 별 :

번 호 : TUW-0025　　　　　　　　일 시 : 91 0110 1815

수 신 : 장관(중근동,구이)

발 신 : 주 터 대사

제 목 : 미국무장관 방터

연:TUW-0023

연호 BAKER 미국무장관의 방터는 1.13. 로 연기되었다함.

(대사 김내성-국장)

예고:91.6.30.까지 예고문에 의거 일반문서로 재분류됨.

검토필(1991.6.30.)

중아국　　구주국

PAGE 1

91.01.11　07:52

외신 2과 통제관 FE

0158

관리 번호	91-576

원 본

외 무 부

종 별 :

번 호 : TUW-0031 일 시 : 91 0114 1743

수 신 : 장관(중근동,구이)

발 신 : 주 터 대사

제 목 : 미국무장관 방터

(자료응신:제 5 호)

연:TUW-0025

1. BAKER 미국무장관은 1.12-13 일간 주재국을 방문, OZAL 대통령등 정부 고위층과 GULF 사태발전에 관하여 협의하였음.

2. 주재국은 이라크가 터키를 선제 공격하지 않는한 미국및 NATO 군이 INCIRLIK 공군기지등 주재국 군사기지를 방어목적에 한하여 사용토록하는등 주재국의 자동적인 군사개입에 반대하고 있으나 확전시 NATO 군의 군사기지 사용등은 불가필할것으로 당지에서는 보고있음.

(대사 김내성-국장)

예고:91.6.30. 까지 예고문에 의거 일반문서로 재 분류됨.

검 토 필(1991.6.30.)

중아국	장관	차관	1차보	2차보	구주국	청와대	총리실	안기부

PAGE 1

91.01.15 01:15

외신 2과 통제관 CH

0159

관리번호	91-819

원 본

외 무 부

종 별 :

번 호 : TUW-0032 일 시 : 91 0114 1757

수 신 : 장관(중근동,구이,영재)사본:국방부장관

발 신 : 주 터 대사

제 목 : 걸프사태

(자료응신:제 6 호)

걸프사태와 관련한 주재국 정세를 아래와같이 보고함.

1.1.19. 제네바에서 개최된 BAKER 미국무장관과 AZIZ 이라크 외상회담이후 주재국 정부, 언론과 외교단등은 전쟁의 불가피성을 조심스럽게 관측하고 있으며, OZAL 대통령은 지난주 외신과의 인터뷰에서 전쟁발발 가능성을 80 프로로 언급한바있음.

2. 당지에서는 이라크가 터키와의 국경지역에 제 2 전선을 형성하지 않을것으로 예상, 대체적으로 터키가 이라크를 선제공격하지 않는한 이라크도(106)터키를 공격하지 않을것으로 예상하고 있음.

3. 그러나, 야당및 언론의 반대에도 불구하고 전쟁발발시 INCIRLIK 등 군사기지가 어떠한 형태로던 불가피하게 전쟁기지화 할것으로 보여 이경우 동남부 국경지역이 전투지역화될 가능성도 있음.

4. 바그다드주재 주재국 공관원은 전원철수하였으며, 이라크와의 국경에 10 만명의 병력을 배치하고 HABUR 등 국경인접지역의 일부 주민철수, 이동외과 병원설치등 전쟁에 필요한 준비를 완료한것으로 알려지고 있으나 ANKARA, IZMIR, ISTANBUL 지역은 일부 시민이 생필품을 구입, 비축하거나 외화를 인출하는 현상이외에는 평온한 상태임(안카라에서도 민방위 시범훈련 실시)

5. 당관의 관측으로는 전쟁발발시 주재 국민의 동요는 불가피하나 아국 교민이 다수 거주하고있는 안카라(26 명), 이스탄불(147 명)및 이즈밀(48 명) 지역은 안전한것으로 관찰되며(당지 미국, 영국, 일본대사관도 동일한 의견), MERSIN지역(이라크로부터 600 KM 거리)에 9 명의 교민이 거주하고 있었으나 6 명은 이미 타지역으로 이동하였고 잔여 3 명도 곧 이동예정임.

6. 당관은 만일의 사태에대비, 주재국및 외교단과 긴밀히 협의하는등 사태발전을

중아국	장관	차관	1차보	2차보	구주국	영교국	청와대	총리실
안기부								

PAGE 1

91.01.15 01:36

외신 2과 통제관 CH

0160

예의관찰하고 있으며 교민들에대하여도 필요한 안내를 취하고 있음.

(대사 김내성-국장)

예고:91.6.30. 까지

관리 번호	91-66

	분류번호	보존기간

발 신 전 보

번 호 : WJA-0203 외 별지참조 WTU-0024

종별 : 910115 1927

수 신 : 주 수신처 참조 ~~대사, 총영사~~

발 신 : 장 관 (미북)

제 목 : UN 안보리 철군 시한 경과 관련 성명 발표

1. 페만 사태와 관련 UN 안보리가 설정한 1.15. 이라크군 철수 시한이 임박함에 따라 독일 정부는 상기 시한전 이라크군의 철군을 촉구하는 수상실 명의 성명을 1.14. 발표하였음.

2. 본부 조치 결정에 참고코자 하니, 1.15. 시한을 전후하여 주재국 정부의 여사한 입장 표명이 있을 경우 발표 즉시 지급 보고 바람. 끝.

(미주국장 반기문)

검토필 (91. 6. 30.)

예고 : 91.12.31. 일반

수신처 : 주일, 주영, 주불, 주카나다, 주이태리, 주벨지움, 주덴마크, 주그리스, 주터어키, 주호주대사 (사본 : 주미대사) 주카이로총영사, 주파키스탄, 주사우디, 주방글라데시, 주모로코, 주세네갈, 주체코, 주소대사

일반문서로 재분류(1991.12.31.)

중동아국장 대변인

보 안 통 제	

앙 고 재	91년 1월 15일	북미과	기안자 성 명		과 장	심의관	국 장		차 관	장 관
							전결			

외신과통제

0162

유엔 안보리 철군 시한 경과후

~~대한민국 정부~~ 외무부 대변인 성명(안)

1991. 1. 16.

1. 대한민국 정부는 유엔 안보리 결의가 설정한 1.15. 철수 시한이 지났음에도 불구하고 이라크 정부가 쿠웨이트에 불법 주둔중인 이라크군을 아직 철수치 않고 있음을 유감스럽게 생각합니다.

2. 이에 따라 페르시아만 지역정세가 전쟁 발발 일보 직전으로 치닫고 있어 페르시아만 인근지역 전체는 물론 전세계인들을 공포와 불안에 떨게하고 있는데 대해 우리는 깊은 우려를 갖고 있습니다.

3. 우리 정부는 이라크 정부가 지금이라도 전세계 평화 애호인의 염원에 부응하여 유엔 안보리 결의가 요구하고 있는 바와 같이 쿠웨이트로부터 즉각 철군할 것을 거듭 촉구하는 바입니다.

4. 대한민국 정부는 이 기회를 빌어 페르시아만 지역에 파견된 미국을 비롯한 다국적군의 헌신적인 평화유지 노력에 깊은 경의와 찬사를 보내고자 합니다.

끝.

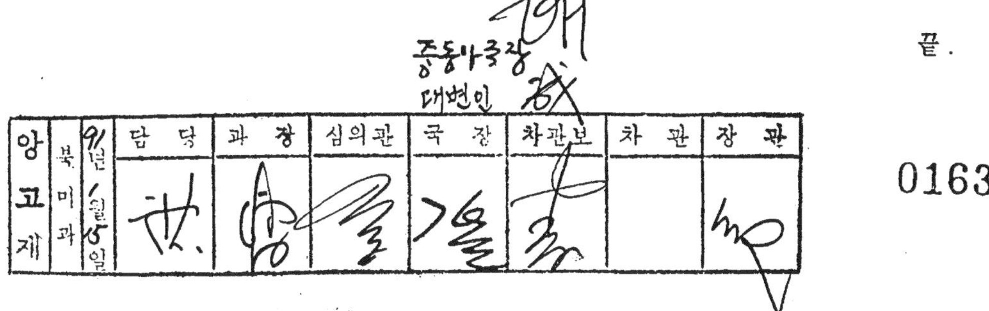

0163

관리번호	91/1088

외 무 부

종 별 :

번 호 : TUW-0035 일 시 : 91 0115 1713

수 신 : 장관(중근동,구이,미북)

발 신 : 주 터 대사

제 목 : 걸프사태

자료응신:제 7 호

대:WTU-0024

1.1.14. OZAL 대통령은 국영 TV 를 통하여 걸프사태와 관련, 아래요지의 담화문을 발표하였음.

가. 주재국은 그간 걸프사태의 평화적 해결을위하여 노력해왔으며, 유엔의 경제제재 조치를 철저히 준수하여왔음.

나. 터키가 무력침공을 받지않는한 걸프사태와 관련한 터키군의 개입은 없을것임.

다.1.11. 신임 주터키 이라크대사의 신임장 제정시 동대사를 통하여 사담 대통령에게 이라크의 쿠웨이트 철수를 요청했으나 부정적인 회답을 받은바 있음.

라. 이라크가 쿠웨이트로 부터 철수토록 재촉구함.

마. 주재국이 위기에 처해있는 지금 국민의 단결이 무엇보다 중요하며 1.18. 대통령궁에서 야당대표들과의 회담을 제의함(야당대표는 이를 거부)

바. 만약의 사태에대비, 정부는 필요한 경제적, 군사적 대책이 마련되어 있으므로 국민들이 동요하지 말기바람.

2. 또한 AKBULUT 수상은 주재국이 미국에 48 대의 전투기 파견을 요청하였는바, 스페인 TORREJON 기지에서 F-16 전투기가 지원될것으로 알려짐.

(대사 김내성-국장)

예고:91.12.31. 일반

검 토 필 (1991. 6. 30.)

중아국	장관	차관	1차보	2차보	미주국	구주국	정문국	청와대
총리실	안기부							

PAGE 1

91.01.16 02:41

외신 2과 통제관 CW

0164

외 무 부

종 별 :

번 호 : TUW-0039 일 시 : 91 0116 1815

수 신 : 장 관 (중근동,구이,정일)

발 신 : 주 터 대사

제 목 : 걸프사태

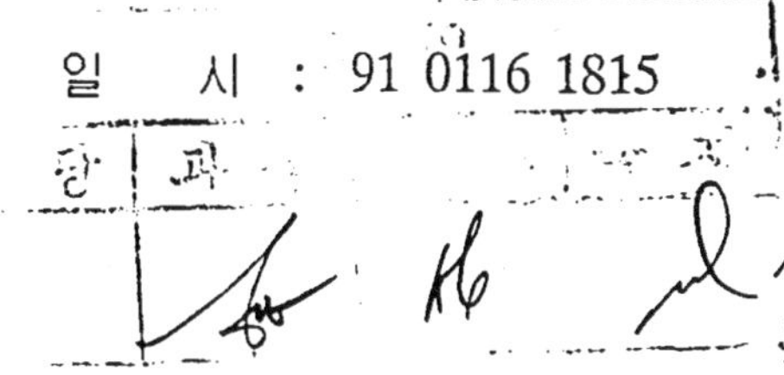

금1.15. 외무부 MURAT SUNGAR 대변인 발표에 의하면 이라크는 작1.14.오후 이라크.터키 국경(HABUR)을 봉쇄하였으며, 이라크측이 HABUR 근처 도로변에 지뢰를 매설하는것이 목격되었다고 말하였기 보고함.

(대사 김내성-국장)

중아국 1차보 구주국 정문국

PAGE 1

91.01.17 04:23 DQ

외신 1과 통제관

0165

관리 번호	91/2048

분류번호	보존기간

발 신 전 보

번 호 : WUS-0179 910117 1105 FK 종별 : 초긴급

수 신 : 주 수신처 참조 대사. ~~총영사~~

발 신 : 장 관 (중근동)

제 목 :

WJA -0228 WUK -0113
WGE -0079 WFR -0087
WCA -0056 WJO -0081
WSB -0116 ✓WTU -0027

귀지에서 파악할수 있는 페르샤만의 전황을 수시로 긴급 보고 바라며, 이스라엘의 참전 여부가 금후 사태 발전의 큰 변수가 될것인바, 이에 관한 정보도 적극 수집 보고 바람. 끝.

(장 관) ~~(미 상 목)~~

수신처 : 주 미, 일, 영, 독, 불, 카이로, 요르단, 사우디, 터키 대사

예 고 : 91.6.30. 일반

보안 통제	7L

앙 고 재	91년 1월 17일	중근동과	기안자 성명		과 장		국 장		차 관	장 관
			김		7L					一

외신과통제

0166

관리 번호	91/274

원 본

외 무 부

종 별 :

번 호 : TUW-0042 일 시 : 91 0117 1201

수 신 : 장관(중근동,구이,정일)

발 신 : 주 터 대사

제 목 : 걸프사태 주재국동향

1.1.17. 새벽 걸프전쟁 발발과 관련하여, 주재국 정부는 대통령궁에서 대통령주재로 수상, 총사령관, 외상, 국방상등 참석리에 긴급회의를 소집, 대책을 협의한후, 아크불르트 수상이 발표한 내용은 아래와같음.(전쟁발발전 외잘대통령은부시대통령으로부터 전쟁개시 통보를 받았다고함)

-터키정부는 미군의 이라크공격을 위한 터키내 기지사용권 부여를 의회에 요청할예정임.

-터키군은 터키가 공격을 받지않는한 먼저 공격하지않고 방어에만 임할것이나, 장래 필요하다면 터키가 공격을 받지않더라도 미군의 터키내 나토기지 사용을 허용할수있을 것임

2. 한정부 고위관리는 OPERATION DESERT (054)TORM 제 1 차 공격에는 터키가 관여하지 않았다고 말한것으로 보도되고 INCIRIK 공군기지에서도 전투기 이착륙등 아무런 공격징후가 없었다고함.

3. 터키군부(DIYARBAKIR 공군기지 소재 군 PRESS CENTER)는 터키-이라크 국경에서의 군사행동은 없었다고 발표했음.

4. 주재국은 걸프전쟁 발발직후 수상실에 위기관리본부를 설치해서 만반의 준비와 대책을 강구중에 있음.

5. 터키경찰, 기타 정보기관은 가능한 테러공격에 대비해서 비상경계에 들어갔다고 발표했음.

6. 안카라및 이스탄불공항은 상금 국제및 국내 항공기가 정상운항되고 있고, 다만 터키 동남부소재 모든 공항은 민간항공 운항이 금지되었음. TWA 및 PANAM 항공사는 당분간 터키 취항을 중단하였다고함.

(대사 김내성-국장)

중아국 장관 차관 1차보 2차보 구주국 정문국 청와대

PAGE 1

91.01.18 02:36

외신 2과 통제관 CA

0167

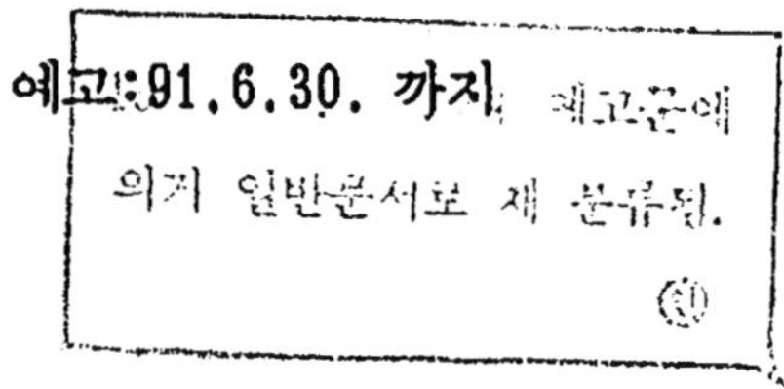

검토필(1991. 6.30.)

PAGE 2

0168

관리 번호	91/284

원 본

외 무 부

종 별 :

번 호 : TUW-0049　　　　일 시 : 91 0118 1731

수 신 : 장관(중근동,구이,정일)사본:국방부장관

발 신 : 주 터 대사

제 목 : 걸프사태 주재국동향(2)

(자료응신:8 호)

1. 1.17. 밤 주재국 국회는 정부요청에따라 아래요지의 전쟁권한(WAR POWER)위임결의안을 통과(찬 250, 반 148, 기권 52)시켰는바, 요지 아래와같음

가. 유엔안보리결의 제 678 호 지지

나. 걸프사태관련 국가안보및 국익보호

다. 헌법 제 92 조에따라 터키군의 해외파병, 외국군의 터키주둔및 터키내 군대 사용권한을 행정부에 위임

2. 외잘대통령은 동결의안 통과로 미국 공군기의 이라크 공격을 위한 터키 기지 사용권한이 행정부에 부여되었다고 말하고, 따라서 미국은 언제든지 원한다면, 터키기지와 터키영공을 이라크 공격에 사용할수있을 것이라고 말하였음.

3. 주재국 수상은 동결의안 통과후 소집된 각의에서 정부는 미군의 터키내 공군기지사용 시기에관한 결정을 터키군 총사령관에게 맡길것이라고 언급하였음.아울러 정부대변인 YAZAR 국무장관은 이와같은 미군의 터키 기지사용은 터키가이라크의 공격을 받지 않을경우에도 가능할것이라고 말하였음.

4. 현재 이라크 공격용으로 활용될것으로 예상되고 있는 INCIRLIK 공군기지에는 당초 48 기의 전투기가 있었으며, 터키요청에따라 미국은 전투기및 폭격기 48 대(F-15: 14 기, F-16: 14 기, F-4G: 10 기, F-111: 4, EF-111: 6 기등)를 추가 파견, 현재동기지에 도착중인것으로 알려지고 있는바, 동 기지에는 이착륙등 비행활동이 활발히 전개되고 있다하며, 아울러 지대공 미사일(PATRIOT)이 배치되고 있는것으로 알려짐. 연이나, 동기지가 현재 이라크 폭격에 활용되고 있는지는 확인되지않고 있음

5. INCIRLIK 공군기지나 기타 터키내 기지를 이용한 미군기의 대이라크 폭격이

중아국	장관	차관	1차보	2차보	구주국	정문국	청와대	총리실
안기부	국방부							

PAGE 1　　　　91.01.19 03:32

외신 2과 통제관 CH

0169

있을경우, 이에대한 이라크의 대 INCIRLIK 보복공격 여부가 이라크, 터키 국경의 제 2 전선 형성에 결정적 영향을 미칠것으로 보이는바, 이라크의 대터키 보복 공격은 NATO 전회원국에대한 공격으로 간주될것이며, 또한 현재 NATO 의 AMF(ALLIED MOBILE FORCES) 공군편대가 터키에 주둔중인 상황하에서 이라크로서는 매우 신중한 결정을 할것이 예상됨.

6. 또한 터키정부가 걸프전쟁 발발후 보다 적극적인 대미 지원정책을 취하고있는것은 현재 미국에 유리하게 전개되고있는 전황을 고려, 전쟁종료에 따른 전후처리에 터키가 적극 참여할수있는 기반을 마련하기 위한 포석으로 당지에서는 관찰하고 있음.

(대사 김내성-국장)

예고:91.6.30. 까지
19 . . . 에 예고문에 의거 일반문서로 재 분류됨.

검토필(1991.6.30.

PAGE 2

0170

With the Compliments

of the Turkish Embassy

0171

EMBASSY OF TURKEY

SEOUL

GULF CRISIS

Statement of Mr. AHMET K. ALPTEMOCIN,
Turkish Foreign Minister, on January 19, 1991

- The invasion and annexation of Kuwait is unacceptable and inadmissable. The attitude of the Iraqi regime which is contrary to all principles and rules of conduct of international law has provoked concern and outrage since it has further aggravated the already tense situation in the Middle East which has been yearning for peace and stability for decades.
- For these reasons Iraqi aggression against Kuwait has met with the massive reaction of the international community. This reaction was reflected in the resolutions adopted by the United Nations Security Council since August 6, 1990, in reaction to the persistent unlawful deeds perpetrated by the Saddam Hussein regime.
- Turkey has set and pursued with the determination a policy aimed at the solution of the crisis by peaceful means through the restoration of Kuwait's independence, sovereignty and territorial integrity, as well as return to power of the legitimate Government of Kuwait.
- Within this framework Turkey has taken the essential defensive measures with a view to reducing the impact of developments to which this dangerous crisis next to her borders might lead, while pursuing with care the principled positions in line with UNSC resolutions, despite the considerable economical burden involved. As is known, the Saddam Hussein regime has rendered efforts for a peaceful solution fruitless by failing to assess correctly - or in the event it did so, by ignoring - the wide dimensions of the international solidarity against it and of the reactions to the unacceptable fait accompli he perpetrated. Thus , he carried the crisis to a point where military measures emerged as the only option. We deeply deplore this circumstance, the resposibility for which rests solely on the Saddam Hussein regime, and which further deepens existing anxieties.

0172

- The intransigence of the Saddam Hussein regime which rendered military measures unavoidable has led all concerned to the judgement that his objectives and policies consituted a grave threat to peace, security and stability. In reaching this judgement, the expansionist aspirations demonstrated by Iraq under the direction of Saddam Hussein through its aggression against two neighbouring countries in the last ten years cannot be overlooked.
- At this critical juncture it is the pressing need of Turkey, the region and world, as well as the Iraqi people, that the crisis should be overcome without further shedding of blood and without triggering unforeseeable complications.
- It is on the basis of these assessments that the Government of Turkey has decided, pursuant to the authority obtained from the Turkish Grand National Assembly on January 17, 1991, and the Operative Paragraph 3 of UNSC resolution 678, to extend additional support to those nations who are contributing Forces to the campaign against Iraq with a view to ensuring the full implementation of the relevant resoutions of the UNSC. In this connection, the Council of Ministers has approved a wider use of common defence facilities in Turkey, and has issued the necessary instructions for this purpose.
- As it will be recalled, Turkey has declared on numerous occasions and at the highest level that Turkish Armed Forces would not undertake any operations against Iraq unless attacked by that country. This decision of Turkey continues to remain in force today.
-Turkey desires both at home and in the region the restoration of cooperation, peace, security and tranquility as soon as possible. It is the earnest wish and desire of Turkey that the present crisis be rapidly overcome before it assumes more dangerous dimensions, with the least possible suffering and destruction, and the establishment on solid foundations of calm and stability in the region. In this regard, the preservation

of the unity of Iraq, with its people, its state and its frontiers, and the return of Iraq into the international community as a respected and responsible member in peace and prosperity are amongst the considerations to which Turkey attaches greatest importance.

외 무 부

종 별 :
번 호 : TUW-0055 일 시 : 91 0119 1835
수 신 : 장 관 (중근동,구이,정일) 사본:국방부장관
발 신 : 주 터 대사
제 목 : 걸프전쟁 주재국 동향(3)

1. 1.18.밤 외잘대통령은 당지 TV 인터뷰에서 INCIRLIK 공군기지가 미군에 의해 이라크 공격에 사용되고 있다는 외신보도에 대한 질문을 받고, '통상 이들 비행기는 연습비행을 하고 있으나, 갔을지도 모른다' (BUT THEY MAY HAVE GONE (TO IRAQ) AFTERWARDS) 고 언급 하였음. 이에 비추어 당지에서는 동기지가 현재 미군에의해 사용되고 있는것으로 알려지고 있으나, 상금 터키측으로서 공식 확인하지않고 있음.

2.동대통령은 미군의 INCIRLIK 기지 사용에 따른 이라크의 대터키 영토 보복공격 가능성에 대해서 상식적으로는 이라크가 공격을 안할것으로 생각되지만, 만약공격해오는 경우에는 이에 강력히 대처하게 될것이라고 말하였음.

3. 또한 동대통령은 터키가 INCIRLIK 기지를 미군이 사용토록한 것은 안보리 결의 제 678호 2조및 3조에 의거한 의무를 터키가 현재 수행하고 있는것이라고 하였음.

(대사 김내성-국장)

중아국	장관	차관	1차보	2차보	미주국	구주국	정문국	청와대
총리실	안기부	국방부	대책반					상황실

PAGE 1

91.01.20 08:11 DA
외신 1과 통제관

0175

관리번호	91/658

원 본

외 무 부

종 별 :

번 호 : TUW-0060 일 시 : 91 0121 1816

수 신 : 장관(중근동,구이,정일),사본:국방부장관

발 신 : 주 터 대사

제 목 : 걸프전쟁 주재국동향(4)

자료응신:4 호

1. 1.20. AKBULUT 수상은 주재국 TV 를 통하여 아래요지의 담화를 발표하였음.

가. 이라크의 대터키 공격가능성은 극히 희박하나, 주재국은 자위를위한 모든 예방조치를 강구했음.

나. 터키는 이라크의 공격이 없는한, 이라크를 공격하지 않겠음.

다. 내각은 터키내 모든 공군기지를 포괄적으로 사용할수있는 권한을 미군당국에 부여키로 결정하였음.

2. 주재국 외상은 동일 걸프문제를 위해 긴급 소집된 국회에서 걸프사태에 관한 터키의 기본정책은 유엔안보리 결의 제 678 호를 준수하는것임을 재차 강조하고, 또한 터키의 입장은 이라크의 쿠웨이트 침공전 이라크국경선을 존중하는것이라고 말하였음.

3. 미군전투기가 INCIRLIK 공군기지로부터 지금까지 약 300 회 출격한것으로 알려지고있으나, 주재국 정부나 당지 미군당국은 미군의 INCIRLIK 기지사용 자체를 상금 공식적으로 확인해주지 않고있음

4. 1.20. 터키 외무성 대변인은 PLO 주장을 인용한 걸프전쟁 개시이후 이스라엘 전투기의 터키기지 사용에 관한 로이터보도를 전혀 근거없는 것이라고 부인하였음.

(대사 김내성-국장)

예고:91.6.30. 까지 예고문에 의거 일반문서로 재 분류됨.

검토필(1991.6.30.)

중아국	장관	차관	1차보	2차보	미주국	구주국	정문국	청와대
총리실	안기부	국방부						

PAGE 1

91.01.22 18:22

외신 2과 통제관 DO

0176

관리 번호	91/622

원 본

외 무 부

종 별 :

번 호 : TUW-0067 일 시 : 91 0122 1724

수 신 : 장관(중근동,구이,정일) 사본:국방부장관

발 신 : 주 터 대사

제 목 : 걸프전쟁 주재국동향(5)

자료응신:11 호

1. AKBULUT 수상 TV 담화

가. 1.21. 밤 AKBULUT 수상은 TV 담화및 담화후 가진 기자회견에서 걸프전쟁관련 아래 터키입장을 어제에 이어 재차 천명하였음.

-터키군은 이라크로부터 공격받지 않는한 이라크를 먼저 공격하지 않을것임.

-이라크의 터키공격은 이라크의 정치, 군사적 이익이 없으므로 그 가능성이희박하다고 봄. 그러나 터키는 모든 가능성에 대비 방공강화등 자위를위한 조치를 취했음.

-터키는 이라크 영토에 관심이 없으며 종전후 이라크의 현국경선이 그대로 존중되기를 희망함.

-INCIRLIK 공군기지는 유엔안보리결의에 따라 미군이 군사또는 교육목적으로 현재 사용하고 있으나 상세는 군사사항에 속하므로 밝힐수 없음.

나. 걸프전쟁 관련, 터키수상등 정부 고위당국의 연이은 담화 발표내지 기자회견은 걸프전에 관한 터키의 입장 특히 터키의 대이라크 선제공격 부인및 종전후 이라크 영토보존등을 명확히 천명하므로서 이라크에 대해 대터키공격을 자제토록 신호를 주기 위한 것으로 보이며, 아울러 INCIRLIK 등 터키공군기지를이용한 미군의 대이라크 폭격을 공식 인정하지 않는것도 가능한 이에 대한 이라크측의 반발을 야기치 않으려는 의도가 내포되어 있는것으로 보임.

2. 이란 대통령 특사 방터

1.21. 걸프전쟁 문제 협의차 이란대통령 특사 ALI REZA MUAYYERI 가 당지도착, 대통령, 수상, 외무장관과 면담을 가졌는바, 동특사는 미군에 의한 터키 공군기지 사용으로 인한 전쟁확대 반대 입장및 전후 이라크의 영토보존 입장등을 전달한것으로

중아국 차관 1차보 구주국 정문국 청와대 안기부 국방부

91.01.23 08:11

외신 2과 통제관 BT

0177

알려짐.

3. 이스탄불소재 NATO 군사시설 폭파사건

1.21. 밤 이스탄불 소재 나토 시설을 폭파한 사건이 있었는바, 건물은 크게피해를 보았으나 인명피해는 없었다고 하며, 터키의 과격좌파 지하단체인 DEV-SOL(REVOUTIONARY LEFT)이 자행했다고 주장했음. 이사건이 걸프전쟁과 관련있는 것인지는 확인되지않고 있음.

(대사 김내성-국장)

예고: 91.6.30. 까지

예고문에 의거 일반문서로 재 분류됨.

걸토필(1991. 6.30.)

PAGE 2

0178

관리 번호	91-634

원 본

외 무 부

종 별 :

번 호 : TUW-0068 일 시 : 91 0122 1813

수 신 : 장관(중근동,구이,정일)사본:국방부장관

발 신 : 주 터 대사

제 목 : 걸프전쟁 주재국동향(6)

자료응신:12 호

1. 1.22. 주재국 총사령부는 금일 13:09 INCIRLIK 공군기지에서 PATRIOT 미사일이 실수로 발사되었으나 공중에서 자체 폭파되었으며 아무런 피해는 발생하지 않았다고 발표하였음.

2. INCIRLIK 공군기지로부터 일부 미군병력이 이라크 국경지대인 BATMAN공군기지로 이동되고 있으며, 동기지에서 미사일 발사대등이 설치되고 있는것으로 알려지고있음. 이는 미군으로하여금 터키내 기지사용을 포괄적으로 사용토록한 주재국 각의결정이후 이루어지는 것으로 보여지고있음.

(김내성-국장)

예고:91.6.30. 까지

예고문에 의거 일반문서로 재 분류됨.

검토필(1991.6.30.)

중아국 장관 차관 1차보 2차보 구주국 정문국 정문국 청와대
안기부

PAGE 1

91.01.23 09:11

외신 2과 통제관 FF

0179

관리번호	91/619

원 본

외 무 부

종 별 :

번 호 : TUW-0075 일 시 : 91 0123 1913

수 신 : 장관(중근동,구이,정일)사본:국방부장관

발 신 : 주 터 대사

제 목 : 걸프전쟁 주재국동향(7)

자료응신:13 호

1.1.23. 파키스탄 NAWAZ SHARIFF 수상이 각료 4 명을 대동, 걸프전쟁의 평화적해결을위한 협의차 이란으로부터 당지에 도착하였음. 동수상은 공항도착 성명을통해 걸프전쟁은 회교국 전체의 문제이므로 동전쟁이 평화적으로 해결되기를희망한다고 말하였음. 동수상은 대통령, 수상을 예방하고 1.24. 당지출발예정임.

2. 동일오전 11 시경 이스탄불에서 거의 동시 미국계 회사의 폭발사건이 2 건 발생하였음. 테러범들은 당지에서 학교및 출판을 운영해온 미국 자선단체 AMERICAN BOARD COMMITTEE 와 AMERICAN SHIPPING CO. ABS 등 두곳에서 내부의 근무자들을 묶고 폭발물을 설치, 폭발물은 잠시후 폭발되었는바, 건물등은 대파되었으나 1 명의 부상외에 인명피해는 없었음. 동폭발사건은 걸프전쟁으로 인한 반미테러와 관계있는것으로 보임.

(대사 김내성-국장)

예고:91.6.30.까지고문에 의거 일반문서로 재 분류됨.

검 토 필(1991. 6.30.)

중아국 구주국 정문국 청와대 안기부 국방부

PAGE 1

91.01.24 05:55

외신 2과 통제관 FE

0180

외 무 부

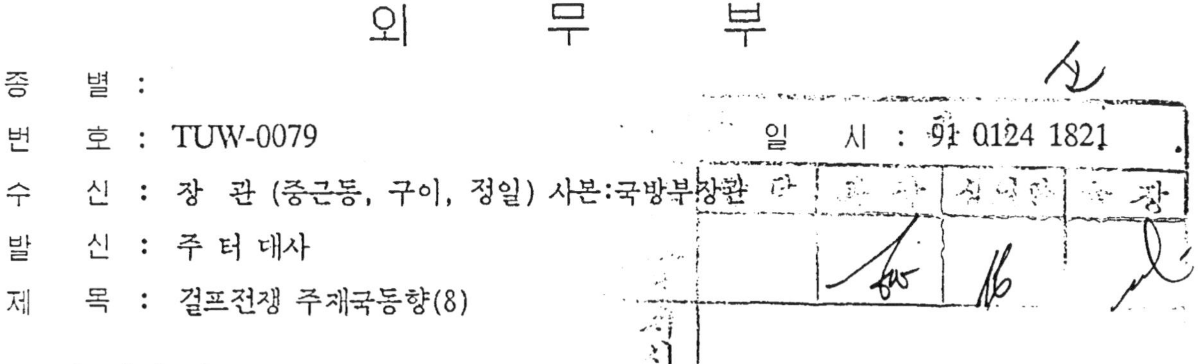

종 별 :
번 호 : TUW-0079 일 시 : 91 0124 1821
수 신 : 장 관 (중근동, 구이, 정일) 사본:국방부장관
발 신 : 주 터 대사
제 목 : 걸프전쟁 주재국동향(8)

자료응신:제14호

1. 1.24.주재국 언론은 이라크의 통신사보도를 인용하여 이라크의 AZIZ 외상이 터키 ALPTEMOCIN외상에게 보낸 서한내용을 보도한바, 동보도에 따르면, 이라크는 터키가 터키내 공군기지를 이라크공격 목적으로 미군이 사용토록 허용한것을 비난하고, 그결과에 대해서는 터키가 책임을져야한다고 했다함. 또한 동서한은 그동안의 터키의 대이락 제재조치에 구체적으로 언급하고, 이것은 양국관계 역사에 비추어 그전략없는 것으로서 부끄러운 (QSHAMEFUL) 일이라고 언급하였다고함.

이에대해 외무성 MURAT SUNGAR 대변인은 동서한 접수를 확인하고, 현재 터키는 이를 검토중에있다고 말하였음.

2. 1.23. 외무성 대변인은 터키의 미 공군에 대한 터키내 기지사용허가에 대해서 최근 아랍세계로부터 항의를 받고 있다는 외신보도와 관련, 이는 과장된 보도로서 터키의 걸프전쟁에 대한 입장은 유엔안보리 결의에 기초한것이라고 언급하였음. 최근에 이란, 요르단, 알제리아, 리비아, 파키스탄등 제국은 터키가 INCIRLIK 공군기지를 미군측사용에 제공한데 대하여 우려를 표명해온 것으로 알려지고 있음.

(대사 김내성-국장)

중아국 장관 차관 1차보 2차보 구주국 정문국 정와대 총리실
안기부 국방부

PAGE 1

91.01.25 09:05 WG
외신 1과 통제관

0181

관리 번호	91/6??

원 본

외 무 부

종 별 :

번 호 : TUW-0086 일 시 : 91 0125 1858

수 신 : 장관(중근동,구이,정일),사본:국방부장관

발 신 : 주 터 대사

제 목 : 걸프전쟁 주재국동향(9)

자료응신:16 호

1. 주재국 외잘대통령은 1.24. 독일 ARD TV 와 가진 인터뷰에서 이라크가 미군의 INCIRLIK 기지사용을 이유로 터키를 공격할경우, 터키는 즉각 보복을 행할것이나, 이라크의 공격이 없는한 터키는 전쟁에 참여하지 않을것이라고 재천명하였음.

2.1.24. 14:00 주재국은 외잘대통령주재로 AZIZ 이라크 외상의 터키외상 앞으로 발송된 서한에대한 대책협의차 국가안보회의가 열리고 있는바, 동안보회의에서 동서한에대한 터키측 입장이 결정될것으로 보이며, 외잘대통령의 상기 발언은 터키측이 이라크 외상의 서한을 접수한 직후에 이루어진점에 미루어 동서한에대한 간접적인 회답인것으로 관찰됨. (대사 김내성-국장)

예고:91.6.30. 까지 예고문에 의거 일반문서로 재 분류됨.

검토필(1991.6.30.)

중아국	장관	차관	1차보	2차보	구주국	정문국	안기부	국방부

PAGE 1

91.01.26 05:34

외신 2과 통제관 CE

0182

관리번호	91/633

원 본

외 무 부

종 별 :

번 호 : TUW-0088 일 시 : 91 0126 1300

수 신 : 장관(중근동,구이,정일) 사본:국방부장관

발 신 : 주 터 대사

제 목 : 걸프전쟁 주재국동향(10)

자료응신:10 호

연:TUW-0086

1.1.25. 개최된 각료회의에서 주재국은 연호 이라크 외상서한에 대한 터키측 회신의 골자를 결정하고, 아울러 1980 년 군사정부가 조치했던 쿠르드(KURD)어 사용금지를 해제시키기로 하였으며, 현걸프전쟁으로 인한 경제적 어려움을 감안, 노동조합의 파업을 1 개월간 금지시키는 결정을 하였음.

2. 동일 금요일 회교예배를 가진후 이스탄불을 위시하여 터키동부지역 약 6 개도시에서 걸프전관련, 미국과 이스라엘에 항의하는 이슬람 과격분자(FUNDAMENTALIST)들에의한 걸프전 반대시위가 있었는바, 이같은 시위가 금요일 회교예배이후 일제히 발생한 사실은 배후에 이를 조정하는 세력이 있을것으로 당지에서는 보고있음.

3. 제 1 야당인 사회민주인민당(SHP)의 이노뉴 당수는 원내그룹회합에서 걸프전과관련, 터키 야당이 국론을 분열시키고 있다는 외잘대통령의 발언에대해이와같은 큰위기에 처해있는 상황에서 국론을 분열시키고, 터키국민의 단결을 저해시키는 사람은 바로 외잘대통령이며, 대통령이 터키를 전쟁으로 몰고가고 있다고 비난했음.

(대사 김내성-국장)

예고:91.6.30. 까지

검 토 필(1991. 6.30.)

19 . . . 에 예고문에 의거 일반문서로 재 분류됨.

중아국	장관	차관	1차보	2차보	구주국	정문국	청와대	안기부

국방부장관,

PAGE 1

91.01.27 06:54

외신 2과 통제관 CA

0183

관리번호	91/636

원 본

외 무 부

종 별 :

번 호 : TUW-0090 일 시 : 91 0127 1301

수 신 : 장관(중근동,구이,정일) 사본:국방부장관

발 신 : 주 터 대사

제 목 : 걸프전쟁 주재국 동향(11), 자료응신:18 호

1. 터키 ALPTEMOCIN 외무장관은 1.26. 저녁 터키주재 이라크대사를 외무성으로 불러 AZIZ 이라크외상 서한에대한 답변서를 수교해주었는바, 내용요지는 아래와 같음.(이라크 외상 서한이 암만주재 양국대사관을 통해서 전달되어왔으므로 금번 터키외상 서한도 원본을 암만을 경유해서 전달하고, 안카라에서 터키외상이 전달한것은 사본으로 알려짐)

가. 터키는 터키의 안보를 지킬것이며 터키의 안보에 위해를주는 이라크의 행동은 이라크에 보다 더 많은 피해를 가져다 주게될것임.

나. 터키는 유엔창설회원국으로서 유엔의 제반 결의를 준수하고 이행해나갈 책임이 있음.

다. 터키는 이라크의 쿠웨이트 철수를포함한 제반 평화적해결 방안을위해 노력해 왔으나 이라크측이 이를 거부한것은 매우 유감스러운 일임.

라. 걸프전쟁관련 터키정부의 정책을 적대정책으로 표현한 이라크의 주장을 전적으로 거부함.

마. 만약 이라크가 유엔안보리 결의의 준수를 수락한다면, 터키는 걸프전쟁의 중단 및 이라크 국민의 고통을 덜어주기위한 모든 노력을하겠음.

2.1.26. 밤 INCIRLIK 공군기지에 인접한 대도시 ADANA 에서 미 영사관및 미문화원에 대한 폭탄테러사건이 발생하였는바, 건물은 크게 폭파되었으나, 인명피해는 없었다하며, 누가 자행했는지는 아직 알려지지않고 있음.

(대사 김내성-국장)

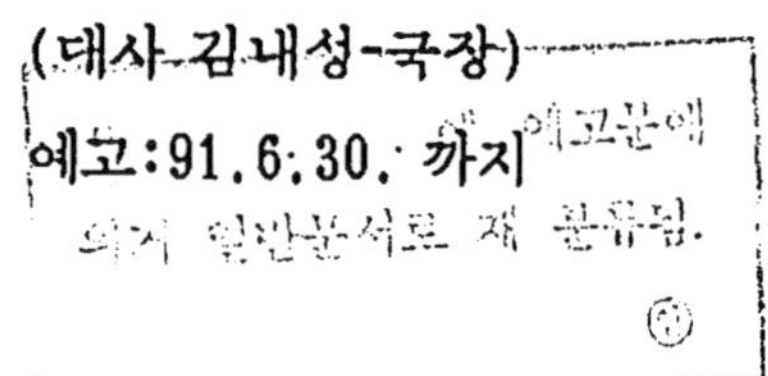
예고:91.6.30. 까지

검토필(1991.6.30.)

중아국	차관	1차보	2차보	구주국	정문국	청와대	안기부	국방부

PAGE 1

91.01.27 20:39

외신 2과 통제관 CF

0184

외 무 부

종 별 :

번 호 : TUW-0092 일 시 : 91 0127 1630

수 신 : 장 관 (중근동, 구이, 정일) 사본:국방부장관

발 신 : 주 터 대사

제 목 : 걸프사태 주재국동향(12)

금 1.27. 안카 시내 사우디 항공사 사무실에 폭파사건이 일어난바, 건물이 다소 파괴되었으나 인명 피해는 없었는바 이사건도 걸프전쟁 테러 와 관련된것으로 당지에서는 보고 있음.

(대사 김내성-국장)

중아국	장관	차관	1차보	2차보	구주국	정문국	안기부	국방부
대책반								

PAGE 1

91.01.28 01:31 CT

외신 1과 통제관

0185

외 무 부

종 별 :

번 호 : TUW-0097 일 시 : 91 0129 1855

수 신 : 장 관 (중근동, 구이, 정일) 사본: 국방부장관

발 신 : 주 터 대사

제 목 : 걸프전쟁 주재국동향(13)

자료응신:제19호

1. 1.28.외무성 KURAT SUNGAR 대변인은 JANA통신이 보도한 YUWUKOGKWADHALI 대통령의 '터키국민들은 미군기지로 행진하여 동기지를 폐쇄하고, 터키를 NATO 로부터 탈퇴시켜 아랍형제들과 우호관계를 확인해야한다'는 발언에 대해 이는 통치자로서 책임감있고 신중한태도가 아니라고 강한 논조로 비난하고, GADHAFI대통령의 발언은 터키국민을 선동시키는 것으로서, 향후 터키-리비아의 우호관계 유지는 리비아의 태도에 달려있다고 말하였음.

2.1.28.당지 IZMIR (이즈밀)소재 불란서 영사관, 미문화원, 미창고등 세곳에서 연쇄폭발 사건이발생, 1명이 부상하고 자동차 4대등이 소각되었음.동일 안카라에서 도재무성 별관 건물 정원에서 폭발사건이 발생하였는바, 이로써 주재국에서는 걸프전쟁이후 11건의 폭발사건이 발생되었음.

(대사 김내성-국장)

중아국 국방부	장관	차관	1차보	구주국	정문국	청와대	총리실	안기부

PAGE 1 91.01.30 09:36 WG

외신 1과 통제관

0186

관리번호	91-740

원 본

외 무 부

종 별 :

번 호 : TUW-0107 일 시 : 92 10201 1030

수 신 : 장관(중근동,구이,정일)

발 신 : 주 터 대사

제 목 : 걸프전쟁 주재국동향(14)

자료응신:제 20 호

연:TUW-0097

1.1.30. 주재국 외무성 MURAT SUNGAR 대변인은 시리아 정부가 이라크가 시리아를 공격할경우에 대비하여 요청한 시리아 항공기의 터키영토 임시체류 요청을 터키정부가 허가해준 사실을 공식 발표하였음.

2. 터키 건설업자 조합은 터키건설회사가 리비아에서 공사를 마친 대금 6 억불을 걸프전쟁으로 인한 불편한 양국관계때문에 리비아로부터 회수받지 못하고있으므로, 터키정부가 이를 보상해주도록 요청하는 서한을 주재국 수상및 각료들에게 보낸것으로 알려짐. 현재 터키는 리비아에서 35 억불의 각종 공사를 진행중이며, 25,000 명의 근로자가 진출중이라함

주재국과 리비아는 최근 주재국 공군기지의 미군사용을 위요하고 상호 비난하여왔는바, 리비아측의 공사대금 미지급도 양국간의 이러한 불편한 관계에 기인한것으로 보임.

(대사 김내성-국장)

예고:91.6.30.. 까지 예고문에 의거 일반문서로 재 분류됨.

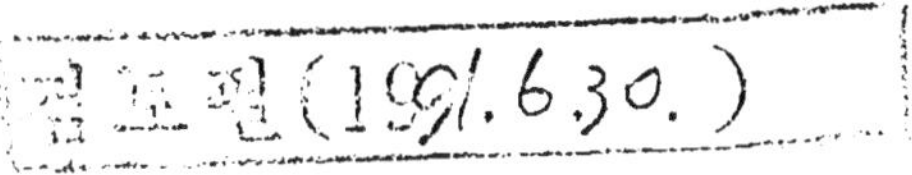

중아국	장관	차관	1차보	2차보	구주국	정문국	청와대	총리실
안기부								

PAGE 1 91.02.01 18:30

외신 2과 통제관 BA

0187

외 무 부

종 별 :

번 호 : TUW-0111 일 시 : 91 0202 1300

수 신 : 장 관 (중근동, 구이, 정일)

발 신 : 주 터 대사

제 목 : 걸프전쟁 주재국 동향(15)

자료응신: 제 22호

1. 2.1. 예멘 대통령특사 ALI ABDULLAH SALEH 국무장관이 안카라에 도착, 주재국 외잘대통령에게 예멘대통령의 친서를 전달하고 면담하였음. 동친서는 걸프전쟁조기종결을 위한 예멘측 평화안에대한 터키정부의 협조를 요청한 내용으로 알려지고있는바, 이에대해 외잘대통령은 '이같은 제 3국의 중재노력의 효과가 전혀 없지는않을것이나 걸프전쟁의 조기종결및 평화회복은 우선 그장애 요인이 되고있는 이라크의 쿠웨이트 점령이 해소되어야 한다'고 말하였다고 대통령궁이 발표했음.

2. 동일 이스탄불등 터키 각지역에서 이슬람 금요예배이후 반미및 반이스라엘 데모가 발생하였으나 경찰의 적극적인 사전봉쇄로 큰불상사 없이 해산되었음.

(대사 김내성)

중아국	장관	차관	1차보	2차보	미주국	구주국	정문국	정와대
총리실	안기부	대책반						

당직실

PAGE 1

91.02.02 19:52 DA

외신 1과 통제관

0188

관리번호	91-120

외 무 부

종 별 :

번 호 : TUW-0114 일 시 : 91 0204 1851

수 신 : 장관(중근동,구이,정일)

발 신 : 주 터 대사

제 목 : 걸프전쟁 종료후 협력방안

1.2.3 일 주재국 OZAL 대통령은 DAVOS 에서 개최중인 WORLD ECONOMIC FORUM 의 위성중계 토의를통하여 걸프전쟁종료후 중동경제 협력체 창설등 전쟁종료후의협력방안에 관하여 제의하였는바, 주요내용은 아래와같음.

가. 지역평화를위하여 첫번째로 취할조치는 아랍-이스라엘분쟁및 파레스타인문제 해결이며 이를위한 미국및 서구의 건설적이며 적극적인 역활이 요망됨

나. 지역평화를 위해서는 CSCE 와같은 협정체결을 고려할수있으나 CSCE 의 복사판이 되어서는 안됨

다. 안보협력과 더불어 포괄적인 경제협력이 필요한바, 전쟁의 상처를 치유할 경제및 상업협력은 경제적인 상호의존을 통하여만 이룩될수 있으며 이분야에 적극적인 역활을 할 준비가 되어있음. 터키는 중동지역에 설치된 석유및 까스 파이프라인과 나란히 물 파이프라인을 설치하여 중동지역이 절대로 필요로하는 물을 아라비아반도에 공급하는등 INFRASTRUCTURE 개선에 참가할 용의가있음.

라. 석유수입의 일정비율과 선진 서방세계의 기부금에의한 중동경제개발 기금(ECONOMIC DEVELOPMENT FUND) 창설을 고려할수있으며, 터키도 동계획에 참여할수있음.

마. 중동전쟁 종료후 안카라또는 이스탄불에서 파레스타인문제를 포함한 모든문제를 토의키위한 중동평화회의 개최제의

2. 상기 제의는 주재국이 전쟁종료후 예상되는 중동질서 개편에서의 입지강화를 위한 외교노력의 일환으로 관찰됨.

(대사 김내성-국장)

예고:91.6.30. 까지

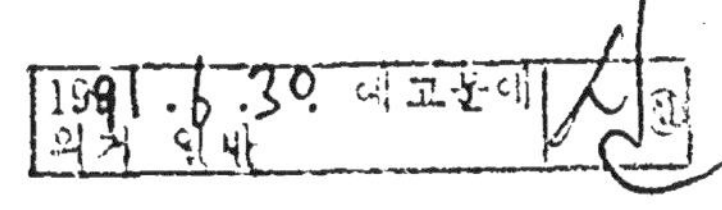

중아국	장관	차관	1차보	2차보	미주국	구주국	정문국	청와대
안기부								

PAGE 1 91.02.05 18:47

외신 2과 통제관 BA

0189

관리 번호	91-732

원 본

외 무 부

종 별 :

번 호 : TUW-0126 WIR-0151 910207 1433 91 0206 1843

수 신 : 장관(중근동,구이,정일)

발 신 : 주 터 대사

제 목 : 걸프전쟁 주재국동향(16)

사본-주이란대사

자료응신:23 호

1. 2.4. 터키 OZAL 대통령과 RAFSANJANI 이란 대통령간에 걸프 문제에 관한전화통화에 이어, 금 2.6. 주재국 ALPTEMOCIN 외상은 주로 걸프문제를 협의하기위하여 3 일간 예정으로 이란으로 향발하였음.

OZAL-RAFSANJANI 전화통화에서는 RAFSANJANI 가 걸프전의 조속한 종결을 위한 최근의 INITIATIVE (이라크 SADDAM HUSSEIN 대통령 면담및 양측간 거중조정 의사표명)를 외잘 대통령에게 설명 하였다 하며, 이에 대해 외잘 대통령은 이같은이란의 종전협상 노력을 환영한다고 말하고, 그러나 걸프전쟁의 평화적 종결을위해서는 무엇보다도 이라크가 쿠웨이트로부터 철수하는것을 포함, 유엔안보리결의 이행이 필수적이라고 부연하였음.

ALPTEMOCIN 외상은 이란 방문이후 시리아, 사우디및 이집트도 방문하여 걸프전쟁 관련 최근상황을 협의할 예정으로있음.

터키측의 이와같은 외상의 급거 이란방문등 적극적인 관심표명은 걸프 전쟁의 조기 종료를 위한데 있다기 보다는 오히려 종전이후 전후처리 협상에 있어서 터키의 입장을 강화 시키려는 또하나의 노력의일환으로 분석됨.

2. 터키정부는 터키주재 이라크 대사관에게 공관직원수를 1/3 감축 할것을 요청한 것으로 알려짐. 현재 안카라 주재 대사관및 이스탄불 주재 영사관에는 약 76 명의 이라크 외교관및 행정요원이 있는것으로 알려지고있음. 터키는 바그다드주재 대사포함 20 명의 직원을 전쟁발발 직전 안카라로 소환한바있으며, 바그다드주재 터키대사관은 현재 관리인이 지키고 있다하며, 공식적으로 폐쇄는 안되었으나 사실상 모든 기능이 정지상태에 있다고함.

터키정부의 동조치는 공식적으로는 터키-이라크 양대사관 직원수의 형평을 맞추기

중아국 차관 1차보 구주국 정문국 청와대 안기부

사본 주이란대사관 송부

PAGE 1

91.02.07 07:24

외신 2과 통제관 BT

0190

위한 것이라고 발표했으나, 미국등 다국적군 국가들의 전례를 감안하고 터키의 최근 빈발한 테러와 관련이 있는것으로 당지에서는 보고있음.

(대사 김내성-국장)

예고:91.6.30. 까지 고문에 의거 일반문서로 재 분류됨.

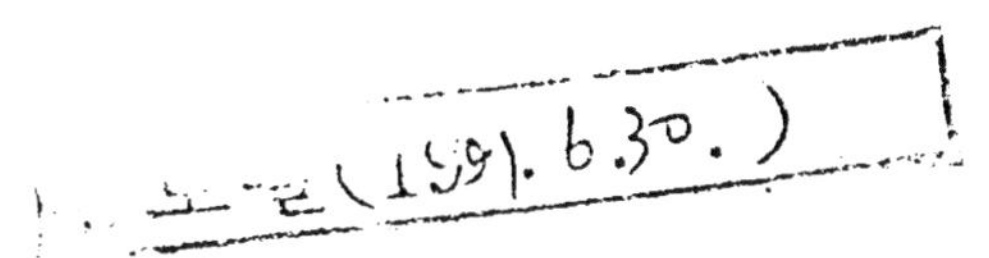

PAGE 2

0191

관리번호	91-922

원 본

외 무 부

종 별 :

번 호 : TUW-0128 일 시 : 91 0207 1946

수 신 : 장관(중근동,구이,정일)

발 신 : 주 터 대사

제 목 : 걸프전쟁 주재국동향(17)

자료응신:24 호

1. 이란을 방문중인 ALPTEMOCIN 주재국 외상은 VELAYETI 이란외상에게 OZAL대통령이 제안한 중동경제개발기금등 전쟁종료후 협력방안을 설명하고 걸프전쟁후 이락영토 보전과 현재 터키-이란-파키스탄 3 국이 회원국인 ECO 에 이락을가입시키기로 합의하였다함.

2.ALPTEMOCIN 외상은 이란은 이라크가 쿠웨이트로부터 철수할경우 이라크에경제원조를 할 용의가있으며, 이란도 RAFSANJANI 대통령의 평화제안이 성취되리라고는 생각치않고 있다고 기자에게 밝혔다함...

3.2.7. 아침 주재국 ADANA 의 INCIRLIK 공군기지에 근무하는 미군 세관원이출근길에 피격, 사망하였으나 현재까지 아무도 범행을 주장하지는 않고있다함.

(대사 김내성-국장)

예고:91.6.30. 까지

19 . . . 예고문에 의거 일반문서로 재 분류됨.

검토필(1991.6.30.)

중아국 장관 차관 1차보 2차보 구주국 정문국 청와대 총리실 안기부

PAGE 1 91.02.08 04:04

외신 2과 통제관 CA

0192

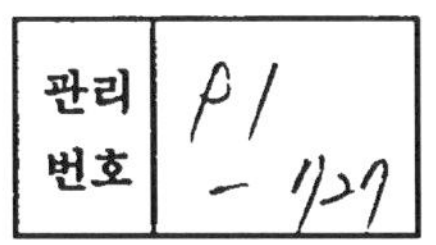

원 본

외 무 부

종 별 :

번 호 : TUW-0136 일 시 : 91 0211 1738

수 신 : 장관(중근동,구이,정일)

발 신 : 주 터 대사

제 목 : 걸프전쟁 주재국동향(18)

조회필 재수신필

자료응신:25 호

1. OZAL 대통령은 스페인 ABC 일간지와 가진 인터뷰에서 걸프전쟁후 석유보다도 더 중요한 수력자원의 이용에관한 중동정상회담을 이스탄불에서 개최할것을제의하였음.

또한 당지에서는 주재국 EUPHRATES 강에서 시리아, 이라크로 방류하는 초당500 입방미터의 수량이 200 입방미터 감소되었다는 미확인 보도가 나오고 있으나 정부당국자는 이를 부인하였음.

2. ALEXANDER BELONDGOV 쏘련 외무차관이 주재국을 방문, AKBULUT 수상및 OZCERI 외무차관과 주로 걸프사태를 협의한것으로 알려지고있음. 동차관은 이임회견에서 터키가 이라크와의 국경에 제 2 의 전선을 형성치 않을것으로 확신한다고언급하였다 함.

3. ALPTEMOCIN 주재국 외상은 2.11-17 간 시리아, 이집트및 자우디아라비아를 방문, 걸프전쟁문제를 협의할 예정인바, 대아랍권 입지강화를 기도하는 주재국 외교정책의 일환으로 관찰됨.

(대사 김내성-국장)

예고:91.6.30. 까지

19 . . . 에 예고문에 의거 일반문서로 재 분류됨.

(1991.6.30)

중아국 장관 차관 1차보 2차보 구주국 정문국 청와대 안기부

PAGE 1

91.02.13 08:50

외신 2과 통제관 BW

0193

외 무 부

종 별 :

번 호 : TUW-0143　　　　　　일 시 : 91 0214 1845

수 신 : 장 관 (중근동, 구이, 정일)

발 신 : 주 터 대사

제 목 : 걸프사태 주재국 동향(19)

자료응신: 제 26호

1. ALPTEMOCIN 주재국 외상은 2.19-25간 미국을 방문, BAKER 국무장관, BUSH 대통령및 JAVIER DE CUELLAR 유엔 사무총장과 걸프사태에 관하여 협의 예정이라함.

2. YANG FUCHANG 중국 외무차관이 2.15-18간 주재국을 방문, OZCERI 주재국 외무차관등과 걸프사태에 관하여 협의 예정인바, 현재 진행중인 쏘련및 비동맹 회의대표단의 중동 평화 노력에서 소외되지 않으려는 중국측의 외교노력으로 관찰됨.

3. JIRI DIENSTBIER 체코 부수상겸 외상이 2.16-19간 주재국을 방문, 양국간 공동관심사를 협의 예정임.

(대사 김내성-국장)

중아국 장관 차관 1차보 2차보 미주국 구주국 정문국 청와대
총리실 안기부

PAGE 1　　　　　　91.02.15 18:34 DQ

외신 1과 통제관

0194

관리 번호	91-890

원 본

외 무 부

종 별 :

번 호 : TUW-0156 일 시 : 91 0220 1913

수 신 : 장관(중근동,구이,정일)

발 신 : 주 터 대사

제 목 : 걸프전 주재국동향(20)

연:TUW-0143, 0136

1. 걸프전관련 주재국은 최근 아래와같이 적극적인 순방외교를 전개하고 있음.

가.ALPTEMOCIN 외상은 이란(2.6-7), 시리아, 이집트, 사우디방문(2.11-17)에 이어 2.19. 미국방문(2.19-25)차 당지출발함.

동외상은 미국방문중 BUSH 대통령, BAKER 국무장관및 유엔사무총장을 면담예정이며 또한 미.터 친선협회(U.S.FRIENDS OF TURKEY ASSOCIATION)에서 연설예정임.

미국방문에 이어 동외상은 카나다(2.26-29), 네덜란드및 불란서를 방문하고3.2 일 귀국예정임.

나.OZCERI 외무차관은 걸프전및 양자관계 협의를위해 화란, 벨지움, 독일 방문차 2.18. 당지 출발함.

다. 또한 주재국은 2 명의 경제담당 국무장관을 대통령특사 자격으로 2.11 부터 EC 제국에 파견(GUNES TANER 국무장관은 벨지움, 룩셈부르크, 독일, 이태리,네덜란드, 덴마크, KAMRAN INAN 국무장관은 영국, 스페인, 포르투칼, 불란서 각기 방문)하여 터키-EC 관계및 걸프사태에 관하여 협의토록하였음.

라.OZAL 주재국 대통령은 오는 3 월 소련을 방문예정이며, 이어서 미국방문도 가능성이 있다함.

2. 이와같은 주재국의 적극적인 순방외교는 걸프전을 이용하여 현재내지는 전후에 터키의 국제사회에서의 지위를 향상시키고, 아울러 아래와같은 실리를 최대한 확보코저하는 외교노력의 일환으로 보임.

가. 걸프전관련 서방진영 가담에따른 이들국가로부터의 최대한의 군사경제 원조및 협력획득 노력

나. 터키의 최대외교 목표인 EC 가입노력

중아국	장관	차관	1차보	2차보	미주국	구주국	정문국	청와대
총리실	안기부							

PAGE 1

91.02.21 05:03
외신 2과 통제관 CA

0195

다. 전후 터키의 걸프지역 경제진출을위한 사전기반확보 노력

라. 전후 걸프지역 문제처리과정에서 발언권 강화노력

(대사 김내성-국장)

예고:91.6.30. 까지

1991. 6 .30. 에 예고문에
의거 일반문서로 재 분류됨.

PAGE 2

0196

관리 번호	91-123

원 본

외 무 부

종 별 : 지급

번 호 : TUW-0165 일 시 : 91 0224 1030

수 신 : 장관(중동일,구이,정일)

발 신 : 주 터 대사

제 목 : 걸프전 주재국동향(21)

대:WTU-0078

걸프전 지상전개시와 관련, 주재국 OZAL 대통령은 금 2.24. 이라크 정부를 비난하는 아래요지의 성명을 발표하였음을 보고함.

1. 터키정부는 걸프사태의 평화적해결을 위하여 유엔안보리결의를 계속 지지하여왔으며, 이에따라 INCIRLIK 공군기지를 다국적군에 사용토록 허가하였음.

2. 유엔안보리나 국제사회는 걸프사태를 전쟁으로 이끌어가지 않게하기위하여 모든 노력을 기우려왔으며, 지난 1 월 미.이라크 외상간의 협상이 타결되었더라면 전쟁이 일어나는 상황은 없었을것임.

3. 이라크는 그동안에 국제사회의 모든 평화적 해결노력을 외면하고 최근에는 쿠웨이트의 유전을 전소하므로써 지상전개시를 불가피하게 하였으며, 걸프전의 책임은 전적으로 이라크정부에 있음.

4. 사담정권은 12 년동안 모험정치를 했으며 8 년간 이.이전쟁을 치렀고 크드르족에게 화학무기를 사용한바있음. 이.이 전쟁시 터키는 6 만의 난민을 받아들인바있고, 현재도 이라크의 난민을 받아들이고 있음.

5. 이라크에 이라크 국민이 바라는 민주주의가 세워지를 희망함

(대사 김내성-국장)

예고:91.6.30. 까지

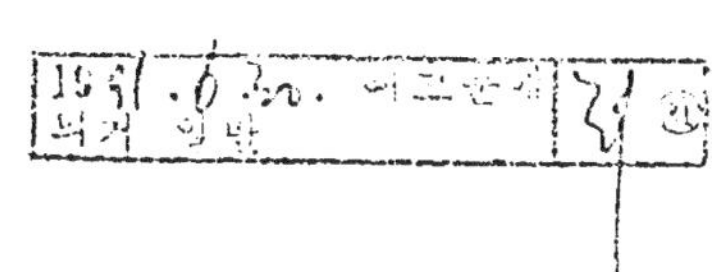

중아국	장관	차관	1차보	2차보	구주국	정문국	청와대	안기부

PAGE 1

91.02.25 07:01

외신 2과 통제관 BW

0197

외 무 부

종 별 :
번 호 : TUW-0171 일 시 : 91 0227 1841
수 신 : 장 관 (중동일, 구이, 정일)
발 신 : 주 터 대사
제 목 : 걸프전쟁관련 주재국 동향(22)

SADDAM HUSEYIN 이라크 대통령의 쿠웨이트 철군 지시관련, 2.26.주재국 외무성 대변인은 아래요지의 입장을 천명했음.

1. 이라크 지도자의 쿠웨이트 철군명령은 너무 늦게 취해진 부득이한 결정으로서, 이것이 만족할만한 결정으로 볼수없음. 이라크 지도자의 비타협적인 태도가 향후 긍정적인 방향으로 변화되기를 희망함.

2. 이지역의 평화를 위해서는 이라크가 12개 유엔안보리 결의를 이행하여야 하며, 독립국가로서의 쿠웨이트의 영토보존및 합법적인 정부의 존중문제를 이라크 정부가 분명히 밝히는것이 필요함.

현 걸프위기의 항구적인 해결은 앞으로 이라크는 물론 이지역 모든 국가의 이익에 도움이 될것임.

(대사 김내성-국장)

중아국	장관	차관	1차보	2차보	구주국	정문국	청와대	총리실
안기부	대책반							

PAGE 1 91.02.28 10:29 WG

외신 1과 통제관

0198

외 무 부

종 별 :

번 호 : TUW-0177 일 시 : 91 0301 1630

수 신 : 장 관 (중동일, 구이, 정일)

발 신 : 주 터 대사

제 목 : 걸프전 주재국동향(23)

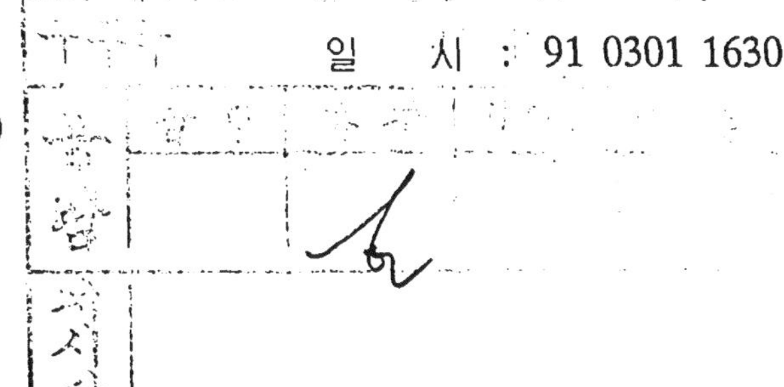

자료응신:29호

1. 부쉬대통령의 2.28. 휴전선언과 관련, 주재국외잘대통령은 즉각 성명을 발표,주재국 정부가 추구해온 걸프위기 관련정책의 정당성이 재차 입증되었다고 천명하고아울러 걸프전의 상처가 조속 치유되고 이 지역에 항구적인 평화와 안정이 수립되어야 한다고 촉구하였음. 또한 걸프위기가 완전 해소되면 이라크에도 즉시 식량과의 약품등을 지원할 것이라고 다짐하고 그러나 항구적인 평화가 확립되기 까지는 상당한어려움이 따를 것으로 예견하였음.

2. 주재국 외무성도 동일 같은 요지의 성명을 발표하였으며, 현재 화란을 방문중인 알프테모친외상도 걸프사태는 사담후세인과 같은 인물에 교훈이 되었을 것이며,중동지역에도 CSCE 와같은 평화구축체제가 수립되어야 할 것이라고 언급하였음.

3. 한편, 당지 TURKISH DAILY NEWS 는 국제문제 전문가들의 말을 인용 중동지역의 평화질서 구축문제는 또하나의 싸움이 될 것이라고 논평하고, 이경우 특히 '공업국가들에 대한 석유의 안정적공급', 사담이 없는 이락', '제2의 사담이 등장할수 없는평화 질서의 수립'이 관건이 될 것이라고 논평하였음.

(대사 김내성-국장)

중아국	장관	차관	1차보	2차보	구주국	정문국	청와대	총리실
안기부	대책반							

PAGE 1

91.03.02 08:04 WH

외신 1과 통제관 ·

0199

정 리 보 존 문 서 목 록					
기록물종류	일반공문서철	등록번호	2012090527	등록일자	2012-09-17
분류번호	772	국가코드	XF	보존기간	영구
명 칭	걸프사태 동향 : 구주지역, 1990-91. 전5권				
생 산 과	서구1과/동구1과/중근동과	생산년도	1990~1991	담당그룹	
권 차 명	V.2 영국				
내용목차					

0001

관리 번호	90/1211

	분류번호	보존기간

발 신 전 보

번 호 : WUS-2550 900802 1742 DY 종별 : 긴급

수 신 : 주 수신처 참조 대사, 총영사

발 신 : 장 관 (중근동)

제 목 : 이라크, 쿠웨이트 침공

WUK -1277 WFR -1472
WJA -3270 WCN -0782
WAU -0529 WCA -0258
WSB -0277 WIR -0250

표제 사태 관련, 주재국 반응(영문) 및 사태 평가 내용 긴급 파악 보고 바람. 끝.

(중동아프리카국장 이 두 복)

수신처 : 주미, 영, 불, 일, 카나다, 호주, 이집트, 사우디, 이란

1990.12.31. 에 예고문에 의거 일반문서로 재 분류됨.

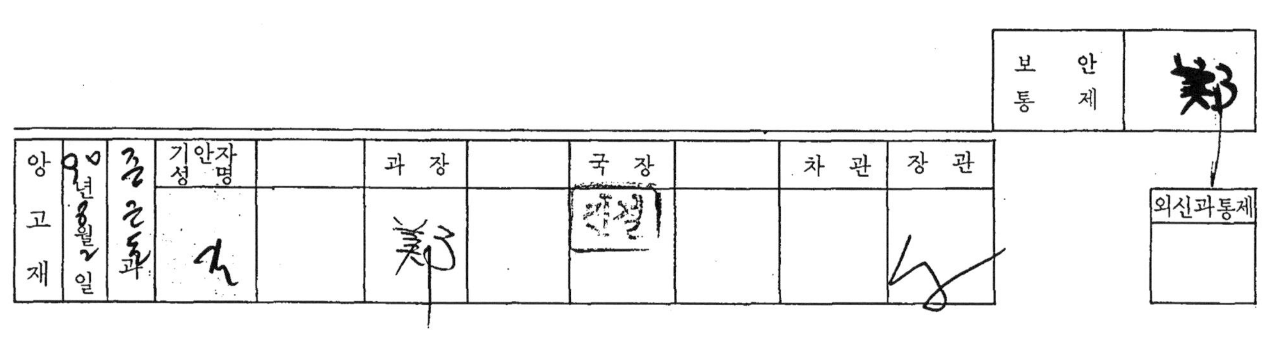

앙 고 재	90년 8월 2일	중근동과	기안자 성명		과 장		국 장		차 관	장 관

보 안 통 제	

외신과통제

0002

원 본

암 호 수 신

외 무 부

종 별 : 긴 급

번 호 : UKW-1432 일 시 : 90 0802 1230

수 신 : 장관(중동,구일)

발 신 : 주 영 대사

제 목 : 쿠웨이트 사태에 관한 주재국 반응

1. 이라크의 쿠웨이트 침공관련, 외무성 W. WALDEGRAVE 국무상은 금 8.2(목) 아침 성명을 발표, 이라크의 무력 침략을 비난하고 군사행동 중지및 즉각 철군을 요구함. 또한 아랍제국들이 협력하여 사태의 평화적 해결을 모색토록 촉구함.

2. 금후 전망에 관한 8.2. 오전 당지 TV 보도요지는 아래와 같음.

가. 걸프 아랍제국이 이라크의 침략행위에 대해 대처할 능력이 극히 제한된 상황에서 미국의 힘에 의존하는 수밖에 없으나 미국으로서도 군사적 개입으로 대응하기는 정치적으로 어려움이 크므로 외교적, 경제적 방안에 주력할 것임.

나. 소련은 동 사태에 대처하는데 있어 미국과 긴밀하게 협조할 여건이 있는 것으로 보며, 대 이라크 군사물자 지원이 중단되기를 기대함.

다. 이라크의 쿠웨이트 점령은 국제여론을 무시해온 후세인의 과거 행태로 보아 장기화될 가능성이 있으며, 쿠웨이트내에 자국이 선호하는 정권이 수립되어 이라크의 요구사항이 충족될때까지 철수하지 않을 가능성이 있음.

라. 유엔안보리 긴급회의나 아랍연맹등을 통하여는 적절한 해결방안이 강구되기 어려울것으로 봄.

3. 한편, 외무성 중동과 P.CLARKE 이라크 담당관에 의하면, 이라크의 장기목표를 알수는 없으나 금번 군사행동은 쿠웨이트 완전병합 기도에 가까운 매우 심각한 것으로 보이며 영국은 UN 안보리 및 구주공동체(EC) 국가들과 긴밀히 협의하며 대책을 강구중이라고함. 끝.

(대사 오재희-국장)

중아국	장관	차관	1차보	2차보	구주국	정문국	청와대	안기부

PAGE 1

90.08.02 21:22

외신 2과 통제관 CN

0003

원 본

암호수신

외 무 부

종 별 : 지 급

번 호 : UKW-1438 일 시 : 90 0803 1500

수 신 : 장관(중근동,구일,기정동문)

발 신 : 주 영 대사

제 목 : 쿠웨이트 사태에 대한 주재국 반응

연: UKW-1432

대 :WUK-1277

이락의 쿠웨이트 침공에 대한 8.2(목) 주재국내 주요 반응은 아래와 같음.

1. 아스펜 연구소 (ASPEN INSTITUTE) 의 40 주년 기념 심포지움에 참석차 8.2(목) 미국 COLORADO 를 방문, 부쉬대통령과 회담한 대처수상은 유엔 회원국들의 집단적이고 실효적인 의지에 의한 유엔의 활성화가 필요하다고 말하면서 이락에 대한 국제적 제재조치를 촉구함.

2. 영국정부는 유엔 안보리 긴급회의에서 침공을 규탄하고 즉각적인 무조건 철군을 촉구하는 결의안을 통과시키는데 주도적 역할을 수행했으며, HURD 외상은 EC 회원국들의 긴급 회동을 촉구함.

3. 영국정부는 자국내 쿠웨이트 자산을 동결했으며, 외무성은 당지주재 이락 대사를 외무성으로 소환, 이락의 쿠웨이트 침공에 항의하고 즉시 철군할것을 요구함.

4. 수상실 관계자는 영국 정부로서는 이락이 쿠웨이트로부터 철군하도록 모든 가능한 수단을 동원하고 있으며 향후 48 시간 이락의 움직임을 보아 대응조치를 강구해 나갈 것이라고 말함.

5. 당지에서 원유가는 최근 4 년래 최고인 배럴당 24 불까지 인상되었으며, 약 200 여명의 당지 체류 쿠웨이트인들은 이락대사관 앞에서 쿠웨이트 침공에 항의하며 시위함.

6. 당지 관계전문가들은 금후 서방제국의 경제적 외교적인 대 이락 제재조치가 구체화 될것으로 보나, 여타 아랍제국이 극히 신중한 반응을 보이고 있는 점과 관련, 그러한 조치의 내용은 아랍제국의 태도에 따라 큰 영향을 받을것으로 전망하고 있음.

끝.

중아국 차관 1차보 구주국 정문국 청와대 안기부

PAGE 1 90.08.04 06:55

외신 2과 통제관 DH

0004

원 본

암호수신

외 무 부

종 별 :

번 호 : UKW-1451 일 시 : 90 0804 1500

수 신 : 장관(중근동,구일,기정동문)

발 신 : 주 영 대사

제 목 : 쿠웨이트 사태에 대한 주재국 반응

연:UKW-1438

이라크의 쿠웨이트 침공에 대한 8.3.(금) 주재국의 주요 반응은 아래와 같음.

1. 대처수상은 8.3. 미 콜로라도의 SDI 실험실 과학자들을 만난 자리에서 이라크의 침략행위는 인간의 사악함을 여실히 드러낸 것이라고 비난하고, 이같은 위협에 대처하기 위하여 SDI 는 필요하다고 말함.

2. 미국의 대 이라크 군사행동이 신중히 검토되고 있는 가운데, 영국 해군 호위함 2 척이 케냐및 말레이시아 근해로부터 걸프지역으로 이동하라는 명령을 받았음.

3. 주 쿠웨이트 영국 대사관은 4,500 명에 달하는 쿠웨이트 거주 영국인들에게 그들의 숙소에서 나오지 말것을 권고했음.

4. 유가 상승과 관련, 당지 일부언론은 유가가 몇일사에에 6 불 상승하여 현재 22-23 불에 이르고 있지만 1974 년 오일쇼크 당시보다는 수준이 낮고 원유공급 부족분은 베네주엘라, 나이지리아등 다른 산유국으로부터 충당될수 있을 것이므로 세계가 제 3 의 오일쇼크를 경험하지는 않을 것이라고 전망함. 한편 동사태로 인하여 정정이 불안한 중동지역에 원유공급을 의존하고 있는 국가들에게 에너지원의 안정적 확보문제에 대한 경각심을 일깨워 주었다고 지적함.

5. 당지 관계 전문가들은 쿠웨이트와 사우디가 부유하지만 인구가 적고 통치의 정통성이 민주적 선거가 아닌 전통적 가문에 의존하고 있어 외부충격에 매우 취약한 정치.사회적 구조를 가지고 있다고 분석하고, 따라서 미국등 주요 국가들은 향후 그들과의 안보협력 등을 통하여 동 국가들이 막강한 군사력을 가지고 있는 이라크에 굴복 또는 타협함으로써 서방 제국을 포함 국제사회의 공동이익에 반하는 결과가 초래되지 않도록 노력하게 될것이라고 관측함. 끝.

(대사 오재희-국장)

중아국 장관 차관 1차보 2차보 구주국 정문국 청와대 안기부

PAGE 1

90.08.05 00:57

외신 2과 통제관 EZ

0006

원 본

암 호 수 신

외 무 부

종 별 :

번 호 : UKW-1451 일 시 : 90 0804 1500

수 신 : 장관(중근동,구일,기정동문)

발 신 : 주 영 대사

제 목 : 쿠웨이트 사태에 대한 주재국 반응

연:UKW-1438

이라크의 쿠웨이트 침공에 대한 8.3.(금) 주재국의 주요 반응은 아래와 같음.

1. 대처수상은 8.3. 미 콜로라도의 SDI 실험실 과학자들을 만난 자리에서 이라크의 침략행위는 인간의 사악함을 여실히 드러낸 것이라고 비난하고, 이같은 위협에 대처하기 위하여 SDI 는 필요하다고 말함.

2. 미국의 대 이라크 군사행동이 신중히 검토되고 있는 가운데, 영국 해군 호위함 2 척이 케냐및 말레이시아 근해로부터 걸프지역으로 이동하라는 명령을 받았음.

3. 주 쿠웨이트 영국 대사관은 4,500 명에 달하는 쿠웨이트 거주 영국인들에게 그들의 숙소에서 나오지 말것을 권고했음.

4. 유가 상승과 관련, 당지 일부언론은 유가가 몇일사에에 6 불 상승하여 현재 22-23 불에 이르고 있지만 1974 년 오일쇼크 당시보다는 수준이 낮고 원유공급 부족분은 베네주엘라, 나이지리아등 다른 산유국으로부터 충당될수 있을 것이므로 세계가 제 3 의 오일쇼크를 경험하지는 않을 것이라고 전망함. 한편 동사태로 인하여 정정이 불안한 중동지역에 원유공급을 의존하고 있는 국가들에게 에너지원의 안정적 확보문제에 대한 경각심을 일깨워 주었다고 지적함.

5. 당지 관계 전문가들은 쿠웨이트와 사우디가 부유하지만 인구가 적고 통치의 정통성이 민주적 선거가 아닌 전통적 가문에 의존하고 있어 외부충격에 매우 취약한 정치.사회적 구조를 가지고 있다고 분석하고, 따라서 미국등 주요 국가들은 향후 그들과의 안보협력 등을 통하여 동 국가들이 막강한 군사력을 가지고 있는 이라크에 굴복 또는 타협함으로써 서방 제국을 포함 국제사회의 공동이익에 반하는 결과가 초래되지 않도록 노력하게 될것이라고 관측함. 끝.

(대사 오재희-국장)

중아국 장관 차관 1차보 2차보 구주국 정문국 청와대 안기부

PAGE 1

90.08.05 00:57

외신 2과 통제관 EZ

0006

관리 번호	90/773

원 본

외 무 부

종 별 : 긴 급

번 호 : UKW-1457 일 시 : 90 0806 1600

수 신 : 장관(중근동)

발 신 : 주 영 대사

제 목 : 쿠웨이트 사태

대:WUK-1298

1. 대호, BBC WORLD SERVICE 에 확인 요청하였으나 8.5. 오전 WORLD SERVICE 방송에서 아국인 압송관계 부분을 발견하지 못하였다고 하는바, 동 보도의 시간대나 프로그램명에 관한 사항이 입수가능하면 회시바람.

2. 한편, 금 8.6(월) 주재국 외무성에 문의한바, 아국인을 포함한 외국인의이락압송에 대해서 아는바 없다고 하고 있음을 첨언함. 끝.

(대사 오재희-국장)

예고:90.12.31. 일반

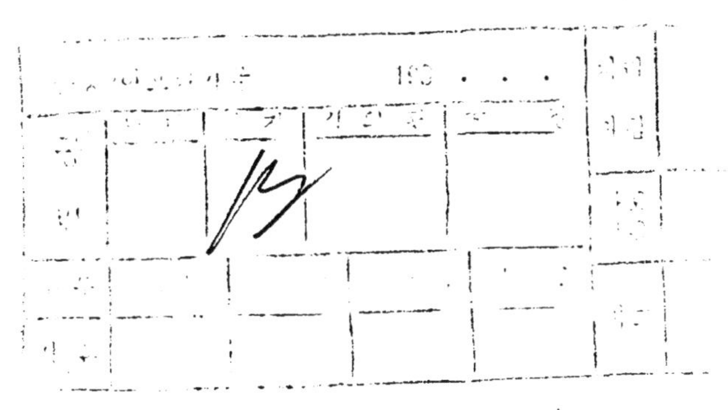

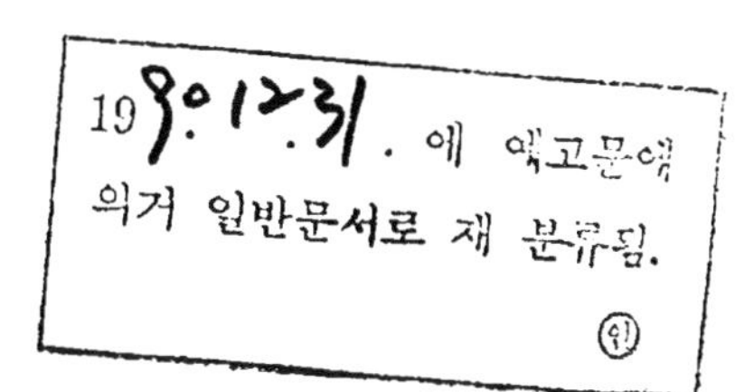
19 90.12.31. 에 예고문에 의거 일반문서로 재 분류됨.

중아국 장관 차관 1차보 2차보 정문국 상황실 청와대 안기부

PAGE 1

90.08.07 00:16

외신 2과 통제관 CW

0007

원 본

외 무 부

종 별 : 지 급

번 호 : UKW-1466 일 시 : 90 0807 1130

수 신 : 장 관(중근동,구일)

발 신 : 주 영 대사

제 목 : 쿠웨이트 사태에 대한 주재국 반응

당지 언론보도를 중심으로 주요 사항 아래 보고함.

1. 대처수상은 8.6(월) 백악관에서 부쉬대통령및 MANFRED WORNER 나토 사무총장과회동한후 유엔안보리에 의한 이락 원유 금수를 포함한 경제제재 조치와 관련 세계가 이처럼 강하게 단결한때를 본일이 없다고 말하면서,금번 유엔안보리 결정은 유엔 헌장의 모든규정을 위반하여 총과 탱크로 약소국을 침략한 나라에 대한 것으로서 반드시 실효를 거둘수 있을것으로 믿는다고 말함.

2.대처수상은 또한 이락이 터키를 위협한다면 나토회원국에 대한 위협으로 간주하고 집단적 방위체제가 동원될 것이라고 경고함.

3.쿠웨이트와의 군사협력 사업에 종사하고 있던 영국군 요원 34명과 석유기술자 1명 총 35명이 8.5(일) 쿠웨이트에서 이락으로 이송되어 바그다드내 호텔에 수용되어 있으며,지난 8.2(목) 쿠웨이트경유중 이락 침공으로 현지에 묶여있던 BRITISHAIRWAYS 의 승객 367명중 일부가 작 8.6(월) 이락으로 압송된 것으로 보도됨. 당지 BRITISHAIRWAYS 는 동 항공기에는 367명의 승객이 있었으며 이중 약 200명이 이락으로 보내졌고 잔여인원은 아직 쿠웨이트내 호텔에 있는것으로 보인다고 8.6(월) 말함. 항공사측은 동항공기 승객은 영국,인도,사우디아라비아 및 말레이지아인을 포함하고 있다고 밝힘.

4.허드외상측 8.6(월) 국제무역제재를 위한 경찰활동(POLICING) 이 필요할 경우에는 영국군함이 이에 협조할수 있을 것이라고 말하면서 이락이 외국인들을 협상 조건으로 이용해도 영국을 비롯한 국제사회 제국은 이에 관계없이 명백한 침략행위에신속히 대처해 나갈것이라고 말함.

5.영국은 걸프만에 체류중인 구축함 1척에 추가하여 호위함(FRIGATE) 2척을 파견한 것으로 보도됨.

중아국 1차보 구주국 정문국 청와대 안기부

PAGE 1 90.08.07 21:01 DP

외신 1과 통제관

0008

6.대처수상은 금 8.7(화) 아침 귀국했으며,분쟁지역에 있는 영국인들의 안위에 우려를 표명했는바,오전중 허드 외상등과 계속 대책을 협의해 나갈것으로 보도됨.끝.

(대사 오재희-국장)

원 본

외 무 부

종 별 :

번 호 : UKW-1471 일 시 : 90 0807 1730

수 신 : 장 관(중근동,구일)

발 신 : 주 영 대사

제 목 : 쿠웨이트 사태

당지주재 쿠웨이트 대사관은 8.5(일) 이락에 의해 수립된 신쿠웨이트 정부를 규탄하고 축출된 국왕에 대한 충성을 확인하는 내용등의 성명을 발표하였는바, FULL TEXT아래와 같음.

THE EMBASSY OF THE STATE OF KUWAIT IN LONDON DENOUNCES THE SO-CALLED 'NEW KUWAITI GOVERNMENT' WHICH WAS SET UP BY THE INVADING IRAQI REGIME, AND IT ASSERTS THAT THE KUWAITI PEOPLE CANNOT ACCORD ANY IMPORTANCE TO THIS ALLEGED GOVERNMENT , AS IT IS ONE OF THE UNACCEPTABLE OUTCOMES OF THE VICIOUS AGGRESSION AGAINST KUWAIT BY THE IRAQI REGIME, AN AGGRESSION THAT IS DENOUNCED BY THE WORLD IN ITS ENTIRETY. THE EMBASSY CONFIRMS ITS ALLEGIANCE TO HIS HIGHNESS THE EMIR OF KUWAIT, SHEIKH JABER AL-AHMED AL SABAH, AND TO THE GOVERNMENT OF HIS HIGHNESS THE CROWN PRINCE AND PRIME MINISTER, SHEIKH SAAD AL ABDULLAH AL-SELEM AL SABAH. THE EMBASSY WARNS AGAINST ANY DEALING WITH ANY PARTY AFFILIATED WITH THE PUPPETGOVERNMENT. 끝.

(대사 오재희-국장)

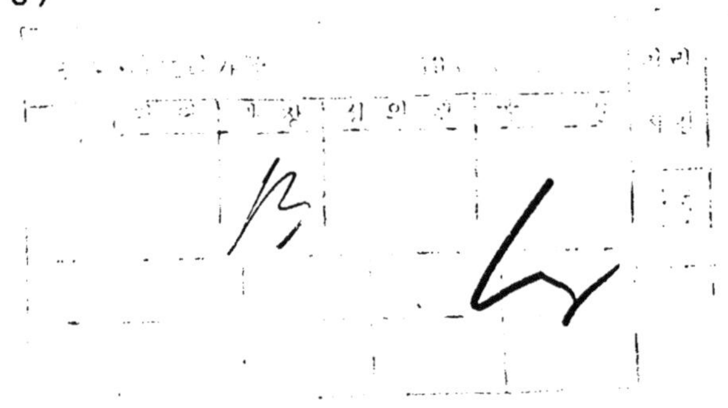

중아국 장관 차관 1차보 구주국 정문국

PAGE 1

90.08.08 09:54 CG

외신 1과 통제관

0010

외 무 부

종 별 : 긴 급

번 호 : UKW-1476 일 시 : 90 0808 1610

수 신 : 장 관(중근동,구일)

발 신 : 주 영 대사

제 목 : 걸프사태

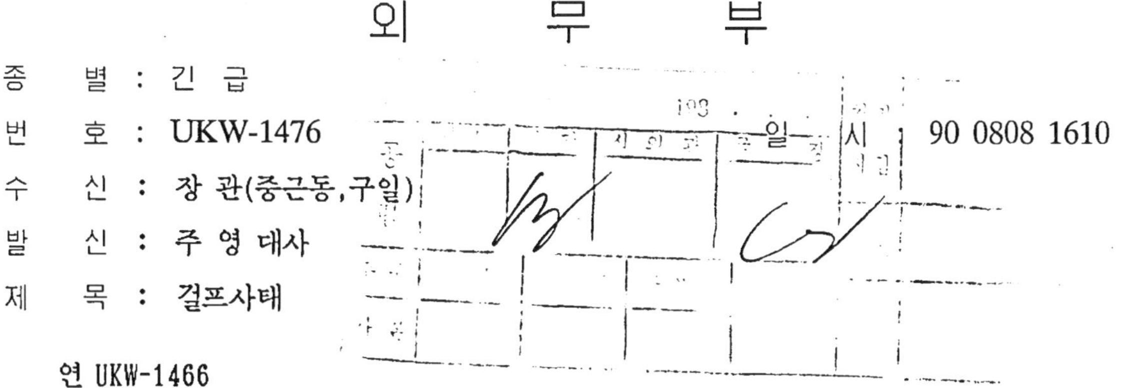

연 UKW-1466

걸프사태에 관한 금 8.8(수) 자 당지 보도요지를 아래와 같이 보고함.

1.미국에 의한 전투병력과 전투기의 대 사우디파견과 관련하여 대처수상은 8.8(수) 오전 긴급각의를 소집하고 대책을 협의함. HURD 외상은각의 종료후 사우디 국왕이대처수상에게 전화로 영국의 파병을 요망했음을 밝히면서 영국이 사우디와 인근제국을 방어하기 위한 국제적 집단방위노력에 기여할 것이라고 발표함.

2. TOM KING 국방상도 영국정부는 미군을 비롯한 다국적군의 활동을 지원하기 위해서 방어목적의해. 공군을 파병할 것이라고 말함. 동 장관은 지상군은 파병되지 않을 것이라고 하였으며, 대 이락해상봉쇄 가능성에 관해 언급치 않음.

3.미국은 현지에 3척의 항공모함을 포함한 약50여척의 전함과 약 150대의 군용기를 배치중에 있으며, 영국과 불란서는 각각 3척의 전함을 배치하고 있고, 소련의 구축함 1척및 보급선 2척이 호르무즈 해협을 거쳐 걸프만으로 향하고 있음이 8.7(화)목격됨. 또한 터키,영국등지에 주둔하고있는 상당수의 미 공군 병력이 이미 현지로이동하고 있는 것으로 보임.

4.이락측이 사우디에 대한 군사적 공격을 고려한다면 미군이 집결하기전에 금후 48시간내 행동에 옮겨야 할것이며, 이락은 수세에 몰릴 경우 화학무기를 사용할 가능성도 배제할수 없는것으로 전문가들은 관측하고 있음.끝.

(대사 오재희-국장)

중아국 1차보 구주국 정문국 차관 안기부 장관 2차보

PAGE 1 90.08.09 01:17 DN

외신 1과 통제관

0011

원 본

외 무 부

종 별 : 긴 급

번 호 : UKW-1481 일 시 : 90 0808 1830

수 신 : 장 관(중근동,구일)

발 신 : 주 영 대사

제 목 : 걸프사태(이라크의 쿠웨이트 합병)

대: WUK-1318

1. 대호 외무성 관계관에 확인한바, 영국정부는 8.6(월) 유엔안보리에서 채택된결의안내용(이라크의 즉각 철군과 쿠웨이트정부의 원상회복)을 지지하므로 금 8.8(수) 이라크의 쿠웨이트 합병발표에 대해서 별도로 성명을 발표할 필요는 없는 것으로본다고 말함.

2.관련 주요반응 추보예정임.끝.

(대사 오재희-국장)

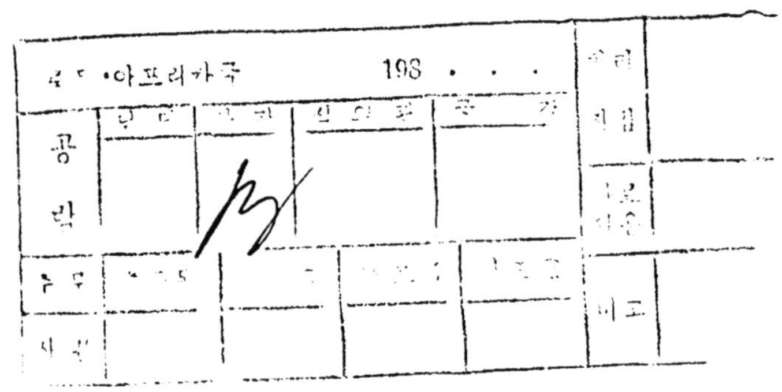

중아국 1차보 구주국 정문국 안기부

PAGE 1 90.08.09 03:13 DN

외신 1과 통제관

0012

분류번호	보존기간

발 신 전 보

번 호 : WUK-1318 900809 0100 DN 종별 : 긴급

수 신 : 주수신처참조 대사, 총영사

WFR -1517 WGE -1136
WIT -0721 WUS -2634
WJA -3358

발 신 : 장 관 (중근동)

제 목 : 이라크의 쿠웨이트 합병

사담 후세인대통령은 8. 8 쿠웨이트를 합병한다고 발표하였는바 이에 대한 주재국의 공식반응과 언론 반응을 지급 보고바람.

수신처 : 주 영국, 불란서, 서독, 이태리, 미국 및 일본대사

(중동아국장 — 이두복)

보안 통제	

앙 고 재	90년 8월 8일	중근동과	기안자 성명		과 장		국 장		차 관	장 관

외신과통제

0013

원 본

외 무 부

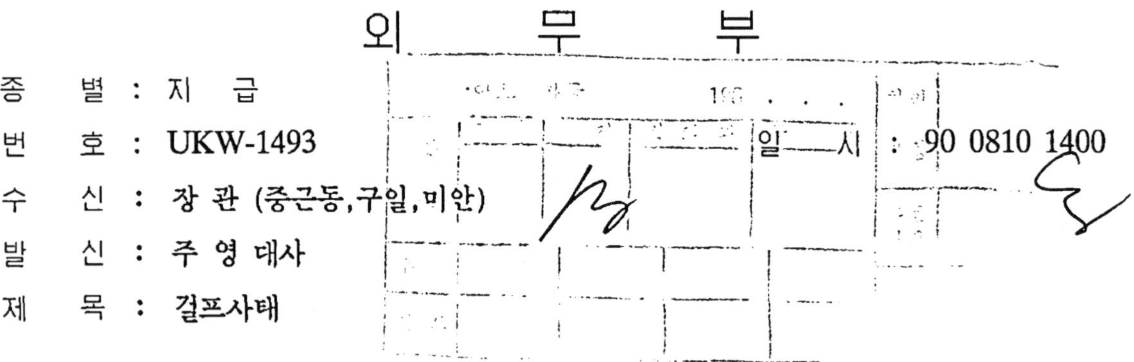

종 별 : 지 급
번 호 : UKW-1493 일 시 : 90 0810 1400
수 신 : 장 관 (중근동,구일,미안)
발 신 : 주 영 대사
제 목 : 걸프사태

걸프사태에 관한 주재국 관련동향을 당지언론보도를 종합, 아래와 같이 보고함.

1. TOM KING 국방상은 8.9(목) 각의를 마친후 영국의 걸프지역 파병규모에 관해서 약 1,000여명의 병력을 포함하는 하기내용을 발표함.

가. 12대의 TORNADO F3 으로 구성된 1개 전투비행중대 (사이프러스에서 사우디로파견), RAPIER 지대공 미사일 분대와 VC10 급유기 및 C130 HERCULES 수송기

나. JAGUAR 전투기 12대와 NIMROD 해상정찰기및 3개 기뢰 탐지기로 구성된 1개 (YORK구축함과 JUPITER 및 BATTELAXE 호위함, ORANGELEAF 보급선으로 구성된 해상병력은 이미 현지 파견)전투비행 중대

2. 영국의 파병내역은 미국및 사우디측과의 긴밀한 협의하에 결정되었고, 신속배치가 가능한 장비로 구성되어 있음.

3. TOM KING 국방상은 현재로서는 항공모함은 파견되지 않을 것이라고 밝히고 영국의 지원이 전적으로 방어적 성격임을 강조함. 동 국방상은 또한 이락의 화학무기사용 가능성에 대해 경고하였으나 미국이나 영국이 화학무기에 대응하여 핵무기를 사용할 가능성에 관해서는 과거관례대로 언급하기를 거부함.

4. 대처수상은 8.9(목) 부쉬 대통령과 전화회담을 가지고 영국의 파병내역에 관해 통보했으며, 이태리수상과도 전화협의를 통해 협력을 요망함.

5. 이락측이 8.9(목) 국경폐쇄로 외국인의 출국을 금지함에 따라 이락내 2,000 명, 쿠웨이트내 3,000명에 달하는 영국인의 안위가 문제로 되고있으며, TOM KING 국방상은 이들이 이락측의 인질로 이용된다면 이를 용인할수 없을 것이라고 말함.

6. 나토 및 EC 외상들은 금 8.10(금) 브럿셀에서 회동하고 공동대처 방안을 협의함.끝.

(대사 오재희-국장)

중아국 1차보 미주국 구주국 정문국 안기부 통상국 차관 장관

PAGE 1

90.08.11 00:09 FC
외신 1과 통제관

0014

주 영 대 사 관

총 6 매

(6-1)

번 호 : UKW(F)- 0230 DATE: 00810 1600

수 신 : 장 관 (중근동,구일,미안)

제 목 : 걸프사태

The Times (1990.8.10, 1면)

Britain to send jets, ships and missiles

By PHILIP WEBSTER
CHIEF POLITICAL CORRESPONDENT

BRITAIN is to send two fighter aircraft squadrons, anti-aircraft missiles and more than 1,000 frontline and support forces to join the American forces massing in the Gulf.

Tom King, the defence secretary, yesterday coupled an announcement of Britain's contribution to international efforts to defend Saudi Arabia with a stern warning to President Saddam Hussein against using chemical weapons in any conflict. He said that the taking of British citizens in Iraq and Kuwait as hostages would be intolerable and the use of chemical weapons would have the gravest consequences.

The prime minister had a telephone conversation with President Bush yesterday to inform him of Britain's response. The White House praised her for agreeing to British participation. She had been "steadfast" in her opposition to Iraqi aggression, said Marlin Fitzwater, Mr Bush's press secretary.

After a 100-minute meeting of ministers chaired by Mrs Thatcher at Downing Street Mr King went to the defence ministry to announce Britain's planned deployment. A squadron of 12 Tornado F3 fighters is to be sent from Cyprus to Saudi Arabia and an RAF Regiment detachment of Rapier surface-to-air missiles will accompany them to provide short-range air defence.

They will be supported by VC10 tankers and C130 Hercules transport aircraft. A squadron of 12 Jaguar ground attack/fighter aircraft and Nimrod maritime patrol aircraft will also be sent, as well as three minehunters, initially to the eastern Mediterranean.

The Armilla patrol will be brought up to full strength over the weekend, when the frigates Jupiter and Battleaxe join the destroyer York and the replenishment ship Orangeleaf in the Gulf.

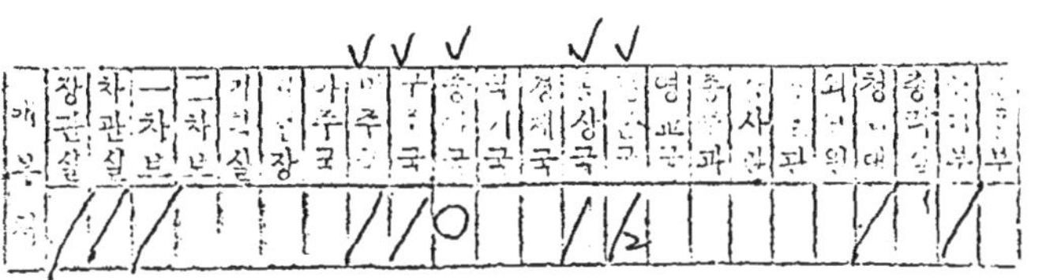

0015

총 6매
(6-2)

The Times (1990.8.10, 4면)

UK contribution will fill gaps in the military ring

By PHILIP WEBSTER AND MICHAEL EVANS

THE aim of the British contribution to the multinational force being built up in Saudi Arabia and the Gulf was to fill the gaps in the military encirclement of Iraq. The list agreed between Britain, the United States and Saudi Arabia focused mainly on equipment that could be moved rapidly.

Three mine counter-measure vessels will take about three weeks to reach their eastern Mediterranean destination, but the Tornadoes and Jaguars will all be in place by the weekend. The Rapier anti-aircraft missile systems could take days to reach Saudi Arabia. The Nimrod maritime patrol aircraft will also take several days to arrive.

The fighters will complement the squadrons of American bombers and air defence aircraft already on Saudi bases.

The British contribution will mean that there will now be a broad spectrum of air capabilities in Saudi Arabia and the Gulf, sufficient to mount a massive retaliatory strike against the Iraqis if they move into Saudi Arabia. Tornadoes and Jaguars are being sent with a strictly defensive mission.

The Nimrods, based at RAF Kinloss, will not fly over Saudi Arabia but will keep watch over the Gulf. Three minesweepers to be sent to the Gulf will play a role for which the Royal Navy already has considerable experience. Although there is no evidence at present of any Iraqi mine-laying in the Gulf, it is a wise precaution to send such vessels to the area.

Britain is to send two fighter aircraft squadrons, anti-aircraft missiles and more than 1,000 frontline and support forces to join American troops and equipment massing in the Gulf to deter Iraq.

Tom King, the defence secretary, coupled an announcement of Britain's contribution to international efforts to defend Saudi Arabia with a stern warning to President Saddam Hussein of Iraq against using chemical weapons.

Britain, he said, would take the gravest view of use of such "vile and obscene" weapons. In line with past practice, he refused to comment on whether the United States and Britain would consider using the nuclear option to deter a chemical attack.

Mr King said Britain was in touch with the French and the Italians. "It is very important indeed that the tremendous solidarity of the United Nations action is reflected in the multinational effort," he said.

It has not yet been decided where the Nimrod maritime patrol aircraft will be based, but Mr King said that it would be in the Gulf region.

The decision to send minehunters was taken because of the possible threat of Iraqi mining. During the 1980-88 Gulf war, Britain sent minesweepers to the Gulf to join a multinational force clearing the area after the Iranians had mined it.

Mr King said that the Tornadoes would support the air defence of Saudi Arabia and other threatened states. He also said that the Jaguar had a ground defence capability that could be used to resist armoured attacks.

Mr King acknowledged the threat from Iraqi chemical weapons. He said that all the British units would have "appropriate protection". "It will not be pleasant, not least because of the present temperatures in the Gulf. Our forces are trained. They h[illegible] exercised in hot climates w[illegible] ing chemical protection."

King: no prediction on use of chemical weapons

He said: "It would be a v[illegible] grave matter indeed, an[illegible] could not predict the c[illegible] sequences, for anyone w[illegible] sought to use chemical wea[illegible] ons against our forces."

He said the Governm[illegible] was very worried about [illegible] position of British citizens [illegible] Kuwait and had been [illegible] determined efforts to try [illegible] ensure their safety and [illegible] passage for those wishing [illegible] leave. It would be "int[illegible] erable" if British people w[illegible] used as hostages.

The Labour party is seek[illegible] ing whether to demand a re[illegible] of parliament. Jim Wall[illegible] the Liberal Democrat [illegible] whip, called for a [illegible] allow MPs to endorse [illegible] government's decision and [illegible] reassure the armed forces [illegible] had full support.

O No shortage: There is [illegible] danger of an imminent [illegible] oil shortage, John Wakeham, the energy secretary, said [illegible] night. Commenting on a [illegible] cision to back an embargo [illegible] Iraqi and Kuwaiti oil [illegible] Paris yesterday by the gover[illegible] ing body of the Internatio[illegible] Energy Agency, Mr Wakeh[illegible] said that although the [illegible] would cut the flow of oil [illegible] more than four million [illegible] a day, it came at a time [illegible] production was outstrip[illegible] demand and stocks of oil w[illegible] exceptionally high.

0016

총 6매
(6-3)

The Times (1990.8.10,11면)

NO TIME FOR TIMIDITY

If there was relief on the banks of the Potomac and the Thames as the anti-Iraq task force mobilised this week, there has been none on the Seine and the Rhine. The invasion of Kuwait has tested, almost to destruction, the collective will of the Arab states to resist an aggressor. Without extra-regional help, there is clearly nothing to prevent President Saddam Hussein's armoured columns from taking possession of 45 per cent of the world's oilfields.

The Iraqi threat to Saudi Arabia is now applying a similar rigorous test to Western unity. The United States has naturally taken the lead in the prophylactic operation to save the Saudis. Britain, both as the region's former imperial power and as America's closest European ally, has been the first to join in.

There the delicate fabric of collective security becomes threadbare. Where is the rest of the European Community, which depends so much more than Britain or the USA on Arab oil? Until his announcement last night that a French aircraft carrier would be dispatched to the Gulf, President Mitterrand had barely mentioned Saudi Arabia. The uncertainty of the Elysée; the subterranean profile of the new pseudo-superpower, Germany; and the failure of the European Community to call even an emergency council of foreign ministers to discuss joint action: all boded ill for European unity. Only a last minute change of heart by the French president saved the day. There are lessons here.

Political interests are what politicians believe them to be, and they may diverge for subjective as well as objective reasons. A seamless continuity between the United Nations policy of mandatory sanctions against Iraq and the dispatch of military forces for the defence of Saudi Arabia has been assumed from the start by both George Bush and Margaret Thatcher. Her physical presence in America during the early days of the crisis was fortuitous. But the two leaders' uniquely robust attitude to and experience of armed conflict – whether in Panama or the Falklands – combined with culture and history to produce a resolution sufficient to sustain a protracted confrontation with a dangerous foe.

François Mitterrand and Helmut Kohl each find themselves in more complex predicaments than their allies. The French have no scruples about selective military intervention in the Middle East – as in Chad and Lebanon – but are wary of costly, open-ended wars against Arab nationalists, particularly those who, like Saddam Hussein, have much oil and have been good customers of the French. Neither Iraq nor the states of the Arabian peninsula were ever under French rule. Facing retirement, the French president has no need of a "Falklands effect". Hence M Mitterrand's decision yesterday to reinforce the three small French warships in the Gulf region was, though very welcome to Washington, a reluctant one.

As for Herr Kohl, with reunification now due in October, a crisis in the Gulf is the last thing he needs. Whether the Federal Republic is allowed by its basic law to intervene outside the Nato area is a matter of arcane dispute. Franz-Josef Strauss, who thought it was, is dead; Hans-Dietrich Genscher, who thinks it is not, is still foreign minister. No such intervention has occurred since West Germany rearmed in 1955. So far, there has been no firm offer of the symbolic assistance which Bonn provided a few years ago when the Iran-Iraq war spilled over into the Gulf: the substitution in the Mediterranean of German warships for American ones.

However understandable, this Franco-German reticence was regrettable. It left the Community looking irrelevant. Last night's decision by the French government to send a carrier will, however, have done much to dispel the irritation previously felt in London and Washington. If in addition the French were to send a few units of the Foreign Legion to the Arabian desert; and if the 47,000-strong French rapid deployment force were to be readied for action, the effect on the Arab world would be still greater. If, moreover, the Bundesmarine were to send warships to the Mediterranean to relieve the US Sixth Fleet, as Bonn's defence minister Gerhard Stoltenberg hinted yesterday, German public opinion might welcome a new readiness to assume responsibility. If the Bonn government were to express stronger public support for the Anglo-American deployment in Saudi Arabia, most other continental countries would follow suit.

As long as Saddam Hussein can still hope to divide the West, he may continue to raise the stakes. By taking firm action yesterday, President Mitterrand has gone far to dash the *Iraqi dictator's hopes. Chancellor Kohl should* follow his example.

0017

총 6매

(6-4)

The Financial Times(1990.8.10,3면)

Thatcher cements ties with Busl

By Philip Stephens, Political Editor

NOT a shadow of doubt existed among the senior British ministers who broke off their holidays this week to discuss Britain's role in the Gulf crisis about the course Mrs Margaret Thatcher would take.

Once the US had committed troops to Saudi Arabia and sought the support of its allies, it was a foregone conclusion Mrs Thatcher would offer material and moral assistance. Britain's strategic interests and obligations in the region, Mrs Thatcher's strong instincts about the need to confront aggressors and her belief in the "special relationship" with Washington, all pointed in the same direction.

Her two meetings over the past week with President George Bush served to reinforce those views. Even before the US commitment was formally announced, she had decided Britain would play its part. If any of her senior ministers disagreed with her, none has been prepared to say so. Even the Treasury, jealous guardian of a rapidly-shrinking budget surplus, has not quibbled about the cost.

Inevitably, Whitehall talk has turned on the "Falklands factor", an allusion to Mrs Thatcher's determined action in 1982 in sending a task force to recapture the islands after invasion by Argentina.

While ministers said an obvious parallel existed in terms of the speed in which she had acted this week, they played down any other comparisons. Mr Tom King, Defence Secretary, yesterday stressed that the British air and naval forces deployed in the Gulf would adopt a defensive posture.

Whitehall officials stressed that the relatively modest size of the forces – two squadrons of fighter-aircraft, with appropriate forces and minesweepers to support the existing Armilla Patrol of three frigates in the Gulf – showed it was there to deter rather than provoke confrontation. They also pointed to other factors to explain why Britain had acted in advance of any similar moves by its European partners.

The coincidence of the Iraqi invasion with Mrs Thatcher's visit to the US meant she was on the spot as US policy developed. Britain's long-standing ties with many of the Gulf states meant the UK received requests for help ahead of its other western allies.

The officials might have added that Britain's extensive trade and commercial links with the smaller Gulf states meant it had more to lose than many of its partners by further Iraqi aggression. There was considerable satisfaction in Whitehall yesterday about the way the crisis has re-established Britain's close alliance with Washington.

Officials said that after a year in which the US had been seen to move closer to Germany, Mrs Thatcher's had shown Britain was [illegible] on which he could depend. As after the b[illegible] of Libya in 1986, wh[illegible] Thatcher allowed the U[illegible] UK air bases, Washingt[illegible] knew "who its real [illegible] were", one official said.

But it is clear that Thatcher was prepared[illegible] the past, to act in adv[illegible] her European allies in [illegible] of US action, the Gove[illegible] would like the gap t[illegible] quickly.

Mr King and Mr D[illegible] Hurd, Foreign Secretar[illegible] optimistic yesterday th[illegible] European and Arab [illegible] would help. Mr King [illegible] contacts with Paris [illegible] while Mr Hurd ackno[illegible] the risk that Iraq woul[illegible] a bilateral force a sy[illegible] "Anglo-American [illegible] ism". As one official [illegible] are glad to be out in fr[illegible] would be happy not to [illegible] there".

0018

총 6매
(6-5)

The Financial Times (1990.8.10, 3면)

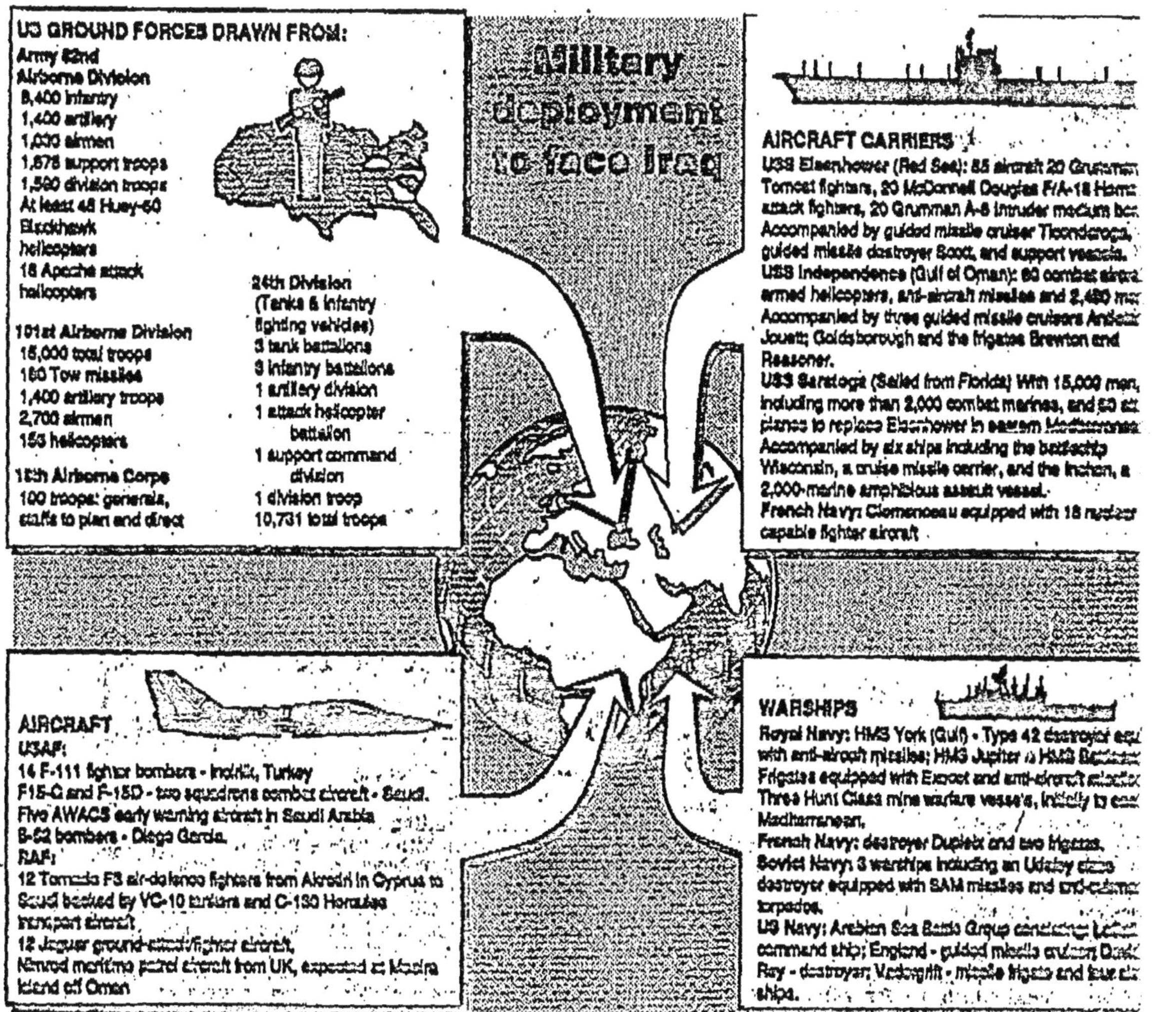

Military deployment to face Iraq
US GROUND FORCES DRAWN FROM:
Army 82nd Airborne Division
8,400 infantry
1,400 artillery
1,030 airmen
1,675 support troops
1,590 division troops
At least 48 Huey-60 Blackhawk helicopters
18 Apache attack helicopters
101st Airborne Division
15,000 total troops
150 Tow missiles
1,400 artillery troops
2,700 airmen
153 helicopters
18th Airborne Corps
100 troops: generals, staffs to plan and direct
24th Division
(Tanks & infantry fighting vehicles)
3 tank battalions
3 infantry battalions
1 artillery division
1 attack helicopter battalion
1 support command division
1 division troop
10,731 total troops
AIRCRAFT CARRIERS
USS Eisenhower (Red Sea): 85 aircraft 20 Grumman Tomcat fighters, 20 McDonnell Douglas F/A-18 Hornet attack fighters, 20 Grumman A-6 Intruder medium bo
Accompanied by guided missile cruiser Ticonderoga, guided missile destroyer Scott, and support vessels.
USS Independence (Gulf of Oman): 80 combat aircra armed helicopters, anti-aircraft missiles and 2,480 me
Accompanied by three guided missile cruisers Antietam Jouett, Goldsborough and the frigates Brewton and Reasoner.
USS Saratoga (Sailed from Florida) With 15,000 men, including more than 2,000 combat marines, and 50 at planes to replace Eisenhower in eastern Mediterranea
Accompanied by six ships including the battleship Wisconsin, a cruise missile carrier, and the Inchon, a 2,000-marine amphibious assault vessel.
French Navy: Clemenceau equipped with 18 nuclear capable fighter aircraft
AIRCRAFT
USAF:
14 F-111 fighter bombers - Incirlik, Turkey
F15-C and F-15D - two squadrons combat aircraft - Saudi.
Five AWACS early warning aircraft in Saudi Arabia
B-52 bombers - Diego Garcia.
RAF:
12 Tornado F3 air-defence fighters from Akrotiri in Cyprus to Saudi backed by VC-10 tankers and C-130 Hercules transport aircraft
12 Jaguar ground-attack/fighter aircraft,
Nimrod maritime patrol aircraft from UK, expected at Masira Island off Oman
WARSHIPS
Royal Navy: HMS York (Gulf) - Type 42 destroyer equ with anti-aircraft missiles; HMS Jupiter & HMS Battleaxe Frigates equipped with Exocet and anti-aircraft missiles
Three Hunt Class mine warfare vessels, initially to eas Mediterranean.
French Navy: destroyer Dupleix and two frigates.
Soviet Navy: 3 warships including an Udaloy class destroyer equipped with SAM missiles and anti-submar torpedoes.
US Navy: Arabian Sea Battle Group consisting La Salle command ship; England - guided missile cruiser; David Ray - destroyer; Vandegrift - missile frigate and four ships.

THE US may be facing a long-term military commitment to Saudi Arabia, analysts said yesterday, reports David White. Western warships continued to converge on the Gulf region as US forces took up positions and the UK announced it was sending RAF support.

US troops in Saudi Arabia were expected to be built up to about three divisions (some 40,000 men) over the next few weeks, following the despatch of an initial force of about 4,000, analysts said.

Sending two squadrons of RAF fighters to the region, together with an expected total of more than 100 US Air Force F-15s and F-16s and Saudi Arabia's own US and British jets, was likely to ensure superiority in the air over a largely obsolescent Iraqi air force.

Mechanised US infantry units, which would take several weeks to get into place, would include tanks. With anti-tank missiles helicopters, they could dig in armoured attack, but the said the ground forces depl could only be used other sively.

US and British aircraft were primarily geared to air def although the RAF Jaguars carrier-based jets could be us land attack.

0019

총 6매

The Financial Times (1990.8.10, 14면) (6-6)

British arms for the Gulf

THE British Government has acted with commendable speed to support what is hoped will become a multinational military operation to prevent Iraq from attacking Saudi Arabia and to restore the status quo in Kuwait. As President Bush said in his speech to the nation on Wednesday, the invasion of Kuwait by Iraq and the threat to the independence of other nations in the region, not to speak of international oil supplies, is a world problem. No further proof of that proposition was needed after the unprecedented adoption by the UN Security Council of sweeping sanctions against Iraq.

No doubt, in ideal circumstances, it would have been preferable if the western nations had had more time to co-ordinate their policies. But speed was essential if President Saddam Hussein, whose forces were massing on the Kuwaiti-Saudi border, was to be deterred from extending Iraq's grip to other parts of the Gulf. Even now, the despatch of US naval and air forces to Saudi Arabia does not by itself eliminate the threat.

A world problem demands that the international community as a whole participates in its solution. But that is not the only reason why it is essential that the US should not be seen to act alone. If that were to happen, the criticism that Washington is again attempting to behave as an international policeman and is trying to restore the old imperialist order in the Middle East, would soon resurface.

Defensive capacity

The sensitivity of the Arab countries about US policies and intentions is understandable. Washington's support of Israel at all costs, even when Israeli policies in the occupied territories provoked widespread outrage, has turned the US into the bogeyman of Arab nationalism. Yet in the Gulf today, the overwhelming majority of governments, including those in the Arab world, appear to have confidence in US motives and its pledge that its forces are in Saudi Arabia in a defensive capacity. That confidence, however, will remain fragile if the US is left to act alone.

So far, Britain and France are the only other nations to contribute aircraft and ships to the operation. But other members of Nato have provided base, landing and supply facilities and some, it is fervently hoped both in Washington and London, could well decide on military contributions after today's Nato ministerial meeting. If some Arab countries, such as Egypt and Morocco, could also be persuaded to complement their condemnation of Iraq with a concrete military contribution, the foundations of a genuine multinational force will have been laid.

Starting blocks

That Mrs Margaret Thatcher should have been the first off the starting blocks after the US can hardly have come as a surprise, either to the British people or other countries. Her determination to dislodge the Argentines from the *Falklands* in 1982 by sending a task force half way across the world has not been forgotten. The defence of freedom and democracy has long been a recurring theme of her speeches. Above all, the Prime Minister has always considered it important for Britain to be seen to be a staunch ally of the US. On this occasion she may have succeeded in restoring Britain's status in the eyes of an administration hitherto seemingly more impressed with West Germany.

Her action has won a remarkable degree of support across the political spectrum, and might, as foreign crises often do, help her domestic political prospects. However, it would be *unfortunate* if her success in repolishing the somewhat tarnished "special relationship" with the US were to lead Mrs Thatcher into relegating the role that her European Community partners could play in the Gulf. Even though the Community does not yet have a defence role, a co-ordination of its members' policies and military contributions would undoubtedly be welcomed both by the US, which has always been in favour of a co-ordinated European stance, and Saudi Arabia. It would help to give a genuine international stamp to the operation and avoid the criticism which a purely Anglo-American force would risk attracting in the longer run.

0020

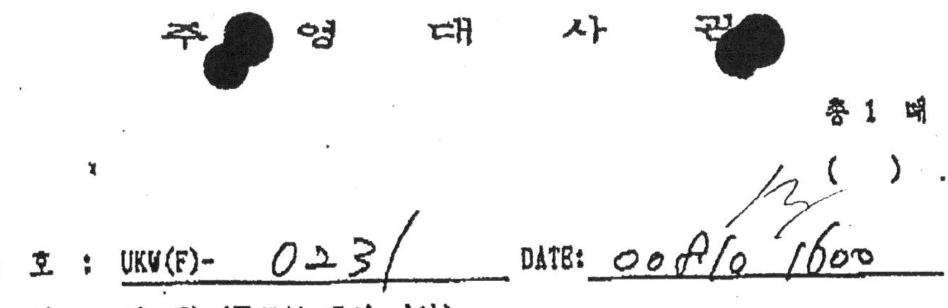

주 영 대 사 관
총 1 매
번 호 : UKW(F)- 0231 DATE: 00810 1600
수 신 : 장 관 (중근동,구일,미안)
제 목 : 걸프사태 (외무성대변인 정세설명)

FCO SPOKESMAN: THURSDAY 9 AUGUST 1990

SECRETARY OF STATE TO VISIT BRUSSELS

Spokesman announced that the Rt Hon Douglas Hurd CBE MP, Secretary of State for Foreign and Commonwealth Affairs, would visit Brussels on 10 August to attend a meeting of EC Foreign Ministers and a meeting of the North Atlantic Council to discuss developments in the Gulf.

IRAQ/KUWAIT

Spokesman gave the following report of the situation:

Kuwait City was quiet but the atmosphere tense. Military reinforcements were reported heading south. Iraqi troops were absent from the City except along the coastal perimeter road where defences on beaches had been reinforced.

Food supplies were still available but petrol might be becoming scarce. The wealthier suburbs were still quiet and unscathed. British Community morale was standing up well. The dependents of the British Liaison Team had been transferred with British Embassy assistance from their camp to a hotel in Kuwait City, and were all safe and well. There were no reports of casualties among the British Community.

The airport in Kuwait remained closed as did the border between Kuwait and Saudi Arabia though expatriates were still getting acro[ss] in small numbers.

To date, we were aware of 24 British nationals who had arrived safely in Amman. We were aware of a further 8 who were seeking to make the crossing today. Our Embassies in Amman and Baghdad remained in close touch about these movements.

0021

원 본

외 무 부

종 별 : 지 급

번 호 : UKW-1494 일 시 : 90 0810 1700

수 신 : 장 관 (통일 중근동) 사본: 상공부

발 신 : 주 영 대사

제 목 : 걸프사태 (경제제재)

대: AM-0145

유엔 안보리결의 661호를 집행하기 위하여 90.8.9(목) 0시를 기해 주재국 국내법으로 발효한 '유엔 이락 및 쿠웨이트 (유엔제재)령 1990' 과 동 해설자료를 금 8.10(금) FAX (UKW (F)-0232) 편 송부함.끝.

(대사 오재희-국장)

※ 8.11 관계부처 대책회의서 각부처 배포, 상세검토 요청

통상국 1차보 중아국 정문국 안기부 상공부 장관 차관 2차보

PAGE 1

90.08.11 02:16 FC

외신 1과 통제관

0022

AUG.10 '90 17:06 KOREAN EMBASSY UNITED KINGDOM P.01

김

주 영 대 사 관

오 상황처로 -오익 부2

총 22매
(22-1

번 호 : UKW(F)- 0232 DATE: 90. 8. 10. 1700

수 신 : 장 관 (통일, 중근동) 사본: 상공부

제 목 : 걸프사태 (영국의 제재조치 시행법령 및 동설명자료)

연: UKW-1494

배부처	장관실	차관실	一차보	二차보	기획실	의전장	아주국	미주국	구주국	중아국	국기국	경제국	통상국	정문국	영교국	총무과	감사관	공보관	외연원	청와대	총리실	안기부	부	상공부
	/	/	/							/			/	/						/		/		/

0023

(22-2)

STATUTORY INSTRUMENTS

1990 No. 1651

UNITED NATIONS

THE IRAQ AND KUWAIT (UNITED NATIONS SANCTIONS) ORDER 1990

Made	8th August 1990
Laid before Parliament	8th August 1990
Coming into Force	9th August 1990

At the Court at HM Yacht Britannia the 8th day of August 1990

Present,

The Queen's Most Excellent Majesty in Council

Whereas under Article 41 of the Charter of the United Nations the Security Council of the United Nations have, by a resolution adopted on 6th August 1990, called upon Her Majesty's Government in the United Kingdom and all other States to apply certain measures to give effect to a decision of that Council in relation to the situation between Iraq and Kuwait.

Now therefore Her Majesty, in exercise of the powers conferred on Her by Section 1 of the United Nations Act 1946(a), is pleased, by and with the advice of Her Privy Council, to order, and it is hereby ordered, as follows:-

Citation and Commencement, Extent and Interpretation

1.- (1) This Order may be cited as the Iraq and Kuwait (United Nations Sanctions) Order 1990.

(2) This Order shall come into force on the 9th August 1990.

(3) This Order shall extend to the United Kingdom and the Isle of Man.

(4) In this Order the following expressions have the meanings hereby respectively assigned to them, that is to say:-

(a) 1946 c.45.

0024

(22-3)

(b) make or carry out any contract for the sale of any goods which he intends or has reason to believe that another person intends to export from either Iraq or Kuwait; or

(c) do any act calculated to promote the exportation of any goods from either Iraq or Kuwait.

(2) No person shall deal in any goods that have been exported from Iraq or Kuwait after the 6th August 1990, that is to say, shall, by way of trade or otherwise for gain, acquire or dispose of such goods or of any property or interest in them or any right to or charge upon them or process them or do any act calculated to promote any such acquisition, disposal or processing by himself or any other person. Provided that the aforesaid prohibition shall not apply, if a licence has been granted under paragraph (1) of this Article, to any dealing authorised by the said licence.

Supply of goods to Iraq and Kuwait

3.— Except under the authority of a licence granted by the Secretary of State under this Order or under the Export of Goods (Control) (Iraq and Kuwait Sanctions) Order 1990(a) no person shall-

(a) supply or deliver or agree to supply or deliver to or to the order of any person in either Iraq or Kuwait any goods that are not in either country;

(b) supply or deliver or agree to supply or deliver any such goods to any person, knowing or having reasonable cause to believe that they will be supplied or delivered to or to the order of a person in either Iraq or Kuwait or that they will be used for the purposes of any business carried on in or operated from Iraq or Kuwait; or

(c) do any act calculated to promote the supply or delivery of any goods to any person in Iraq or Kuwait or for the purpose of any business carried on in Iraq or Kuwait in contravention of the foregoing provisions of this paragraph.

(a) S.I. 1990/1640.

0025

(22-4)

"commander", in relation to an aircraft, means the person designated as commander of the aircraft by the operator thereof, and includes any person who is for the time being in charge of command of the aircraft;

l.c. "Land transport vehicle" includes a barge;

"master", in relation to a ship, includes any person (other than a pilot) for the time being in charge of the ship;

"operator", in relation to an aircraft or to a land transport vehicle, means the person for the time being having the management of the aircraft or the vehicle;

"owner", where the owner of a ship is not the operator, means the operator and any person to whom it is chartered; and

"person in Iraq or Kuwait" includes any body constituted or incorporated under the law of Iraq or Kuwait and any body carrying on business (whether within Iraq or Kuwait or not) which is controlled by persons or bodies resident in Iraq or Kuwait or constituted or incorporated as aforesaid.

Exportation of Goods from Iraq or Kuwait

2.-(1) Except under the authority of a licence granted by the Secretary of State under this Order or the Import of Goods (Control) Order 1954(a), the Control of Gold, Securities, Payments and Credits (Iraq) Directions 1990(b), the Control of Gold, Securities, Payments and Credits (Kuwait) Directions 1990(c), the Hong Kong (Control of Gold, Securities, Payments and Credits: Kuwait and Republic of Iraq) Order 1990 or the Caribbean Territories (Control of Gold, Securities, Payments and Credits: Kuwait and Republic of Iraq) Order 1990(d) no person shall:-

(a) make or carry out any contract for the exportation of any goods from either Iraq or Kuwait;

(a) S.I. 1954/23, amended by S.I. 1954/627, S.I. 1975/2117 and S.I. 1978/806.
(b) S.I. 1990/1616.
(c) S.I. 1990/1591.
(d) S.I. 1990/1625.
~~(e) S.I. 1990/~~

0026

Application of Articles 2 and 3 (22-5)

4.—(1) The provisions of Articles 2 and 3 shall apply to any person within the United Kingdom or any ~~country or~~ place to which this Order extends and to any person elsewhere who:

(a) is a British citizen, a British Dependent Territories citizen, a British Overseas citizen, a British Subject or a British protected person; or

(b) is a body incorporated or constituted under the law of the United Kingdom or the law of any other ~~country or~~ place to which this Order extends.

(2) Any person specified in paragraph 1 of this Article who contravenes the provisions of Article 2 (1) or (2) of Article 3 shall be guilty of an offence.

Carriage of certain goods exported from or destined for Iraq or Kuwait

5.—(1) Without prejudice to the generality of Article 2 of this Order, no ship or aircraft to which this Article applies and no land transport vehicle within the United Kingdom shall be used for the carriage of any goods if those goods are being or have been exported from Iraq or Kuwait in contravention of Article 2(1) of this Order.

(2) Without prejudice to the generality of Article 3 of this Order, no ship or aircraft to which this Article applies and no land transport vehicle within the United Kingdom shall be used for the carriage of any goods if the carriage is, or forms part of, carriage from any place outside Iraq or Kuwait to any destination therein or to any person for the purposes of any business carried on in or operated from Iraq or Kuwait.

(3) This Article applies to British ships registered in the United Kingdom or in any other country or place to which this Order extends, to aircraft so registered and to any other ship or aircraft that is for the time being chartered to any person who is-

(a) a British citizen, a British Dependent Territories citizen, a British Overseas citizen~~, a British subject,~~ or a British protected person; or

(b) a body incorporated or constituted under the law of the United Kingdom or the law of any other ~~country or~~ place to which this Order extends.

(4) If any ship, aircraft or land transport vehicle is used in contravention of paragraph (1) of this Article,

0027

(22-6)

...then each of the following persons-

(a) in the case of a British ship registered in the United Kingdom or in any other ~~country or~~ place to which this Order extends or any aircraft so registered, the owner and master of the ship or, as the case may be, the operator and the commander of the aircraft; or

(b) in the case of any other ship or aircraft, the person to whom the ship or aircraft is for the time being chartered and, if he is such a person as is referred to in sub-paragraph (a) or sub-paragraph (b) of paragraph (3) of this Article, the master of the ship or, as the case may be, the operator and the commander of the aircraft; or

(c) in the case of a land transport vehicle, the operator of the vehicle;

shall be guilty of an offence against the Order unless he proves that he did not know and had no reason to suppose that the goods were being or had been exported from Iraq or Kuwait in contravention of Article 2(1) of this Order.

(5) If any ship, aircraft or land transport vehicle is used in contravention of paragraph (2) of this Article, then-

(a) in the case of a British ship registered in the United Kingdom or in any other country or place to which this Order extends or any aircraft so registered, the owner and the master of the ship or, as the case may be, the operator and the commander of the aircraft; or

(b) in the case of any other ship or aircraft, the person to whom the ship or aircraft is for the time being chartered and, if he is such a person as is referred to in sub-paragraph (a) or sub-paragraph (b) of paragraph (3) of this Article, the master of the ship or, as the case may be, the operator and the commander or the aircraft; or

(c) in the case of a land transport vehicle, the operator of the vehicle,

shall be guilty of an offence against this Order unless he proves that he did not know and had no reason to suppose

---

(a) 1894 c.60.

0028

(22-7)

that the carriage of the goods in question was, or formed part of, carriage from any place outside Iraq or Kuwait to any destination therein or to any person for the purposes of any business carried on in or operated from Iraq or Kuwait.

(6) Nothing in this Article applies to goods in respect of which a licence granted by the Secretary of State is in force under:

(a) Article 2(1) of this Order; or

(b) Article 3 of this Order.

(7) Nothing in this Article shall be construed so as to prejudice any other provision of law prohibiting or restricting the use of ships, aircraft or land transport vehicles.

Investigation, etc. of suspected British ships and aircraft

6.—(1) Where any authorised officer, that is to say, any such officer as is referred to in section 692(1) of the Merchant Shipping Act 1894(a), has reason to suspect that any British ship registered in the United Kingdom or in any other country or place to which this Order extends has been or is being or is about to be used in contravention of paragraph (1) or paragraph (2) of Article 5 of the Order, he may (either alone or accompanied and assisted by persons under his authority) board the ship and search her and, for that purpose, may use or authorise the use of reasonable force, and he may request the master of the ship to furnish such information relating to the ship and her cargo and produce for his inspection such documents so relating and such cargo as he may specify; and an authorised officer (either there and then or upon consideration of any information furnished or document or cargo produced in pursuance of such a request) may, in the case of a ship that is reasonably suspected of being or of being about to be used in contravention of Article 5(2) of this Order, exercise the following further powers with a view to the prevention of the commission (or the continued commission) of any such contravention or in order that enquiries into the matter may be pursued, that is to say, he may either direct the master to refrain, except with the consent of an authorised officer, from landing at any port specified by the officer any part of the ship's cargo that is so specified or request the master to take any one or more of the following steps:-

(a) to cause the ship not to proceed with the voyage on which she is then engaged or about to engage until

0029

(22-8)

the master is notified by any authorised officer that the ship may so proceed;

(b) if the ship is then in a port in the United Kingdom or in any other country or place to which this Order extends, to cause her to remain there until the master is notified by any authorised officer that the ship may depart;

(c) if the ship is then in any other place, to take her to any such port specified by the officer and to cause her to remain there until the master is notified as mentioned in sub-paragraph (b) of this paragraph; and

(d) to take her to any other destination that may be specified by the officer in agreement with the master;

and the master shall comply with any such request or direction.

(2) Without prejudice to the provisions of paragraph (8) of this Article, where a master refuses or fails to comply with a request made under this Article that his ship shall or shall not proceed to or from any place or where an authorised officer otherwise has reason to suspect that such a request that has been so made may not be complied with, any such officer may take such steps as appear to him to be necessary to secure compliance with that request and, without prejudice to the generality of the foregoing, may for that purpose enter upon, or authorise entry upon, that ship and use, or authorise the use of, reasonable force.

(3) Where any officer of customs and excise or any person authorised by the Secretary of State for that purpose either generally or in a particular case has reason to suspect that any aircraft registered in the United Kingdom or in any other country or place to which this Order extends or any aircraft for the time being chartered to any person specified in paragraph 3 of Article 5 of this Order has been or is being or is about to be used in contravention of paragraph (1) or paragraph (2) of Article 5 of this Order ~~or of Article 8 of this Order~~, that authorised person or that officer may request the charterer, the operator and the commander of the aircraft or any of them to furnish such information relating to the aircraft and its cargo and produce for their or his inspection such documents so relating and such cargo as they or he may specify, and that authorised person or that officer may (either alone or accompanied and assisted by persons under his authority) board the aircraft and search it and, for that purpose, may use or authorise the use of reasonable force; and, if the aircraft is then in the United Kingdom any such authorised

0030

(22-9)

person or any such officer (either there and then or upon consideration of any information furnished or document or cargo produced in pursuance of such a request) may further request the charterer, operator and the commander or any of them to cause the aircraft to remain in the United Kingdom until notified that the aircraft may depart; and the charterer, the operator and the commander shall comply with any such request.

(4) Without prejudice to the provisions of paragraph (8) of this Article, where any person authorised as aforesaid or any such officer as aforesaid has reason to suspect that any request that an aircraft should remain in the United Kingdom that has been made under paragraph (3) of this Article may not be complied with, that authorised person or that officer may take such steps as appear to him to be necessary to secure compliance with that request and, without prejudice to the generality of the foregoing, may for that purpose-

(a) enter, or authorise entry, upon any land and upon that aircraft;

(b) detain, or authorise the detention of, that aircraft; and

(c) use, or authorise the use of, reasonable force.

(5) A person authorised by the Secretary of State to exercise any power for the purposes of paragraph (3) or paragraph (4) of this Article shall, if requested to do so, produce evidence of his authority before exercising that power.

(6) No information furnished or document produced by any person in pursuance of a request made under this Article shall be disclosed except-

(a) with the consent of the person by whom the information was furnished or the document was produced:

Provided that a person who has obtained information or is in possession of a document only in his capacity as servant or agent of another person may not give consent for the purposes of this sub-paragraph but such consent may instead be given by any person who is entitled to that information or to the possession of that document in his own right; or

(b) to any person who would have been empowered under this Article to request that it be furnished or produced or to any person holding or acting in any office under or in the service of the Crown in respect

0031

(22-10)

of the Government of the United Kingdom or under or in the service of the Government of any other ~~country or~~ place to which this Order extends; or

(c) on the authority of the Secretary of State, to any organ of the United Nations or to any person in the service of the United Nations or of the Government of any other country for the purpose of assisting the United Nations or that Government in securing compliance with or detecting evasion of measures in relation to Iraq or Kuwait decided upon by the Security Council of the United Nations; or

(d) with a view to the institution of, or otherwise for the purposes of, any proceedings for an offence against this Order or, with respect to any of the matters regulated by this Order, for an offence against any enactment relating to customs or for an offence against any provision of law with respect to similar matters that is for the time being in force in any ~~country or~~ place to which this Order extends.

(7) Any power conferred by this Article to request the furnishing of information or the production of a document or of cargo for inspection shall include a power to specify whether the information should be furnished orally or in writing and in what form and to specify the time by which and the place in which the information should be furnished or the document or cargo produced for inspection.

(8) Each of the following persons shall be guilty of an offence against this Order, that is to say:-

(a) A master of a ship who disobeys any direction given under paragraph (1) of this Article with respect to the landing of any cargo;

(b) A master of a ship or a charterer or an operator or a commander of the aircraft who, without reasonable excuse, refuses or fails within a reasonable time to comply with any request made under this Article by any person empowered to make it or who wilfully furnishes false information or produces false documents to such a person in response to such a request;

(c) A master or a member of a crew of a ship or a charterer or an operator or a commander or a member of a crew of an aircraft who wilfully obstructs any such person (or any person acting under the authority of any such person) in the exercise of his powers under this Article.

0032

(22-11)

(9) Nothing in this Article shall be construed so as to prejudice any other provision of law conferring powers or imposing restrictions or enabling restrictions to be imposed with respect to ships or aircraft.

Obtaining of evidence and information

7. - The provisions of the Schedule to this Order shall have effect in order to facilitate the obtaining, by or on behalf of the Secretary of State or the Commissioners of Customs and Excise, of evidence and information for the purpose of securing compliance with or detecting evasion of this Order and in order to facilitate the obtaining, by or on behalf of the Secretary of State or the Commissioners of Customs and Excise, of evidence of the commission of an offence against this Order or with respect to any of the matters regulated by this Order, of an offence relating to customs.

Penalties and Proceedings

8.—(1) Any person guilty of an offence against this Order shall be liable -

(a) on conviction on indictment to imprisonment for a term not exceeding two years or to a fine or to both; or

(b) on summary conviction to imprisonment for a term not exceeding six months or to a fine not exceeding ~~£20,000 or to both.~~ the statutory maximum or to both.

(2) Where any body corporate is guilty of an offence against this Order, and that offence is proved to have been committed with the consent or connivance of, or to be attributable to any neglect on the part of, any director, manager, secretary or other similar officer of the body corporate of any person who was purporting to act in any such capacity, he, as well as the body corporate, shall be guilty of that offence and shall be liable to be proceeded against and punished accordingly.

(3) Summary proceedings for an offence against this Order, being an offence alleged to have been committed outside the United Kingdom, may be commenced at any time not later than twelve months from the date on which the person charged first enters the United Kingdom after committing the offence.

(4) Proceedings against any person for an offence against this Order may be taken before the appropriate court in the United Kingdom, or in any ~~territory~~ ...place to which this Order extends, having jurisdiction in the place where that person

0033

is for the time being. (22-12)

(5) No proceedings for an offence against this Order shall be instituted in England, Wales, Northern Ireland or in the Isle of Man except by the Secretary of State or with the consent of the Attorney General or, as the case may be, the Attorney General for Northern Ireland or the Isle of Man

Provided that this paragraph shall not prevent the arrest, or the issue or execution of a warrant for the arrest, of any person in respect of such an offence, or the remand~~ing~~ in custody or on bail of any person charged with such an offence, notwithstanding that the necessary consent to the institution of proceedings for the offence has not been obtained.

Exercise of powers of the Secretary of State

9.—(1) The Secretary of State may to such extent and subject to such restrictions and conditions as he may think proper, delegate or authorise the delegation of any of his powers under this Order (other than the power to give authority under Schedule 1 to this Order to apply for a search warrant) to any person, or class or description of persons, approved by him, and references in this Order to the Secretary of State shall be construed accordingly.

(2) Any licences granted under this Order may be either general or special, may be subject to or without conditions, may be limited so as to expire on a specified date unless renewed and may be varied or revoked by the authority that granted them.

Miscellaneous

10.—(1) This Order applies to or in relation to any ship or aircraft or any body corporate that purports to be registered in any particular place or, as the case may be, that purports to be incorporated or constituted under the law of that place as it applies to or in relation to any ship or aircraft that is so registered or any body corporate that it so incorporated or constituted.

(2) Any provision of this Order which prohibits the doing of a thing except under the authority of a licence granted by the Secretary of State shall not have effect in relation to any such thing done in a ~~country or~~ place other than the United Kingdom to which this Order extends or done elsewhere outside the United Kingdom by a person who is ordinarily resident in, or by a body incorporated or constituted under the law of, that ~~country or~~ place, provided that it is so done under the authority of a licence or with permission

0034

(22-13)

granted, in accordance with any law in force in that ~~country~~ ~~or~~ place (being a law substantially corresponding to the relevant provision of this Order), by the authority competent in that behalf under that law.

G. I. de Deney
Clerk of the Privy Council

0035

Article 8

(22-14)

SCHEDULE

EVIDENCE AND INFORMATION

1.- (1) Without prejudice to any other provision of this Order, or any provision of any other law, the Secretary of State (or any person authorised by him for that purpose either generally or in a particular case) or the Commissioners of Customs and Excise may request any person in or resident in the United Kingdom to furnish to him or them (or to that authorised person) any information in his possession or control, or to produce to him or them (or to that authorised person) any document in his possession or control, which he or they (or that authorised person) may require for the purpose of securing compliance with or detecting evasion of this Order; and any person to whom such a request is made shall comply with it within such time and in such manner as may be specified in the request.

(2) Nothing in the foregoing sub-paragraph shall be taken to require any person who has acted as counsel or solicitor for any person to disclose any privileged communication made to him in that capacity.

(3) Where a person is convicted on indictment for failing to furnish information or produce a document when requested so to do under this paragraph, the court may make an order requiring him, within such period as may be specified in the order, to furnish the information or produce the document.

(4) The power conferred by this paragraph to request any person to produce documents shall include power to take copies of or extracts from any document so produced and to request that person, or, where that person is a body corporate, any other person who is a present or past officer of, or is employed by, the body corporate, to provide an explanation of any of them.

2.- (1) If any justice of the peace is satisfied by information on oath given by a person authorised by the Secretary of State or the Commissioners of Customs and Excise to act for the purposes of this paragraph either generally or in a particular case -

(a) that there is reasonable ground for suspecting that an offence against this Order or, with respect to any of the matters regulated by this Order, an offence

0036

(22-15)

against any enactment relating to customs has been or is being committed and that evidence of the commission of the offence is to be found on any premises specified in the information, or in any vehicle, vessel or aircraft so specified; or

(b) that any documents which ought to have been produced under paragraph 1 of this Schedule and have not been produced are to be found on any such premises or in any such vehicle, vessel or aircraft,

he may grant a search warrant authorising any constable, together with any other persons named in the warrant and any other constables, to enter the premises specified in the information or, as the case may be, any premises upon which the vehicle, vessel or aircraft so specified may be, at any time within one month from the date of the warrant and to search the premises, or, as the case may be, the vehicle, vessel or aircraft.

(2) A person authorised by any such warrant as aforesaid to search any premises or any vehicle, vessel or aircraft may search every person who is found in, or whom he has reasonable ground to believe to have recently left or to be about the enter, those premises or that vehicle, vessel or aircraft and may seize any document or article found on the premises or in the vehicle, vessel or aircraft or on such person which has has reasonable ground to believe to be evidence of the commission of any such offence as aforesaid or any documents which he has reasonable ground to believe ought to have been produced under paragraph 1 of this Schedule or to take in relation to any such article or document any other steps which may appear necessary for preserving it and preventing interference with it:

Provided that no female shall, in pursuance of any warrant issued under this paragraph, be searched except by a female.

(3) Where, by virtue of this paragraph, a person is empowered to enter any premises, vehicle, vessel or aircraft he may use such force as is reasonably necessary for that purpose.

(4) Any documents or articles of which possession is taken under this paragraph may be retained for a period of three months or, if within that period there are commenced any proceedings for such an offence as aforesaid to which they are relevant, until the conclusion of those proceedings.

(5) In the application of this paragraph to Scotland any reference to a justice of the peace includes a

0037

reference to the sheriff. (22-16)

3. A person authorised by the Secretary of State to exercise any power for the purposes of this Schedule shall, if requested to do so, produce evidence of his authority before exercising that power.

4. No information furnished or document produced (including any copy of extract made of any document produced) by any person in pursuance of a request made under this Schedule and no document seized under paragraph 2(2) of this Schedule shall be disclosed except -

(a) with the consent of the person by whom the information was furnished or the document was produced or the person from whom the document was seized:

Provided that a person who has obtained information or is in possession of a document only in his capacity as servant or agent of another person may not give consent for the purposes of this sub-paragraph but such consent may instead be given by any person who is entitled to that information or to the possession of that document in his own right; or

(b) to any person who would have been empowered under this Schedule to request that it be furnished or produced or to any person holding or acting in any office under or in the service of the Crown; or

(c) on the authority of the Secretary of State, to any organ of the United Nations or to the Government of any other country for the purpose of assisting the United Nations or that Government in securing compliance with or detecting evasion of measures in relation to this Order decided upon by the Security Council of the United Nations; or

(d) with a view to the institution of, or otherwise for the purposes of, any proceedings for an offence against this Order or, with respect to any of the matters regulated by this Order, for an offence against any enactment relating to customs or for an offence against any provision of law with respect to similar matters that is for the time being in force in any country or place to which this Order extends.

5. Any person who -

(a) without reasonable excuse, refuses or fails

0038

(22-17)

within the time and in the manner specified (or, if no time has been specified, within a reasonable time) to comply with any request made under this Schedule by any person who is empowered to make it; or

(b) wilfully furnishes false information or a false explanation or otherwise wilfully obstructs any person in the exercise of his powers under this Schedule; or

(c) with intent to evade the provisions of this Schedule, destroys, mutilates, defaces, secretes or removes any document,

shall be guilty of an offence against this Order.

0039

(22-18)

EXPLANATORY NOTE

(This note is not part of the Order)

This Order imposes restrictions pursuant to a decision of the Security Council of the United Nations in Resolution No. 661 of 6th August 1990, on the exportation of goods from Iraq and Kuwait and on supply of goods to Iraq and Kuwait as well as certain related activities and dealings, including the carriage of such goods in British ships or aircraft. ~~It authorises the imposition of restrictions on the transfer of certain property if this might facilitate the evasion of the Order~~ The Order also makes provision for the investigation of ships and aircraft that are suspected or contravening the Order.

0040

(22-19)

Summary

1. Measures under UK domestic law to implement SCR 661 came into force 00.01 9 August. A European Community regulation covering aspects of the Resolution was adopted on 8 August and came into force with effect from 7 August.

Detail

2. Two measures made by the DTI as follows:

I) An amendment to the open General Import Licence to give effect to the import ban:

II) An order under the Import.Export and Customs Powers (Defence) Act 1939 to give effect to the export ban. The effect is to ban the import into the UK of all goods (including crude oil and petroleum products) originating in Iraq or Kuwait except under an individual licence issued by the DTI. Any unused import licences issued by the DTI before 6 August for goods originating in Iraq or Kuwait have been revoked. Licences will not normally be issued except for goods in transit. Applications for goods in transit should be made to Import Licensing branch of DTI by 5 September. The export of all goods to Iraq or Kuwait without a licence is also banned.

III) The Iraq and Kuwait (United Nations Sanctions) Order 1990 prohibits the following activities:

a) Making and carrying out contracts for the export of goods from Iraq or Kuwait and any other act calculated to promote the export of goods from Iraq or Kuwait:

b) Dealing with goods exported from Iraq after 6 August 1990:

c) Supplying goods not in Iraq or Kuwait to, or to the order of, a person in Iraq or Kuwait:

d) Supply of goods to, or to the order of, an Iraqi or Kuwaiti company or Iraqi or Kuwaiti controlled company:

e) Any act calculated to promote the supply of goods to, or to the order of, a person in Iraq or Kuwait, or an Iraqi or Kuwaiti company or Iraqi or Kuwaiti controlled company.

These prohibitions apply within the UK and to UK companies and British nationals worldwide. The order also prohibits the use of UK flagged ships and aircraft and the use of those chartered by UK companies and British nationals for such purposes. Within the UK, the use of land transport vehicles for such purposes is also prohibited.

0041

Exports under existing contracts are prohibited under the provisions of the order.

IV) Article 4 of the Resolution concerning funds and finance is covered by the directions issued by the Treasury on 2 and 4 August freezing certain Kuwaiti and Iraqi assets.

V) A further Order in Council implements the mandatory provisions of the Security Council Resolution in UK dependent territories.

3. In addition, the European Community adopted a regulation on 8 August which will apply as from 7 August throughout the EC member states. The Regulation provides for a total ban on the import or export of all commodities or products originating in or coming from Iraq and Kuwait. It follows closely the terms of the Security Council Resolution and in effect covers the same ground as the UK legislation.

4. The guidance set out above may be drawn upon in briefing businessmen and companies on the effects of the various orders. You may also wish to pass on the following telephone numbers to be used by enquirers. DTI will answer questions on all the orders except the two Treasury Directions which are for the Bank of England.

Export Licencing: 071-215-8070
Import Licensing: 0642-364 333
DTI General Enquiries:
Iraq: 071-215 4365/4367/5376/4395
Kuwait:071-215 5491/4388
Bank of England: 071-601 3764/5463/4768/3309/3250/3848

Supplementary Questions and Answers follow:
Iraq and Kuwait (United Nations Sanctions) Order 1990
Questions and Answers

Scope of Order
- Complements the measures taken to ban the import and export of goods (i.e. the amendment to the Open General Import Licence and the Order under the Import, Export and Customs Powers (Defence) Act 1939) by covering activities within the UK or by British companies or individuals which might promote imports or exports or the supply of goods to Iraqi or Kuwaiti controlled companies.

0042

(72-2/)

How would this operate?
- These activities are prohibited without a licence.

Is the scope of this Order unprecedented?
- No. It follows the precedent of the Order giving effect to the Security Council Resolution imposing mandatory sanctions on Rhodesia in 1968.

What kind of British company is covered?
- Any company incorporated in the UK which carries on prohibited activities. (If necessary: a separate order covers companies incorporated in the dependent territories).

What is a definition of a British national?
- The Order covers all categories,i.e. British citizen, British Dependent Territories citizen, a British Overseas citizen, or a British Protected person.

Does this just apply to British companies and nationals in the UK?
- No. It applies to British companies and nationals wherever they may be found who are in any way promoting the export/import of goods from/to Iraq and Kuwait.

How would a British company trading with Iraq or Kuwait be affected or any of its British workforce?
- Continuation of such trade without a licence would be in breach of the Order and the UN Resolution. Any of the workforce directly involved in promotion of such trade would similarly be affected.

What about e.g. British nationals working for Kuwaiti or Iraqi oil companies?
- The export of oil products from Iraq or Kuwait is covered by the terms of the Resolution. Any activities by a British national which might serve to promote any Iraqi or Kuwaiti exports would be covered by the terms of the Resolution and the Order.

What about consultants?
- The same applies. A consultant helping to develop agricultural yield in Kuwait is not directly concerned with the promotion of exports. Someone advising on trade promotion or advertising would be.

0043

(22-22)

- 4 -

Does this not present considerable difficulties of definition?
- There are bound to be difficult cases and we are mindful of the particular problems of individuals in the current circumstances. When companies or individuals are in doubt about their particular position they should approach DTI for a licence. In practice we are already in touch with many companies about the position of their employees.

Are services covered by the Order?
- Services which serve to promote the export of goods from Iraq or Kuwait or the supply of goods to an Iraqi or Kuwaiti controlled company or person worldwide are covered.

Can HMG be made liable for any losses sustained by companies?
- No. We are acting under the United Nations Act 1946 to give effect to a mandatory Security Council Resolution binding on all member states of the UN. HMG would be under no legal liability to pay compensation.

Are existing contracts covered?
- Yes. Exports and imports under existing contracts are prohibited under the provisions of the Order.

What is the combined effect of the measures taken by the UK?
- Taken together the UK measures implement the mandatory provisions of Security Council Resolution 661.

0044

관리번호	90/862

원 본

외 무 부

종 별 : 지 급

번 호 : UKW-1495 일 시 : 90 0810 1710

수 신 : 장관(중근동,구일)

발 신 : 주 영 대사

제 목 : 걸프사태

대 WUK-1335

1. 이락이 쿠웨이트를 병합한후, 쿠웨이트 주재 외교단이 바그다드로 이동하도록 요구한점과 관련, 외무성 중동과 관계실무자는 금 8.10(금) 현재 특별한 대응책을 세우지 않고 있으나 8.10(금) 브럿셀에서 개최되는 EC 외상회담등 계기에 EC 공동대책을 협의할 것이라고 말함.

2. 동인은 이어 안보리에서 이락의 쿠웨이트 병합이 무효로 선언되었으며, 각국의 자국교민과 재산보호 필요성이 큰 상황이므로 일단은 이락측의 요구를 받아들이기 어려울 것으로 본다는 의견을 피력함. 끝.

(대사 오재희-국장)

예고:90.12.31 일반

중아국 차관 1차보 2차보 구주국 청와대 안기부

PAGE 1

90.08.11 01:38

외신 2과 통제관 CF

0045

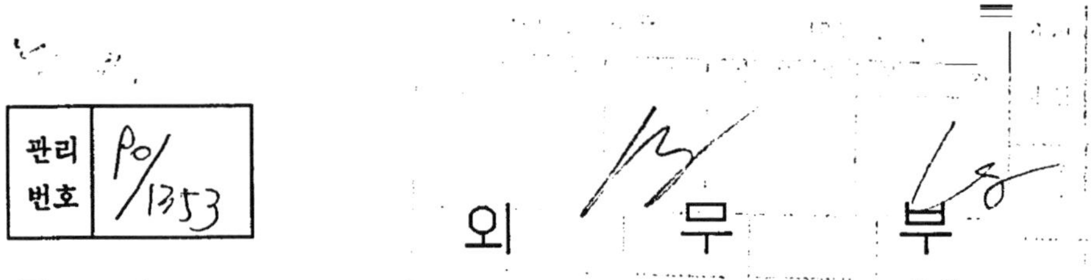

관리번호 90/1353

외 무 부

종 별 :

번 호 : UKW-1497 일 시 : 90 0810 1910

수 신 : 장 관(통일,중근동,구일,미안)

발 신 : 주 영 대사

제 목 : 이라크.쿠웨이트사태

대 WUK-1309

1. 대호관련 이라크 사태 전망및 원유수급 전망등을 아래 보고함.

. 금번 사태에 대한 전망

-이라크의 쿠웨이트 점령사태가 1 주일이상 지남에 따라 일반적인 견해는 동 사태가 단 기간내에 해결 (이라크의 철군)될 것이라고는 보지않고 있으며 이라크가 사우디 침공을 하지 않는한 상당기간 현 상태가 지속될 것으로 보고 있는바 그 근거로는 사담 후세인이 쿠웨이트 점거로 아랍국가들의 지지를 받고 있다고 생각하고 있으며 유럽의 상품교역 업자들의 평가로는 선진제국의 대 이라크 경제제재에도 불구하고 이라크가 식량과 무기에 있어 향후 6 개월간은 부족함없이 지낼수 있다고 보고 있는점을 들수있음.

-그러나 쿠웨이트 점거시 미.소등 강대국의 반응이 예상외로 신속하고 제재조치가 강했던 점에 비추어 대 이라크 제재가 장기화될 경우 후세인이 국민들로 부터 신망을 잃게되고 그의 지지세력인 당과 군으로부터 배척 받을것을 우려하여 결국 적당한 명분을 찾아 쿠웨이트로 부터 철수할 것으로 보고있음.

. 금번 사태로 인한 국제 수급및 유가 전망

-이라크. 쿠웨이트산 석유 공급량은 전세계 공급량의 5.5 프로 이므로 수급상 문제는 없을 것으로 보고 잇으며 유가도 1 개월내에 바렐당 20 불선으로 내려갈 것으로 전망하고 있음.

-현재 선진국이 보유하고 있는 40 억 배럴정도의 비축분과 운휴중인 산유 설비의 가동으로 부족분은 충분히 보충이 가능하나 문제는 현 사태를 악용하여 유가가 더 오를것을 기대하여 정유사나 거래업자가 재고를 유지하려 하는데 있으므로 선진국들이 비축분을 방출토록 하여야 할것임.

통상국 차관 1차보 2차보 미주국 구주국 중아국

PAGE 1

90.08.11 08:34

외신 2과 통제관 DL

0046

-유가가 바렐당 10 불 인상시 OECD 회원국 전체에 미치는 영향은 초년도에 물가 상승율 1.5 프로, 실질 GDP 감소 1 프로임.

. 유가 인상시 각국에 미치는 영향

미국: 이미 경기후퇴 국면에 접어 들었으며 경상수지 및 재정수지 적자 및 높은 유류소비 수준으로 가장 크게 영향을 받을것임.

일본 현재 이라크에서 수주중인 것이 57 억불로 단기적으로 약간 타격을 받을 것이나 이미 73 년 석유 파동시 에너지 절약형 산업정책을 채택하여 큰 영향을 받지는 아니할 것임.

독일: 대 이라크 수출 (1989 년 14 억불) 이 타격을 받을 것이나 전체 경제에 미치는 영향은 미미하며 90 년 4 프로 성장 가능

영국: 원유교역에서 년간 15 억 파운드 흑자를 보고 있으므로 유가 인상으로 받는 부정적 영향은 없을 것이며 유가 10 불 인상시 재정수입이 15 억 파운드 증가하게 될것임.

NIES 높은 석유 소비수준과 교역의 심한 대미의존으로 타격을 받게 될것이며 한국과 대만의 경우 산업구조가 1 차 석유파동시 일본과 유사하여 더 큰 영향을 받게 될것임.끝.

(대사 오재희-국장)

예고:90.12.31. 까지

PAGE 2

0047

관리번호	90/883

외 무 부

종 별 :

번 호 : UKW-1498 일 시 : 90 0810 1910

수 신 : 장 관(통일,중근동,구일,미안)

발 신 : 주 영 대사

제 목 : 대 이라크 제재

대 WECM-0020

대호 관련, 주재국의 대이라크 쿠웨이트 교역및 투자현황을 아래 보고함.

0 대이라크 교역(1989)

수출: 450 백만 파운드(전체수출의 0.5 프로) 발전설비, 비료공장 건설등 대형 프로젝트용 기자재가 주수출품임.

수입: 55 백만 파운드(전체수입의 0.04 프로)

0 대 쿠웨이트 교역(1989)

수출: 229 백만 파운드 (전체수출의 0.2 프로)

수입: 150 백만 파운드(전체수입의 0.1 프로)

0 쿠웨이트의 대영국 투자는 BP, MIDLAND BANK 등 석유, 금융, 보험, 관광,호텔, 부동산 분야에 11 건(투자금액 미상)임.

0 이라크의 대외채무는 약 7 백억 달러에 달하는 것으로 추정되며 그중 상당액이 중동국가로 부터 차입인것으로 알려짐.끝.

(대사 오재희-국장)

예고:90.12.31 일반

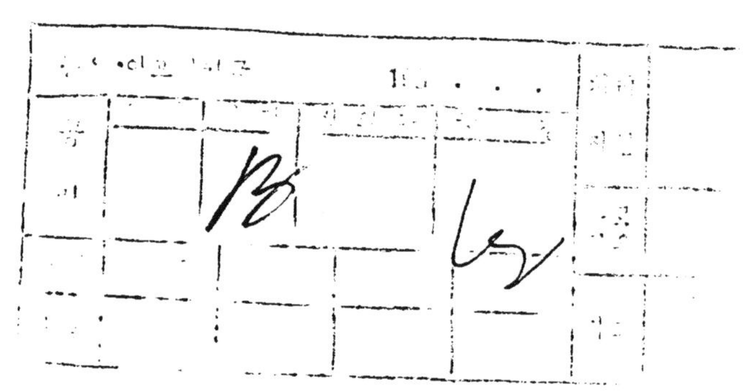

통상국 차관 1차보 2차보 미주국 구주국 중아국

PAGE 1

90.08.11 08:30

외신 2과 통제관 DL

0048

관리번호	90-408

분류번호	보존기간

발 신 전 보

WUK-1351 900813 1854 DP

번 호 : 종별 :

수 신 : 주수신처 참조 ~~대사, 총영사~~ WJA -3423 WFR -1546 WGE -1161 WAU -0562

발 신 : 장 관 (미북) 기협)

제 목 : 이라크.쿠웨이트 사태

1. 금번 이라크의 쿠웨이트 침공과 이에 대한 미국정부의 강력한 대응, 국제적인 경제제제 조치 및 군사적 움직임 등 일련의 사태는 그 심각성으로 인해 향후 동 사태가 진정된 이후에도 세계경제 및 정치정세에 다대한 영향을 끼치게 될 것으로 사료됨

2. 본부로서는 현재 이라크.쿠웨이트 사태가 향후 상당기간 가변적이 될 것으로 사료되나, 아국의 중장기 정책수립에 참고코저하니 우선 현재까지 밝혀진 귀주재국 정부의 입장, 학계 및 전략문제 전문가들의 다각적인 견해, 언론 해설 등을 예의분석하여, 앞으로 사태 종결후 예상되는 중동정세 및 세계정세(경제 포함)의 변화 등에 관하여 가급적 조속 보고바람.

3. 본건과 관련하여서는 앞으로도 귀주재국 정부의 입장, 각계 의견을 예의 관찰, 분석하여 수시로 보고바람. 끝.

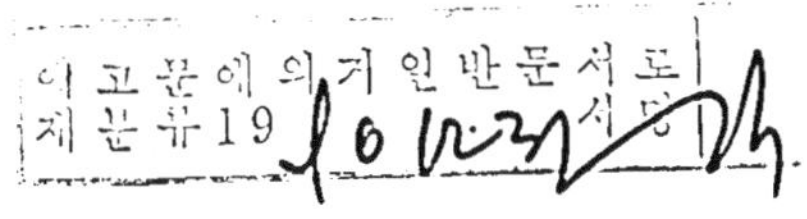

차관 유종하 (~~미주국장 반기문~~)

예 고 : 90.12.31. 일반

수신처 : 주영국, 일본, 프랑스, 독일, 호주대사

제1차관보:

국제경제국장:

보안통제	

앙고재	90년 8월 13일	북미과	기안자 성명	허 철	과 장	신의고	국 장	전결	차 관	장 관

외신과통제

0049

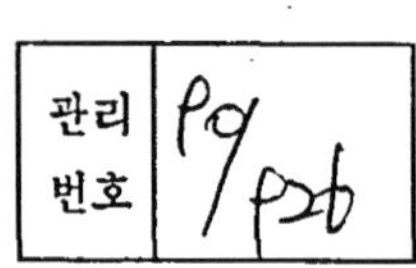

외 무 부

종 별 :

번 호 : UKW-1502 일 시 : 90 0813 1100

수 신 : 장관(통일,중근동,구일) 사본: 상공부장관

발 신 : 주 영 대사

제 목 : 대 이라크 제재

대:WECM-20

1. 주재국 상공성이 발표한 대 이라크 교역 지침 내용 아래 요약 보고함

-이라크와 쿠웨이트에 대한 모든 거래시 정부 승인을 받아야 하며 승인의 대상은 재화 뿐만 아니라 엔지니어, 기술적 자문등 용역의 제공도 포함됨

-정부는 모든 사안에 대하여 개별 심사를 하게될 것임

-세관당국은 화물의 선적지가 이라크, 쿠웨이트가 아니더라도 우회 수출의 우려가 있는 경우에 대비, 감시를 강화할 것임

-동 지침은 거주지에 불구하고 모든 영국인에 적용됨

-동 지침을 위반하거나 부정한 방법으로 허위 통관을 한자는 6 년 이하의 징역 또는 그에 해당하는 벌금에 처함

-현지 관측에 의하면 대 제재국 수출의 경우 생존에 영향을 주는 식량, 또는 약품등에 한하여 제한적으로 승인을 받을 수 있을것이며 수입의 경우 이미 대금 지불이 이루어진 상품의 반입, 또는 현재 제재국에 거주하고 있는 영국인이 소유하는 물건중 방송장비, 개인용 콤퓨터등의 반입은 허용될 것이라 함

2. 동 조치로 손실을 입게되는 회사에 대하여는 보험 이외에 보상책이 별도로 없으며 수출 신용 보증기구(EXPORT CREDITS GUARANTEE DEPARTMENT)는 동 기구에서 보상하여야 할 금액이 약 8 억 5 천만 파운드에 달할 것으로 보고있음. 끝

(대사 오재희-국장)

예고:90.12.31. 일반

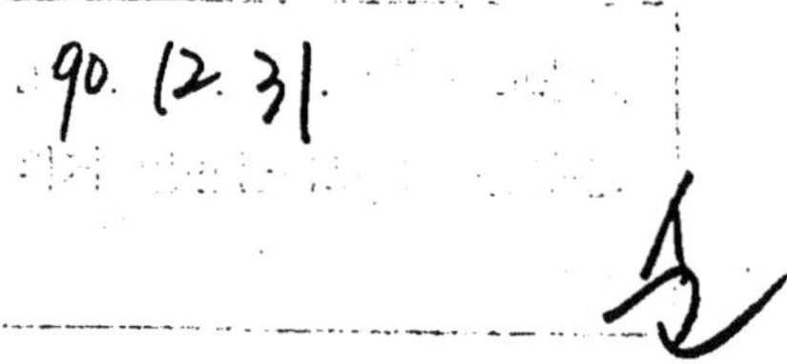

통상국	장관	차관	1차보	2차보	구주국	중아국	정문국	청와대
안기부	상공부							

PAGE 1 90.08.14 02:32

외신 2과 통제관 FE

0050

1 기ㄴ

외 무 부

종 별 :

번 호 : UKW-1503　　　　일 시 : 90 0813 1400

수 신 : 장 관(중근동,구일,미안)

발 신 : 주 영 대사

제 목 : 걸프사태(영국인 피살)

표제관련 당지 언론보도 요지 아래 보고함

1.8.11.(토) 저녁 쿠웨이트-사우디 국경 부근에서 사우디쪽으로 탈출중이던 영국기업인 MR. DOUGLASCROSKERY 가 이라크 군에 의해 사살됨. 동 사건은 이라크의 쿠웨이트 침공이후 처음 발생한 서방측 국민에 대한 살해 행위임

2.이에대해 8.12.(일) 주재국 외무성 대변인은 야만적인 범죄 (BARABRIC CRIME)라고 비난하면서 동 살인자를 이라크 정부가 처벌할것을 요구하였음.또한 외무성은 당지 주재 이라크 대사를 불러 강력 항의하였음

3.8.11.(토) 라디오 회견에서 W.WALDEGRAVE 외무성 국무상은 이라크 및 쿠웨이트 거주 영국인들의 안전이 위협받는바 하더라도 영 정부는 중동지역에서 국제법을 회복시키는 노력을 후퇴하지 않을 것이라고 말함

4.주재국 외무성은 8.12.(일) 이라크 TARIQ AZIZ외상이 이라크 거주 외국인들은 모두 안전하며 그들국가 외교관들과 접촉을 계속하고 있다고 말한것과, 사담 후세인 대통령의 대변인이 쿠웨이트 거주 외국인들이 쿠웨이트를 떠나도 좋다고 말한것과 관련하여 이라크 정부의 재확인을 요청하고 있음

5.한편, 8.12.(일) 당지 갤럽 여론조사에 의하면 대처수상의 중동 파병 결정에 83 프로가 지지하는 것으로 나타나, 포클랜드 파병 보다도 더 높은 국민지지도를 보임.끝

(대사 오재희-국장)

중아국　1차보　미주국　구주국　정문국　안기부　통상국　대책반　그차보　청와대

PAGE 1　　　　90.08.14　09:02 WG

외신 1과　통제관

0051

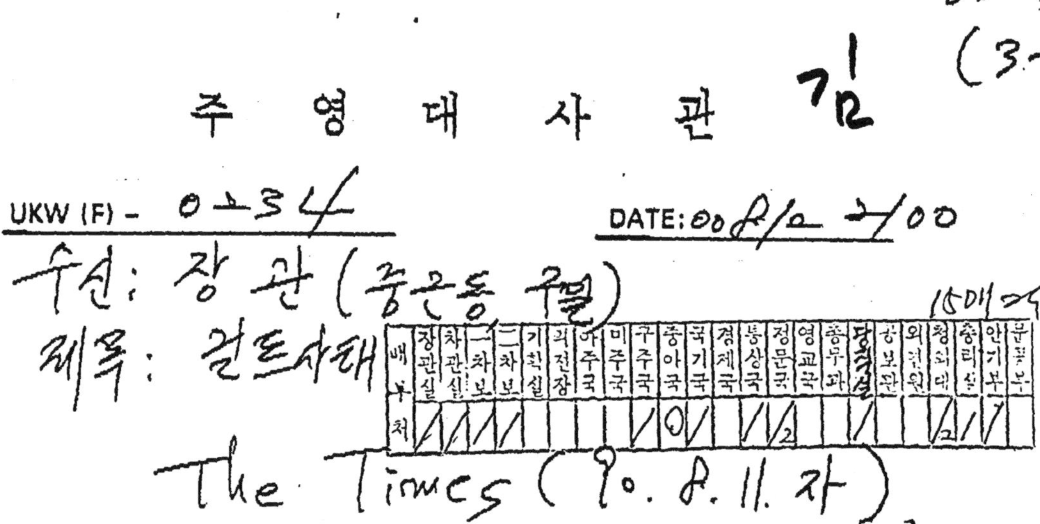

주 영 대 사 관

UKW (F) - 0234 DATE: 00812 2100

수신: 장관 (중근동 구주)

제목: 걸프사태

The Times (90. 8. 11. 자)

THE KREMLIN AND THE GULF

One consolation of the Gulf crisis has been the [illegible] moves to condemn the Iraqi invasion, sever arms supplies and support the United Nations on sanctions were unexpected and welcome.

Since an American armada began to assemble in the Gulf, however, Moscow has retreated from solidarity with the West against its former ally, Iraq. By Thursday, the Soviet foreign ministry was implicitly rebuking Washington for deploying forces in Saudi Arabia, while reassuring Baghdad that the earlier condemnation of Iraq had been "difficult and painful" in view of the two countries' "long-standing and friendly relations". Moscow argues that only the UN may intervene on behalf of Kuwait or Saudi Arabia, and that all "unilateral decisions" are *ultra vires*. And so President Gorbachev's message yesterday to President Mubarak stressed the need for a negotiated "Arab solution".

In short, the Kremlin has drawn back from clear-cut moral disapproval of the annexation of one Arab state by another, in favour of a more ambiguous, even opportunist, position. Does this mean that the initial assessment by Western analysts — that the Soviet Union's initial dismay at Saddam Hussein's incursion was a new departure — was mistaken? Western politicians may well ask themselves whether they have been duped by their own rhetoric. For Mr Gorbachev's disengagement from Eastern Europe, combined with his far-reaching domestic changes, has not necessarily transformed Soviet policy around the world.

There are grounds for hoping that Moscow may now be playing a more constructive role than in the past. Even if Soviet conduct in the Middle East often appears to be all things to all men, a shift is now perceptible. The alliance between the Kremlin and Arab revolutionary nationalists, which dates back at least to Khrushchev and Nasser, no longer counts for much with Mr Gorbachev. Absolute priority has been given to relations with the West.

Assuming the Soviet Union slowly integrates with the world economy, it will no longer be in favour of gratuitous upheavals in an area as market-sensitive as the Middle East. The man who lifted the Iron Curtain should not be eager to provoke division among the [illegible] is as successful as ever in exporting expensive armaments to Arab rulers; but it is no longer interested in exporting revolution. Soviet support for an independent Palestine persists. Yet the Palestinian cause has in practice been left aside in order to cultivate the Israelis, with whom Mr Gorbachev shares more pressing bilateral issues, such as Soviet Jewish emigration. Leninism and pan-Arabism once made convenient ideological bedfellows; but Mr Gorbachev now takes his Lenin with water. President Saddam Hussein may like to think himself another Nasser, or even a Nebuchadnezzar. The Kremlin is unlikely to lift a finger to save him.

This reassessment of Soviet priorities in the Middle East must, however, have its limits. There are signs that these are being reached. What passes privately between James Baker and Eduard Shevardnadze is doubtless far more significant than the language of official Soviet statements, yet the recently detected tone of impatience with the idea of a multinational blockade of Iraq, under American leadership, is authentic. There will be no Soviet participation in any task force except on equal terms with the Americans; and it remains to be seen whether George Bush is quite ready for such equality.

Even if he were, it is not certain that Moscow would take part. When Mr Bush told Mr Gorbachev last December that a Soviet intervention in Romania would be welcome, the Russians did nothing. Not only in Eastern Europe but also in Africa and Asia, the Soviet president takes his doctrine of non-intervention seriously. For one thing, it is cheap.

He also sees no advantage in aligning himself with what is portrayed in the Middle East — and not only by Iraq — as an anti-Islamic Western crusade. The Soviet Union is also in effect a Muslim power. The Asian republics, which provide so many Soviet troops, would not thank Mr Gorbachev for embroiling them in a war against Muslim friends. The non-Muslims would not thank him for a second Afghanistan. The West must be thankful for small mercies, and should not expect more than Mr Gorbachev can deliver.

0052

... capital called to discuss the Gulf conflict

(3-2

Europe union to meet on joint defence action

By ANDREW MCEWEN, DIPLOMATIC EDITOR

FIRST signs that Europe might contribute to the defence of Saudi Arabia and other Gulf states emerged yesterday when the Western European Union (WEU) announced that it is to hold a special meeting. The nine-nation union is seen by some as the European pillar of Nato, and by others as a substitute for the defence arm that the European Community lacks.

The Twelve are almost precluded from discussing defence because Ireland, which is neutral, is a member. Nato, which has 16 members, is prevented by its charter from conducting operations outside the European area. The WEU is therefore best placed to co-ordinate European forces in the Gulf. Its members are Britain, France, West Germany, Belgium, The Netherlands, Italy, Luxembourg, Spain and Portugal. All belong to Nato and the EC.

In 1987 the union organised European minesweeping operations in the Gulf to help keep shipping lanes open during the war between Iran and Iraq. Britain, France, Belgium, Italy and The Netherlands all provided minesweepers, while Luxembourg, which has no navy, gave financial assistance. Spain and Portugal did not become members until March this year.

The nine are likely to discuss working together, but no proposals have yet been made. If a joint operation is agreed it would give European defence co-operation a high profile and might lead to the WEU becoming linked more closely with the EC.

The union emerged in 1954 when an earlier five-nation group was enlarged to include West Germany and Italy, but remained dormant until 1984, when it was revived. This is only the second time that Article 8 of its constitution, which provides for special meetings in response to emergencies, has been invoked.

The meeting is to be hosted by the French, who are understood to have been reluctant at first. France announced on Thursday that it would increase its naval forces in the Gulf, but not as part of the multinational force proposed by Washington.

The WEU, which has its secretariat in London and its parliamentary assembly in Paris, is seen by Britain as mainly a discussion forum. The 1987 operation cast doubt on that view; a second joint operation would establish it as a European counterpart to Nato.

The Times

No restrictions on 6,000 Iraqis in UK

By STEWART TENDLER

HOME Office officials estimate that some 6,000 Iraqis are living in Britain but there are no plans to take any action against the community, which includes a number of refugees from the Baghdad regime. If hostilities broke out in the Gulf, restrictions on the Iraqi community seem unlikely at present.

Iraqis coming to Britain already require visas and foreign nationals can be deported if their conduct is considered unacceptable. Since 1981 about 4,050 Iraqis have been allowed to settle in Britain and the population includes 700 refugees from the Baghdad regime. Last year more than 20,000 Iraqis were given leave to enter the country. The majority of those visitors were businessmen, students, or here for medical treatment.

Some 2,000 students live in Cardiff, Reading, the Midlands, Manchester and Sheffield. Many other Iraqis live in the London area but there are no specific concentrations.

Any surveillance of the Iraqi community would fall to MI5 and Special Branch who would be responsible for intelligence on possible public demonstrations and disorder. The small turn-out for a demonstration outside the American embassy this week suggests active support for the Iraqi regime is small or discreet.

The Iraqi intelligence machine has a long history of activity in Britain stretching back to the 1970s and the murder of General Abdul Razzaq al-Nayef, a former Iraqi prime minister, in 1978 outside a London hotel. Iraq is thought to have inspired the Iranian embassy siege in 1980 as part of the struggle with the Tehran government.

One of the men involved in the attempted murder of Shlomo Argov, the Israeli ambassador to London in 1982, is said to have strong Iraqi links. Some years later a bomb is believed to have exploded inside the Iraqi embassy in London killing or wounding staff. Police were never allowed inside to investigate the incident.

0053

The Times (3-

Britain rejects demand to close embassy

By ANDREW MCEWEN, DIPLOMATIC EDITOR

AMID growing concern over 5,000 Britons trapped in Kuwait and Iraq, the government yesterday rejected an order by the Iraqi authorities to close its embassy in Kuwait and transfer diplomatic operations to Baghdad.

"We do not recognise the annexation of Kuwait. This is a clearly illegal act. We do not propose to close the embassy," a Foreign Office spokesman said. The other 11 European Community nations have taken the same decision and the Twelve are to make a joint diplomatic approach to Baghdad. Japan, Norway and Austria are also refusing to close their embassies.

If the diplomats were forced to leave, contact with thousands of Britons and other Europeans trapped in Kuwait could be lost. As the internal telephones have been cut off, the 22 British embassy staff depend on wardens who report on the welfare of people living near them. This would be unworkable if the diplomats were in Baghdad.

"The purposes of the Iraqi government in making this announcement are not clear. We and our allies are pressing for clarification," the spokesman said. "Our aim is to keep our diplomatic staff there as long as possible to provide consular protection."

After research which involved the wardens, the Foreign Office yesterday raised its estimate of the number of Britons in Kuwait from 3,000 to 4,000. The US State Department said there were about 3,000 Americans in Kuwait and 560 in Iraq.

America, Canada, Australia, and all EC nations have been told that their nationals may not leave. Iraq has denied that they are hostages and the Foreign Office does not regard them in that light. "We believe that all members of the British community are well and morale is good," the spokesman said.

The Foreign Office cut its estimate of the number of British residents in Iraq from 2,600 to 500 [illegible] out of the [illegible] and the [illegible] [illegible] residents, the Foreign Office [illegible] aware of 45 British [illegible] and 23 [illegible]

moved by the Iraqi authorities from Kuwait to Iraq. The 90 include 34 passengers from the British Airways flight that was stranded in Kuwait. The jet remains at Kuwait airport.

Iraq has allowed 4,000 Polish residents and visitors to leave.

● WASHINGTON: The US State Department described an unsettled, violent scene on the streets of Kuwait under Iraqi occupation yesterday, and voiced concern about reports of attacks on foreigners.

"There are some reports of looting and attacks on foreigners by Iraqi soldiers, although we can't as yet discern any pattern which would target Westerners," Richard Boucher, a State Department spokesman, said. However, Americans in Kuwait and Iraq — including 38 American citizens detained in a Baghdad hotel — have not been harassed or harmed, he said.

"We are concerned about growing numbers of reports of violence by Iraqi troops against other Muslims living in Kuwait," Mr Boucher said. "This kind of behaviour by Iraqi forces certainly gives the lie to Iraqi claims about the supposed unity of Kuwaiti and Iraqi peoples."

US diplomats have made personal contact with nearly 900 of the approximately 3,000 Americans living in Kuwait, Mr Boucher said. A senior administration official echoed the report of Mr Boucher. "We don't have any indication of mistreatment of Americans, but there are reports of pretty brutal treatment of Kuwaitis in Kuwait," the official said. (Reuter)

Nations wary of direct involvement in Gulf force

By ANDREW MCEWEN AND A CORRESPONDENT IN BRUSSELS

THE United States received broad support yesterday from Nato countries for its Gulf defence force, but not in the form it had originally envisaged. Instead of a multinational task force, the operation seems likely to be mainly a US-British-Canadian exercise supported by other countries working independently.

Each country will retain command of its own forces, though the European countries may co-operate among themselves under the auspices of the Western European Union. Although America will have by far the biggest force, there will be no US direction of the overall Gulf defence operation.

Canada is to send three ships and 800 men, Brian Mulroney, the Canadian prime minister, announced. Belgium was also preparing to announce a contribution.

Other countries contributed in ways that were either indirect or underlined their wish to be separate from the US-led initiative.

West Germany is to send four minesweepers to the Mediterranean to take over from US ships leaving for the Gulf. Denmark will make an unspecified number of ships available to fill gaps left by vessels from other Nato countries. France will provide a large force, but it will remain separate. Spain, Italy and Portugal will allow the US to use bases on their territory as staging posts.

[illegible], the US secretary of State, and Douglas Hurd, the foreign secretary, appeared optimistic of more Nato contributions. Mr Hurd said it was remarkable how quickly and effectively the international community had responded to the emergency in the Gulf.

When President Bush announced on Wednesday that he had sent US forces to the Gulf, American officials made it clear that they hoped to assemble a multinational force of Arab and Nato countries. The operation was not

because the alliance is forbidden by its charter from operating outside the European and Atlantic zones.

Mr Baker knew before yesterday's meeting of Nato foreign ministers in Brussels that most member countries would not agree to the original idea. Some were worried by strong anti-American sentiments in the Arab world. Although several countries were willing to play their part, they wanted to keep a diplomatic distance from Washington.

A further indication of their concern was the announcement by the Western European Union that it is to hold a meeting to discuss developments. The nine-nation organisation does not include the United States. A European operation under the auspices of the union would be one way of avoiding a clear link with the US-led operation.

Only Britain, Canada, and to some extent West Germany will be seen as direct partners with the US, unless the Belgians work more closely than expected. Bonn argues that it is prohibited by its basic law from operating outside the Nato area.

The Nato foreign ministers said they fully supported the military action in the Gulf, and all would contribute in their own way to stopping further Iraqi aggression. They also pledged to assist Turkey, especially, but made it clear that they would come to the defence of any member of the alliance if it were attacked by Iraq. This was a treaty obligation.

Ministers of the European Community also supported the US-British action in the Gulf, describing it as "useful steps". They said they were willing to take "further initiatives in the framework of the United Nations charter that will prove necessary to contain the conflict". Diplomatic sources said this meant that if the UN Security Council voted in favour of a UN operation in the Gulf, they would support it and perhaps take part. This is [illegible] [illegible]

0054

원 본

외 무 부

종 별 :

번 호 : UKW-1532 일 시 : 90 0816 1840

수 신 : 장 관(중근동,구일,미안,통일)

발 신 : 주 영국 대사

제 목 : 걸프사태(쿠웨이트거주 영국인)

1.외무성 W.WALDEGRAVE 국무상은 금 8.16(목) 오후 기자브리핑을 통해, 이라크군 당국이 4,000 명에 달하는 쿠웨이트 잔류 영국인들을 쿠웨이트내 한호텔에 집결하라고 요구하였다고 말하고, 동 조치가 이들을 다른 장소로 이동시키기 위한 것일지도 모른다고 깊은 우려를 표명함

2.이와관련, 외무성은 금 8.16 당지 이라크 대사를 초치, 영 정부의 강한 분노를 표명한 것으로 알려짐

3.상기 브리핑 전문 별첨 FAX 송부함

첨부: UKW(F)-0249. 끝

(대사 오재희-국장)

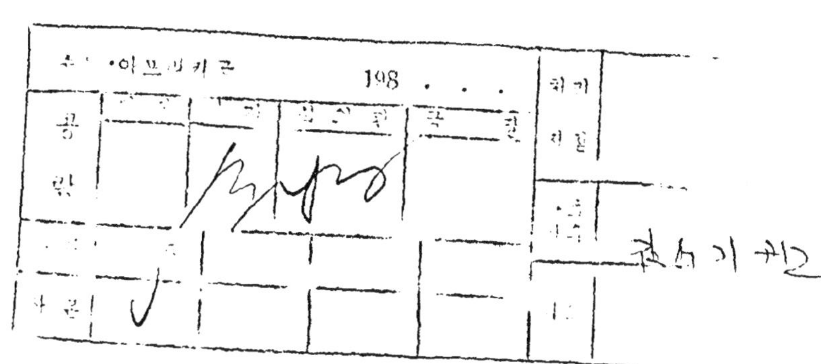

중아국 1차보 2차보 미주국 구주국 통상국 안기부 대책반 차관

PAGE 1

90.08.17 09:18 WG

외신 1과 통제관

0055

주 영 대 사 관

총 5 매
(5-1)

번 호 : UKW(F)- 0249 DATE: 00816 1840

수 신 : 장 관 (중근동,구일,미안,통일)

제 목 : 걸프사태 - 쿠웨이트 거주 영국인 문제관련, 외무성 국무상 기자브리핑 (90.8.16)

· 연 : UKW-1532 의 첨부물

본 전문의 누락부분은 재송 요청중이므로
추후 재배부 하겠습니다. 통제관 : [서명]

0056

(5-2)

TRANSCRIPT OF PRESS BRIEFING
GIVEN BY FCO MINISTER OF STATE, MR WILLIAM WALDEGRAVE
IN LONDON
ON THURSDAY, 16 AUGUST 1990

MR WALDEGRAVE:

When I originally asked you to come in - and I am grateful to you for coming - I intended to have a broad-ranging press conference dealing with the whole situation. Since then, there has been a development which I regard as a grave and sinister development.

The Iraqi military authorities occupying Kuwait have instructed the British community, which numbers some thousands of people - men, women and children - to assemble at a hotel in Kuwait. It is clear to me that that cannot be because they believe that they are going to be, as they put it, "safer" in that hotel. I have no proof of this, but I fear that it is in preparation for moving those people somewhere else. I would like to express the anger of the British people if any such step is taken.

We are, of course, consulting our allies and our colleagues to find out whether similar demands have been made of other communities. We believe they have been made of the Americans and perhaps some others.

This is a further example of the duplicity of the Iraqi regime. Some of you may have heard the Iraqi Ambassador this very lunchtime talking about the safety of what he called "guests of the Iraqi people".

I hope that these reports and the storm of protest which will break around the head of Iraq if she pursues any policy of interning people will make her draw back even at this late stage from any such policy, if that is what she contemplates.

0057

Thank you! As you can imagine, I have quite a lot now to do, so I will have to cut this a little short, but let us have a few

(ト-3)

questions.

QUESTIONS AND ANSWERS

JOHN DICKIE (DAILY MAIL):

What was the reason given for assembling these people at one particular place? Are they to be treated as hostages or internees?

MR WALDEGRAVE:

The reason given was that it would be for their safety but that if they did not assemble, there would be trouble for them.

QUESTION:

What is the deadline for this assembly and where is it supposed to take place?

MR WALDEGRAVE:

It takes place at the Roganny Hotel in Kuwait.

QUESTION:

And this applies to all British residents?

MR WALDEGRAVE:

In Kuwait. There is as yet no clear deadline. We are, of course, urgently protesting in Baghdad and everywhere else.

QUESTION:

Are the diplomats affected?

MR WALDEGRAVE:

I have asked the diplomats in the British Embassy in Kuwait that some of their number should join the assembling British community at the hotel so that if they are moved anywhere else there should be diplomats with them.

QUESTION:

But they are not required to leave officially?

MR WALDEGRAVE:

No.

QUESTION:

How many British people are we talking about being asked to assemble?

0058

- 3 -

MR WALDEGRAVE:

We are talking about the order of two-and-a-half thousand people. We have broadcast a message with the help of the BBC on our emergency system to pass the Iraqi message to the community.

QUESTION:

What is your advice to these people, Mr Waldegrave?

MR WALDEGRAVE:

The advice the ambassador in Kuwait has broadcast to them makes it clear that though we hope this will not happen, they should come prepared with some minimum stocks of movable food and other kit, but they should be prepared to supplement the food at the hotel if that is where they stay for some time but to have some minimum kit with them if they go elsewhere.

QUESTION:

Not cooperate? Not resist the order?

MR WALDEGRAVE:

There is a clear threat in the Iraqi message that there will be trouble for people if they do not assemble there.

QUESTION:

... Iraqi instruction?

MR WALDEGRAVE:

We will give it to you shortly.

I should think most likely in Iraq somewhere. I have no proof of that and part of the purpose of raising this so swiftly is to try to deter even at this last stage such a policy from taking place.

주 영 대 사 관

/ 매
(1-1)

번 호 : UKW(F)-0248 DATE: 0816 1800

수 신 : 장 관 (중근동,구일,미안)봉임)

제 목 : 걸프사태(8.16자 외무성 대변인 정세설명)

FCO SPOKESMAN: THURSDAY 16 AUGUST 1990

IRAQ/KUWAIT

Spokesman said that there had been little change in the overall situation since yesterday and he had nothing further to report. There had been no reports of any members of the British community in difficulty.

Spokesman said that the British Embassy in Kuwait had made arrangements for a road convoy from Kuwait to Baghdad for Embassy dependants and non-essential staff and for members of the British community. The convoy, accompanied by a similar Russian convoy, had left Kuwait at 9.00 am local time today sharing the same Iraqi military escort. In answer to a question Spokesman said that the convoy consisted of 28 cars containing 112 people.

In answer to further questions about the purpose of the convoy, Spokesman explained that our first priority remained the welfare of the British community in Kuwait. By arranging the transfer of non-essential staff and dependants, the remaining key diplomatic and other teeth staff would be able to devote their full attention to the crisis and to the needs of the British community. Spokesman made it clear that the British community had been invited to join the convoy but very few had accepted.

Asked whether the convoy was in response to the Iraqi announcement that Embassies should move to Baghdad by 24 August, Spokesman explained that this was not the case. The reasons for the convoy were as set out above. There were no plans to close the Embassy.

In response to a question, Spokesman said that we had raised the question of Mr Croskery's body with the Iraqi authorities. We had had no immediate response but would be following this up.

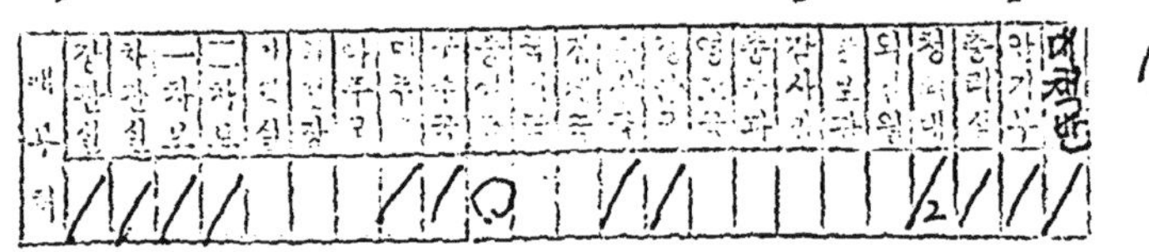

0060

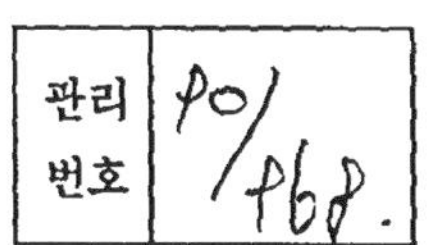

외 무 부

종 별 :

번 호 : UKW-1536 일 시 : 90 0817 1500

수 신 : 장관(통일)

발 신 : 주 영 대사

제 목 : 대 이라크 제재

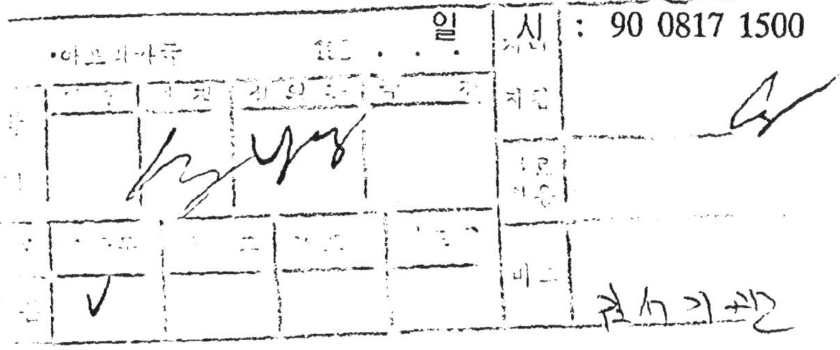

대: WECM-0020

연: UKW-1498

대호관련 BANK OF ENGLAND 로 부터 입수한 주재국과 이라크및 쿠웨이트간 부자현황을 아래 보고함

가. 쿠웨이트의 대 영국 부자

-은행저축, 증권부자등 유동자산: 98 억불

-기타 부자는 공식적으로 집계된것은 52 억불이나 BANK OF ENGLAND 는 약 200 억불로 추정하고 있음

나. 이라크의 대 영국 부자

-유동자산 17 억불

-기타부자: 미상

다. 영국의 대 쿠웨이트 부자: 28 백만불

라. 영국대 대 이라크 부자: 없음. 끝

(대사 오재희-국장)

예고: 90.12.31. 일반

90 12 31

통상국	장관	차관	1차보	2차보	중아국	청와대	안기부	대책반

PAGE 1

90.08.18 06:09

외신 2과 통제관 CW

0061

관리 번호	90-484

외 무 부

종 별 : 지 급

번 호 : UKW-1545 일 시 : 90 0817 1920

수 신 : 장관(중근동,구일,미안,통일,기정동문)

발 신 : 주영국대사

제 목 : 걸프사태(쿠웨이트 주재 외국공관 철수문제)

대: WUK-1363

대호, 당관 황서기관이 외무성 걸프사태 대책반의 MR. SHERRINGTON 담당관과 접촉 문의한 바, 영측 발언요지 아래 보고함

1. 영국정부는 주쿠웨이트 대사관을 폐쇄할 의향이 전혀 없으며 이라크측 요구를 끝까지 거부할것임

2. 이라크측이 강제폐쇄 조치를 취하면 폐쇄될 수 밖에 없을것임. 물리적 폐쇄조치외에 이락측에 의한 쿠웨이트내 외교관의 특권면제 불인정 가능성도 생각할 수 있음

3. 영국은 여사한 조치를 무효로 선언하고 항의할 것임. 그러나 실제에 있어서 여사한 조치가 취해지면 외교업무 수행에 큰 차질을 빚고 외교관의 신변안전도 문제되리라고 생각함

4. 아직 구체적인 현지 행동지침을 결정하지 않았으며 8.24 까지의 추이를 보아가며 결정하게 될것임.끝

(대사 오재희-국장)

예고:90.12.31. 일반

1990.12.31.에 예고문에 의거 일반문서로 재분류됨

중아국 장관 차관 1차보 2차보 미주국 구주국 통상국 정문국
청와대 안기부 대책반

PAGE 1

90.08.18 06:06

외신 2과 통제관 CW

0062

관리번호	90/1014

원 본

외 무 부

종 별 :

번 호 : UKW-1566 일 시 : 90 0821 1800

수 신 : 장관(중근동,구일,기정동문)

발 신 : 주 영 대사

제 목 : 걸프사태

대:WUK-1363

금 8.21(화) 당관 최근배공사는 주재국 외무성 HUGH DAVIES 극동과장 면담,대호건 탐문한바, 아래와 같음

1. 이락측의 공관 폐쇄 요구에 불응하는 영국정부의 기본입장에 변함없으나, 이락측이 실력행사로 폐쇄를 강행할 경우를 예상하여 8.24 에는 대사를 포함한 3 명의 공관원만을 잔류시킬 예정이며, 이는 이들이 8.25 이후 외교특권을 인정받지 못하고 일반인과 같은 취급을 받을 위험성을 예견하면서도 취한 조치임.

2. 상기 조치는 EC 12 개국중 현재 쿠웨이트에 상주대사관을 설치한 9 개국정부가 합의한 공동 대처 방안이며, 본건에 관하여 계속 공동 협의중임

3. 영국국민 보호대책에 대해서는 이락측의 집합요구에 불응하도록 조언하는 외에 현재로서는 별다른 방도가 없고 사태를 관망하는 수 밖에 없다함

4. 영국정부는 아국정부가 유엔 비회원국임에도 불구하고 대 이락 경제제재에 관한 유엔안보리 결의를 지지한것을 높이 평가하며 이와관련, 영국측은 아국이 이락정부에 대해 이번 사태와 관련된 유엔결의를 이행하도록 직접 촉구할 것을 요청할 가능성이 있다고 말함. 끝

(대사 오재희-국장)

예고:90.12.31. 일반

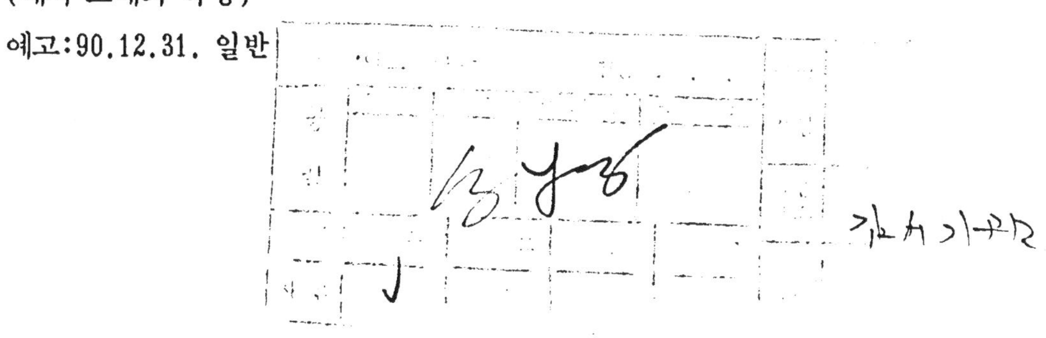

중아국 대책반	장관	차관	1차보	2차보	구주국	정문국	청와대	안기부

PAGE 1 90.08.22 05:57

외신 2과 통제관 CW

0063

주 영 대 사 관

7/4 총 15매 (표지)

번 호 : UKW(F)- 0262 DATE: 0021 1900

수 신 : 장관(중근동,구일,미안,통일)

제 목 : 걸프사태(대처수상 기자회견)

배부처	장관실	차관실	一차보	二차보	기획실	의전장	아주국	미주국	구주국	중아국	국기국	경제국	통상국	정문국	영교국	총무과	감사관	공보관	외연원	청와대	총리실	안기부	대책반
	/	/	/	/				/	/	O			/	/						2		/	/

13매 계

0064

FROM JAMES LEE FOR COI RADIO TECHNICAL SERVICES

TRANSCRIPT OF PRESS CONFERENCE GIVEN BY THE PRIME MINISTER, MRS. THATCHER, IN LONDON, ON TUESDAY, 21 AUGUST 1990

IRAQ/KUWAIT

PRIME MINISTER:

I think it is as well to remind ourselves how this whole position started. It started because Saddam Hussein substituted the rule of force for the rule of law and invaded an independent country and that cannot be allowed to stand.

President Bush set out the issues admirably in his excellent speech yesterday, so our objective is first to defend the other countries in the Gulf, defend their territorial integrity and keep them independent; and second, to get the invaders out of Kuwait and to restore Kuwait to its independence with its legitimate government.

The means are the defence we are operating in the Gulf countries at the moment and the pressure on Saddam Hussein and Iraq is being conducted through the Sanctions Resolution which, to be effective, must have teeth.

So that is the position and that is the strategy.

What we find now is that, as President Bush pointed out, Saddam Hussein is now trying in his tactics to hide behind Western women and children and use them as human shields and use them as part of his negotiations. We do not enter into such negotiations.

0065

These people are entitled to certain fundamental human rights which are being totally flouted, to the repugnance of the whole civilised world.

May I come on to trying to enforce the United Nations embargo and make it 100 percent effective.

We were fortunate in getting very good support at the United Nations, almost unprecedanted unity for this, on the embargo itself. As you know, there is another Resolution being considered by some members of the Security Council about having means to enforce the embargo in a Resolution itself. We do not necessarily need these means by that Resolution because we already have the authority for enforcing an embargo under Article 51 of the United Nations Charter and the request from the Emir of Kuwait - that is sufficient to enforce that Resolution. We would like to have the extra authority, I think, of the whole world through the United Nations Resolution to take the requisite action to enforce the embargo.

I cannot stress too much that embargo must be effective. That is our main means of bringing pressure on Iraq and it must therefore be effective and it must therefore be enforced and we must have the means to enforce it.

The other priority I have already indicated is to defend the other countries of the Gulf and to deter attack. We have already, as you know, sent a number of armed forces which you know about and some of the countries of the Gulf have asked us for consultations under the Treaty of Friendship and we are considering whether the contribution we have already made should be further increased.

We are obviously very worried indeed - indeed we are gravely concerned - about the callous way in which Iraq is treating British

0086

and other foreign citizens, we are very concerned about them and the anguish it is causing their families here. It is, as the Foreign Secretary said, utterly repulsive and no civilised country behaves in this way.

We are working together with other European countries and with the United States to do as much as we can for them. May I point out that it was as long ago as August 8th when we collectively - that is, the United States and the European countries - asked the International Committee of the Red Cross to protect our nationals in these countries - the 8th of August! We went again on 10 August and repeated the request and we are deeply disappointed that action has not yet been taken. The International Committee of the Red Cross can do this, of course, under their Charter and so William Waldegrave is in Geneva today to take the matter up again further with them.

We also shall keep our embassy in Kuwait, as I believe other European countries will and I believe the United States will. Solidarity is absolutely vital here. We are fully entitled to keep our embassy in Kuwait, which is a lawful and independent country and therefore we are entitled to have an embassy there and all people who work in it to have diplomatic immunity under the Vienna Convention, to which Iraq is a signatory, so we shall keep our embassy in Kuwait. Our people are there and they have a right to expect the full amount of protection that we can possibly give them.

I have enquired further, of course, about what is happening to some of our people in Kuwait, particularly to those who were taken away either from hotels or apprehended on the street and I may

0067

say that one group of them, our first impression is that they have not been taken to military installations; we are not fully able to check but that is our impression, that some 66 of them whom we know about we believe have not been taken to military installations and so we shall stay there and try to do our duty in relation to our citizens, as everyone should do in relation to foreign citizens who are in Kuwait or Iraq and it is Iraq's responsibility to ensure the safety of our people and we shall hold them to that. In the meantime, we must keep absolute solidarity on these matters and act totally together.

As you know, the Foreign Secretary and Defence Secretary are in Paris today for meetings of the Western European Union and the EEC Twelve and again, I hope that will confirm solidarity in the way we deal with the Gulf. I hope that more people will send forces, again as an indication of our solidarity, but may I point out that when we had the Armilla Patrol, which we had for a long time, in the Gulf, and when it became very active because of the conflict between Iraq and Iran, I very well remember we received a message from Luxembourg saying: "We are not able, for obvious reasons, to send ships into the Gulf, but we will therefore contribute some money to the cost of the operation." So may I say to all those nations who are not sending ships or arms to the Gulf or to defend the other nations in the Gulf, I hope that they will think fit to show their support of the United Nations Resolution by perhaps helping with some of the costs of the operation and also helping people like Turkey and Jordan, for whom imposing the sanctions would have a very considerable cost indeed.

0088

AUG '90 15:48 FROM FCO ID GUID210 6341 PAGE.005

I had a further talk with President Bush yesterday and, of course, the White House and my Office have been in constant touch since the President and I met in Washington on 6 August, and later today I shall be seeing the Omani Foreign Minister, Mr. Yussef Alawi (phon) and also Prince Baanda (phon) of Saudi Arabia.

So our purpose is to achieve the objective of the United Nations Resolution, to see that Kuwait is restored to an independent country with her legitimate government. Our means is the defence of the other Gulf countries and Saudi Arabia from being attacked and the enforcement of the United Nations embargo on goods to and from Iraq.

0069

QUESTIONS AND ANSWERS

JOHN DICKIE (DAILY MAIL)

Prime Minister, do you now regard the Britons trapped in Kuwait and Iraq as hostages and if so, are you prepared, if necessary, to use military force to secure their release ultimately?

PRIME MINISTER:

I think in ordinary parlance, as Saddam Hussein is now clearly using them as a bargaining factor, you could not possibly say they were merely detainees. That is almost the definition of hostages - are they being used as a bargaining factor for other purposes - and quite clearly they are and I think, therefore, that that would in ordinary parlance, be the appropriate word.

We have always said right from the beginning - and President Bush - that we do not rule out military force but our means of enforcing the Resolution are twofold, as I have indicated: the defence of Saudi Arabia and the other Gulf countries to deter an attack and strong enforcement of the United Nations Sanctions Resolution. That Resolution must have teeth if it is to be effective and the more you are anxious for that to operate effectively, the more you must insist that you have the means to do that.

ALISTAIR CAMPBELL (DAILY MIRROR):

Prime Minister, President Bush's speech has been widely interpreted as having attempted to prepare the American people for

0070

war. I am just wondering whether that was your interpretation and whether you are intending to send a similar message to the British people.

PRIME MINISTER:

I thought it was an excellent speech; I thought he made it absolutely clear that we are there in a defensive mode as far as deterring any attack on Saudi Arabia and the other Gulf countries is concerned; if we were attacked, we should have to defend those countries; and also, to enforce the United Nations embargo and the keener you are that there should be no unnecessary military action, the more you must accept the effective enforcement of that embargo and that, I think, is what the President was saying.

Of course, when you go to defend other countries, you do put yourselves at risk and that is why you must have ample - indeed abundant - forces so to do it, because you are on a very very long supply line and you really must build up your forces first to deter, but if you are attacked you have sufficient to deal effectively with the situation. The strategy at the moment is as I have indicated but the military option has never been ruled out.

I most earnestly hope that the present strategy will succeed and that the United Nations, who are looking at another Resolution today, will realise it is critical we make that Sanctions Resolution effective and collective.

JEREMY PAXTON (NEWSNIGHT):

I take it from what you say that you do not regard war as inevitable but if not, what is the deadline for, for example,

0071

getting out of Kuwait or the release of British hostages?

PRIME MINISTER:

You cannot give deadlines. I have had to deal with many unexpected situations in this job. You look at the situation day by day; you set out your strategy, as I have set it out, and we must earnestly hope that will succeed, for which we need effective powers to enforce sanctions and under Article 51, we believe we have them. But it is no earthly good trying to go beyond that.

You and I could not possibly have foreseen six weeks ago where we would be now. We do not know the situation in six weeks time. What we do know is that we must have sufficient forces in that region first to deter, then also naval forces in the Gulf to have the means to apprehend and stop people who are sanctions-breaking and we look at it, we meet every day. A military option has not been ruled out but the deterrece on the one hand and defence plus effective sanctions should bring pressure to bear on Iraq to get out of Kuwait.

QUESTION:

Prime Minister, you talked about effectively imposing the embargo. As that mainly means naval action, would the existence of the hostages deter you from taking naval action?

PRIME MINISTER:

Of course, it may mean naval action; as you know, some naval action has already been taken.

0072

AUG '90 15:52 FROM FCO ID GUID218 6341 01 218 6341 PAGE.009

QUESTION:

Would the hostages stop you taking effective naval action?

PRIME MINISTER:

No, that would be to go to Saddam Hussein's tactics of using human beings as bargaining counters. Human beings have their own rights as human beings and you do not sink to the level of using them as bargaining counters ever. You go into them on the Vienna Convention, you get the International Red Cross, and we do as much as we can in our embassies there and our people who man those embassies are also very anxious that they do as much as possible and of course, are prepared to take the necessary risks of staying there.

QUESTION (SKY NEWS):

Do you judge that you have the overwhelming support of the British public for the action you have decided on?

PRIME MINISTER:

Yes!

QUESTION (SAME LADY)

How can you judge?

PRIME MINISTER:

You just can judge if you are in politics. You judge by your instincts, you judge by the news which comes in, you judge by the opinion.

0073

QUESTION (SAME LADY)

How worried are you, though, about those relative and friends of the people who are hostages?

PRIME MINISTER:

Very worried, of course, but one is also very worried that unless Saddam Hussein is stopped, no state will be safe; he will have substituted the rule of force for the rule of law then no-one is safe. At the moment, he has chemical weapons. As you know, he has used them.

You simply cannot leave the situation as it is if you believe in the rule of law.

You are always the one who asks these questions! I think I have to ask you one! Do you believe in an international rule of law and that it should be uphold? (presumably the questioner nods)

Excellent! Thank you!

QUESTION:

Prime Minister, have you discussed the possible recall of Parliament and what are your feelings on the subject?

PRIME MINISTER:

I think the time may come when it is advisable to recall Parliament. I do not think that that time has yet arrived.

ALEX BRODIE (BBC RADIO)

You said that Saddam Hussein has to be stopped. Do we take it that a mere withdrawal from Kuwait will not therefore be enough?

0074

PRIME MINISTER:

No! Indeed, the United Resolution at the moment is such - summarising it - that Kuwait must be restored as an independent country and the rulers restored who are fully in charge of it and that the Iraqis must withdraw. The means is the defence of all the other Gulf States, to protect them because no other state is safe while such a person could in fact, without any danger to himself, carry on in such a way; and also in order to persuade him to withdraw by the best means we can at the moment, which is the United Nations Resolution on sanctions.

It is still the same strategy. So that strategy remains and I most earnestly hope it will succeed. It is most likely to succeed if we have effective means of imposing the sanctions. We believe we already have them at law because we have Article 51 of the United Nations Charter and we have the formal request from the Emir of Kuwait.

QUESTION:

Prime Minister, if he withdraws, he still has chemical weapons and is still a danger. Will you not have to do more than make him withdraw?

PRIME MINISTER:

We shall, in fact, have succeeded if he withdraws from Kuwait by the means of sanctions and, of course, it will then be for consideration how far other countries wish to ask us to stay in their areas to deter any other possible attack.

But let us get our objective, which is Saddam Hussein - Iraq

0075

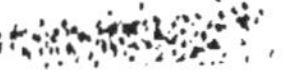

- withdraws from Kuwait. That would be a very considerable objective to have attained.

DAVID RUSSELL:

May I ask you view on the response of the petrol companies to the Gulf crisis? Do you think the petrol price increases are justified?

PRIME MINISTER:

I cannot tell you precisely. We have made an appeal that the prices should not be any higher than is strictly necessary.

What any company will say is that they only have a certain amount of stock and with a commodity like oil, which is very difficult to store, you do not have a great deal of stock and therefore, you are having to replace stock which you bought at 13, 14, 15 dollars a barrel with stock which you are now buying at 28 or 29 dollars a barrel and you must, in fact, have the means to do that, if possible without recourse to borrowing.

So you have got the two factors to consider: they cannot stay in business unless they can replace their stock and stock at the moment has to be replaced at well over twice what they were paying for some of the stock which they are now selling.

JOHN FISHER (DAILY MAIL)

Mrs. Thatcher, you referred to the possibility that you were considering now increasing the contribution of British Forces out there. Does that mean that you are now considering putting in land forces?

0076

PRIME MINISTER:

We are considering what other contribution we can make. Sometimes, you need people round your aircraft to defend the aircraft and the airfields but I cannot tell you any more until I get a recommendation.

We are thinking of it particularly in relation to the other countries, the Emirates and Bahrein.

QUESTION (ABC NEWS)

Prime Minister, are you satisfied with the current level of Soviet cooperation or do you expect more in the light of President Gorbachev's Odessa speech?

PRIME MINISTER:

I think that there is very close cooperation being operated, particularly through Jim Baker and Shevardnadze, who seem to be in very close cooperation.

It is not always easy to know precisely what has been said but the Soviet Union has supported the United Nations Resolutions very firmly. It is reported that there may have been something which indicated that the Soviet Union said that offers from Iraq should be considered. May I make it quite clear you do not bargain over hostages - you do everything you can to secure the release of your people because that is international law and you act in solidarity to do that.

I would be very surprised indeed if the Soviet Union ever expected one to bargain with the lives of one's own nationals because if you do that, in the end all you do is give those who use

0077

such tactics the idea that all they have to do is to take more hostages - and that, as you know, we never do. That is why one never bargains.

QUESTION (BBC TV)

Will the presence of the hostages, if it came to military action, deter or determine the sort of military action?

PRIME MINISTER:

I have already answered that question - I have no other; different answer to give to the one I have already given.

(END OF TRANSCRIPT)

0078

주 영 대 사 관

총 4 매
(4-1)

번 호 : UKW(F)- 0266 DATE: 00822 1810

수 신 : 장관(중근동,구일,미안,통일)

제 목 : 걸프사태(8.22자 외무성대변인 정세설명)

-8.21. 외국인 인질사태에 대한 EC선언 및 8.21.WEU 외상 국방상회의의 성명문 포함.

배부처	장관실	차관실	1차보	2차보	기획실	의전장	아주국	미주국	구주국	중아국	국기국	경제국	통상국	정문국	영교국	총무과	감사관	공보관	외연원	청와대	총리실	안기부	대책반
	1	1	1	1				1	1	0			1	1						2	1	1	1

1400 정

0079

(4-2)

FCO SPOKESMAN: WEDNESDAY 22 AUGUST 1990

IRAQ/KUWAIT

Spokesman made available transcripts of the interview given by the Foreign Secretary on the Radio 4 "Today" programme this morning.

In response to a question about the Iraqi Foreign Minister's proposal in Amman yesterday, Spokesman said that our position was quite clear; we wanted to see the UN Security Council Resolutions on this issue implemented by Iraq. That was the basis on which we were willing to proceed.

NON-PROLIFERATION TREATY REVIEW CONFERENCE

Spokesman made available copies of the statement made by Mr Waldegrave at the NPT Review Conference in Geneva this morning.

DECLARATION BY THE TWELVE ON THE SITUATION OF THE FOREIGNERS IN IRAQ AND KUWAIT

Spokesman drew attention to the following declaration issued by the Twelve in Paris on 21 August:

"The Community and its member states, deeply concerned at the situation of foreigners in Iraq and Kuwait, renew their condemnation of the Iraqi decision to detain them against their will as contrary to international law and fully support the Security Council Resolution 664 which requires Iraq to permit and facilitate their immediate departure from Iraq and Kuwait. They denounce that the Iraqi Government has reacted up to now negatively to many representations of the Community and its member states.

As members of the International Community, which is founded not only on law but also on clear ethical standards, the European Community and its member states express their indignation at Iraq's publicized intention to group such foreigners in the vicinity of military bases and objectives, a measure they consider particularly heinous as well as taken in contempt of the law and of basic humanitarian principles. In this context the fact that some foreigners have been prevented from contacting their consular or diplomatic missions or have been forcibly moved to unknown destination is a source of further deep concern and indignation. In this connection, they attach the greatest importance to the mission of two envoys of the Secretary-General of the United Nations which is now taking place. They warn the Iraqi Government that any attempt to harm or jeapordize the safety of any EC citizen will be considered as a most grave offence directed against the Community and all its member states and will provoke a united response from the entire community. They also warn Iraqi citizens that they will be held personally responsible in accordance with international law for their involvement in illegal actions concerning the security and life of foreign citizens.

They call on all those who may still influence the decisions of the

0080

Iraqi Government to have these measures revoked and support the actions of the Security Council and the Secretary-General of the United Nations to this purpose. They confirm their commitment to do all in their power to ensure the protection of the foreigners in Iraq and Kuwait and reiterate that they hold the Iraqi Government fully responsible for the safety of their nationals.

The Community and its member states, in the light of their condemnation of the Iraqi aggression against Kuwait as well as of their refusal to recognise the annexation of that state to Iraq, firmly reject the unlawful Iraqi demand to close the diplomatic missions in Kuwait and reiterate their resolve to keep those missions open in view also of the task of protecting their nationals.

The Community and its member states note with satisfaction that this position is shared by a great number of countries and is confirmed by Security Council resolution 664, which requires the reversal of the illegal demand to close the diplomatic missions."

WEU MINISTERIAL MEETING

Spokesman drew attention to the following Communique issued in Paris on 21 August:

"The Foreign and Defence Ministers of WEU met on 21 August 1990 to discuss the situation in the Gulf caused by the Iraqi invasion and then the annexation of Kuwait. The meeting was held pursuant to Article VIII, Paragraph 3, of the WEU Treaty, the Rome Declaration of October 1984 and the Platform of European Security Interests of October 1987, which provides for member countries to concert their policies on crises outside Europe in so far as they may affect European Security interests.

The Ministers of the WEU member states repeat their unreserved condemnation of the invasion and annexation of Kuwait by Iraq and call on Iraq to comply immediately and unconditionally with UN Security Council Resolutions 660 and 662. They restate their firm determination to continue to take all necessary steps to comply with the embargo of Iraq in accordance with UN Security Council Resolution 661 and to render it effective. They call on the Security Council to take any further useful measures to this end.

Ministers declare that the determination their countries intend to display in upholding the law is for the sole purpose of ending aggression and its consequences. The action they have initiated is aimed to uphold respect of the principles, which must obtain in relations among states, that concerns the whole international community and serves as a safeguard for all its members.

Faced with a situation that in the first instance affects the Arab States, Ministers emphasise the solidarity linking their countries to the Arab world and their resolve to support is efforts to seek a solution from within which respects the relevant Security Council resolutions in the context of their on going cooperation and

0081

(4-4)

dialogue with the Arab world.

Ministers express their acute concern and indignation at the restrictions on the freedom of movement of nationals of the member countries and at the inhuman treatment inflicted on some of those nationals. They warn Iraq of the grave consequences that would inevitably ensue were their safety to be placed at risk. They reiterate their support for Security Council resolution 664 and demand that Iraq complies with it without delay.

They stress that WEU member countries, bearing in mind the vital European interests in the stability, territorial integrity and sovereignty of the states of the area, intend to contribute towards further enhancing the unprecedented international solidarity that has developed since the aggression and has led to effective action by the UN Security Council. The countries that are suffering from the economic consequences of this action deserve their solidarity.

Ministers welcome the measures being taken by member states in support of UN Security Counicl resolution 661 and in reponse to the requests for assistance from states in the Gulf region, with the aim of obliging Iraq unconditionally to withdraw its troops from Kuwaiti territory and restore Kuwait's sovereignty.

They have decided closely to coordinate their operations in the area aimed at implementing and enforcing the measures mentioned in paragraph 7, as well as any further measures the Security Council may adopt, also assuring, by common agreement, the protection of their forces. Building on the experence acquired, including the consultation mechanisms during the Gulf operation in 1987 and 1988, they have instructed an ad hoc group of foreign and defence ministry representatives to ensure the most effective coordination in capitals and in the region. This should cover among other things overall operational concepts and specific guidelines for coordination between forces in the region, including areas of operation, sharing tasks, logistical support and exchange of intelligence. Contact points are being nominated in the Ministries of Defence to assist with cooperation at the practical/technical level and, as an immediate step, to prepare for a meeting of Chiefs of Defence staff to be held in the next few days.

Ministers emphasise that coordination within WEU should also facilitate cooperation with other countries deploying forces in the region, including those of the United States.

The Presidency of the Council will inform the Secretary General of the United Nations of the outcome of this meeting."

0082

외 무 부

종 별 :

번 호 : JOW-0336 일 시 : 90 0823 1700

수 신 : 장 관(중근동,미그,정일,기정)

발 신 : 주 요르단 대사

제 목 : 주재국 국왕 기자회견내용 보고

후세인 주재국 국왕은 8.22 왕궁에서 가진 기자회견에서 최근 걸프위기에 관하여요지 아래와같이 자신의 견해를 피력하였음

1.걸프위기에 대한 외교적 해결여지는 아직도 남아있다고 생각하며, 자신은 8.23부터 아랍제국을 순방하여 동위기가 아랍권내의 문제로서 억제될수있도록 노력하고자함

2.현시점에서 자신의 주요목표는 동위기의 확대를 막고 위기축소의 과정이 시작되도록 하는데 있음. 지난 8.16 자신이 부시 미대통령과의 회담시 제시한것도 상기 목표였으며, 당시 자신은 어느누구의 메시지도 휴대하지 않았음. 동회담은 건설적이었다고 생각함

3.걸프 위기에 대한 요르단 국민들의 생각과 정부의 공식적인 정책간에 불일치가 존재하고 있다는 외국 언론의 보도와는 달리, 요르단은 국민과 정부의 생각과 느낌이 과거 어느때보다도 뚜렷하며 모든 요르단은 단합되어있음. 물론 상이한 사람들이서로 다른 생각을 표현할 수는 있는것임

4.자신이 아는한 이락은 방위적 태세를 취하고 있으며, 이락에 대치하고 있는 군대도 방위적 태세를 취하고 있음. 다만 오산과 위기의 확대가 전쟁으로 발전될 가능성은 있음

5.요르단은 이락에 대한 제재를 요구하는 유엔결의에 따르고 있으며 이락도 우리의 이러한 입장을 이해해주고 있음

6.우리는 걸프 지역에서의 가진자와 갖지못한자 간의 문제를 해결하여야 함. 우리는 이성과 논리로 동문제가 해결될수 있기를 희망함

7.이락에 억류된 서방인들에게 출국을 허용할수 있도록 제반 여건이 개선되기를희망함. 요르단은 이동의 자유를 지지하는 입장임

중아국 2 1차보 정문국 안기부 통상국 미주국 대책반 그룹

PAGE 1 90.08.24 00:45 DN

외신 1과 통제관

0083

AUG.22 '90 19:06 KOREAN EMBASSY UNITED KINGDOM P.05

주 영 대 사 관

총 7 매
(7-1)

번 호 : UKW(F)- 0267 DATE: 00822 1910

수 신 : 장관(중근동,구일,미안,봉일)

제 목 : 걸프사태(8.22 허드외상 라디오 기자회견)

배부처	장관실	차관실	一차보	二차보	기획실	의전장	아주국	미주국	구주국	중아국	국기국	경제국	통상국	정문국	영교국	총무과	감사관	공보관	외연원	청와대	총리실	안기부	대책반
	/	/	/	/				/	/	0			/	/						2	/	/	/

14매 ~

0084

SECRETARY OF STATE ON THE "TODAY" PROGRAMME: 22 AUGUST 1990 (7-2)

Q: The main news from the Gulf this morning is that some British citizens in Kuwait have been taken from their homes by Iraqi soldiers and we can call them hostages. Now with us is the Foreign Secretary Douglas Hurd. Do you know any more about them, how many and where they have been taken?

A: No. I can confirm that we do know that there are 10 who have been taken from their homes. This is the first time that British people have been actually taken from their homes. It's all of a piece isn't it with the policy they've announced and have been implementing, which is to take people and put them near different kinds of installations. That is the policy of the human shield, it's the policy we're attacking, protesting against and seeking to get changed.

Q: But no question of negotiating for their release.

A: No. You see the pressures which are building up. At our instigation the UN Secretary General has got two men now in Baghdad, the Red Cross discussed yesterday. I think this policy of Saddam Hussein's is a loser. It was designed to weaken particularly European opinion and what happened yesterday in Paris, what we achieved there shows that it has had the opposite effect, it's strengthening. And it portrays him, instead of being a warrior, as a worried man sheltering behind women and children and that, I'm sure, is bad news for him. I believe that this is a losing policy on his part.

Q: And no question of our closing our Embassy in Kuwait.

A: No, we will keep people there in order to keep in touch with our community as long as we possibly can, as long as it's physically possible.

Q: You don't think that's putting them at risk.

0085

(7-3)

A: Of course it's a risk, and it's a risk we've discussed with them. It's a risk we discussed in Paris yesterday with all the Twelve. But we all came to the conclusion - the French, Germans, ourselves - that so long as we had communities there, held there as hostages against their will, we must do our utmost to keep our own folk, our own official people, someone there in touch with them.

Q: Would it be good sense now though to suggest to British people in Jordan that the time is right to get out?

A: Of course we look all the time at the advice we give, and again we try and coordinate that with our partners. There's no evidence of an imminent attack on Jordan or anything of that kind. I don't want to advise people to disrupt their lives unless that is really thought to be necessary.

Q: So let's turn to why we're doing all this. What is the objective?

A: The objective is to prevent further aggression and bring to an end the aggression against Kuwait, the swallowing up of Kuwait.

Q: So only Iraq can prevent war by withdrawing from Kuwait?

A: It's very clear, you see the United Nations is back in action, the United Nations has very clearly defined what's needed. What is needed is the withdrawal of the Iraqis from Kuwait, the restoration of the independent government of Kuwait, and the decent treatment under international law of foreigners. That is to say, in these circumstances, letting them go. The Security Council, not the US, not the British, not Israel, anything like that, the international community has spelt that out very clearly.

Q: And do you believe that if the UN can blockade and carry out all its sanctions policy, that in itself would be powerful enough to persuade Saddam Hussein?

A: That is what we've got to prove. That is why everybody who is seriously interested in a peaceful outcome without further fighting

0086

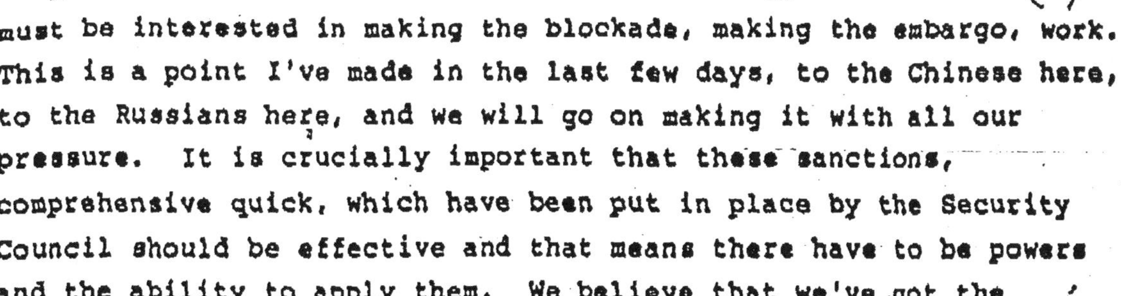

must be interested in making the blockade, making the embargo, work. This is a point I've made in the last few days, to the Chinese here, to the Russians here, and we will go on making it with all our pressure. It is crucially important that these sanctions, comprehensive quick, which have been put in place by the Security Council should be effective and that means there have to be powers and the ability to apply them. We believe that we've got the powers, and the Americans believe, the French believe, under existing international law.

Q: I notice China this morning was saying things like, well don't go to war, that'll make things worse.

A: I can understand people saying that. But as I said to the Chinese Ambassador, as people have been saying to the Chinese in New York, if you're seriously interested in a peaceful outcome, the best way of assuring that is to enable the sanctions to work fully.

Q: Now Iraq is threatening global war, it said to the Americans. But is it not true to say that we're in a totally different world? When we had two superpowers glowering at each other, nobody dared start anything because it might lead to a world war. But now there's only one superpower Iraq is in a ludicrous position.

A: One of the most striking things is the way in which the Russians have been working with the grain at the international community, with the Americans, with the majority in the Security Council. It's very important that that should continue. So long as that is so, Iraq is isolated, Saddam Hussein cannot win, he will be a loser.

Q: And there's no way in which he can deter us and the Americans from using force without the support of the USSR, which he can't have.

A: He's casting around for ways. This human shield policy is an attempt, it's not going to work. We don't want to use force. We want the Security Council resolutions to work. We want the economic sanctions to bring an end to the aggression and meanwhile we want to deter him, and we are deterring him - by the action we've taken, by

0087

(7-5)

the squadrons we've put in, by the ships - deterring him from further aggression.

Q: But were anything to happen, say to any of the hostages, would we regard that as the time when we have to use force?

A: If any harm were done to the hostages, that of course would create a new situation. We have never ruled out further measures, neither we nor the Americans, the Prime Minister and I, we have all been very clear that we do not rule out further measures if the economic measures don't work. That is another reason to put in the emphasis now on getting the economic measures to work. They've started well, they're more comprehensive, they're more complete than I think you or I would have expected by this stage, we've got to perfect that.

Q: The Americans are thinking today of sending even more troops into Saudi Arabia. Are we likely to send more?

A: Alan Clarke, Minister of State of Defence, was in the area. He talked to the rulers, we're in close touch with the Americans and we are considering all the time whether there are further strengthenings that we can do, further ways in which we can strengthen the forces we've already put in, the naval and air forces.

Q: Is there a danger that you reach a point when you've got so much force there that in a sense you can't help yourself but use it?

A: No. That is often said but it isn't true. Both in the United States and here and in France the democratic government is in clear charge of the military. Of course the build-up is needed. I think we've lived through some very dangerous days. I think we're emerging from them. Days when Saddam Hussein would have known that there was only a tripwire, and that if he did decide to send his tanks into the eastern province of Saudi Arabia, there was very little to stop them. Now this build-up is continuing and is building more than a tripwire, it is making him realise that that option is fading, is just about gone. But of course the build-up has to continue until that is absolutely clear beyond any shadow of

0088

(7-6)

doubt. And the more nations can participate in that, this is the importance of our meeting yesterday, the more countries that can actually join in that, the stronger the signal, the stronger the proof of the isolation of Iraq - Arab countries, European countries, Australia, Canada, the United States.

Q: But do you think we are going to war?

A: I don't believe that is inevitable. I believe that the peace option, which is the embargo option, the economic sanctions option, is a promising one, provided we all continue with our shoulder to the wheel to make it work.

Q: And ought we to be thinking of, as it were, a post-war pattern for the Arab world? The fear in the Arab world is, the West just wants to push it about.

A: That's why it is crucially important that the majority of Arab states are on the same wavelength as we are. The courage shown by the Egyptians and the Saudis in particular, but also by others, the King of Morocco for example, in not just passing resolutions but sending forces to Saudi Arabia, shows that the Arab world is not taken in by all the rhetoric out of Baghdad. The fact is that Saddam Hussein has kicked the Arabs in the teeth. Anyone interested in the Arab Israel dispute, anyone interested in a settlement there, in a peace process there, that's been put way on the backburner, by whom, by Saddam Hussein. He is a loser, a destructive loser. And one of the impressive things is that, although he does have support in some Arab streets, among some Arab populists, the majority of the Arab world, people who are respected, have come to that conclusion and are acting on it.

Q: And one final thought, were it to come to war, with no threat of a superpower war because that's gone, would we feel free and would the Americans feel free to use things like tactical nuclear weapons, which are said to be very good against tanks in the desert, that there would be no holding back then?

A: I don't think you can expect me to answer what weaponry the

0089

(7-7)

United States or tactics they might use if it came to war. We're not in that position. The President of the United States has been clear about that, the Prime Minister was clear about that yesterday. We're in a position where the international community for the reasons you've given has decided on a course of action to end aggression, and where we've got to put all our effort and our force into making that solution work. Not ruling out other solutions if the chosen solution doesn't work, but doing our utmost to make the chosen solution work.

Q: Because Iraq must withdraw from Kuwait.

A: Of course. The world's not safe, small states are not safe, if it is possible for someone, a dictator, to swallow up a small state and to be able to digest the meal.

END

0090

주 영 대 사 관

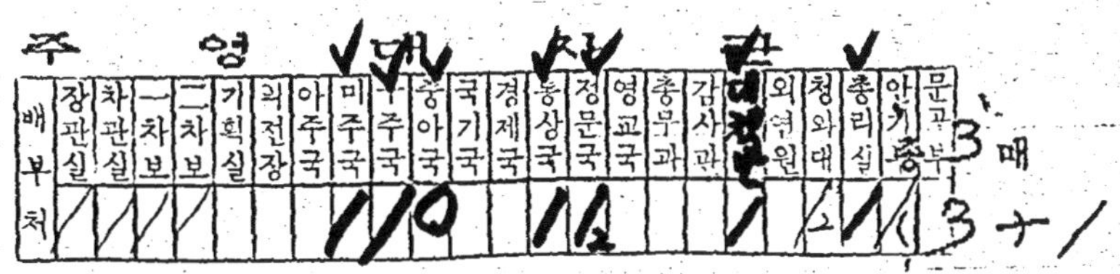

번 호 : UKW(F)- 0269 DATE: 23/08/90

수 신 : 장관(중근동,구일,미안,통일)

제 목 : 걸프사태(8.23자 외무성대변인 정세설명)

0091

(3-2)

FCO SPOKESMAN: THURSDAY 23 AUGUST 1990

IRAQ/KUWAIT

Consular

Spokesman said that over the past twenty four hours the Iraqi authorities had apparently been moving around some of the detained British nationals. We believed that those originally held at a military installation might have been transferred to the civilian establishments in Kuwait City. The Embassy believed that they might also have located the other British nationals. We understood that they were being held in a civilian location just south of the City. Amongst the one hundred and thirty seven taken by the Iraqis we had subsequently identified two as foreign nationals. The total number of British citizens affected therefore was one hundred and thirty five so far as we were aware. The Embassy had not been able to gain consular access but we had no evidence of any mal-treatment.

Contacts with Kuwaiti Government in Exile

Spokesman announced the appointment of Ian Blackley, temporarily to the British Embassy in Jedda with special responsibility for maintaining contact with the Kuwaiti Government in exile. We had, of course, continued to maintain contact with the Kuwaiti Government. The Ambassador in Riadh together with Mr Blackley, would be calling on the Kuwaiti Foreign Minister in Taif on 25 August.

[illegible] Embassy in Kuwait.

Kuwait Embassy

Spokesman said that since the Foreign Secretary's Press Conference on 21 August about the future of the Kuwait Embassy there had naturally been many questions concerning the detailed arrangements. He said that we were now arranging to reduce the number of staff in the Kuwait Embassy to four as had been mentioned by the Foreign Secretary earlier in the week. The Ambassador, Michael Weston, the Consul, Larry Banks, the First

0092

(3-3)

Secretary Commercial, Donald Macauley and Brian McKeith, Security Officer, would remain as the essential core staff to provide assistance to the British Community. Spokesman emphasised that as the Secretary of State had made clear we intended that the Embassy would stay open and that these core staff would remain in Kuwait as long as was physically and practically possible.

Convoy - Kuwait/Baghdad

In response to questions Spokesman said that the remainder of the British staff had left Kuwait today at 0130z travelling by road in convoy to Baghdad.

Hostages

In response to questions Spokesman said that we had seen reports of plans to release Mr Brian Keenan from the Lebanon. He said that if Mr Keenan were released we would naturally be delighted but cautioned that such reports had been seen in the past.

0093

TOTAL P.03

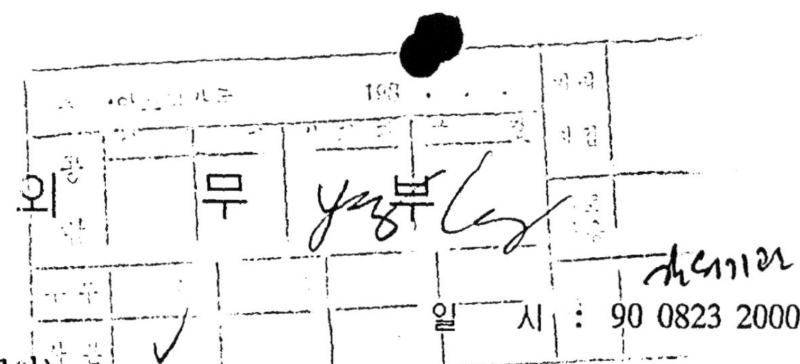

종 별 :

번 호 : UKW-1573 일 시 : 90 0823 2000

수 신 : 장관(기협,통일,구일)

발 신 : 주 영 대사

제 목 : 석유수급및 유가동향 보고

대: WUK-1379

대호관련 당관 이참사관이 금 8.23.(목) 주재국 에너지부 B.MORGAN 경제및 통계담당관 및 BP 사와 접촉 파악한 내용을 아래와 같이 보고함

1. 산유국 관련사항

가. 산유능력

-주재국은 북해유전을 중심으로 석유 총매장량이 약 38 억 배럴이며 가채년수(R/P)는 5.5 년임

-전 세계 매장량(10,118 억 베럴)의 3.0 프로임

나. 최근의 생산량및 소비량(단위: 천 BD)

내용,85,86,87,88,89 년 순

생산량: 2,665 2,665 2,555 2,365 1,905

소비량: 1,630 1,645 1,610 1,690 1,730

다. 수출량및 수출국별 현황

89 년도 EC 국가. 남아공 및 동구 국가에 대해 49,165 천본의 원유를 수출하였으나 수출국별 상세 통계는 추후 입수 보고예정임

라. 이.쿠웨이트 사태이후 증산 실시 여부

87 년 이래 생산량이 점차 줄어들고, 특히 금년도 북해 유전의 정기 보수 일정이 8-9 월로 늦추어 지고 있는 점등을 감안, 현재로선 생산량이 증가될 전망은 없음

2. 이라크, 쿠웨이트로 부터의 수입물량 감소에 대한 대응방안

-주재국은 기본적으로 자국 생산량으로 국내 소비에 충당할 수 있으므로 큰문제는 없음

-다만, 급격한 국제 유가 인상등에 대비, 도입선 다변화를 통한 물량확보, 자국산

경제국 차관 1차보 2차보 구주국 중아국 통상국 청와대 동자부
대책반

PAGE 1 90.08.24 06:57
외신 2과 통제관 CW

0094

원유 수출억제, 소비자들의 자율적인 에너지 절약등이 예상됨

-EC 및 IEA 를 통한 공동 대처 방안을 추구할 것임

3. 주재국의 유류가격 동향

-영국은 산유국으로서 석유산업이 완전히 자유화 되어 있고 유가 또한 석유회사별, 지역별, 주유소별 판매가격이 자유화 되어 있음

-따라서 석유제품 판매가격은 원유가격이 오르면 즉시 제품가격에 반영이되고, 원A 가격이 하락하면 즉시 판매가격에 반영됨

-최근 유류가격 동향

이락-쿠웨이트 사태이후 석유제품별로 6.4-8.4 프로 상승

유연휘발유(갈론당) 8.2 일 2.04 파운드, 8.22 일 2.17 파운드

경유(갈론당) 8.2 일 1.72 파운드, 8.22 일 1.86 파운드

4. 향후 국제 원유시장 전망(수급및 가격전망)

가. 수급전망

-이락-쿠웨이트 공급 감소분 약 500 만 B/D 를 충당하기 위해 증산 여력이 있는 타 산유국이 생산한다해도 OPEC 자체로서는 80 프로 정도만 보전이 가능한 상태임

-소비국들이 비축유를 방출하지 않는다고 가정할때 계절적으로 성수기로 진입하는 점등이 장애 요인이 되고 있음

-KLEINWART BENSON SECURITIES(90.4 월 전망)

내용, 90,91,92,93,94 순

BRENT 유: 20 불 22 불 2! 불 28 불 30 불

-영국 CBI 소속 D.MCWILLIAMS 박사 전망(90.8.20)

(1) 경제적, 군사적 교착상태가 장기화 될 경우 3-4 년간 유가는 점진적 상승 전망

(2) 군사적 충돌 발생시, 유가는 단시간에 베럴당 40 불선 도달

-서방측 군사적 승리시: 90 년대 후반기 유가, 20 불/베럴 이내 유지(실질가격 기준)

-서방측 패배시: 초기유가 40 불/베럴로 급등이후 계속 큰폭 상승

5. 기타 참고사항

주재국 외무성(J.THORNTON 에네지 담당관)측에 의하면 주재국은 상기 원유 확보및 석유 수출 안정을 위해 독자적인 해결책을 추구하기 보다 EC 차원의 공동노력과 90.8.31.(금) 파리 개최 예정인 국제에너지기구(IEA)회의등을 통해 공동대책을 모색할

PAGE 2

0095

예정이라함. 끝

(대사 오재희-국장)

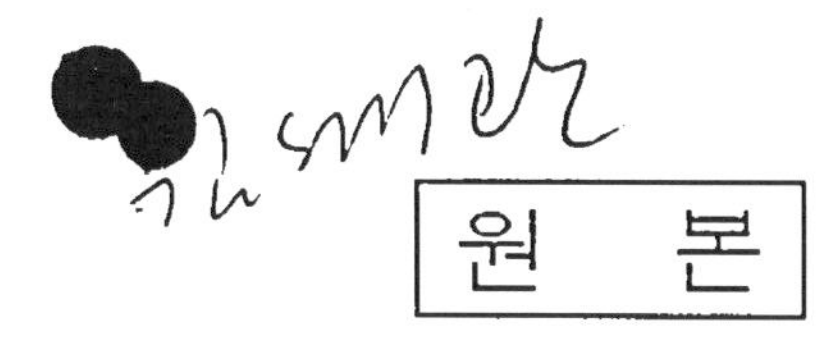

원 본

외 무 부

종 별 :

번 호 : UKW-1630 일 시 : 90 0901 1200

수 신 : 장관(중근동,구일)

발 신 : 주 영대사

제 목 : 걸프사태

연: UKW-1626

1. 대처 수상은 8.31(금) 요르단 국왕과 회담을 가졌으나, 사태의 해결방안에 관한 입장의 차이를 좁히지 못함.

2. 요르단 국왕은 이락과 국제사회간의 대화를 추진함으로써 위기를 진정시키고, 이락의 쿠웨이트로 부터의 철수가 아랍, 이스라엘간의 분쟁해결 조치와 연계되어야 한다고 주장한 반면, 대처수상은 이락의 쿠웨이트로 부터의 철수가 관건임을 강조하면서 후세인 이락 대통령과의 협상 가능성을 배격한 것으로 보도됨.

3. 대처 수상은 또한 8.31(금) 부쉬 대통령과 약 25분간 통화한바, 부쉬 대통령은 동 통화에서 구주, 아주 및 걸프에의 사절단 파견등 우방국에게 재정적 지원을요망하기 위한 방안의 대강을밝힌 것으로 알려짐.

4. HURD 외상은 8.31(금) QUTAR 에 도착하여 금후 수주일간이 사태가 무력 충돌로 발전할 것인지 평화적으로 해결될 것인지를 결정하는 아슬아슬(TOUCH AND GO)한 시기가 될것이라고 말하면서 이락에 대항한 서방 및 일부 아랍국가들의 지속적 단결이 긴요함을 강조함. 끝

(대사 오재희-국장)

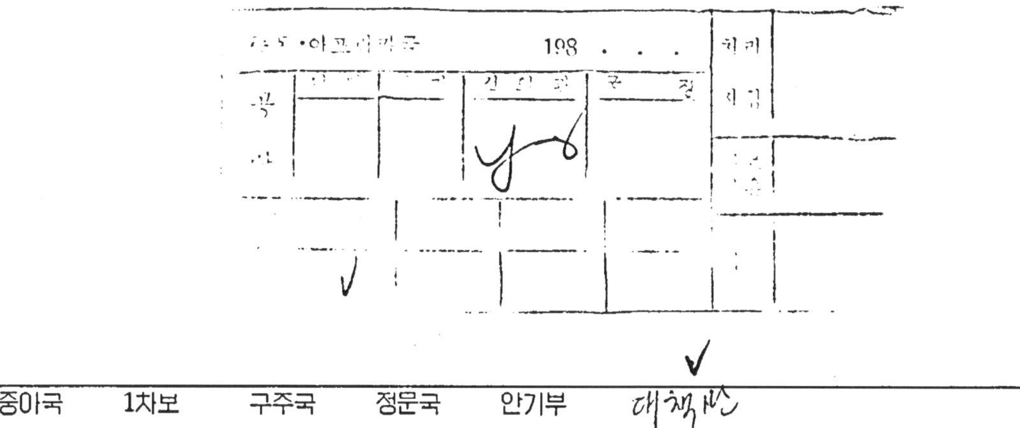

중아국 1차보 구주국 정문국 안기부

PAGE 1

90.09.01 21:08 DA

외신 1과 통제관

0097

원 본

외 무 부

종 별 :

번 호 : UKW-1640 일 시 : 90 0903 1900

수 신 : 장 관 (중근동,구일,기정동문)

발 신 : 주 영 대사

제 목 : 걸프사태

걸프사태관련, 주재국 주요동향 아래 보고함

1.9.2.(일) 당지 TV 회견에서 대처수상은 사담후세인 이라크 대통령이 외국인 인질 및 쿠웨이트내 외교공관에 대한 불법행위등과 관련, 뉴렘버그 재판과 같은 전쟁범죄 재판을 받아야 할것이라고 엄중 경고함

2.또한 대처수상은 외국인 인질 억류가 이라크에 대한 어떠한 필요한 조치를 막을 수는 없다고 말하므로써 영국인 인질 잔류에도 불구하고 군사적 공격을 감행할수 있음을 시사함

3.9.2.(일) 이라크 뉴스방송은 상기 전쟁범죄 재편언급과 관련, 대처수상이 정신적 균형을 잃은 백발의 늙은 여자 (GREY-HAIRED OLD WOMAN) 라고 신랄히 공격함.끝

(대사 오재희-국장)

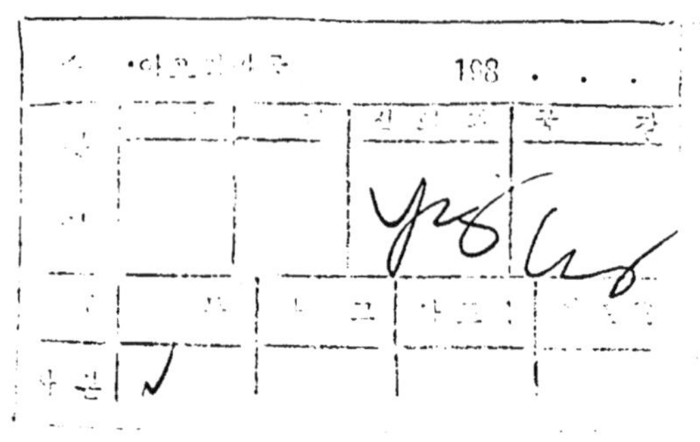

중아국 1차보 구주국 정문국 안기부 미주국 통상국 대책반 2차보

PAGE 1

90.09.04 09:13 WG

외신 1과 통제관

0098

외 무 부

종 별 :

번 호 : UKW-1685 일 시 : 90 0907 1600

수 신 : 장 관(중근동,구일,미안,통일,기정동문)

발 신 : 주 영 대사

제 목 : 걸프사태(주재국의회 동향)

연: UKW-16401.

걸프사태 토의를 위해 9.6(목)-7(금) 양일간 긴급 소집된 주재국 하원에서 대처수상은 영국의 기존입장 즉, 이라크의 무조건 철군및쿠웨이트 정부의 원상회복 요구를 재차 강조하고동 목표달성을 위해서는 군사적 해결책도 배제하지 않음을 분명히 하였음

2.대처수상은 이라크에 대한 군사공격시 UN 의별도 결의가 필요하다는 일부 의원들의 의견에대해 안보리결의 661 호로도 군사행동의 법적근거가 충분하고, 국제법상 고유한 개별적및집단적 자위권이 인정되어 있음을 강조하며 필요조치의 시행이 제한받을 경우 사담후세인대통령을 도와주는 결과가 될 것이라고 경고함

3.또한 대처수상은 영국군이 추가로 파견될것이라고 밝혀 지상군 파병을 시사하였으며,요르단및 터키에 있는 난민들을 위해2백만파운드이 긴급원조를 제공하기로 했다고발표함.(이로써 총 원조액은 540만 파운드가 됨)

4.키녹 노동당수는 서방국의 군사행동은 국제적지지위에 기초하여야 성공할 수 있다고 말해 미.영의일방적 공격 가능성과 관련, 신중한 입장을취하긴 했으나 지금까지의 정부의 기본정책방향에 대해 지지를 표명하였는 바, 이는전체적인 영국민의 여론을 의식하여 노동당의대외정책에 대한 신뢰를 획득하고자 한것으로관측되고 있음.끝

(대사 오재희-국장)

중아국 1차보 2차보 미주국 구주국 통상국 안기부 대책반

PAGE 1 90.09.08 09:37 ER

외신 1과 통제관

0099

주 영 대 사 관

총 7매
(7-1)

번 호 : UKW(F)- 0336 DATE: 00918 1830

수 신 : 장관(중근동,미북,구일)

제 목 : 걸프사태(9.18.자 외무성대변인 정세설명) - EC 외상회담 성명문 포함

IRAQ/KUWAIT

Spokesman recalled that the Secretary of State had announced in Brussels yesterday that Britain had decided to expel 2 military attachés and their 6 support staff in response to Iraqi break-ins at certain Western embassies in Kuwait. The Home Office had subsequently announced the expulsion of 23 other Iraqis on the grounds that their continuing presence was not conducive to the public good for reasons of national

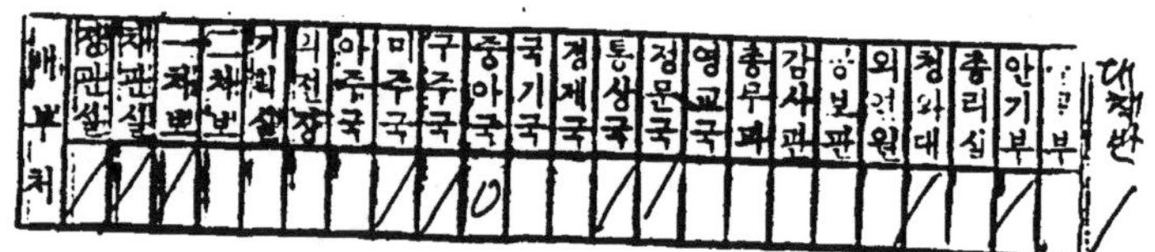

배부처	장관실	차관실	1차보	2차보	기획실	의전장	아주국	미주국	구주국	중아국	국기국	경제국	통상국	정문국	영교국	총무과	감사관	공보관	외연원	청와대	총리실	안기부	공보부	대책반
	/	/	/					/	/	0			/	/						/		/		/

0100

security.

In line with the decision take by EC Foreign Ministers at their meeting on 17 September we were now imposing travel restrictions on Iraqi diplomats in London. The restrictions would take effect from 20 September, and would require Iraqi officials to seek permission to travel beyond a 25 mile radius of Central London (Charing Cross).

The Iraqi Chargé d'Affaires, Mr Suhair Ibrahim, had been summoned to the Foreign Office at 1015 this morning and had been informed by a senior official of the imposition of these restrictions. The meeting which lasted 10 minutes had been correct and businesslike.

As we had announced yesterday the United States was arranging two more Iraqi airways charter flights to evacuate any further women and children who wished to leave Kuwait. The first flight was due to leave Kuwait tomorrow and would fly to London via Baghdad. Seats were being made available for British passengers and the facility was being announced throughout the course of today on the BBC World Service. The second flight was now due to depart on Saturday assuming there was sufficient demand.

Spokesman recalled that at his Press Conference yesterday afternoon, Mr Waldegrave had announced the Government's decision to set up a new unit called the Gulf Families Support Centre to bring together the resources of various Government Departments in order to help families who had been evacuated from the Gulf and who were facing difficulties of one sort or another. Leaflets giving details of the Support Centre were available from News Department.

In response to questions, Spokesman said that discussions continued at the United Nations in New York on a further draft resolution on an air embargo of Iraq. The draft was expected to be discussed by the Five Permanent members of the Security Council later today and then possibly by the full Security Council.

STATEMENTS BY THE TWELVE

Spokesman draw attention to statements by the Twelve on the Embassies in

0101

(7-3)

Kuwait and on Ethiopia issued in Rome on 14 September, and to the declaration on the crisis in the Gulf agreed by the European Communi[ty] and its member states at the Foreign Affairs Council on 17 Septembe[r] (copies attached).

0102

(7-4)

STATEMENT BY THE TWELVE ON THE EMBASSIES IN KUWAIT

The Community and its member states denounce the very grave violation of the provisions of the 1961 Vienna Convention, which Iraq has subscribed to, perpetrated by the Iraqi occupying forces in Kuwait when they broke into the premises of the French and Dutch Embassies and took away French nationals, one of them a diplomat.

The Community and its member states similarly denounce those acts committed against other Embassies and their nationals.

This represents an intolerable affront to international law and to the rights of the individual.

The Community and its member states demand the immediate release of the captured foreign nationals and invite the Iraqi authorities to urgently respect the provisions of international law.

A Community demarche to this end will be made to the Iraqi authorities.

Rome, 14 September 1990

TOMAQH/1

0103

27 MAR '90 9:43 071 270 3004 PAGE.005

(7-5)

DECLARATION ON THE CRISIS IN THE GULF

The European Community and its member states reiterate their utter condemnation of the policy of brutal aggression of the Iraqi Government, the increasing persecution of the citizens of Kuwait as well as of the foreign nationals in that country and in Iraq, the taking of hostages and the unacceptable violation of diplomatic premises in Kuwait. They welcome the unanimous adoption by the Security Council of Resolution 667, condemning Iraq for its actions which constitute a flagrant violation of international law and confronting this country with its responsibilities.

The Community and its member states already stated clearly that they consider all acts perpetrated against one or more among them as committed against all. In response to new very grave illegal acts against their embassies in Kuwait, and taking into account the measures already taken by some member states, they have decided of one accord to expel the military personnel attached to the Iraqi Embassies and to limit the freedom of movement of the other members of their staff.

In the same spirit of solidarity they agreed that their embassies in Kuwait will take charge collectively of the responsibilities, in particular those concerning the protection of nationals, of those embassies of which the personnel is forced to leave Kuwait as the consequence of illegal actions of the Iraqi authorities. Since the withdrawal of personnel has only been brought about by the material impossibility of staying on, the embassies are considered to remain open.

The Community and its member states consider indispensable that the embargo decided upon by the UN leads the Government at present in place in Baghdad to realise the suicidal character of its behaviour towards the international Community. To this end, they reaffirm their commitment to

CRGAAH/1

0104

(7-6)

put into operation, for their part, all necessary measures in order to enforce the embargo in all its forms and to consult with each other actively in order to facilitate the introduction of measures to monitor the embargo and to reinforce the sanctions against Iraq within the competent institutions.

In this perspective they renew their urgent appeal to all states to apply strictly, and make their nationals apply strictly, the resolutions of the Security Council. To this end they agreed to make diplomatic demarches vis-a-vis those countries suspected of not respecting the embargo in order to make them join the international action decided upon by the UN and to envisage, if needed, the introduction of appropriate measures - economic and others - in conformity with the UN Security Council resolutions against states not respecting the embargo.

In line with their decisions taken at the extraordinary ministerial meeting of 7 September in Rome, and in the spirit of Article 50 of the UN Charter, the Community and its member states reaffirm their commitment to provide substantial short-term economic assistance to the countries most seriously affected by the strict implementaton of the embargo and notably Egypt, Jordan and Turkey. The Community is determined to assist these countries in the sacrifices imposed on them by the present international crisis. The Community welcome the substantial national contributions already announced by some member states and notes the intention of other member states to announce their contributions shortly. The economic assistance proposals submitted by the Commission (1.5 billion ecu) will be examined as a matter of urgency. In this connection the Commission will provide an updated assessment of the needs of the countries concerned, the contributions already announced by other countries and international institutions, as well as the national contributions of member states. The Council will adopt its final decision before the end of September.

CRGAAH/2

0105

(7-7

At the same time the Community and member states commit themselves to examine - in concertation with other countries and international institutions - the possibility of economic assistance in favour of other countries also affected by the Gulf Crisis.

Brussels, 18 September 1990

CRGAAR/3

0106

09/18/90 15:56 ☎202 797 0595 EMBASSY OF KOREA --- WOI ☎001/012

수신 : 장 관 (중근동, 미북, 미안) 발신 : 주미대사

제목 : 이락사태 (무력 충돌 가능성)

(1 매)

Analysts Weigh Likelihood of War in Gulf

Bush still pursues diplomacy to keep embargo 'tight; Saddam's response said to hold the key

By Linda Feldmann

Staff writer of The Christian Science Monitor

WASHINGTON

THE drumbeat is getting louder in Washington over the possibility that war may be the only way to get Iraq out of Kuwait – and, beyond that, to eliminate the Iraqi military threat for years to come.

As the Iraqis dig in and the United States-led international military buildup in Saudi Arabia continues, President Bush himself has begun to speak more openly about resorting to war.

"No one – not the American people, not this president – wants war," Bush said in a videotaped address broadcast Sunday on Iraqi television. "But there are times when a country, when all countries ... must stand against aggression."

Some experts on Persian Gulf military affairs are willing to put a percentage on that possibility. Tony Cordesman of Georgetown University says that "today a war is more likely than not." Tom McNaugher of the Brookings Institution puts the chance of war at 35 or 40 percent. But, he adds, "that is not a trivial probability at ...

in March or April.

Western diplomats speak almost dispassionately about a possible scenario that winds up with superior US air power pounding hard on strategic targets inside Iraq.

Senior Bush administration officials have been telling Western embassies that the US is committed to working through diplomacy to keep the global trade embargo against Iraq as tight as possible.

Iraqi President Saddam Hussein is not a fanatic, he is pragmatic, say diplomats, and the hope is that he will find a face-saving way to withdraw and save the Iraqi military complex from mass destruction.

But, says a diplomat from a NATO country, Saddam may well decide to call his opponents' bluff and try to stick it out. In mid-November, when the US force in Saudi Arabia is fully in place, the US Central Intelligence Agency will assess the impact of the sanctions against Iraq – as well as US public opinion – and judge if they are having or about to have a serious impact on Iraq's domestic situation.

"If the CIA reports that Iraq can hold on another 18 months even with the embargo, it is ...

WAR from page 1

will decide to go to war," says the diplomat. "The US may feel it has no choice. It has committed all its status as a superpower on getting Iraq out of Kuwait."

At a seminar at the Brookings Institution last week, Mr. Cordesman laid out the stark realities of what the US would face if it did opt for war. First, he cautioned, any talk of a "surgical strike" to take out Iraqi military targets is unrealistic.

Both inside Kuwait and just outside its border, Cordesman estimates Iraq has at last 250,000 men, 22,000 to 27,000 tanks, 1,500 to 1,800 other armored vehicles, and 1,200 to 1,500 artillery pieces – all of which are deployed over a wide area.

Even an attempt to destroy only Iraq's weapons of mass destruction would require hitting between 100 and 200 targets, many of which are heavily sheltered, Cordesman says, and that would require at minimum thousands of sorties.

"War is not going to be fought in this region simply with high technology toys and it is not going to consist of brightly colored arrows on the maps on the evening news," Cordesman says. "Regardless of how it comes out, it is going to be thousands of casualties and hundreds of thousands of American body bags. And anyone who talks casually about this series of events is a fool."

In a war against Iraq, the US will have to rely on its superior air power, Cordesman says. This means not only the death of Iraqi civilians, but also the same fate for foreign hostages that have allegedly been moved to Iraqi military installations.

'There are times when a country, when all countries ... must stand against aggression.'

– President Bush

Beyond the military targets, Cordesman ticks off other points the US and its allies will have to destroy at least partially: all of Iraq's air bases and civil airports; all or most of Iraq's power plants; its water facilities; many of the bridges in the southern part of the country.

"That means, even in a relatively limited war, Iraq will lose between $100 billion and $200 billion worth of assets in the course of the first month of conflict and many of the fruits, at least in the south, of two generations of development," Cordesman concludes.

If a war does become necessary, Brookings Institution's Mr. McNaugher sees some points for optimism. The Iraqi force in and around Kuwait has some "major flaws," he says, including the fact that the top Iraqi force, the Republican Guards, which took Kuwait, have gone back to Baghdad.

McNaugher also sees much political turmoil within the Iraqi armed forces. And Iraq's Soviet-made tanks, he says, are mostly the older T-55s.

The bad news for any US-led military action against Iraq is the prospect of a chemical-weapons attack, which would be not only painful but would also deal a severe blow to troop morale among Iraq's opponents and force them to fight in unwieldy anti-chemical suits.

"In other words," says McNaugher, "they're going to lose, but they can make defeat awfully messy for us if they want to."

Sept. 18 1990 CS

0107

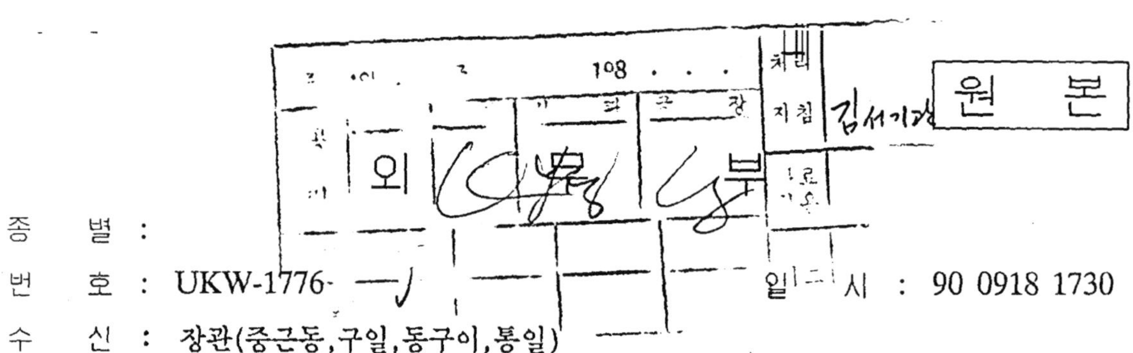

종 별 :

번 호 : UKW-1776 일 시 : 90 0918 1730

수 신 : 장관(중근동,구일,동구이,통일)

발 신 : 주 영대사

제 목 : 걸프사태(이라크 외교관 추방)

1. 이라크군의 주쿠웨이트 서방국 대사관저 침입관련 대책을 논의한 9.17(월) 브럿셀의 EC 외상회담에서 허드 외상은 2명의 이라크 무관 및 6명의 이락대사관 고용원, 23명의 이라크 유학생 및 기업인들을 영국에서 추방한다고 발표함. 영국은 주쿠웨이트 대사관이 직접 침입당하지 않았음에도 불구하고 상기 조치를 취했는 바, 이는 EC 의 단합된 모습을 보여주는 실례라고 동외상은 강조함.

2. 동 EC 회담에서 각국 외상들은 대이라크 경제 제재조치 강화를 촉구하였는 바, 현재 유엔 안보리에서 고려중인 이라크 공중봉쇄 조치에 대한 EC 의 지지 입장을 명백히하고 대이라크 금수조치를 위반하는 국가에 대한 보복조치 단행을 제의하였음.

3. 한편, 9.17(월) 체코 공식 방문중인 대처수상은 상기 이라크인 추방이 외교공관에 대한 이라크의 폭력행위에 대응하여 취한 조치라고 말함.

4. 또한 대처수상은 체코의 야전병원 사우디 파견 결정을 찬양하였는 바, 이는동구국가중 처음으로 다국적군에 대한 원조를 제공하는것임. 끝

(대사 오재희-국장)

중아국	1차보	구주국	구주국	통상국	정문국	안기부	대책반	미주국

PAGE 1 90.09.19 06:50 DA

외신 1과 통제관

0108

관리 번호 90-1886

외 무 부

종 별 :

번 호 : UKW-1799 일 시 : 90 0920 1930

수 신 : 장관(중근동,미북,구일,통이)

발 신 : 주 영 대사

제 목 : 걸프사태 전망

연: UKW-1691

제네바 소재 전략연구 센터(CENTRE FOR STRATEGIC STUDIES)소장이며 중동문제 전문가인 DR.SHAHRAM CHUBIN(전 IISS 차장보)은 9.20. 본직을 방문, 걸프사태에 관해 의견교환을 가진바, 동인의 발언 요지를 아래와 같이 보고함.(지난 9.6-9.9. 미국 버지니어주 HOT SPRINGS 에서 개최된 IISS 연차총회시 동 CHUBIN 박사를 만났는바, 런던방문 기회에 일차면담 희망한 본직의 요청에 따라 금일 당관을방문했음. 아측 조상훈 참사관 배석)

1. 미측 으로서는 당분간 외교적 해결 노력을 강화하는 방향에 주력할 것으로 보며, 경제 제재가 효과를 발휘할 충분한 시간적 여유를 준다음 내년 2,3 월경경제제재의 결과에 대한 분석에 기초하여 다음 단계의 행동방안을 결정 하게될것으로봄.,2. 경제제재는 이락에 심각한 경제적 타격을 줄것은 분명하나 사담후세인 정권에 어떠한 정치적 타격을 줄수 있을지에 관해서는 극히 예측하기 어려움. 후세인은 서방측이 경제제재의 효과가 발휘하기를 대기하는 동안 서방측의결속을 이간시키고, 친서방 아랍제국의 분열을 조장하는데 최대의 노력을 경주할 것임.

3. 내년초경 경제제재의 효과에 대해 부정적인 결론에 도달할 경우에도 미국이 군사적 행동을 취할수 있는 여건이 조성될지 의문이며, 미국의 국내여론의 향배와 사담후세인의 외교국 공작에 따라서는 논리적 귀결로서 타협방안이 발견될 가능성도 있다고봄.

4. 군사적 조치가 불가피한 것으로 보는 일부관측도 있고, 사우디등 걸프국이 이에 동조할 가능성도 있으나, 동 조치로 초래될 막대한 손실, 미국여론의 지지가 미약할 가능성, 독.일.이등 서방제국의 미온적 태도등에 비추어 실제 군사행동으로

중아국 차관 2차보 미주국 구주국 통상국 안기부

90.09.21 08:43

외신 2과 통제관 FE

0109

나가는데는 한계가 있을것임.

5. 미국으로서는 기본적으로 사우디의 수호와 무력침공이 성공하는 선례 불인정에 목표가 있음으로 유엔결의에서 크게 벗어나지 않고 사담후세인의 입장을 감안한 적절한 내용의 타협안(예컨데 이락군의 단계적 철수, 쿠웨이트의 장래에 관한 국제회의 개최, 총선거 실시등 방안)으로 내년초경 평화적 해결을 시도함은특히 국내외 여론의 추이에 비추어 무리가 없을것임.

6. 이락이 쿠웨이트로 부터 철군하는 경우에도 쿠웨이트 왕정이 다시 복구되기는 어렵고, 결국 완전한 원상회복이 불가할것임. 그간 소수의 쿠웨이트인이 동국을 지배해 왔으나 내부정치 사정의 추이에 따라 일반대중이 소수의 지배를 거부할 가능성이 큰것으로 보며, 쿠웨이트인 들이 피난한 사이에 이락인과 파레스타인의 유입이 계속될 경우 금후 정치양상이 더욱 복잡해질 것임.

7. 최근 유엔에서 논의되고 있는 항공수송 재재방한은 실제적인 면보다 상징적인 의의가 더크다고 보며, 이란이 정권의 내부균열로 상반되는 대외적 반응을 보이고 있으나 유엔의 경제조치를 지켜나갈 것으로 봄. 끝

(대사 오재희-국장)

예고: 90.12.31 일반

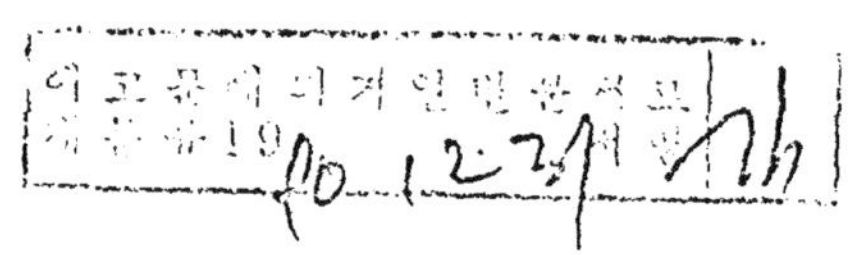

PAGE 2

0110

주 영 대 사 관

총 4매 (4-1)

번 호 : UKW(F)- 0260 DATE: 00821 1200

수 신 : 장관(중근동,구일,미안,통일)

제 목 : 걸프사태 The Times (90.8.21, 12면)

Embassy refuge for Britons as more are rounded up

By Michael Knipe and Andrew McEwen

IRAQ has rounded up a further 82 Britons in Kuwait in addition to 41 at the weekend, bringing the total to more than 120.

British diplomats have learnt that 48 of them are being held in two civilian buildings, but are unsure of the whereabouts of the others. Iraq has said they will be sent to factories and other strategic places for use as a human shield to deter attack.

Groups of Westerners, mainly Americans, have been lodged with Iraqi families at vital targets in Baghdad, according to an Arab journalist in close contact with Iraq.

Between 65 and 70 Britons in Iraq have taken refuge in the embassy in Baghdad. Others are not being encouraged to enter because of the risk that the Iraqi authorities might act against the embassy. But there are thought to be 500 Britons in Iraq, and any who go to the embassy will not be turned away. The US embassy has also become a refuge for its citizens.

Douglas Hurd, the foreign secretary, said that Harold Walker, the British ambassador, was dealing with the situation as best as he could. Mr Hurd and Lynda Chalker, minister for overseas development, attended a meeting at Downing Street chaired by Margaret Thatcher. He said the Iraqis were using British citizens as shields.

"We have taken every opportunity over the weekend, in public and private, to point out to the Iraqis that this behaviour is illegal and repulsive," he said.

Javier Pérez de Cuéllar, the UN secretary-general, has sent his chef de cabinet to Baghdad. William Waldegrave, minister of state at the Foreign Office, is to talk to officials of the International Red Cross in Geneva. Mr Hurd said Iraq's actions would also be discussed today at meetings of the Western European Union and the European Community foreign ministers.

He would try to ensure that the solidarity of the European Community over the plight of the foreign nationals would be maintained. In the light of the Iraqi deadline for the closure of foreign embassies in Kuwait by Friday, the Twelve had some difficult decisions to take. Michael Weston, the ambassador, and his two diplomats have been told to stay as long as they can.

Mr Hurd believed the Western European Union meeting would be a successful attempt to bring together all the different contributions members had pledged. But military forces would stay under their national commands. Asked if Britain was opposed to a military solution, Mr Hurd said deterrence continued to be the US-British objective.

"I believe we lived through a very dangerous few days when there was a real prospect of an Iraqi attack on Saudi Arabia," he said. "I hope that has been deterred, but we cannot be sure when we are dealing with someone like Saddam Hussein.

"Certainly neither we nor the Americans have ruled out further measures if sanctions prove ineffective," he said.

Conor Cruise O'Brien, Daniel Johnson and Diary, page 8

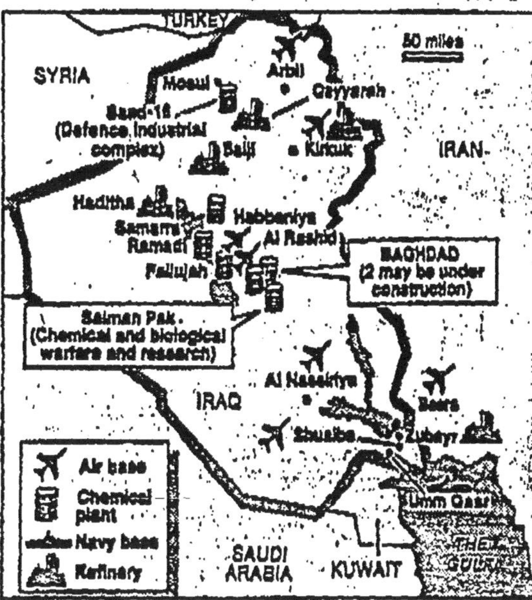

Strategic installations in Iraq where President Saddam has threatened to place Western hostages

0111

(4-2)

The Times (90.8.21, 4면)

A MIGHTY UNDERTAKING

President Saddam Hussein's grip on his own country has so long been maintained by terror that he may have calculated external reaction to his hostage-taking of foreign civilians in the same terms. His technique for silencing domestic dissent has been simple: merciless destruction of opponents and potential rivals, material favours for the unquestioningly subservient, and networks of informers to control both. By singling out nationals of a handful of Western countries for deportation to military targets, and releasing those of some others, he may have expected Western respect for human life and individual rights to work in his favour, undermining a hitherto remarkably united response to Iraq's invasion of Kuwait.

The messages now reaching him from Baltimore, London and Paris should convince even Saddam that he has again misjudged the international mood, reinforced the consensus he had sought to weaken by fear, and brought the alliance ranged against him closer to military action. France, which had previously declined to join Britain and America in military enforcement of sanctions against Iraq, has ordered its navy to participate. Mrs Thatcher has convened the British war cabinet in urgent session and Douglas Hurd, while carefully restating Britain's determination to deter an attack on Saudi Arabia and to make sanctions effective, has not ruled out "further measures". And President Bush, who yesterday for the first time described the Americans in Iraq and Kuwait as "hostages", told applauding American war veterans that America refused to be intimidated.

Mr Bush has now warned his countrymen in the gravest tones that aggression must be checked and "evil" confronted — a task involving not only patience and careful planning, but "personal sacrifice". American forces would, he said, be given "whatever it takes to help them complete their mission". He could have given no clearer indication that Saddam's resort to blackmail has rendered unrealistic the policy of waiting for economic sanctions against Iraq to bite, building up deterrence and keeping American powder dry. By evoking Eisenhower's address to Allied troops before the Normandy invasion, that "great and mighty undertaking", he has also served notice that if military action is unavoidable, there will be no half-measures.

The American president has repeated his demand for the release of all foreigners, and formally held the Iraqi government responsible for the safety and wellbeing of American citizens. Saddam is continuing to deport them from Kuwait to Iraq, along with more than a hundred Britons and a smaller number of French and West Germans, and has compounded fears for their safety by confirming that they have been moved to military targets and announcing that diplomats of countries which do not close their embassies in Kuwait by Friday will lose their immunity. Powerless to protect civilians, they would then themselves be hostages.

Mr Bush is rightly still determined to act if at all possible in concert not only with America's Arab and Western allies, but with the agreement and even active support of the Soviet Union, to whose role in the fight against Hitler he referred. The initial coalition defending Saudi Arabia is not only holding firm, it now extends to other threatened states in the Gulf. But the Soviet Union continues to make support for military action conditional on UN authorisation.

That must be urgently sought, if necessary by convening a meeting of the foreign ministers of the five permanent members. Iraq has, as Mr Bush said yesterday, launched "a ruthless assault on the very essence of international order". The UN, symbol of that order, has very little time left to align itself unequivocally against aggression by sanctioning the use of force. Saddam has spurned every UN resolution, and multiplied his violations of international law. If force has to be used, as is increasingly hard to avoid, diplomacy should be seen not as an alternative but as its adjunct.

0112

(4-3)

The Financial Times (90.8.21, 2면)

Envoys will hold out, says Britain

By Ralph Atkins, John Authers, and Jimmy Burns

BRITISH embassy officials in Kuwait will continue to operate for as long as they can – in spite of Iraq's demand that foreign missions should be closed by Friday, Mr Douglas Hurd, the foreign secretary, said yesterday.

As the Foreign Office continued to clarify the locations of Britons rounded-up from hotels in Kuwait, Mr Hurd said he hoped embassy staff there would be able to keep in contact with the British community for "as long as is physically possible".

But Mr Hurd said: "It is going to be a very difficult business and may go on for some time."

A further 82 Britons were taken yesterday by the Iraqis from the Regency Palace Hotel in Kuwait, the Foreign Office said. Of these, 48 had been taken to civilian buildings.

On Saturday about 40 British nationals were rounded up. The Foreign Office believes about 27 were still in Kuwait that night while the remainder were taken to undisclosed locations.

British nationals in Kuwait have been instructed by Iraq to report to three hotels but the Foreign Office, via the BBC World Service, continues to advise that they should remain at home and keep a low profile.

In Iraq, embassy staff have been unable to contact more than 120 Britons staying at the Mansour Melia hotel. Others have stayed at the embassy building.

Mr Hurd said: "We will seek to make sure that we have people in Kuwait able to keep in touch with our community there for as long as is physically possible."

Although he stopped short of saying Britain would ignore the warning, the Foreign Office believes its priority has to remain in maintaining contacts rather than observing diplomatic niceties. Mr Michael Weston, British ambassador in Kuwait, may remain in the embassy building even if diplomatic status is withdrawn.

Both the Foreign Office and sectors of the British media were criticised yesterday by expatriate representatives and some UK companies for exaggerating the danger to UK nationals in Iraq's latest moves.

Mr Robert Haywood, joint co-ordinator of the Gulf Support Group which runs a help-line for relatives and friends of UK nationals caught in the crisis said yesterday that although he did not want to understate the seriousness of the situation, the group's information was that "Europeans are being treated a great deal better than other races".

Mr Mike Adams, a British oil worker who arrived at Heathrow yesterday after escaping to Saudi Arabia said he had been told by Kuwaitis that their homes had been "burned and pillaged" by Iraqi troops.

Some British nationals working for companies in Iraq are continuing to work out their contracts in spite of the rising tension.

The French Government has denied reports it secretly sought to negotiate a separate deal for French citizens caught in Kuwait and Iraq, writes Ian Davidson in Paris.

"At no moment," said a spokesman for the Foreign Ministry, "has France sought to go it alone". He said France had always acted in close co-operation with its western partners. The fate of western nationals held in Kuwait and Iraq against their will is the main subject of discussion at the special meeting of the 12 foreign ministers of the European Community in Paris today.

Military clash not inevitable, says Hurd

By Ralph Atkins and Paul Abrahams

MR Douglas Hurd, the British Foreign Secretary, yesterday said he did not believe a military conflict in the Gulf was inevitable.

Speaking after a meeting in London with Mrs Margaret Thatcher, the Prime Minister, he expressed hope that the "dangerous few days" in which an attack on Saudi Arabia appeared imminent had passed. But Mr Hurd believed the military deterrent put in place by the UK and US needed to remain.

Asked if he believed military conflict inevitable, he replied: "No".

Mr Hurd, who is expected to leave for a tour of Gulf states at the end of next week, said the deployment of British forces was designed to deter further acts of aggression by President Saddam Hussein and to enforce the embargo of Iraq.

He added, however: "Neither we, nor the Americans, nor others, have ruled out further measures if sanctions prove ineffective."

Mr Hurd's relatively upbeat message came as he prepared for a meeting of the Western European Union in Paris today which will be followed by a meeting of the 12 members of the European Community. Both will be used by Mr Hurd to try to co-ordinate the western response over Iraq.

Mr Hurd said Britain had no doubts about "the legal cover for the action we have taken" in enforcing the embargo but said there would be "advantages" if a United Nations resolution could be agreed to clear up confusion as far as other countries were concerned.

At the briefing in Downing Street yesterday, Mrs Thatcher also heard from Mr Alan Clark, the Defence Minister, who returned from his tour of Gulf states at the weekend, and Mr Tom King, the Defence Secretary. Sir Patrick Mayhew, Attorney General, also attended.

Mr Hurd warned again of the possibility of further "alarms and stories, some true and some not true" from Iraq and Kuwait – particularly about threats to use British nationals and other foreigners as "shields" by President Saddam.

He said: "I believe, myself, that we lived through a very dangerous few days. There was a real possibility of an Iraqi attack on Saudi Arabia. I hope that has been deterred."

On the role of British troops in the province, he said: "The purpose of deployment, as we made clear at the time of the decision, is to deter Saddam Hussein from attacking Saudi Arabia or other friendly states in the Gulf. Secondly, [it is] to help implement the resolution the Security Council has already passed about sanctions." He added: "We may have moved past that moment of immediate threat but the deterrent needs to remain."

The role of the British naval forces in the Gulf remained the gathering of information, surveillance of the Strait of Hormuz and the detection of possible diversion of ships attempting to break the United Nations embargo, according to Ministry of Defence sources yesterday.

The ministry said the rules of engagement for the Armilla patrol in the Gulf provided permission for Royal Navy ships to use force if necessary. The rules of engagement have changed over the last two weeks but remain within the requirements of the law, proportionality, minimum force and self-defence, according to the Ministry of Defence.

0113

Time to use oil stocks

(4-4)

The Financial Times (90.8.21, 44)

IF THERE is one lesson of the previous two oil shocks, it is that the damage inevitably inflicted by Saddam Hussein's invasion of Kuwait must not be multiplied by the western policy response. Yet that is precisely what a failure to react to the rapid rise in the price of oil is now threatening.

The world has plenty of oil in storage, plenty of spare production capacity and ample means to encourage significant short-run energy conservation. Why then should it put up with a damaging short term rise in energy costs?

Yet two and a half weeks after 7 per cent of world oil supplies were cut off by the Gulf crisis, oil markets still have no clear idea how this oil will be replaced. As a direct result, cargoes of Brent oil for prompt delivery were trading yesterday at close to $29 a barrel, up by about 50 per cent since the invasion of Kuwait.

Left to themselves markets would ultimately manage the adjustment, as higher prices bring forth new supplies and hasten conservation. In the meantime, however, there could be yet another oil price bubble. A global stagflation, if on a smaller scale than on the two previous occasions, would be a direct result.

Fear of stagflation is already causing disturbances in world financial markets. These disturbances will, in turn, imperil the stability of enfeebled financial institutions and might force western monetary policy in an inflationary direction. All this is clearly in the interest of no one except Iraqi President Saddam Hussein.

The immediate cause of an oil price bubble is hoarding by producers and consumers convinced that, however costly oil may be today, it will be still more costly tomorrow. Precisely such a build up of private stocks occurred in 1979, when they rose by about 25 per cent and prices soared.

Plugging the gap

Preventing such a bubble is entirely feasible. The embargo will diminish world exports by about 4m barrels a day. But Saudi Arabia alone has indicated willingness to increase its exports by 2m barrels. Other Opec suppliers can be expected to provide at least 1m barrels a day, while conservation measures alone should be sufficient to bridge the gap.

With no good long term reason for a further increase in the price of oil, official oil stocks should be used aggressively to moderate price rises. Unfortunately, neither the US government nor the International Energy Agency, which was set up to ensure energy security for the industrial countries, have given a sensible indication of when and how stocks would be used.

Preventive action

What is the reason for the dithering? Both the US government and the IEA appear ready to respond only to an actual physical shortage of oil. If so, they would seem not to understand elementary market economics. In the absence of price controls – a mistake that will, one hopes, not be repeated this time – rapid increases in prices are precisely how shortages are indicated. If the oil stocks are not to be used until physical shortages appear, then they will never be used.

A little preventive action could go a long way. Oil companies, for example, might well be encouraged to reduce their current high level of stocks by means of token sales from official reserves, perhaps of as little as 100,000 barrels a day, a tiny fraction of official reserves of 1bn barrels. Stockholding is expensive and would become quite risky if prices might actually fall.

By acting to encourage such a drawdown in commercial stocks, governments of the industrial countries would also address a valid complaint of Opec – that stability of world oil markets is not only the responsibility of Opec producers. This would make it more politically palatable for Opec countries to increase output.

Oil markets are generally best left to themselves to sort out supply problems. But the market cannot function effectively during a crisis, because uncertainty is too great. The IEA governing board has postponed its meeting in Paris until next week. The delay is unfortunate. The western aim should be to stabilise oil markets now. Anything short of that would be to play straight into Saddam Hussein's hands.

0114

주 영 대 사 관

총 1매 (1-1)

번 호 : UKW(F)-0261 DATE: 00821 1900

수 신 : 장관(중근동,구일,미안,정일)

제 목 : 걸프사태(8.21자 외무성대변인 정세설명)

배부처	장관실	차관실	一차보	二차보	기획실	의전장	아주국	미주국	구주국	중아국	국기국	경제국	통상국	정문국	영교국	총무과	감사관	공보관	외연원	청와대	총리실	안기부	대책반
	/	/	/	/				/	/	0			/	/						2	/	/	/

IRAQ/KUWAIT

Spokesman said that there was little to add to yesterday's situation report. We now knew that there were 125 Britons among those who had been rounded up in Kuwait at the weekend. Most were taken from hotels in Kuwait. Others were detained at checkpoints in Kuwait City. The FCO had informed the families of those Britons affected.

The Embassy had been refused access to those detained but knew the location of 75 of them. It was trying to establish where the others had been taken. We had no reports of individuals having been moved from their homes.

Foreign nationals had also been moved from hotels in Baghdad. Embassy officials had been refused access to the hotels and we were unable to say whether British nationals were among those affected. Around 70 British nationals remained at the British Embassy. Their families had been informed.

TRAVEL TO JORDAN

In response to a question, Spokesman said that our travel advice to Jordan remained unchanged (ie. we saw no reason for travellers to Jordan to change their plans in the light of recent developments). Spokesman added that this advice was kept under constant review.

0115

외 무 부

종 별 :
번 호 : UKW-1626 일 시 : 90 0831 1700
수 신 : 장 관 (중근동,구일,기정동문)
발 신 : 주 영 대사
제 목 : 걸프사태

걸프사태관련, 주요 최근 주재국 동향을 아래와 같이 보고함

1. 대처수상은 8.30 핀랜드 방문중 연설에서 걸프사태에 대처하는데 있어 구주제국의 미온적인 (SLOW AND PATEHY) 군사적 대응에 대하여 비판함. 동 수상은 필요한최소한을 넘는 의의가 있는 지원을 한 나라는 영국과 프랑스뿐이라고 말함으로써 독일이 헌법상 나토지역외에 군대를 파견할 수 없다해도 재정적 지원에 적극성을 보이도록 촉구함

2. 대처수상의 상기 발언은 부쉬 대통령의 서독,일본,한국등에 대한 재정지원 촉구와 관련 주목의 대상이 됨

3. 대처수상은 또한 8.30 핀랜드 방문에서 귀국하여 보수당 주요간부들과 협의한후, 현재 휴회중인 하원을 내 9.6(목)및 7(금) 양일간 긴급소집하기로 결정함. 휴회중 의회 긴급소집은 1982년 포크랜드 전쟁시 이래 최초임

4. 요르단의 후세인 국왕이 대처 수상과 걸프사태에 관해 협의하기 위해 8.30 밤당지 도착함

5. HURD 외상은 9.5까지 카타르, UAE, 오만,예멘,사우디및 요르단 6개국을 방문키위해 금 8.31 출국함

6. 부녀자 및 아동들의 이락으로부터의 대피문제에 관해서는 사용 항공기, 출국사증등 절차문제에 관하여 이락측과 협의가 계속되고 있음.끝

(대사 오재희-국장)

중아국 1차보 구주국 정문국 안기부 미주국 통상국 대책반 2차보

PAGE 1

90.09.01 08:09 FC
외신 1과 통제관

0116

1 기

외 무 부

종 별 : 지 급

번 호 : UKW-1633 일 시 : 90 0902 1400

수 신 : 장 관 (중근동,구일,미안,통일,기정동문)

발 신 : 주 영 대사

제 목 : 걸프사태

걸프사태관련 금 9.2.(일) 당지 주요 언론보도 아래 보고함.

1. 영국인 여자및 어린이 약 200명을 태운 이라크 항공기가 9.1.(토) 밤 바그다드를 출발 9.2.(일)아침 런던에 도착함. 이외에도 이태리인 24명, 독일인 약300명, 프랑스인 22 명, 일본인 68명등도 각각 귀국함

2. 주재국 외무성은 동 영국인들의 환영을 위해 히드로 공항내 국왕및 수상용 귀빈실을 사용토록하고 친지들과의 극적 재회가 일반인이나 기자들로부터 방해받지 않도록 각별히 배려함

3. 대처수상은 동 영국인 귀환이 영국의 기존입장, 즉 이라크의 무조건 철군및 쿠웨이트정부의 원상회복 요구에 아무런 영향을 미치지 않음을 언명하면서 이라크와의타협 가능성을 배제하였음. 아랍에미리트 방문중인 허드외상은 동 영국인 귀환이 남자를 포함한 모든 외국인 출국허용이라는 당연한 조치의 시작이어야 한다고 말함.

4. 한편, 케야르 유엔사무총장과 이라크 외상과의 회담에서도 걸프사태의 외교적해결방안이 제시되지 못한 가운데 부쉬 미대통령은 걸프위기를 1-2개월 사이에 군사적으로 해결할수밖에 없다는 결론에 접근하고 있는것으로 알려짐. 이같은 생각은 이라크가 당초 예상보다 훨씬 오랜기간동안 경제제재 조치를 견딜수 있을것이라는 정보와 그기간동안 핵무기개발에 성공할수도 있다는 우려에 의해 더욱 굳어지고 있는 것으로 관측 됨.

5. 상기 미국의 움직임과 관련, 쏘련이 긴급 미.쏘 정상회담을 제안함으로써 양국정상은 9.9.(일) 헬싱키에서 회담을 가지기로 합의함. 미국이 동 걸프사태를 군사적으로 해결할 경우 중동지역에서의 미.쏘간 전략적 균형이 깨어지고 쏘련의 영향력이타격을 받을것을 우려하고 있는 쏘련은 동 긴급회담에서 미국의 자제를

중아국 1차보 미주국 구주국 통상국 정문국 안기부 대책반 그차보 차관

90.09.03 04:22 FC

외신 1과 통제관

0117

요청할 것으로 보이며 미국은 국제질서유지 차원에서 미국의 강경입장에 대한 쏘련의 지원 필요성을 강조할것으로 전망됨.끝

(대사 오재희-국장)

PAGE 2

0118

/ 71

외 무 부

종 별 :

번 호 : UKW-1640 일 시 : 90 0903 1900

수 신 : 장 관 (중근동,구일,기정동문)

발 신 : 주 영 대사

제 목 : 걸프사태

걸프사태관련, 주재국 주요동향 아래 보고함

1.9.2.(일) 당지 TV 회견에서 대처수상은 사담후세인 이라크 대통령이 외국인 인질 및 쿠웨이트내 외교공관에 대한 불법행위등과 관련, 뉴렘버그 재판과 같은 전쟁범죄 재판을 받아야 할것이라고 엄중 경고함

2.또한 대처수상은 외국인 인질 억류가 이라크에 대한 어떠한 필요한 조치를 막을 수는 없다고 말하므로써 영국인 인질 잔류에도 불구하고 군사적 공격을 감행할수 있음을 시사함

3.9.2.(일) 이라크 뉴스방송은 상기 전쟁범죄 재편언급과 관련, 대처수상이 정신적 균형을 잃은 백발의 늙은 여자 (GREY-HAIRED OLD WOMAN) 라고 신랄히 공격함.끝

(대사 오재희-국장)

중아국 1차보 구주국 정문국 안기부 미주국 통상국 대책반 그객변

PAGE 1

90.09.04 09:13 WG

외신 1과 통제관

0119

외 무 부

종 별 :

번 호 : UKW-1776 일 시 : 90 0918 1730

수 신 : 장관(중근동,구일,동구이,통일)

발 신 : 주 영대사

제 목 : 걸프사태(이라크 외교관 추방)

1. 이라크군의 주쿠웨이트 서방국 대사관저 침입관련 대책을 논의한 9.17(월) 브럿셀의 EC 외상회담에서 허드 외상은 2명의 이라크 무관 및 6명의 이락대사관 고용원, 23명의 이라크 유학생 및 기업인들을 영국에서 추방한다고 발표함. 영국은 주쿠웨이트 대사관이 직접 침입당하지 않았음에도 불구하고 상기 조치를 취했는 바, 이는 EC 의 단합된 모습을 보여주는 실례라고 동외상은 강조함.

2. 동 EC 회담에서 각국 외상들은 대이라크 경제 제재조치 강화를 촉구하였는 바, 현재 유엔 안보리에서 고려중인 이라크 공중봉쇄 조치에 대한 EC 의 지지 입장을 명백히하고 대이라크 금수조치를 위반하는 국가에 대한 보복조치 단행을 제의하였음.

3. 한편, 9.17(월) 체코 공식 방문중인 대처수상은 상기 이라크인 추방이 외교공관에 대한 이라크의 폭력행위에 대응하여 취한 조치라고 말함.

4. 또한 대처수상은 체코의 야전병원 사우디 파견 결정을 찬양하였는 바, 이는동구국가중 처음으로 다국적군에 대한 원조를 제공하는것임. 끝

(대사 오재희-국장)

중아국 1차보 구주국 구주국 통상국 정문국 안기부 대책반 미주국

PAGE 1 90.09.19 06:50 DA

외신 1과 통제관

0120

외 무 부

종 별 :

번 호 : UKW-1942 일 시 : 90 1012 1820

수 신 : 장 관(중근동,구일,미북,기정동문)

발 신 : 주 영 대사

제 목 : 걸프사태-주재국 동정

1.주재국 허등외상은 10.11(목) BBC 회견에서 반이라크 연합은 무력사용 여부를 수주일내에 결정해야 할 것이라고 말하였는 바, 이는 미국 및 영국의 임전태세가 갖춰져 있다는 것을 의미하는 동시에 예루살렘 TEMPLE MOUNT 사건으로 이라크에 대한 국제적 압력이 약화될 것을 우려하여 사담 후세인에 대한 경고를 강화하는 것으로 관측되고 있음

2.영 정부소식통을 인용한 보도에 의하면, TEMPLEMOUNT 사건관련, 미국은 당초 UN 결의문을 회피하려고 했으나, 허드 외상이 베이커 미국무상에게 UN 안보리의 대 이라크 결속을 유지하기 위해서는 이스라엘을 비난하는 결의문 채택이 필요하다고 강조하여 미국이 결의안을 제출하게 되었다고 함

3.동 결의문 채택이 아직 확정되지 않은 상태에서 허드 외상은 금 10.12.(금) 이집트를 방문하는바, 무바라크 대통령으로 부터 이스라엘문제와 이라크의 쿠웨이트 침공 문제는 별개의것임을 재확인 할 것으로 보임. 이어서 허드외상은 10.15.(월) 이스라엘을 방문, 이스라엘의 과도한 무력사용을 공격함과 동시에 현 걸프사태를 고려, 이스라엘의 신중함이 긴용하다는 점을 강조할 것으로 보도되고 있음

4.한편, 10.11.(목) 보수당 년차 당대회에 참석중인 HEATH 전 수상은 바그다드에서 사담후세인 대통령을 10.14.(일) 만날 예정이며, 이는 약 70명의 영국 병약자 및 노인들을 인질상태에서 구출하기 위한 순수한 인도적 동기에 의한 것이며, 정치적 의미는 없다고 발표함. 그러나 금 10.12.(금) 이라크측이 준비가 덜되었다는 이유로 사담 후세인 면담을 일주일 연기함에 따라 동 이라크 방문이 연기됨

5.허드외상은 상기 히드 전 수상의 이라크 방문에 대해서 영 정부와는 무관한 개인자격의 활동임을 명백히 함으로써 영국이 사담후세인과 협상에 들어갔다는 오해가 나오지 않도록 주의함.끝

중아국 1차보 미주국 구주국 정문국 안기부 통상국 2차보 대책반

PAGE 1 90.10.13 10:00 WG

외신 1과 통제관

0121

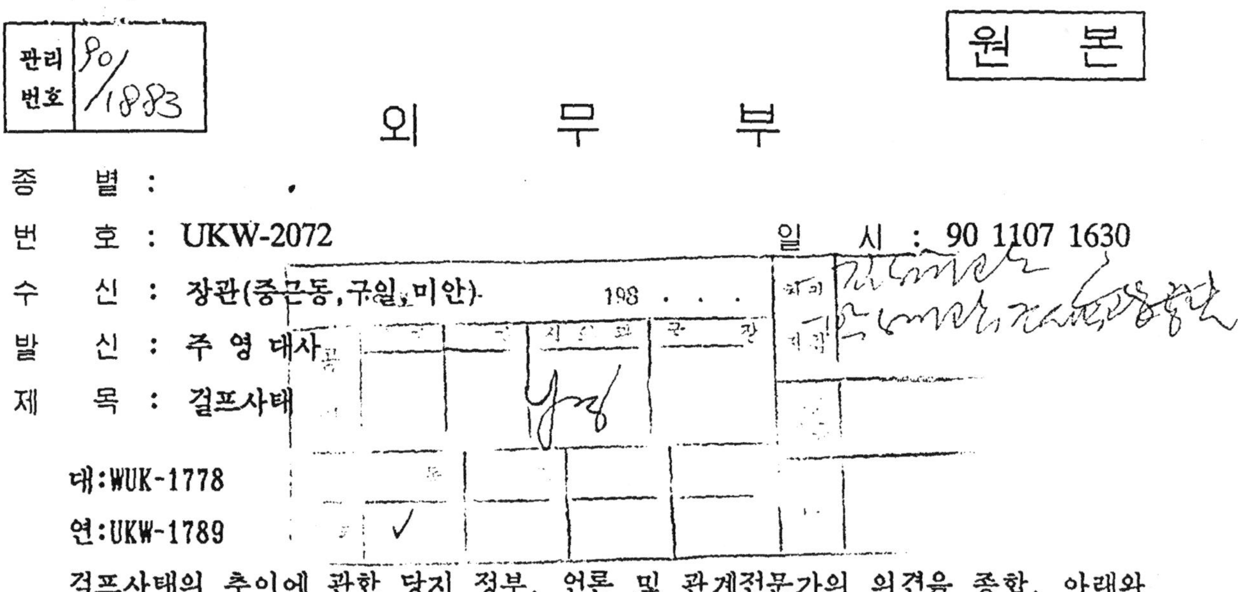

관리 번호 90/1883

원 본

외 무 부

종 별 :

번 호 : UKW-2072 일 시 : 90 1107 1630

수 신 : 장관(중근동,구일,미안)

발 신 : 주 영 대사

제 목 : 걸프사태

대:WUK-1778

연:UKW-1789

걸프사태의 추이에 관한 당지 정부, 언론 및 관계전문가의 의견을 종합, 아래와 같이 보고함.

1. 대이락 외교압력 가속화

가. 미국은 중간선거가 종료되었음으로 걸프사태에 해결에 총력을 집중하면서, 베이커 국무장관의 중동 및 소.불.영 순방과 부쉬대통령의 11 월 하순경 중동순방 기회를 활용, 이락에 대한 각국의 연립(COALITION)에 누수현상이 발생하지 않고 국제적 단결을 최대한 지속시켜 나가도록 하는데 주력할 것임.

나. 특히 불.소에 의한 별도의 평화모색이 구체화되지 않도록 견제하면서, 아랍제국이 이락에 대해 유화적 자세를 취하지 않도록 경제해 나갈것임.

다. 대처수상은 이락에 대한 쿠웨이트 철수전의 협상불가 방침을 수시 천명하고, 부쉬대통령과 지속적으로 전화회담을 가지고 있으며, 영측은 금주말 베이커 국무장관의 방영기회에 영국군의 증파문제를 협의할 가능성도 있는 것으로 보도됨.

라. 미국은 한편, 유엔결의를 통해 이락자산의 압수, 이락 항공기의 쿠웨이트 영공사용 거부, 쿠웨이트내 미대사관을 위한 공급로 확보, 또는 비무장 공급선 파송등 방안을 추진함으로써 대 이라크 압력을 강화해 나갈것임.

2. 대 이라크 군사위협 강화

가. 미.영 정부는 사담후세인이 군사적 공격이 임박했다고 믿을 경우에만 태도를 바꿀 가능성이 있는 것으로 판단하고 군사적 준비를 가속화시키고 있음.

나. 미국은 10 만 추가병력 및 B-52 기 현지이동을 추진하고, 주둔군의 지휘계통(COMMAND STRUCTURE)을 확고히 하는데 주력하고 있음.

중아국 장관 1차보 2차보 미주국 구주국 청와대 안기부

PAGE 1

90.11.08 07:00

외신 2과 통제관 FE

0122

3. 실제 군사행동의 가능성

가. 경제제재의 실효성에 대한 의문이 노정되고, 군사적 준비태세에 대한 적정한 평가가 있을때 군사행동 가능성이 큰것으로 관측하고 있음.

나. 군사행동의 시점에 관해서는 상기 요소와 현지 기후조건, 현지풍토에 맞춘 군장비의 보완필요, 회교 금식기간 등을 감안, 12 월부터 내년 2 월 이전으로 전망하는 견해가 많음.

다. 정치인, 언론인 등의 군사행동에 대한 지지여론이 점증되고 있으며, 일부 전략전문가들은 여러가지 고려할 사항에도 불구하고 부쉬대통령이 연말전에 대 이락 군사행동에 나갈것을 촉구함.(PROF.MICHAEL HOWARD 전 IISS 회장, 현 YALE 대 교수, THE TIMES 90.11.5)

라. 군사행동이 있을경우 이락의 지상 방위상태, 아랍세계의 반응, 공격의 실효성 등을 감안, 지상공격보다는 목표물에 대한 단시간의 공중기습 공격이 될 가능성이 많은 것으로 예측하고 있음.

4. 사담 후세인의 대응 양상

가. 인질을 무기로 대 이락 연립에 균열을 유발시키기 위해 지속적으로 공작해 나갈것임.

나. 인질로써 더이상 효과를 거둘수 없다고 판단할 경우 영토문제에 관한 조건을 내걸고 협상용의를 표명할 가능성이 있음.

다. 다만 일부 아랍전문가들은 경제제재의 효과, 사담후세인 주변세력의 동향등 이락의 국내정세, 이란, 이라크전의 분석등에 기초, 내년도 1/4 분기 까지는 조건없는 이라크의 철수가능성도 있는 것으로 예상함.(런던대학 DR.CHARLES TRIPP)

5. 장기 교착상태 가능성

가. 이락에 대항하여 외교적으로 모든나라의 목표통일을 장기간 확보해 나가기 어렵고, 이락측의 결정적 도전이 없는 상태에서의 군사행동은 사우디 및 이스라엘의 피격등에 의해 그 비용이 지나치게 클 것으로 관측함.

나. 또한 미 여론에 따라서는 부쉬대통령의 정치생명이 좌우될 것이므로 확고한 행동에 나서는데 계속 한계가 있을 것으로 보고, 장기 교착상태를 예상하는견해도 있음. 끝

(대사 오재희-국장)

예고: 90.12.31 일반

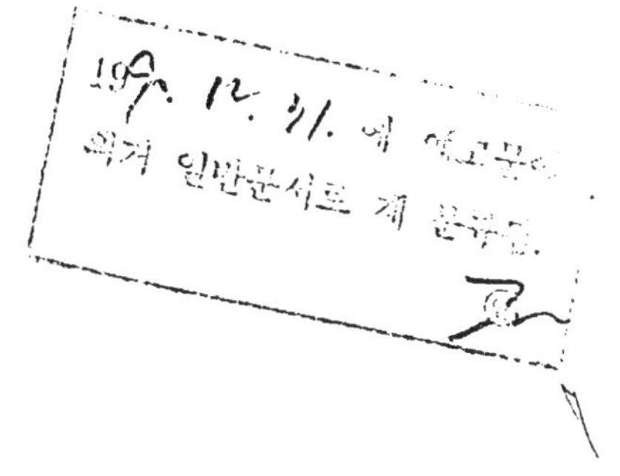

PAGE 2

0123

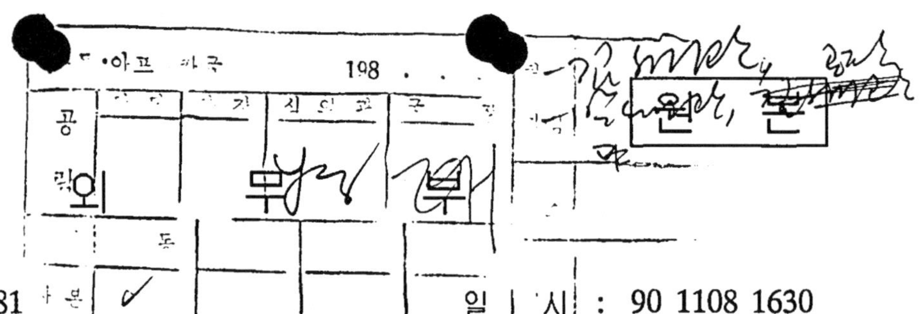

종 별 :

번 호 : UKW-2081 일 시 : 90 1108 1630

수 신 : 장관(중근동,미북,구일,기정동문,국방부)

발 신 : 주영대사

제 목 : 걸프사태-대처수상의 대 이라크 경고

연: UKW-2072

표제관련 당지 언론보도 요지 아래 보고함

1.주재국 정기국회 개회 첫날인 11.7.(수) 대처수상은 이라크에 대한 경제제재 조치가 3개월째 계속되고 있지만 사담 후세인은 서방인질을 잡고 있을뿐 아니라 쿠웨이트에 대한 야만적인 행동을 멈추지 않고 있다고 말하고, 사담이 쿠웨이트로부터 철수하지 않으면 영국과 연합국들이 무력으로 그를 몰아낼 것이라고 강력히 경고함

2.대처수상의 동 강경발언은 지난주말 부쉬 미대통령과의 긴시간 전화대화 이후나온 것으로서 미.영간에 무력사용에 대한 모종의 합의가 이루어진 것이 아닌가 하는 추측을 불러 일으키고있음 또한 국내정치적으로는 경제악화, EC 통합문제등으로 수세에 몰려있는 대처수상이 보수당내 잠재적 도전자들을 견제하는 효과도 노린 것으로분석되고 있음

3.이라크는 상기 발언에 대해 대처수상을 격렬히 비난하였는 바, 이라크 공보장관은 대처 수상이 이라크 사람들에 대한 증오심으로 가득차 있으며 정신적, 육체적 균형을 잃은 악마에 사로잡힌 여자라고 평함. 이에대해 영 수상실은 즉각적인 논평을통해, 이라크측의 신경질적인 대응은 대처수상의 메세지가 그들에게 타격을 준 것을의미한다 고 말함

4.한편, 브란트 전 서독수상과의 면담후 이라크방문중 걸프사태에 대한 서방측 입장과 관련, 현재 영국보다 미국이 좀 더 많은 유연성을 보이고있는 것 같다고 논평함으로써 영국의 비타협적 태도를 비판함

4.미국의 베이커 국무상은 금 11.8(목) 고르바쵸프 대통령과 만난후 11.9(금) 방영, 대처수상과 면담예정인바, 동 면담에서는 걸프대책 관련 중.소의 태도를 집중

중아국 1차보 미주국 구주국 안기부 국방부

PAGE 1

90.11.09 05:23 CG

외신 1과 통제관

0124

협의할 것으로 전망됨.끝

(대사 오재희-국장)

관리 번호	90/1903

원 본

외 무 부

종 별 :

번 호 : UKW-2104 일 시 : 90 1110 1300

수 신 : 장관(중근동,미북,구일,기정동문)

발 신 : 주 영 대사

제 목 : 걸프사태 전망

본직은 11.9(금) 중동지역 전문가인 BRIG. HUNT 전 IISS 부소장을 오찬에 초청, 걸프사태 전망관련 의견 청취하였는 바 동인의 발언요지 아래 보고함.(황준국 2 등서기관 배석)

1. 평화적 타결 가능성 보다 전쟁 가능성이 6 대 4 로 높다고 봄. 왜냐하면여러가지 가능한 해결방안중에 전쟁이 미국에게 가장 덜 불편한(LEAST UNCOMFORTABLE) 해결책이기 때문임

2. 전쟁없이 이라크군이 쿠웨이트로 부터 철수했을 경우(자진해서 또는 외교적 타협에 의해서) 이라크의 막강한 군사력은 그대로 남게되며 미군등 다국적 군은 걸프로 부터 철수하지 않을 수 없을것임. 그후 이라크는 시간을 두고 핵무기, 화학무기, 장거리 미사일등을 개발 또는 개량하여 사우디.쿠웨이트뿐 아니라이스라엘을 위협하게 될 것임. 핵무기등으로 무장한 이라크가 예컨대 2 년 후에 무력도발을 감행하거나 또는 그 이전에 안보에 중대한 위협을 느낀 이스라엘이 이라크를 선제 공격하는 상황이 벌어지면 미국으로서는 현재보다 몇배 더 어려운 정치적.군사적 딜레마에 빠지게 될 것임

3. 상기 2 항을 간파하고 있을 이라크로서는 미측의 전쟁준비가 완료되어 전쟁이 임박해지면 세계평화를 내걸고 쿠웨이트로 부터 자진 철수할 가능성이 높음. 이라크군의 철수후에 이라크를 공격하는 것은 정치적으로 불가할 것이므로 결국 미국으로서는 이라크군 철수전에 UN 의 명시적 동의를 구하지 않고 대 이라크 사전 경고없이 전격적인 공중공격을 감행하여 이라크의 공군기지, 미사일기지,화학무기 공장, 레이다 시설, 정유공장, 발전소등을 4-5 일 내에 초토화 시키는 것이 최선의 방책임

4. 동 전격전으로 이라크의 공군을 분쇄하고 통신.군수 보급선등을 차단하고 나면

중아국 장관 차관 1차보 2차보 미주국 구주국 정문국 청와대
안기부 대책반

PAGE 1 90.11.10 23:45

외신 2과 통제관 CW

0126

이라크의 지상군 전력도 현저히 약화되고 승산은 미국쪽에 있음. 그러나전황은 동 전격전 수일동안 이라크가 어떻게 효과적으로 대응하느냐에 달려있음. 최악의 경우 이라크는 화학무기로 인구가 집중되어 있는 이스라엘 도시를 공격할수도 있으며 이결과 이스라엘이 전쟁에 끌려들어 온다면 아랍세계의 동향이 달라지고 전황은 매우 복잡하게 얽힐 것임

5. 이라크가 지금 당장 철수하지 않는것은 미국의 전쟁준비가 아직 끝나지 않았고 가능한 오래 쿠웨이트에 머물면서 미국을 협상에 끌어들여 철수조건을 흥정하려고 하는것임. 흥정 대상은 쿠웨이트이므로 미국, 이스라엘, 쿠웨이트 그리고 강경노선을 견지하고 있는 영국을 제외하고는 세계 모든 나라가 쿠웨이트 이익을 어느정도 희생하는 선에서 전쟁을 회피하는 것이 바람직하다고 생각하고 있는 것으로 보이며 이 사실을 사담 후세인도 알고 이용하려는 것임

6. 미국의 공격 최적시기는 전쟁준비상황, 기후, 국제적 여론등을 종합적으로 고려해 볼때 금년 12 월에서 내년 1-2 월이며 3 월 이후에는 전쟁발발 가능성이 극히 희박하다고 봄

7. 결론적으로 주어진 조건하에서 소위 평화적 해결은 사담 후세인에게 유리하며 전쟁은 미국에게 장기적 손실을 최소화하는 현실적인 해결 방안임.끝

(대사 오재희-국장)

예고:90.12.31. 까지

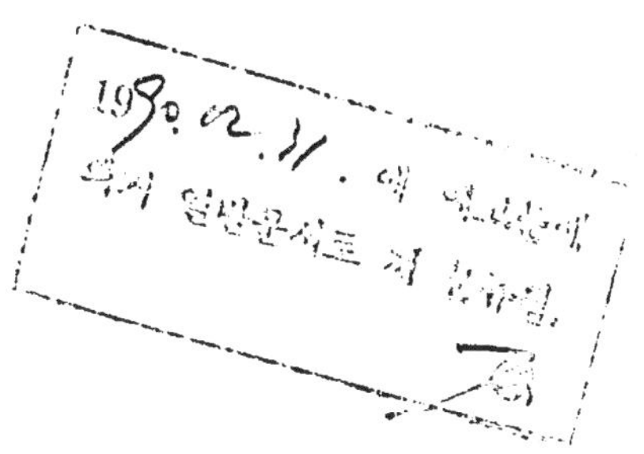

PAGE 2

0127

원 본

외 무 부

종 별 :

번 호 : UKW-2119 일 시 : 90 1113 1900

수 신 : 장관(중근동,구일,미북)

발 신 : 주 영대사

제 목 : 걸프사태

본직이 11.12(월) 외무성 LENNOX-BOYD 정무차관 면담시 걸프사태에 대한 영측입장을 타진, 동 정무차관의 반응을 아래 보고함.

1.현재 UN 결의에 의거한 대 이락 경제조치가 상금 실효를 거두지 못하고 있다고 보며, 구체적으로 언제 실효를 거둘수 있을지는 아직 알수없음.

2. 군사적 조치는 유엔 경제 제재조치의 효과가 없을경우 필요하나 그시기는 말할수 없음.

3. 군사조치를 취할경우 현재 진행중인 미국의 파병 증강조치 완료 여부와는 관계없이 결정될 것으로 봄.

4. 이락 대통령 사담 후세인은 미국의 군사조치 가능성에 대하여 상금 확신을갖지 않고 있는것이 문제임.

5. 중국보다 쏘련의 협조가 더 중요한 바, 현재까지 쏘련은 매우 협조적이며 앞으로도 유엔안보리 결의에 계속 참여할 것으로 생각함.

끝

(대사 오재희-국장)

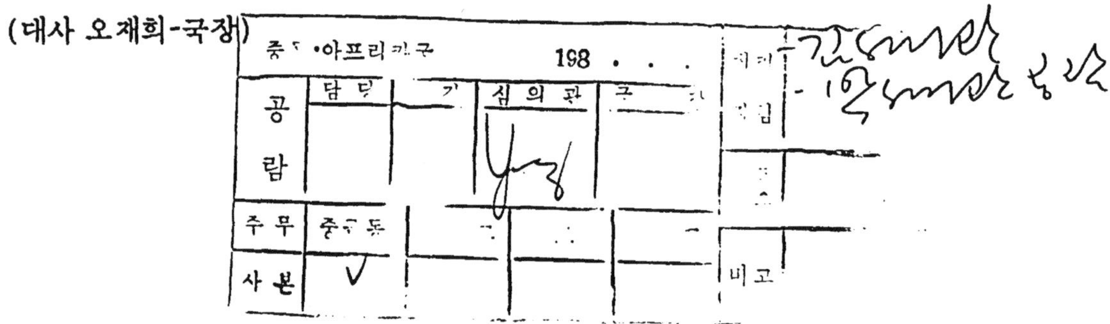

중동·아프리카국	198 . . .				
공람	담당	과장	심의관	국장	
주무	중근동				
사본	V				비고

중아국 1차보 미주국 구주국 정문국 안기부 대책반

PAGE 1

90.11.14 06:18 DA

외신 1과 통제관

0128

원 본

관리번호 90/1916

외 무 부

종 별 :

번 호 : UKW-2121 일 시 : 90 1113 2000

수 신 : 장관(중근동,미북,구일)

발 신 : 주 영 대사

제 목 : 걸프사태

본직은 11.13(화) 국제전략문제연구소(IISS) 전략 및 소련문제 전문가 MR.MACKINTOSH 와 오찬을 가지고 걸프사태에 관하여 의견교환을 가진바, 동인의 발언요지는 아래와 같음(조참사관 배석)의 발언요지는 아래와 같음.(조참사관 배석)

1. 사담후세인은 경제제재의 효과에 따른 국내경제에의 영향과 군부의 불안정성이 강화되면서 내년 1,2 월경 일방적으로 쿠웨이트로부터 철수를 단행할 가능성도 있는 것으로봄.

2. 경제제재는 극히 열악한 식량만으로 생존하는 것이 체질화된 일반대중 보다는 이락내에서 종래 석유부를 누려온 지배층에 대한 심각한 불만요인을 제공하게 될 것이며, 이는 사담 후세인의 권력기반에 영향을 미칠수 있을것임.

3. 또한 군부도 각국의 연립태세에 의한 위협이 증대되면서 불만이 가중되고, 이는 사담후세인의 권력에 압박을 줄 가능성이 있으며, 특히 최근 군참모총장의 해임은 시사하는바가 크다고 봄.

4. 미측의 군사행동은 외교적 연립체제를 유지하기 위해서 유엔에서의 새로운 추가결의를 거쳐, 쿠웨이트에 한정시키는 방향으로 추진될 것으로 보며, 전쟁준비 태세를 갖추기 위한 시간, 라마단등을 감안할때 군사행동은 내년 1 월경에나 가능할 것으로 예상함.

5. 걸프사태가 평화적이든 군사적이든 어떠한 방향으로 해결되든 모든 연립국가중 쏘련이 가장 정치적으로 이득을 보게될 것으로 관찰됨. 끝

(대사 오재희-국장)

예고: 90.12.31 일반

1990.12.31. 에 예고문에 의거 일반문서로 재 분류됨.

중아국	차관	1차보	2차보	미주국	구주국	청와대	안기부

PAGE 1

90.11.14 09:12

외신 2과 통제관 CF

0129

원 본

외 무 부

종 별 :

번 호 : UKW-2174 일 시 : 90 1120 1740

수 신 : 장 관(중근동,미북,구일,구이)

발 신 : 주 영 대사

제 목 : 걸프사태(CSCE 정상회담)

1. 대처수상은 파리 구주안보협력 회의 참석중 11.19(월) 부쉬대통령과 조찬을 가진후 이락에 의해 억류된 인질이 즉각 석방되어야하며 사담후세인이 이락으로부터 철수하지 않을경우 군사적 대안이 사용되어야 한다는데 양인이 확고하게 동일한 입장을 취했다고 말함.대처수상은 사담후세인을 막지않으면 중동은 말할것도 없고 세계에 평화가 없을 것이라고 강조함.

2. 허드외상은 동일 베이커 미국무장관과의 회담을 가진후 대 이라크 무력사용을 용인하는 유엔 안보리의 결의안이 내주는 조금 빠르겠지만 조만간 승인될 것으로 본다고 전망함.

3. 평화분위기가 훼손되지 않는한 크리스마스로부터 3개월에 걸쳐 외국인 인질을 석방하겠다는 11.18(일)자 이락의 발표에 대하여, 허드외상은 이락의 인간방패정책(HUMAN SHIELD POLICY) 을 또다시 드러낸 것이라고 일축하고, 사담후세인이 금주에라도 당장 인질을 석방할 것을 촉구함.

4. 한편, KING 국방상은 11.19(월) 기자회견에서 영국이 상당한 규모의 추가병력을 불원 걸프지역에 증파할 것이며 증파내역이 결정되는대로 발표 예정이라고 밝힘.끝

(대사 오재희-국장)

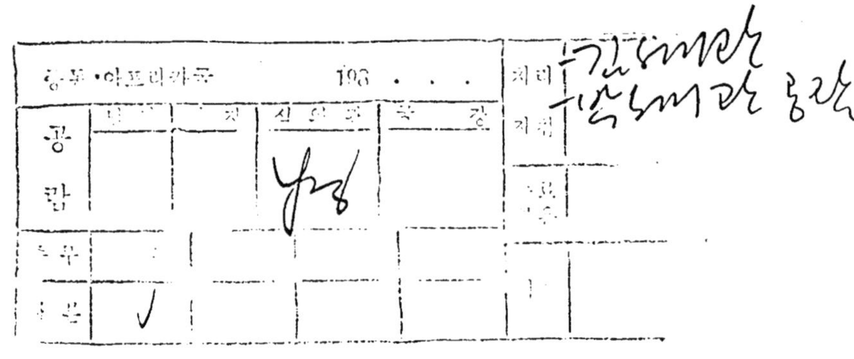

중아국 1차보 미주국 구주국 구주국 정문국 안기부

PAGE 1

90.11.21 09:53 WG

외신 1과 통제관

0130

길

관리번호	90-2301

외 무 부

종 별 :

번 호 : UKW-2185 일 시 : 90 1121 1940

수 신 : 장관(중근동,미북,구일)

발 신 : 주 영 대사

제 목 : 걸프사태

1. 당관 조참사관은 11.21.(수) 외무성 중동과장 MR. E.GLOVER 와 걸프사태에 관하여 면담한바 동과장의 발언요지는 아래와 같음

가. 파리 구주안보협력회의에서 영국측은 이락이 유엔결의에 따라 즉각 철수하여야 하며, 평화적 해결이 바람직하나 필요시에는 군사적 대안을 사용한다는기본적 입장하에 미국등과 협조, 대이락 연립(COALITION)의 강화에 주력했음.

나. 보도된대로 동 회의 협의과정에서 소련이 군사행동에 관한 유엔결의에 긍정적인 반응을 보인것으로 알고 있으며, 안보리 이사국간 문안조정이 끝나는대로 결의안이 불원 상정될 것으로 봄

다. 다만 실제 군사행동을 취하는데는 미국의 추가병력이 현지에 도착, 태세를 갖추는데 시간이 걸리고, 사막의 기후조건을 감안할때 개인적으로는 크리스마스 부터 라마단 이전에나 가능할것으로 보고있음

라. 영국의 추가병력 파견에 관해서 현재 조정중이며 수일내 발표가 있을것으로 봄

마. 유엔 경제제재는 이락의 석유산업에는 상당한 효과를 발휘하고 있는것으로 평가되나 다른 산업이나 일반 생활물자에 관해서는 이락이 쿠웨이트로부터 모든 물자를 이동시켜 그다지 효과를 발휘하지 못하고 있는것으로 관찰되고 있음

2. 조참사관은 또한 11.21. 외무성 정책기획부장 MR.R.F.COOPER 를 면담한바 걸프사태에 관한 동인의 전망은 아래와 같음

가. 걸프사태의 군사적 해결은 필연적인 것으로 보지않으며, 50 프로 정도의 확률이 있는것으로 봄

나. 특히 미국민의 여론이 군사적 대안에 계속 유보적인 태도를 취할것이며, 사담 후세인이 갑자기 철수하는 사태도 배제할수 없을것임

다. 영국은 일단 정부나 국민이 군사적 대안을 수용하고 있다고 볼수 있으나

중아국 차관 1차보 미주국 구주국 청와대 안기부 대책반

PAGE 1 90.11.22 07:21

외신 2과 통제관 BT

0131

평화적인 해결이 가능할경우 이를 선호함은 물론일것임.끝

(대사 오재희-국장)

90.12.31. 까지

PAGE 2

0132

외 무 부

종 별 :

번 호 : UKW-2201 일 시 : 90 1123 1420

수 신 : 장관(중근동,미북,구일)

발 신 : 주영대사

제 목 : 영국정부 걸프주둔군 증파결정

1. KING 국방상은 11.22(목) 하원에서 영정부가 걸프지역에 14,000명의 병력과 CHALLENGER 탱크 43대 등 군장비를 추가 파송할 것이라고 발표함.

2. KING 국방상은 금번 결정으로 현재 영국군의 전투력이 강력 신장될 것이라고말하고, 위기를 평화적으로 해결하기 위해서도 확고한 군사공격 능력을 확보하는 것이 긴요하다고 강조함.

3. 금번 파병 결정된 병력은 내년 1월까지 현지도착 예정이며, 걸프지역 파견 영국군 규모는 30,000명에 달하게 됨. 끝

(대사 오재희-국장)

중아국 1차보 미주국 구주국 정문국

PAGE 1

90.11.24 05:53 CG

외신 1과 통제관

0133

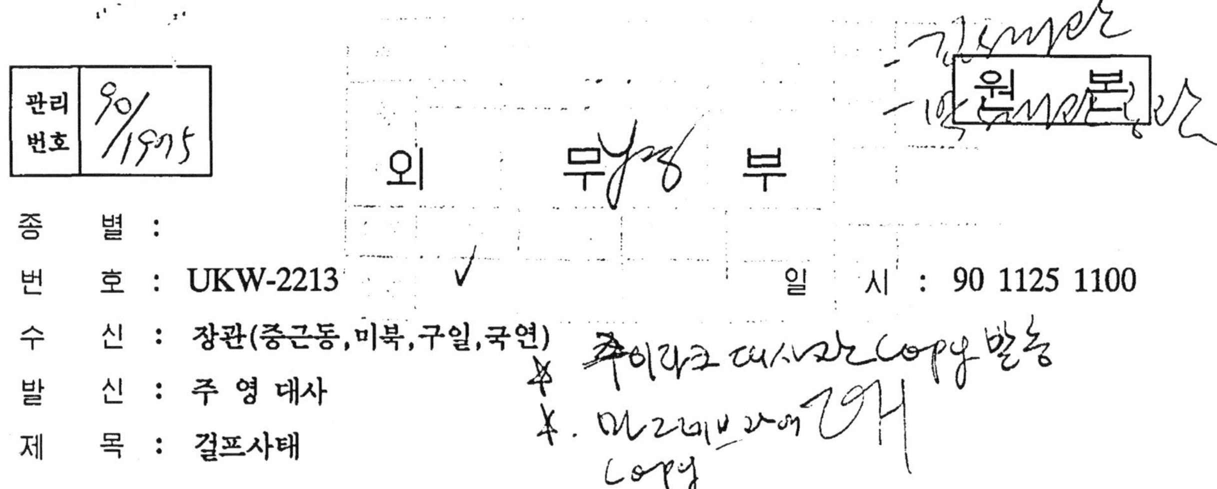

관리번호 90/1975

원본

외 무 부

종 별 :

번 호 : UKW-2213 일 시 : 90 1125 1100

수 신 : 장관(중근동,미북,구일,국연)

발 신 : 주 영 대사

제 목 : 걸프사태

외무성 중동아지역담당 부차관 MR. P.FAIRWEATHER 는 11.23.(금) 본직및 당지주재 아세안 6 개국및 베트남대사를 외무성으로 초청, 걸프사태에 관한 브리핑을 실시하고 영국정부의 요망사항을 전달했는바 아래와 같이 보고함.(조참사관 배석)

(본직은 지난 11.13.(화) BURNS 차관보 면담시 걸프사태에 관한 브리핑을 요망한 일이 있는바 BURNS 차관보는 다른 수개국 공관장과 동시에 브리핑을 받을경우 이의 있느냐고 묻기에, 본직은 이의 없다고 말한바 있음)

1. 걸프사태 현황 브리핑 요지

가. 이락의 쿠웨이트 수탈은 극심한 상황이며, 적절한 대응조치가 없으면 쿠웨이트가 국가로서는 존재하기 어려울 것으로 봄

나. 현재 인질은 이락과 쿠웨이트내 전략적 요충에 수용된자, 이락에 있으면서 출국이 금지된자 및 쿠웨이트에 은둔하고 있는자 3 종이 있으며 사담은 브란트, 히드등 인사를 유인하는데 이들을 이용하고 있음.(영국인 인질은 전략요충에 수용된자 380 명, 출국금지된자및 은둔자 약 1,000 명임)

다. 영국으로서는 사담이 철수나 인질석방을 진지하게 고려할 것으로 보지 않으며, 따라서 국제사회가 사담에 대해 세가지 방안 즉(1) 경제제재,(2)국제고립화및(3) 군사적 위협으로 지속적인 압력을 가해 나가야 한다고 봄

라. 현재까지 경제제재는 어느정도 효과가 있는 것으로 보고 있으며, 이락국민이 굶는것은 아니나 특히 석유금수로 이락에의 외환유입을 방지함으로써 전쟁수행이나 장비운영, 경제운영을 어렵게하고 있는바, 유엔 제재조치의 위반이 없도록 각국이 지속적으로 협력해 나가야 할것임

마. 사담이 국제사회에서 추방(OSTRACISM) 되었는다는 느낌을 가지도록, 국제적 고립화 노력을 강화해야 하며 지난 11 월초 EC 각료회의에서 결의한데로 국제

중아국	장관	차관	1차보	미주국	구주국	국기국	정와대	안기부

PAGE 1 90.11.26 01:01

외신 2과 통제관 CE

0134

저명인사등의 개인적인 사담 접촉을 만류해야할 것임

바. 평화적 수단으로 사태가 해결되지 않을경우 군사력을 사용한다는 위협을 강화하여, 사담이 군사공격이 올것이라는 확신을 가지도록 해야할것임

2. 각국 정부에 대한 요망사항

가. 인질조사를 위한 유엔사무총장 특사의 이락및 쿠웨이트 방문안 지지:

EC 는 현재 각국 정부의 지지확보를 위해 접촉중인바 이락이 인질억류로 대표국의 국제적인 명예를 손상받고 있다는 논리로, 동 특사를 받아들이도록 촉구할 것을 요망함. 이에관하여 특히 ASEAN 의 협조를 당부함

나. 쿠웨이트 수탈을 비난하는 유엔결의안 지지:

쿠웨이트측이 제안예정인 동 결의안을 지지하여 주기 바라며, 특히 자국민이 피해를 입은 국가들이 안보리 토의에서 적극 발언해 주기바람

다. 걸프사태 피해국에 대한 지원 요망:

요르단, 이집트, 터키가 문제이며, 특히 요르단은 연말전에 추가 원조가 없으면 정권이 불안정하게 될것임.

한국도 이미 상당한 지원을한바 있으며 이에 감사하고 있는바, 다른 나라들특히, 유가상승으로 이득을 보는 브루나이및 인니의 기여를 기대함

3. 질문에 대한 응답

가. 무력사용을 승인하는 유엔결의안 추구

. 영국으로서는 헌장 51 조로서 군사행동이 가능하다는 입장이나 베이커장관의 방영시 대처수상이 밝힌바와 같이 지속적인 대이락 연립을 위해 필요하면 추가 유엔결의를 고려한다는 입장임.

. 결의안 내용에 관해서는 베이커 미국무장관이 귀국하는대로 안보리 상임이사국간의 협의를 거쳐 추진해 나갈것으로 보며 현재로서는 상세를 알수가 없음. 다만 즉각적인 군사행동의 개시보다는 어느정도 시간여유를 가질 가능성도 있다고 봄

. 안보리 의장국은 12 월중 예멘이 맡게되나, 동국의 친이락 입장에 비추어의장입장에서는 도리어 어려움이 있을것으로 봄

. 소련의 태도는 불확실한 면을 보이고 있으며, 국제적 컨센서스에 동참하고자 하는 의향과 이락과의 관계에 있어 손해를 피하고자 하는 목적을 동시에 추구하고 있는것으로 보이므로, 유엔결의안에 구체적으로 어떻게 반응할지 아직 말할수 없음. 중국도 이점은 마찬가지임

PAGE 2

0135

나. 사담의 심상(STATE OF MIND)

. 적절한 설명이 어려우나 그간 사담은 외교적 카드를 매우 교묘히 구사해 왔으며 건전한 정신 상태인것으로 봄

. 다만, 8 년간의 대이란 전쟁에서와 같이 25 만의 인명피해와 800 억불의 전비라는 희생을 쿠웨이트 침공으로 무산시켜 버리는 행태로 볼때 일종의 무모한도박사라고 볼수 있을것임

. 사담정권이 독제정권임은 물론이나, 통제사회이므로 반대세력의 규모나 사담의 인기도를 알기 어려움

다. 유엔 외의 평화노력

. 아랍 이니시어티브에 관해서는 프리마코프가 이락 방문시 제의한 것으로 알려지고 있으나, 무바락 이집트 대통령은 이에 강력 반대하고 있는 것으로 알고있음

. 말레시아, 콜롬비아, 큐바, 예멘등 안보리 비상임 이사국에 의한 이니시어티브는 택할만한 내용이 많으나, 사담에 대한 너무 복잡다기한 외교적 접근은 문제의 핵심을 흐리게 할수 있으므로 신중을 기하는 것이 좋다는 입장임

라. 무력행사의 시한

. 그 문제에 관해서는 답변할 입장이 아니며 어떠한 결정도 없는것으로 알고 있음

마. 영국의 신 수상하에서의 대 걸프정책

. 변동이 없을 것으로 봄.끝

(대사 오재희-차관)

예고:90.12.31. 까지

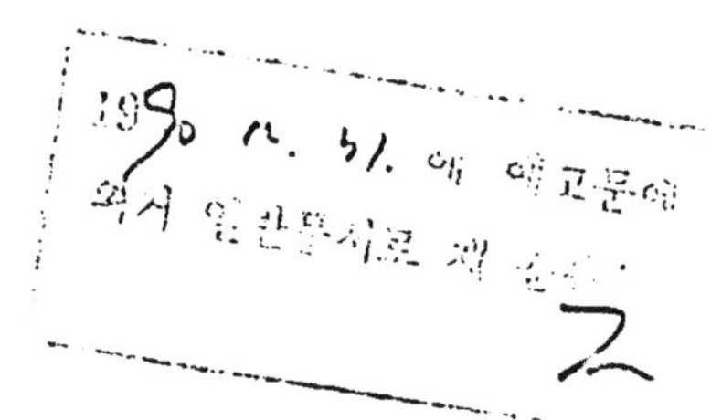

PAGE 3

0136

길

관리번호	90-2439

외 무 부

종 별 :

번 호 : UKW-2405 일 시 : 90 1228 1840

수 신 : 장관(중근동,미북,구일,기정동문)

발 신 : 주 영 대사

제 목 : 걸프사태

1. 당관 조참사관은 12.28(금) 외무성 걸프사태 대책반장 MR. ROB YOUNG 과 최근 걸프사태에 관해 통화한바, 요지 아래 보고함

가. 이락이 철수를 고려하고 있다는 징후는 아직도 전혀 발견되지 않고 있는 상황이며, 대 이락 연립(COALITION)에 의한 지속적인 경제적, 군사적 압력이 요망되고 있음

나. 이락은 미국과의 대화를 위한 시기에 관해서 계속 융통성을 보이지 않고 있는바, 1.15 시한이 군사공격이 있으리라는 점에 관해서 사담이 충분히 인식을 가지도록 노력하는 것이 중요하다고 봄

다. 사담이 1.15 이전에 모종의 외교적 이니시어티브를 취할 가능성을 전혀 배제하지는 않으나, 안보리 결의에 포함된 조건을 완전히 충족시키지 않는한 이를 받아들이지 않는다는 점을 분명히 해나가야 할 것임

라. 현재로서는 전쟁의 발발 가능성이 매우 큰 것으로 봄. 일부 미 군장성이 1.15 까지 전쟁준비가 어렵다고 말한 일이 있었으나 군부의 생리가 일반적으로 확고한 준비태세를 강조하기 때문에 나온 발언으로 보며, 영국군은 3 만여명의 현지 병력으로 임전태세를 다져나가고 있음

2. 한편 주재국 국방성은 그간 걸프에서 무력충돌이 발생할 경우에 대비, 약 1,500 명의 추가 군의(MEDICAL)요원을 확보키로 하고 이를 위하여 자원자를 모집해온바, 금 12.28(금) 자원자로 충원이 안된 부족인원 약 400 명을 확보키 위한 강제 동원령을 발함. 끝

(대사 오재희-국장)

91.6.30 까지

일반문서로 재분류 (1990. 6. 30. 서명)

중아국 차관 1차보 2차보 미주국 구주국 청와대 안기부

PAGE 1

90.12.29 07:02

외신 2과 통제관 DO

0137

길

외 무 부

종 별 :

번 호 : UKW-2263　　　　　　　　　일 시 : 90 1130 2100

수 신 : 장 관(중근동,국연,미북,구일)

발 신 : 주 영 대사

제 목 : 걸프사태

1. 안보리의 무력사용 승인결의와 관련, 메이저수상은 11.29(목) 저녁 보수당 모임 만찬연설에서 금번 유엔결의가 사담후세인으로 하여금 쿠웨이트로부터 평화적으로 무조건 철수할수 있는 마지막기회를 준것이라고 말하고 국제사회가 엄포를 하고있는 것이 아님을 분명히 하면서, 이락이 철수하지 않을경우 국제사회가 집단적으로 군사적대안을 사용하는 것을 주저하지 않을것임을 강조함.

2. 뉴욕 방문중인 허드외상은 1.15.시한이 지나면 자동적으로 군사공격이 초래되는 것은 아니나, 시한이 지난후에도 이락이 철수하지 안을 경우에는 미국이 이끄는 대이락 연합이 더이상의 안보리 절차를 거치지않고 필요한 무력을 사용할수 있게될 것이라고 말함.

3. 허드외상은 또한 전쟁이 발발될 경우 미국이 이락 본토에 침입하고자할때 다시 안보리 승인을 받아야 할것인지에 관한 질문에 대해서 이락의 철수를 확보하려면 작전을 쿠웨이트에만 한정하는 것은 상상하기 어려울 것이라고 답함.

4. 허드외상은 이어 사담에 대한 영토등에 관한 양보 가능성을 배제하면서 걸프 사태가 해결된후에 이스라엘.아랍분쟁등 다른문제를 처리하겠지만 걸프사태가 이러한 다른 문제와 분리처리 되어야할 것임을 분명히함.

5. 사우디주둔 영국군의 제7기갑여단 사령관 PATRICK CORDINGLEY 준장은 이락이 화학무기를 사용할 가능성이 있는 상황에서 초래될 인명피해에 관하여 영국민들이 심리적으로 대비해야할 것이라고 말하면서 인명피해가 크지않을수 없을것이라고 경고함.

6. 인질석방을 위해 사담후세인과 면담한 노동당의 TONY BENN 의원은 11.29(목) 귀국하면서 인질 15명이 석방되어 금주 일요일에 영국에 도착할 예정이라고 말함.끝

(대사 오재희-국장)

중아국　1차보　미주국　구주국　국기국　정문국　안기부　통상국　대책반

그처신

PAGE 1　　　　　　　　　　90.12.01　09:46 WG

외신 1과 통제관

0138

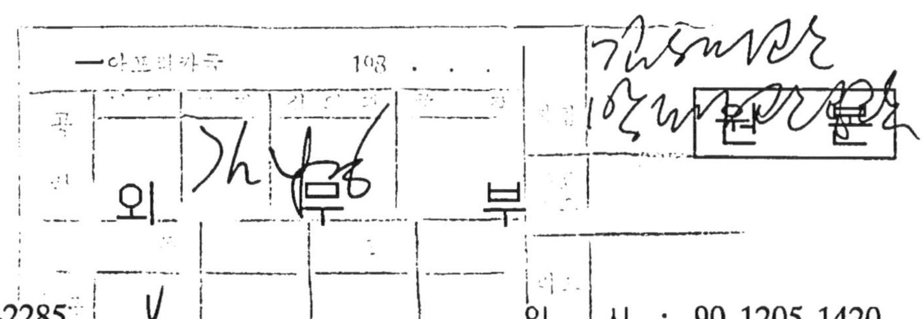

종 별 :

번 호 : UKW-2285 일 시 : 90 1205 1420

수 신 : 장 관 (중근동,구일,미북)

발 신 : 주 영 대사

제 목 : 메이저 수상 걸프 및 미국방문

1. 메이저 수상은 12.4.(화) 당지를 방문한 COLINPOWELL 미 합참의장과 회담을 가졌음. 동 회담이 끝난후 메이저 수상이 가까운 시일내 걸프지역을 방문할 예정이라고발표 됨

2. 동 수상의 걸프 방문시기는 1월초경이 될 것이며, 그 이전에 미국을 방문, 부쉬 대통령과 회담을 가질 예정인 것으로 보도됨

3. POWELL 합참의장은 주재국 하원의원등과의 회합에서 미국이 내주초로 예정된베이커 국무장관의 바그다드 방문이 성공하리라는 환상을 가지고 있지 않다고 말하고, 사담 후세인을 움직이는 일이 극히 어려운 일임을 강조함

4. 메이저 수상은 동일 보수당회의 연설에서 영국이 평화적 해결을 모색하기 위한 부쉬 대통령의 노력을 전적으로 지지한다고 말하면서, 다만, 문제를 해결하는데 있어 교섭이나 양보, 부분적 해결 또는 다른 문제에의 연계 가능성을 배제함

5. 한편, EC 는 이락의 TARI1Q AZIZ 외상이 워싱톤을 방문한 후 로마에서 EC 측과 별도회담을 가지는 방안을 추진하고 있는 것으로 보도됨

6. 브라셀을 방문중인 허드외상은 12.4. 걸프사태와 관련한 부담을 유럽제국이 분담하려고 하지 않기 때문에 미국 국내의 여론이 비등하고 있음을 지적하고, 유럽이자체방위를 위해서도 적극 협조할것을 강조하면서 특히 미국의 시각으로서는 지상군의 파병규모가 중요하다고 말함.끝

(대사 오재희-국장)

중아국 1차보 미주국 구주국 통상국 정문국 안기부 대책반 2차보

PAGE 1

90.12.06 07:57 FC

외신 1과 통제관

0139

원 본

외 무 부

종 별 :

번 호 : UKW-2306 일 시 : 90 1207 1800

수 신 : 장 관(중근동,미북,구일)

발 신 : 주 영 대사

제 목 : 걸프사태

1. 사담후세인이 이락과 쿠웨이트내의 인질을 석방하겠다고 12.6. 발표한데 대한 당지 주요반응은 아래와 같음.

가. 메이저 수상은 동 발표에 대해 인질들과 그가족들에게 아주 반가운 소식이라고 말하고, 이것으로써 유엔결의의 한단계가 실현된 것이나 이락은 아직도 쿠웨이트로 부터 조건없이 완전 철수해야하며, 쿠웨이트의 합법적 정부를 복원시켜야 한다고 강조함.

나. 허드외상도 하원에서 환영의 뜻을 표하면서, 조속한 일질의 귀국을 위해서 모든 필요한 조치를 취하겠다고 말함.

2. 한편, 주재국을 방문한 샤미르 이스라엘 수상은 12.6. 메이저 수상과 약50분간에 걸쳐 회담함. 샤미르 수상은 회담후 기자회견에서 중동문제에 관한 국제회의 개최를 포함하는 안보리 결의안에 미국이 거부권을 행사하지 않을지도 모른다는 시사에 대해 이를 소문이라고 일축함.

3. 메이저 수상은 샤미르 수상과의 회담에서 영국이 중동문제에 관한 국제회의를 지지하나 걸프사태와의 연계에는 반대한다는 입장을 밝힌 것으로 보도됨.끝

(대사 오재희-국장)

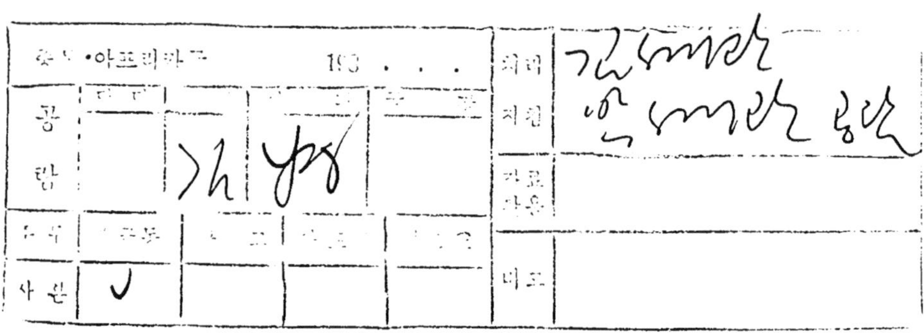

중아국 1차보 미주국 구주국 정문국 안기부 통상국

PAGE 1

90.12.08 09:16 WG

외신 1과 통제관

0140

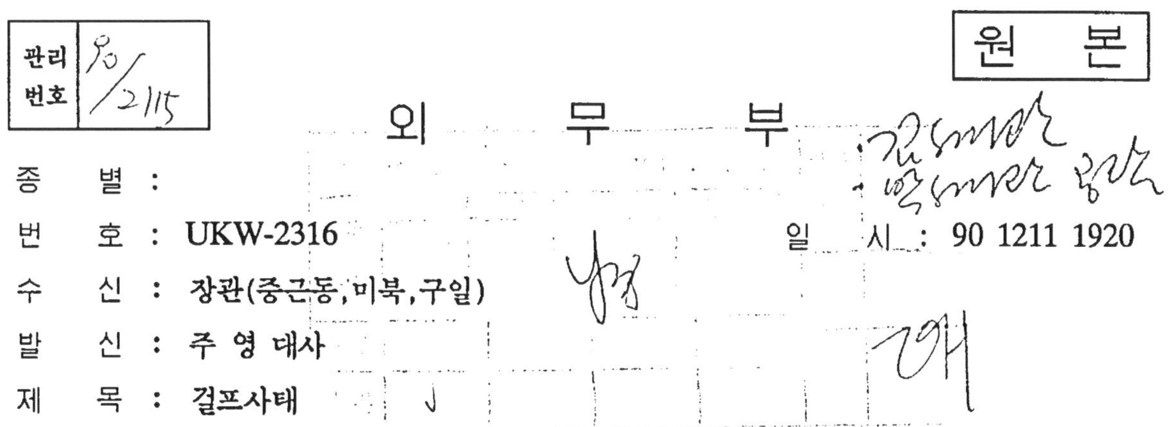
관리 번호 90/2115

원 본

외 무 부

종 별 :

번 호 : UKW-2316 일 시 : 90 1211 1920

수 신 : 장관(중근동,미북,구일)

발 신 : 주 영 대사

제 목 : 걸프사태

당관 조참사관은 12.11. 외무성 중동과장 MR.EDWARE GLOVER 와 걸프사태 관련 면담한 바, 동 면담요지 아래 보고함.

1. 걸프사태는 결국 타협의 여지가 한계적인 상황에서 군사적으로 해결될 가능성이 상당히 높아질 것으로 보며, 군사적 공격이 있을경우 세계 도처에서 적어도 수개월동안 테러등 소요가 만연하게 될것이나, 이에도 불구하고 대이락연립(COALITION) 국가들은 아랍-이스라엘 분쟁 기타 중동전체의 장래구도에 관한 사후책을 신중히 강구해 나가야 한다고봄.

2. 다만 전쟁이 없이 이락이 철수하는 경우에도 이락에 대한 경제제재의 계속, 화학무기 보유 및 핵무기 개발에 대한 대응책 확보등이 긴요한 과제가 될것으로봄.

3. 걸프사태에 대처하는데 있어 영국여론은 최근의 수상교체에 관계없이 군사적 대응방안을 꾸준히 지지해온바, 이는 타국의 영토점령 행위를 원칙문제로서받아들일수 없다는 신념과 더불어 영국이 포클랜드 전쟁시 사태를 성공적으로종료시킬수 있었다는 경험, 직업군인 제도하에서의 군사적 해결에 관한 신뢰감, 전쟁상황으로부터 초연한 일반대중의 생활태도등에 기인한다고봄.

4. 이에반하여 미국의 경우는 군사적 해결에 관하여 부정적인 여론이 강한바, 부쉬 대통령은 이러한 여론을 감안하여 모든 가능성을 철저히 탐색했다는 점을 분명히한 후, 필요시 군사적 행동을 취한다는 방향으로 추진해 나가고 있는 것으로 봄.

5. 샤미르 이스라엘 수상은 지난주 방영시 영측과의 회담에서 사담후세인에대해 확고한 조치를 취하지 않은채 쿠웨이트 점령을 계속하도록 용인하거나 철수하도록 기회를 제공할 경우, 금후 더욱 커다란 문제를 야기시킬 것임을 경고하면서 즉각적인 군사적 대응을 촉구했음. 영측은 이에대해 이스라엘이 가급적 사태에 간여하지 말고 신중한 태도를 취하도록 요망한바 있음. 끝

중아국 차관 1차보 미주국 구주국 청와대 안기부

PAGE 1 90.12.12 07:47

외신 2과 통제관 BT

0141

(대사 오재희-국장)

예고: 90.12.31 일반

1990.12.31. 에 예고문에
의거 일반문서로 재 분류됨

PAGE 2

0142

원 본

외 무 부

종 별 :

번 호 : UKW-2391 일 시 : 90 1224 1720

수 신 : 장관(중근동,구일,미북)

발 신 : 주영대사

제 목 : 걸프사태

걸프사태 관련 주재국 최근 동정을 아래 보고함.

1. 전쟁의 가능성이 점차 높아지고 있는 가운데 메이저 수상은 91.1월초 걸프지역 영국군들을 방문하고 임전태세를 정비할 예정임. 12.22(토)-23(일)간 걸프지역을 방문, 영국군들을 격려한 챨스황태자는 전쟁의 가능성은 독재국가와 대결할때 높으며,상식이 승리하기위해 우리가 희생을 감수하고 있다고 말함.

2. 이라크는 개전시 텔아비브가 제1의 공격대상이될 것임을 공공연히 밝히고 있고 전쟁이 중동지역에만 국한되지 않고 세계도처의 미국 및영국 국민이나 시설물을 공격할 것이라고 위협하고있는 가운데 영국은 전쟁의 장기화에 대비한 병사모집, 군수품 지원등에 다각적인 노력을 경주하고 있음.

3. 영국정부는 동 노력의 일환으로 걸프지역에 지상군을 파견치 않은 나토 동맹국들에게 군수품 지원을 요청하였으나 호의적인 반응을 얻지 못했다함. 걸프전에서 다량 사용될 것으로 보이는 비핵포탄을 많이 보유하고 있는 독일과 네덜란드의 경우 영국에게 군수품을 공급해주기로 동의했으나, 그들은 국방성에 대금지불을 요청할 것이라함.끝

(대사 오재희-국장)

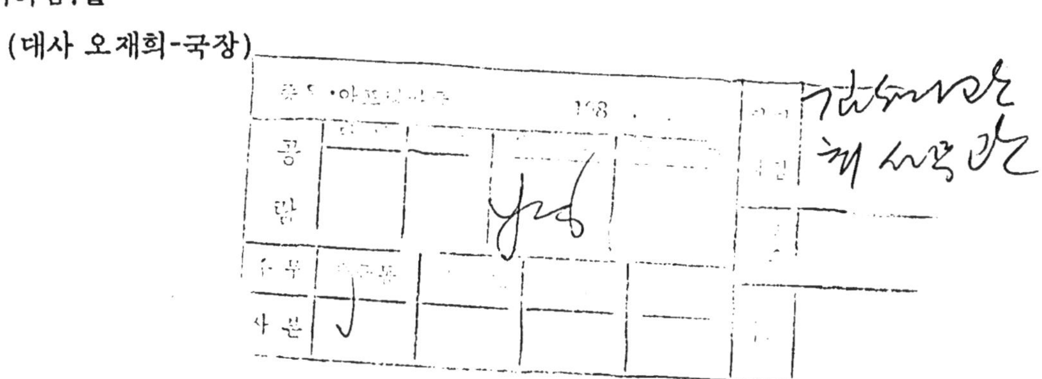

중아국 1차보 미주국 구주국 정문국 안기부

PAGE 1

90.12.25 08:40 DN

외신 1과 통제관

0143

관리 번호	90/2181

원 본

외 무 부

종 별 :

번 호 : UKW-2405 일 시 : 90 1228 1840

수 신 : 장관(중근동,미북,구일,기정동문)

발 신 : 주 영 대사

제 목 : 걸프사태

1. 당관 조참사관은 12.28(금) 외무성 걸프사태 대책반장 MR. ROB YOUNG 과 최근 걸프사태에 관해 통화한바, 요지 아래 보고함

가. 이락이 철수를 고려하고 있다는 징후는 아직도 전혀 발견되지 않고 있는 상황이며, 대 이락 연립(COALITION)에 의한 지속적인 경제적, 군사적 압력이 요망되고 있음

나. 이락은 미국과의 대화를 위한 시기에 관해서 계속 융통성을 보이지 않고 있는바, 1.15 시한이 군사공격이 있으리라는 점에 관해서 사담이 충분히 인식을 가지도록 노력하는 것이 중요하다고 봄

다. 사담이 1.15 이전에 모종의 외교적 이니시어티브를 취할 가능성을 전혀 배제하지는 않으나, 안보리 결의에 포함된 조건을 완전히 충족시키지 않는한 이를 받아들이지 않는다는 점을 분명히 해나가야 할 것임

라. 현재로서는 전쟁의 발발 가능성이 매우 큰 것으로 봄. 일부 미 군장성이 1.15 까지 전쟁준비가 어렵다고 말한 일이 있었으나 군부의 생리가 일반적으로 확고한 준비태세를 강조하기 때문에 나온 발언으로 보며, 영국군은 3 만여명의 현지 병력으로 임전태세를 다져나가고 있음

2. 한편 주재국 국방성은 그간 걸프에서 무력충돌이 발생할 경우에 대비, 약 1,500 명의 추가 군의(MEDICAL)요원을 확보키로 하고 이를 위하여 자원자를 모집해온바, 금 12.28(금) 자원자로 충원이 안된 부족인원 약 400 명을 확보키 위한 강제 동원령을 발함. 끝

(대사 오재희-국장)

91.6.30 까지

1991.6.30.에 예고문에 의거 일반문서로 재분류됨

중아국 차관 1차보 2차보 미주국 구주국 청와대 안기부

PAGE 1

90.12.29 07:02

외신 2과 통제관 DO

0144

원 본

외 무 부

종 별 :

번 호 : UKW-0007 일 시 : 91 0103 1800

수 신 : 장 관(중근동,구일,미북,기협)

발 신 : 주 영 대사

제 목 : 걸프사태

걸프사태에 관한 1.3(목)자 당지 보도요지는 아래와 같음.

1. 프랑스 의회의 외무위원장인 MR.MICHEL VAUZELE이 특사로 바그다드를 방문한 사실이 밝혀진 바, 1.4(금)로 예정된 EC 외상회의에서 논란의 대상이 될것으로 보임.

2. 허드 외상은 전화로 EC 외상들을 금요일 회의를 앞두고 사전 접촉한 것으로 알려지고 있으며, EC 회원국중 프랑스, 독일, 룩셈브르그등 소수만이 이락측과의 직접대화를 위한 구주자체의 이니시어티브에 적극적인 입장을 취하고 있는 것으로 보임.

3. 요르단의 후세인 국왕이 걸프사태 협의를 위한 구주순방의 일환으로 1.2(수) 당지에 도착했으며,1.3(목) 메이저 수상과 회담함.

4. 외무성은 1.2(수) 요르단과 예멘에 체류하는 영국인 가족들이 1.15시한 이전에 여유를 가지고 동지역을 떠나도록 권고함.(동 발표문 FAX 송부)

5. 영국정부는 1.2(수) 걸프전에 대비한 해군 전문기능인력 확보를 위해 예비역 2,500명에 대하여 자원하여 주도록 요청했으며, 지원자가 소요인력인 약 500여명에 미달 할 경우에 강제소집 예정인 것으로 보도됨.

6. 영국의 사우디 주둔 육군 기갑부대는 1.2(수)쿠웨이트에 더욱 가까이 이동하였으며, 나토는 터기정부의 대 이락 방어를 위해 40대의 군용기를 보내기로 결정함.

7. BRITISH PETROLEUM 사의 MANAGING DIRECTOR 인 MR.BASIL BUTLER 는 런던에서 개최된 걸프전쟁과 환경에 관한 회의에서 걸프전이 발발할 경우 850개의 쿠웨이트내 유전중 약 400개소가 발화될 것이며, 동 진화에 약6-9개월이 소요될 것이라고 강조함.끝

(대사 오재희-국장)

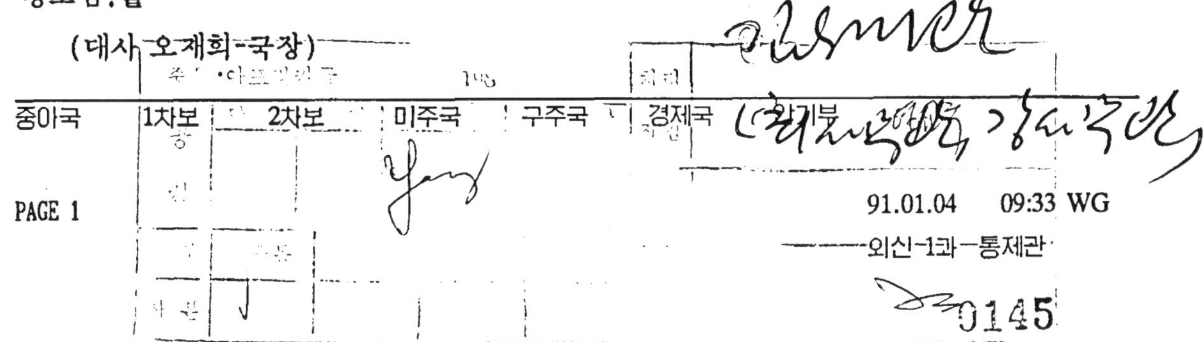

중아국	1차보	2차보	미주국	구주국	경제국	안기부

PAGE 1

91.01.04 09:33 WG

외신 1과 통제관

0145

주 영 대 사 관

1-1

UKW (F) - 0002 DATE: 10103 1600

수 신 : 장 관 (중동, 영재)

발 신 : 주 영 국 대 사

제 목 : 걸프사태 (91. 1. 2. 외무성대변인 정세설명)

FCO SPOKESMAN: WEDNESDAY 2 JANUARY 1991

CONSULAR ADVICE: JORDAN AND THE YEMEN

Spokesman said that the Foreign and Commonwealth Office had the following advice for British communities in Jordan and the Yemen:

"Following the adoption of UN Security Council Resolution 678, British dependents are advised to leave the area well before the deadline of 15 January which has been set by the UN Security Council for the withdrawal of Iraq from Kuwait.

Advice to visitors remains unchanged. Tourists should not visit the area, but those who have necessary business to conduct should not be deterred. They should register their arrival with the nearest British Diplomatic Mission, and should tell the Mission how long they expect to stay."

Spokesman said that the purpose of the advice was to reduce the numbers at risk. It was a precautionary measure. We were getting closer to the UN deadline. It should not, however, be taken as a sign that hostilities were either inevitable or imminent.

In response to a question, Spokesman said that the British community in Jordan numbered 409, of which about 200 were women and children. The community in Yemen numbered 265, of which 25-30 were women and children. Spokesman added that we had informed our allies and partners of this advice. France, Belgium, Denmark, Germany, the Netherlands and the US had issued advice for dependents to leave Yemen and Jordan. He understood that Italy also expected to do so shortly.

0146

In response to a further question about non-essential staff, Spokesman said that the advice to leave applied to dependents only.

원 본

외 무 부

종 별 :

번 호 : UKW-0009 일 시 : 90 0103 1920

수 신 : 장 관(중근동,구일,미북,영재)

발 신 : 주 영 대사

제 목 : 걸프사태

연: UKW-0007

걸프사태와 관련 1.3(목) 당지 동정을 아래와 같이 보고함.

1. 메이저 수상은 후세인 요르단 국왕과 회담을 가진후, 동 국왕과의 공동기자회견에서 스위스에서의 내주초 미.이락간 외상회담의 개최에 관한 부쉬 대통령의 제의를 환영하고, 동 회담의 성공에 대한 기대를 표명했으며, 후세인 국왕은 동제의가 매우 적절한 주요 조치라고 말함.

2. 외무성은 당지 이락대사관의 공관원 8명을 공공의 안녕 (PUBLIC GOOD)에 기여하지 않는다는 사유로 기피인물 (PNG)로 선언하고, 24시간내 영국을 떠나도록 추방령을 내림 (상기 추방명령 전이락 대사관 직원은 외교직 15명, 비외교직 17명이었음) 외무성 대변인은 이락측이 이에 맞서 주이락 영국대사관 직원 (현재 6명)들에 대해 추방조치를 취할 정당한 사유가 없을 것이라고 말함.

3. 외무성 대변인은 상기 추방령의 배경에 관해 해당인들이 여러기회에 공공연한 협박행위를 감행해 왔음을 상기시키면서 모든 경계태세를 강화할 필요가 있다고 말함.(발표문 FAX 송부)

4. 또한 주재국 내무성도 주로 학생신분인 영국내 이락인 67명에 대해 추방령을 내린바, 상기공관원의 경우와 같이 테러행위 가능성에 대한 사전 대비책인 것으로 알려짐.

5. 외무성은 또한 수단에 체류하고 있는 영국인 가족들에 대하여 1.15. 시한에 앞서 여유를 가지고 동지역을 떠나도록 권고함.끝

(대사 오재희-국장)

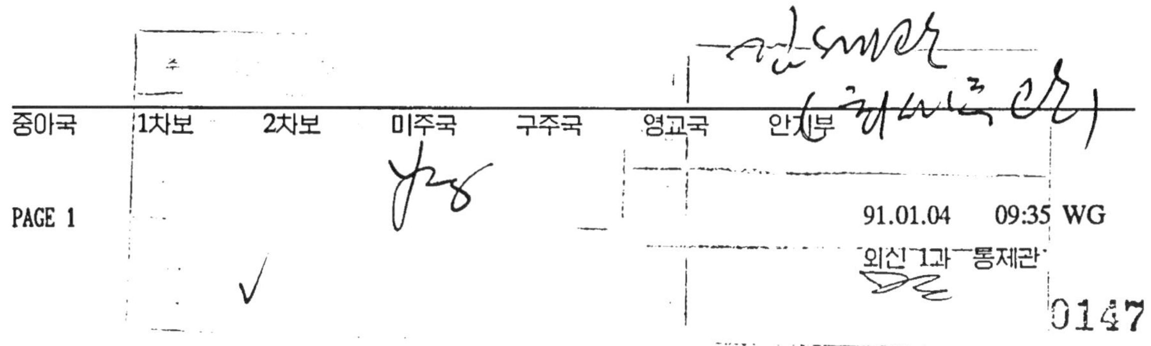

중아국
1차보
2차보
미주국
구주국
영교국
안기부
PAGE 1
91.01.04 09:35 WG
외신 1과 통제관
0147

주 영 대 사 관

UKW (F) - 0006　　　　DATE: 10103 1920

수 신 : 장 관 (중근동, 미북, 영재)

발 신 : 주 영 국 대 사

제 목 : 걸프사태 (91.1.3자 외무성대변인 정세설명)

SUDAN

Spokesman issued the following advice to the British community in Sudan:

"Following the adoption of UN Security Council Resolution 678, British dependents are advised to leave the area well before the deadline of 15 January which has been set by the UN Security Council for the withdrawal of Iraq from Kuwait.

Advice to visitors remains unchanged. Travellers should only visit Sudan if their journey is essential. Travellers are advised not to visit the south of the country, except under the auspices of UN Operation Lifeline. Travellers to the west of Sudan should consult the British Embassy in Khartoum before travelling."

IRAQ/KUWAIT

Spokesman announced that the Iraqi Ambassador Dr Al-Salihi had been summoned to the FCO today at 9 am to see Mr David Gore-Booth, the Under-Secretary responsible for the Middle East, to be told that we had declared eight members of the Iraqi Embassy persona non grata. They had been given 24 hours to leave Britain effective from 9 am

배부처	장관실	차관실	一차보	二차보	기획실	의전장	아주국	미주국	구주국	중아국	국기국	경제국	통상국	정문국	영교국	총무과	감사관	공보관	외연원	청와대	총리실	안기부	동자부
	/	/	/	/				/	/	0				/	/					/	/	/	

0148

today. We believed that the continued presence of these individuals in Britain was not conducive to the public good. Their families had been given a week to follow them.

In answer to questions, Spokesman said that the Iraqis had made a number of public threats. It was clearly prudent to take all precautions. The Iraqi threats had been renewed and once again linked to the possibility of hostilities. We still hoped for Iraqi compliance with Security Council Resolutions and full and unconditional withdrawal from Kuwait by 15 January. But time was clearly running out. There were 15 diplomatic and 17 non-diplomatic staff remaining in the Iraqi Embassy. In response to further questions, Spokesman said that there would be no justification for any Iraqi expulsion of members of the British Embassy in Baghdad.

In answer to further questions, Spokesman referred to the Home Office announcement today of deportation orders against 67 Iraqi nationals in the United Kingdom.

0149

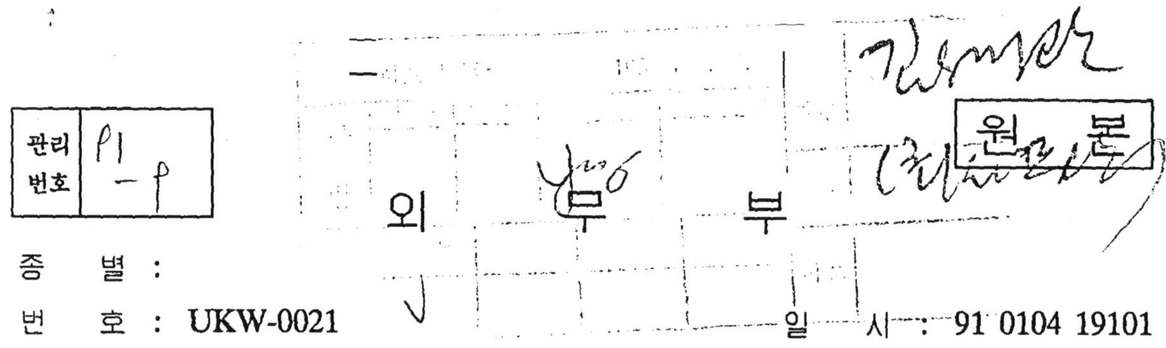

관리번호	91-P

외 무 부

원 본

종 별 :

번 호 : UKW-0021　　　일 시 : 91 0104 19101

수 신 : 장관(중근동,미북,기협,구일,기정동문)

발 신 : 주 영 대사

제 목 : 걸프사태

당관 조상훈 참사관은 1.4.(금) 외무성 중동과장 MR. EDWARD GLOVER 와 걸프사태의 진전에 관하여 면담한 바, 동 과장의 발언요지를 아래 보고함

1. 걸프사태의 전망은 극히 어두운(BLEAK) 상태이며, 특히 내주부터 매우 민감한 단계로 진입할 것이 분명한 바, 1.15. 시한전에 이락측에 무력사용이 임박했다는 인식을 주기위한 노력이 계속될 것임

2. 메이저 수상은 금주말 부터 사우디(1.6-8), 오만(1.8-9)및 이집트(1.9)를 방문 예정이며, 허드 외상은 내주 후반부터 바레인, 카탈, 아랍 에미레이트, 요르단 및 터키를 방문 예정임

3. 후세인 요르단 국왕은 1.3.(목) 메이저 수상과의 회담 및 오찬에서 종전과 같이 대화 필요성을 강조하였으나, 동 국왕의 대화라는 것은 이락에 대한 양보를 의미하는 것으로서 영국측은 이에대해 유엔결의에 기초한 기본입장을 재차 분명히 했음

4. 무력충돌이 있을경우 쿠웨이트내 유전에 대한 타격이나 환경면의 손실에대하여는 여러가지 견해가 있을 수 있으며, 극히 중대한 영향이 있을것이 분명하나 그 정도에 관한 예측 자체는 극히 어렵다고 봄

5. 금 1.4.(금) 룩셈부르그에서 개최되는 EC 외상회의와 관련, 영측은 EC 가 이락대표를 유럽의 어느 지점에서 만나는데 반대하지는 않으나, 이락에 EC 대표를 파견하는데는 반대하는 입장임. EC 와 이락간의 접촉은 어디까지나 미-이락외상회담에 대한 보완조치로 행해져야 한다는 것이 영국의 입장임

6. 이락에 잔류하고 있는 대사관원 6 명을 철수시킬 계획은 현재로서는 없으나, 사태의 진전에 따라 매일 매일 대책을 점검해 나갈것이며, 사태가 악화될 경우 대피를 위한 교통수단으로서는 육로에 의한 방안을 검토하고 있음. 끝

(대사 오재희-국장)

중아국　미주국　구주국　경제국　정문국　안기부

PAGE 1　　91.01.05　06:59

외신 2과　통제관 FE

0150

91.12.31. 까지

검 토 필(1991 . 6 . 30 .) 최

PAGE 2

0151

원 본

외 무 부

종 별 :

번 호 : UKW-0022 일 시 : 91 0104 1910

수 신 : 장 관 (중근동,미북,구일,기정동문)

발 신 : 주 영 대사

제 목 : 걸프사태

걸프사태 진전에 관한 1.4.(금) 당지 보도요지는 아래와 같음

1. 이락이 내주 수요일 제네바에서 미국과의 외상회담 개최에 동의한데 이어, 금1.4. EC 외상회의는 내주 목요일 룩셈부르그에서 EC 대표와 이락 외상간의 회담을 추진하기로 결정함

2. 베이커 미 국방장관은 이락 외상을 만나기전에 내주 월요일 당지를 방문, 허드 외상과 회담 예정임

3. 허드 외상은 룩셈부르그에서 기자들에게 EC 노력은 부쉬 대통령의 입장을 강화하는 방향으로 추진되어야 할 것이라고 말하면서 이락에 대한 분명한 멧세지 전달이긴요함을 강조함.끝

(대사 오재희-국장)

중아국 1차보 미주국 구주국 정문국 안기부

PAGE 1

91.01.05 08:40 FC

외신 1과 통제관

0152

관리 번호	91-26

외 무 부

종 별 :

번 호 : UKW-0032 일 시 : 91 0107 1820

수 신 : 장관(기협,기정동문)

발 신 : 주 영 대사

제 목 : 페르샤만 사태

대: WUK-0002

대호관련, 당관 이참사관이 금 1.7(월) 외무성 J. THORNTON 에너지 담당관을 접촉 파악한 내용을 아래 보고함

1. 미국등 서방측이 이락내의 유전을 직접 공격할 가능성은 희박하다고 보며, 이락이 사우디 유전에 대한 공격을 감행할 경우에도 그 타격은 크지 않을 것으로 봄. 만약 사우디 유전이 피해를 보는 경우에도 단시일내에 복구될 것으로 보며, 그 타격이 매우 심각한 경우에도 수개월이면 완전 복구될 것으로 예상함

2. 일단 전쟁이 발발하고 일방 유전에 대한 공격이 감행되는 경우에는 일시적으로 원유생산이 감소되고 단기적으로 급격한 유가인상이 예상(배런당 50 불)되나 국제에너지 기구(IEA)등의 적극적인 개입으로 빠른 기간내에 수습될 수 있을 것으로 봄

3. 상기 전쟁이 단시일내에 수습될 경우에는 세계경제에 큰 영향이 없을 것으로 보며, 상당기간 지속될 경우에는 유가 인상에 따른 부담으로 개도국들은 심각한 어려움에 직면할 것으로 보나, OECD 포함 선진국들은 73 년 석유파동 이후 대체 에너지 전환 및 석유 저장시설 확충으로 상당히 유연한 입장에서 대처할 수있을 것으로 봄.끝

(대사 오재희-국장)

91.6.30 까지 30 까지

경제국	장관	차관	1차보	2차보	구주국	중아국	안기부

PAGE 1

91.01.08 07:57

외신 2과 통제관 BW

0153

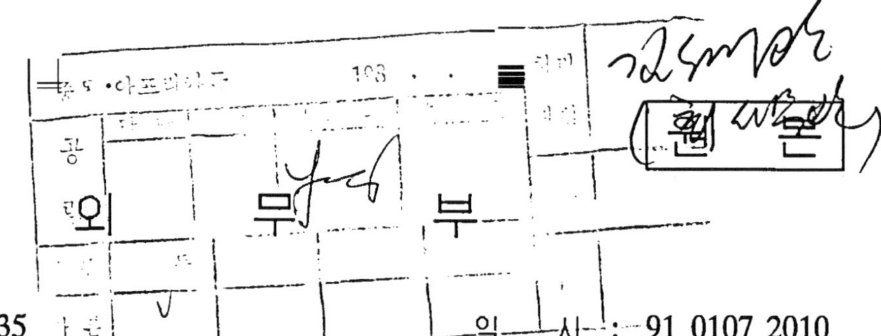

종 별 : 지 급

번 호 : UKW-0035 일 시 : 91 0107 2010

수 신 : 장관(중근동,미북,구일,경협,기정동문)

발 신 : 주 영대사

제 목 : 걸프사태

걸프사태 1.7(월) 당지 언론 보도요지 아래와 같이 보고함

1.베이커 국무장관과 허드외상은 1.7 오찬을 겸하여 2 시간에 걸쳐 회담한 후 기자회견에서 1.15 시한의 연장 가능성이 없다고 강조함

2.베이커 장관은 평화를 위한 유일한 길은 사담이 1.15 이 진정한 시한 임을 이해하는 것이라고 말하면서 금주 수요일 이락 외상과의 접촉도 교섭을 위한것이 아니라 의사소통 (COMMUNICATION)을 위한 것이라고 강조했고, 허드 외상도 유엔결의가 지켜지지 않는한 무력공격이 있을 것임을 명백히 한다고 말하면서 이락의 즉각적인 철수를 촉구함. 양 외상은 또한 무력공격이 개시될 경우에 대비하여 군사행동 일정에 관해서도 협의한것으로 알려짐

3.베이커 국무장관은 또한 1.7 당지에서 나토사무총장, 스페인, 이태리 및 룩셈부르그 외상과도 회담을 가졌으며, 명 1.8(화) 당지를 출발 미테랑불 대통령 및 콜독일 수상과 회담 예정임

4.한편 메이저 수상도 사우디 방문중 쿠웨이트 국왕과 회담한후 기자회견에서 시한의 연장 가능성을 배제하고 즉각 철수를 강조하면서 걸프전쟁이 발발할 경우 이락이 승리한다는 것은 생각할수 없다고 말함

5.메이저 수상은 쿠웨이트 측과의 회담에서 걸프사태가 해결된후 쿠웨이트 복구문제에 있어 영국기업의 참여에 관한 협조를 요망한 것으로 알려짐

6.노동당의 키녹 당수는 경제제재가 효과를 발휘하도록 시간적 여유를 가지고 대처할것을 주장했으며, 노동당의 KAUFMAN 예비 외상도 1.15 시한이 전쟁을 위한 기록시점 으로 사용되어서는 아니된다고 말함

7.사담이 시한이 연장될 경우 대화에 임할것이라고 금 1.7(월) 밝힌데 대하여,당지 전문가들은 1.15 이 진정한 시한이라는 이락의 인식이 어느 정도 나타나고있는것으로

중아국 1차보 미주국 구주국 경제국 정문국 안기부

PAGE 1

91.01.08 05:41 DA

외신 1과 통제관

0154

관찰하고 있으나, 금후 이락이 부분철수안 등을 제시해올 경우 어떻게각국이 단합된 태도로 대응할수 있을 것인지에 관심이 모아지고 있음.

끝

(대사 오재희-국장)

0155

주 영 대 사 관

UKW(F) - 0007 DATE: 10107 2010

수 신 : 장 관 (중근동, 미북, 구일, 동구과)

발 신 : 주 영 국 대 사

제 목 : 걸프사태 (91.1.7. 자 외무성대변인 브리핑)

SECRETARY OF STATE TO VISIT THE GULF: 11-14 JANUARY 1991 + MIDDLE EAST

Spokesman announced that the Secretary of State for Foreign and Commonwealth Affairs, the Rt Hon Douglas Hurd CBE MP, would visit Bahrain, Qatar, the UAE, Jordan and Turkey from 11-14 January.

THE GULF

Spokesman drew attention to the following statement made by the Presidency in Luxembourg on 4 January 1991:

"In accordance with the positions adopted by the Community and its member States since the beginning of the crisis, Ministers reiterate their firm commitment in favour of the full and unconditional implementation of the relevant resolutions of the UN Security Council. Should this happen, the Twelve consider that Iraq should receive the assurance not to be subject to a military intervention. They consequently recall that the entire responsibility for war or peace rests with the Iraqi Government alone, as is spelled out in Resolution 678 of the UN Security Council.

Any initiative tending to promote partial solutions, or to establish a link between the full implementation of the resolutions of the UN Security Council and other problems is unacceptable.

Reaffirming their attachment to a peaceful solution in the full respect of the relevant resolutions of the UN Security Council, the Community and its member states welcome the agreement reached on a meeting between the American Secretary of State, Mr James Baker, and the Iraqi Minister of Foreign Affairs, Mr Tariq Aziz.

In accordance with the declaration adopted in the European Council in Rome on 15 December 1990, Ministers have asked the Presidency to invite the Iraqi Foreign Minister to a meeting with the Troika in Luxembourg on 10 January. The Presidency will remain in close consultation with the United States, the Arab countries concerned and the Presidency of the movement of the non-aligned, to prepare the two meetings.

In the spirit of the foregoing, and as soon as the present crisis has been settled peacefully and in full respect of the resolutions of the UN Security Council, the Community and its Member States reaffirm their commitment to contribute actively to a settlement of the other problems of the region and establish a situation of security, stability and development there."

0156

(2-2)

Spokesman also drew attention to the subsequent Presidency statement issued in Luxembourg on 6 January:

"The Community and its member States have learned that the Foreign Minister of Iraq, Mr Tariq Aziz, has declined the offer from the Presidency to meet the Ministerial Troika in Luxembourg on 10 January 1991.

The Twelve regret that their invitation has not been taken up. They consider that this reaction from the Government of Iraq does not contribute to the efforts made to seek a peaceful solution to the Gulf crisis.

In the circumstances the Twelve maintain their invitation. They ask the Government of Iraq to reconsider its position."

ISRAEL

+TEL AVIV
JERUSALEM

In response to questions Spokesman repeated our travel advice to Israel, as follows:

"We do not discourage travellers from visiting Israel, but in the light of recent events advise them seriously to consider the wisdom of visiting or staying in East Jerusalem or other Occupied Territories (Gaza or the West Bank). The situation is fast moving: travellers should stay in close touch with events and keep their plans under review."

SOMALIA

+NAIROBI

Spokesman said that 20 UK citizens and the two staff of the British Embassy (Mr Ian McCluney, HM Ambassador, and Mr David Gething, Second Secretary) had been evacuated early on 5 January from Mogadishu to the USS Guam. In addition 16 UK citizens had been evacuated by air from Juba to Nairobi on 6 January. According to our information 3 UK citizens had chosen to stay in Juba and one in Mogadishu.

IRAN

+TEHRAN

In response to a question Spokesman confirmed that the Iranian authorities had been helpful and co-operative over demonstrations outside HM Embassy Tehran at the weekend.

0157

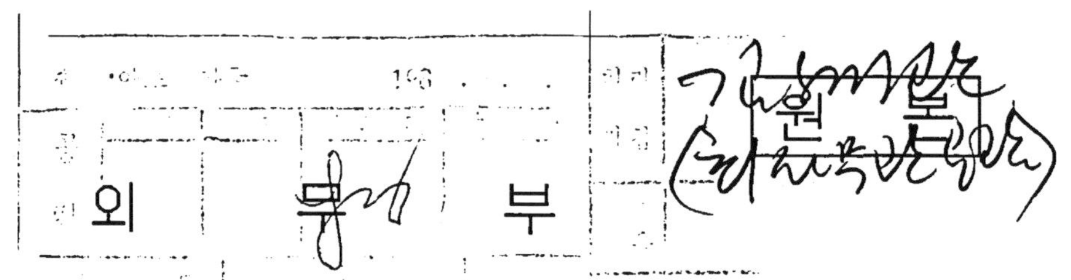

종 별 :

번 호 : UKW-0045 일 시 : 91 0108 2000

수 신 : 장 관(중근동,미북,구일,경협)

발 신 : 주 영 대사

제 목 : 걸프사태

연: UKW-0035

걸프사태 관련, 1.8(화) 당지 언론보도 요지를 아래와 같이 보고함.

1. 금 1.8. 베이커 미 국무장관은 미테랑 불대통령및 콜 독일수상과 각각 회담을 가진후, 반 이라크연합은 확고하며, 1.15. 시한 연장은 있을수없다고 말함. 베이커 장관은 이어 MICHELIS외상과의 회담을 위해 이태리를 방문한후 제네바 향발예정임 (연호 3항 이태리 외상은 당지를 방문하지 않았음) 명 1.9. 이라크외상과의 제네바 회담을 앞두고 미국의 강경입장에 대해 프랑스와 독일의 지지를 확인한 베이커장관은 아직도 평화적 해결의 가능성은 남아있으며, 이는 이라크의 태도에 달려있다고 말함.

2. 1.8. 부쉬 미대통령은 TV회견에서 향후 수일간이 걸프사태의 가장 중요한 고비라고 말하고, 이라크가 1.15.시한까지 평화의 길을 선택하지 않는다면, 1.15.당일 또는 그후에 연합국은 UN결의를 집행하기 위해 가능한 모든 조치를 취할것이라고 말함.

3. 1.8. 이라크 공보상은 명일 미-이라크 외상회담의 성공여부는 미국에 달려있으며, 이라크는 쿠웨이트내에서 물러날 의사가 없다고 말함. 동공보상은 미국이 전쟁을 도발할 경우 이라크는 전쟁할 준비가 되어있다고 단호한 입장을 견지함. AZIZ 이라크 외상도 1.15. 시한까지 이라크군 철수는 있을수 없는 일이라며 이라크는 어떠한 협박에도 굴복하지 않을 것이라고 종전입장을 재확인하고 걸프전쟁이 발발하면 잔인하고 장기적인 무서운 전쟁이 될것이라고 위협함.

4. BBC-TV는 워싱톤 특파원발로 미국내 분위기가 제네바회담을 앞두고 극히 어두운 상태이며, 이라크가1.15.시한내 움직임을 보이지 않을 경우 부쉬대통령은 의회의 승인을 얻는데 어려움이 있을지라도 현재 여론조사 결과 2/3에 달하는 국민의 지지를 배경으로 단시일내 무력공격에 들어갈 것으로 전망함. 또한 바그다드 특파원은 AZIZ

중아국 1차보 2차보 미주국 구주국 경제국 안기부

PAGE 1 91.01.09 09:21 WG

외신 1과 통제관

0158

외상이 제네바에서 색다른 대안을 제시할것으로 보지않으나 여러가지 방안에 관한 융통성 있는 태도를 시사하면서 기회를 최대한 이용하려고 기도할 것으로 전망함.

5. 한편, 작 1.7. 메이저 수상과 사우디 FAHD국왕과의 정상회담에서 영수상은 1.15.시한관련 타협의 여지가 없음을 재천명했으며 사우디 국왕은 사담후세인이 자진 철수할 가능성은 희박하다고 예견하고 결국 무력으로 쿠웨이트가 해방된 이후에도 다국적 연합군이 걸프지역에 잔존할 필요성이 있게될 것이라고 전망함.

6. 1.8. 메이저 수상은 사우디 사막에 배치된 영국군을 방문, 사기를 진작시키고 영국군의 임전태세에 만족을 표하면서 이라크가 장차핵무기등으로 무장되기전에 지금 이라크 문제를 해결하는 것이 바람직하다고 강조함.끝

(대사 오재희-국장)

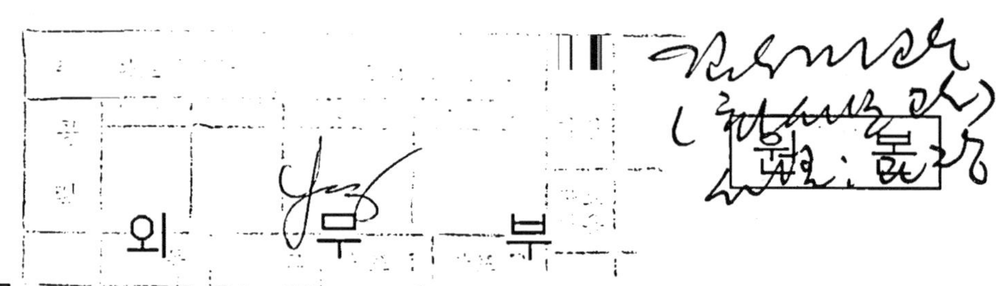

종 별 : 지 급

번 호 : UKW-0051 일 시 : 91 0109 2100

수 신 : 장관(중근동,미북,구일,기정동문,국방부)

발 신 : 주 영 대사

제 목 : 걸프사태

연: UKW-0045

제네바 미.이락과 외상회담에 관한 1.9(수) 당지 BBC TV 보도 요지와 관련 반응을 아래 보고함

1.금 1.9 제네바에서 7 시간에 걸친 미.이락 외상회담을 마친후, 베이커 국무장관은 이락측의 입장 불변으로 말미암아 회담이 실패했다고 발표하고, 다음 조치에 관해서는 연합국들과 협의할 것이며, UN 사무총장의 중재노력등이 있을지도 모르겠다고 말함.

2.동 회담이 예상보다 훨씬 길어지자 모종의 타협이 이루어지고 있는것이 아닌가 하는 추측도 있었으나, 결국 미.이락간에 입장 차이를 좁히지 못한 것으로 밝혀짐으로써 평화적 해결의 전망은 극히 어두워졌다는 것이 일반적 관측임.

3.동 회담 실패에도 불구하고 1.15 시한까지 프랑스, 알제리등의 협상 노력이 계속될 것으로 보이며, UN 사무총장의 중재 시도도 있을것으로 예상됨. 그러나 이들은걸프사태 타결의 핵심역할을 맡고있는 미국이 동의하지 않는한 연합국의 단합만 잠식할뿐 사태 호전에 기여하기는 어려울 것으로 보임.

4.따라서 프랑스등 독자노선을 시사하고 있는 일부국가가 향후 수일간 미국,영국등의 강경입장과 어떻게 의견을 조정해 나갈지 관심이 모아지고 있음. 한편 사담 후세인은 계속해서 철수시한에 융통성을 보일것과 중동문제 전반에 관한 국제회의 개최를 주장하면서 반이라크 연합의 균열과 미 의회의 반전 무드를 조장하는데 주력할 것으로 보임.

5.당지 한 중동전문가는 금일 회담후의 베이커장관의 기자회견 어조가 회담 실패라는 결과에 비추어 볼때 비교적 부드러웠다고 평하고, 아직도 전쟁을 회피할 수 있는 여지가 있으며 이락군이1.15 이후에 단계적으로 철수할 가능성을 배제할

중아국 1차보 미주국 구주국 안기부 국방부

PAGE 1

91.01.10 07:40 DN

외신 1과 통제관

0160

수없다고 말함. (LONDON SCHOOL OF ECONOMICS, HALLIDAY교수)

6.한편, 금 1.9 카이로에서 무바라크 대통령과 정상회담을 가진 메이저 영 수상은 이라크 군의 무조건 완전철수라는 UN 결의에 대해서는 한치의 타협도 있을 수 없으나 이것이 꼭 1.15 시한 엄수와 관련해서는 융통성있는 해석이 가능함을 시사함.끝

(대사 오재희-국장)

0161

긴

외 무 부

암호수신

종 별 : 지 급

번 호 : UKW-0057 일 시 : 91 0110 1830

수 신 : 장관(중근동,미북,구일)

발 신 : 주 영 대사

제 목 : 걸프사태

주 이락 영국대사관 직원 철수현황에 관한 금 1.10(금) 외무성 대변인의 설명요지 아래 보고함.

1. 5 명의 주 이락 영국대사관 직원이 1.10(목) 아침 바그다드를 떠나서 육로로 요르단으로 향하고 있음.

2. 공관원중 총영사 1 명만 현재 바그다드에 잔류하고 있는바, 이는 재 이락 영국인 1 명에 대한 재판이 1.12(토)로 예정되어 있어 이를 돌보기 위한것임.동 총영사가 언제까지 바그다드에 잔류하는가 하는 문제는 계속해서 검토중에 있음.

3. 영국은 이락과의 외교관계를 단절하지 않고 있으며 공관원 잔류여부와 관계없이 대사관은 열려있는 상태임.

4. 현재 이락과 쿠웨이트에는 각각 30 명 이하의 영국민이 체재하고 있음. 끝

(대사 오재희-국장)

중아국 차관 1차보 2차보 미주국 구주국

PAGE 1

91.01.11 07:33

외신 2과 통제관 FE

0162

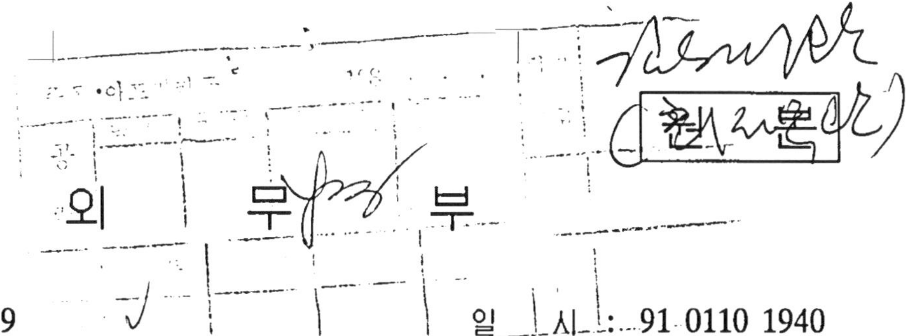

종 별 :

번 호 : UKW-0059 일 시 : 91 0110 1940

수 신 : 장 관(중근동,미북,구일,사본:국방부)

발 신 : 주 영 대사

제 목 : 걸프사태

연: UKW-0051

걸프사태 관련, 당지 주요동정을 금 1.10언론보도를 중심으로 아래 보고함.

1. 메이저 수상

가. 작 1.9(수) 중동국가 순방을 마치고 귀국한 메이저 수상은 제네바 미-이락 외상회담의 실패에 큰 실망을 표하면서, 사담후세인이 전쟁에서 패배할 것임을 자각하고 쿠웨이트에서 철수할것을 결정할 수 있는 시간이 아직도 남아있다고 말함.

나. 이보다 앞서 카이로에서 이집트 대통령과의 정상회담후 가진 기자회견에서 메이저 수상은 1.15.시한을 넘겼을 경우 사담후세인에 대한 공격은 UN결의에 의해 이미 정당성을 확보하고 있는것이며, 다시 UN 안보리를 소집하여 무력적 해결방안에 대해 승인을 받을 필요가 없다고말함.

다. 프랑스가 UN 안보리 재소집을 추진하고 있는 것으로 추측되는 가운데 메이저 수상은 1.14(월) 미테랑 불 대통령과 회담예정인 바, 영국은 프랑스의 독자노선 추구가 사태해결에 역행하고 있음을 경고할 것으로 관측되고 있음.

2. 허드 외상논평(1.10. TV회견)

현재 문제의 핵심은 서방측의 제스쳐로 사담후세인의 체면을 살리면서 조그만 양보를 이끌어내려는 것과같은 외교적 기술에 관한것이 아님. 사담후세인은 철수하면 공격을 피할수 있고 철수하지 않으면 다국적군으로 부터 무력행사를 당할 것이라는 명백한 2개의 시나리오중에서 어느하나를 선택해야 하는 중대한 기로에서있는것임.

3. 노동당 입장(1.10. 키녹당수 TV회견)

가. 1.15. 시한이 지나도 바로 전쟁으로 문제를 해결하려하지 말고 경제 제재조치가 실효를 거두도록 좀더 기다려야함.

나. 그럼에도 불구하고 만약 전쟁이 발발하면 노동당은 영국군의 대 이락

중아국 1차보 미주국 구주국 정문국 안기부 국방부

PAGE 1

91.01.11 09:42 WG

외신 1과 통제관

0163

전쟁승리를 위해 전폭적인 지지를 보낼것임.

4. THE TIMES지(1.10.자 사설)

가. 걸프사태 관련, 12개의 UN 결의가 모두 법적구속력을 가지고 있으며, 현재 반이락 국제연합에 50개 이상의 국가가 참여하고 있고, 이중 28개 국가가 군대를 파견했음을 상기시킴.

나. 걸프사태는 미국-이락간의 분쟁이 아니므로 미측의 협상태도가 문제의 관건이 아니며, 사태해결을 위해서는 이락이 UN 결의에 따르는 수 밖에 없음을 강조함.

5. BBC TV 논평(1.10)

가. 케야르 UN 사무총장은 금 1.10. 이락 향발을 환영함. UN 결의내용이 명백하므로 케야르총장이 교섭할 여지는 거의 없으나, 사담후세인이 만약 철수할 의사가 조금 이라도 있다면 미국대표보다는 UN 대표와의 회담시 융통성을 보이는것이 심리적으로 보다 용이할 것임.

나. 사담후세인이 전쟁에서 승리할 수 있다고 진정으로 믿고있는지도 모름. 그러나 전쟁시 미국등에게 정치적 타격은 줄 수 있지만 이락이 군사적으로 승리한다는 것은 상상하기 어려움.끝

(대사 오재희-국장)

0164

원 본

외 무 부

종 별 :

번 호 : UKW-0073 일 시 : 91 0111 2000

수 신 : 장 관(중근동,미북,구일)

발 신 : 주 영 대사

제 목 : 걸프사태

연: UKW-0059

걸프사태 관련, 당지 주요동정을 1.11(금)언론보도를 중심으로 아래 보고함.

1. 1.10. 각의는 긴급회의를 개최하고 전쟁대비책을 협의했으며, 특히 상병자치료 방안 및 테러대응책에 관하여 논의함.

2. RIFKIND 교통장관은 무력충돌 가능성이 커짐에 따라 특히 항공관계 테러 위험성이 현저히 증대될 것으로 경고했으며, 주재국 내각공항에서의 경비 및 검색이 강화됨. 당지 미대사관도 특히 주재국내 미국인들에 대해 신변안전에 유의토록 경고했으며, 전문가들은 전쟁 계속중에는 물론이고 단기간의 공격으로 이락이 패배했을 경우에도 테러 위험은 크게증대될 것으로 관측하고 있음.

3. 허드외상은 예정대로 1.11. 중동 5개국 (바레인, 카타르, 아랍에미리트, 요르단, 터키) 순방차출발하였음. 이는 전쟁과 관련, 걸프지역국가들의 입장을 재확인하기 위한 것으로 관측됨.

4. UN 사무총장과 EC 외상들과의 1.11.제네바회담에 참석한 DOUGLAS HOGG 외무성 국무상은 중동문제의 해결을 위한 종합적인구상들 (미국을 제외한 UN 쿠웨이트파견등)은 이락이 UN 결의를 이행한다는 전제하에 고려할 수 있는 것이라고 말함.

5. 베이커 미국무장관은 1.13(월) 당지를 방문, 메이저 수상과 회담 예정임.

6. 금주에 실시된 여론조사는 전쟁관련 영국민의견이 반분되어 있음을 보여주는바, 조사대상자의 49 가 1.15.시한이후 즉각적인 공격을 지지했으며, 43는 경제제재가 효과를 발휘하도록 보다많은 시간이 주어져야 한다는 의견임.

7. 1.11. 켄터베리 대주교는 대 이라크 전쟁은 모든다른 수단들이 실패했을 경우에만 정당화 될수있다고 말함.

8. 1.11. 밤부터 당지 유가는 갤론당 6.8펜스상승함.

중아국 1차보 미주국 구주국 안기부 그차관 동그부

PAGE 1

91.01.12 09:41 WG

외신 1과 통제관

0165

9. 1.11. BBC-TV 논평은 사담후세인이 자진 철수할 의사가 없는것으로 보고 케야르 사무총장과의 회담에서도 돌파구가 마련되기는 어려울 것으로 전망함. 사담후세인은 전쟁에 완전 승리하지는 않더라도 전쟁의 결과, 쿠웨이트의 일부라도 차지할수 있을 가능성에 기대를 걸고 있으며, 또한 비록 전쟁에 패배해 쿠웨이트에서 완전축출되더라도 미.영등 세력에 굴복하지 않은 아랍세계의 영웅으로 군림할 수도 있다고 생각하고 있는 것으로 분석함.끝

(대사 오재희-국장)

PAGE 2

0166

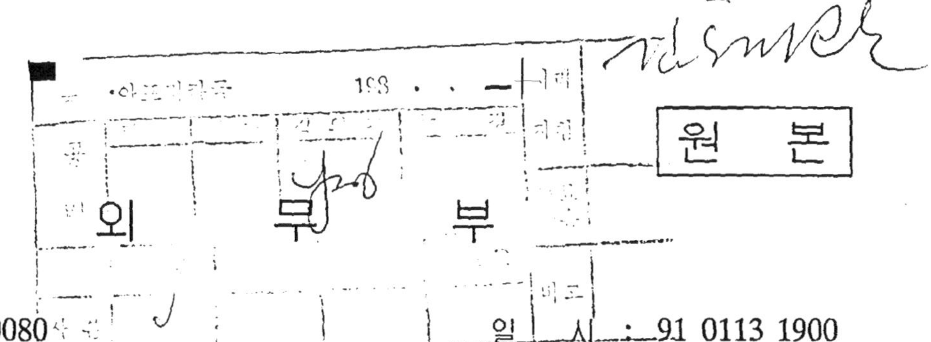

원 본

외 무 부

종 별 : 지 급

번 호 : UKW-0080 일 시 : 91 0113 1900

수 신 : 장관(중근동,미북,경협,구일)

발 신 : 주영대사

제 목 : 걸프사태

걸프사태 진전에 관한 1.12-13. 당지 보도요지를 아래와 같이 보고함.

1. 이락에 대한 군사공격을 승인하는 미 상.하양원의 결의에 이어 부쉬 대통령은사담이 철수하지 않으면 조속 이락에 대한 군사공격을 개시할 것이라고 경고한 바,미국과 영국의 고위관리들도 사담이 화요일까지 철수를 개시하지않을 경우 이락에 대한 공습이 금주중에라도있을 것이라고 말함.

2. 부쉬 대통령은 공격이 개시되기 전의 추가협의없이 수분간의 사전통보만으로기습하는데 대한 영국, 사우디 및 이집트 정부의 동의를 받았다고 소식통들이 말함.공격명령을 국제연립(INTERNATIONAL COALITION)의 구성국들에게 전달하기 위한 체제도 이미 마련되어있음.

3. 허드 외상은 걸프방문중 1.12(토) 아부다비에서사담이 무력으로 쿠웨이트 에서 제거될 것이고 이에대한 결정이 내려지고 있다고 말하면서무력사용을 계속 지연시킬 이유가 없다고 말함.

4. TON KING 국방상은 1.13(일) BBC 회견에서 군사공격이 있을 경우 단기간의 강력한 공격이될것이라고 말했으며, 국방성이 걸프 부상병을위해 7,500개의 병상을 마련 하고 있다는 보도에 대하여 이를 확인하기를 거부하면서도 수천개의 병상이 필요할것임을 시인함.

5. 베이커 국무장관이 1.9(수) 이락의 AZIZ외상과의 회담시 전달하려다 이락측이접수 거부한 부쉬대통령의 친서전문이 1.13(일)자 당지 THESUNDAY TIMES 지에 보도 된바, 동 서한내용은 사태를 어떠한 수단을 동원해서라도 해결하려는 부쉬대통령의

중아국 2차보 미주국 구주국 경제국 청와대 안기부

PAGE 1 91.01.14 06:34 BX

외신 1과 통제관

0167

단호한 결의를 나타내고 있음(동보도전문 FAX 송부)

6. 바그다드 주재 미 외교관들의 철수와 함께 영국정부는 현지에 잔류하고 있던총영사 1인을 1.12(토) 철수시킴. 영국정부는 또한 당지주재 이락대사관의 공관원 28명(잔류인원: 대사 및직원 4명)에 대해 추방령을 내림.

7. 주재국 보안기관들은 테테행위 발생가능성을 계속 경고하고 있으며, 취약 테러 대상으로서 항공기, 석유시설, 기차 및 철도역,외국공관, 군사기지등을 예시하고, 가능성은 적으나 수도물 수원에 대한 독극물 부입등생화학 무기 사용사태도 우려하고 있음.끝

(대사 오재희-국장)

PAGE 2

0168

관리 번호	91/1081

분류번호	보존기간

발 신 전 보

번 호 : WUS-0131 910114 1646 FC 종별 : 긴급

수 신 : 주 수신처 참조 대사. 총영사

발 신 : 장 관 (중근동)

제 목 : 폐만사태 비상 대책

WJA -0173 WUK -0087
WSV -0117 WFR -0062
WUN -0071 WIT -0079
WSB -0084 WCA -0043

연 : WUS-0107

연호와 같이 폐만사태 비상 대책 수립에 참고코자 하니 1.13. 케야르 유엔 사무총장의 사담 후세인 대통령 회담, 결과 및 1.14. 이라크 비상의회 소집 유엔이 정한 이라크의 철군 시한을 앞두고 일련의 움직임에 주재국 정부, 언론계, 학계등의 관찰, 정세전망, 입장등을 파악 지급 보고 바람. 끝.

1991. 6. 30. 에 예고문에 의거 일반문서로 재분류됨

(차 관 유 종 하)

예 고 : 91.6.30. 까지

보안 통제	

앙 고 재	91년 1월 14일	중근동과	기안자 성명		과 장		국 장		차 관	장 관

외신과통제

0169

원 본

외 무 부

종 별 : 지 급

번 호 : UKW-0084 일 시 : 91 0114 1800

수 신 : 장 관(중근동,미북,구일)

발 신 : 주 영 대사

제 목 : 걸프사태

1. 메이저 수상은 금 1.14(월) 프랑스의 미테랑대통령과 오찬회담에 참석하기 위해 파리를 방문함. 수상 방문은 지난 연말 로마 EC정상회담시 결정된 바, 사태의 긴박성에 비추어 회담은 걸프대책 조정에 집중되었음.

2. 메이저 수상은 회담이 끝난후 걸프대책에 있어 양국간의 입장에 차이가 없었다고 밝히고 유엔사무총장의 노력이 실패로 끝난데 대해 미테랑대통령과 실망을 같이 했다고 말하면서 이제사태는 이락의 손에 달려있다고 강조함.

3. 메이저 수상은 1.13(일)밤 캠브리지 지방공군기지를 경유한 베이커 미국무장관과 75분간에 걸쳐 회담한 후, 기자들에게 사담이 평화적으로 철수하지 않으면 조속 (EARLIER RATHERTHAN LATER) 그를 제거해야 될것이라고 말함으로써 신속한 행동을 시사 함.

4. 브럿셀에서 금 1.14(월) 긴급 소집된 EC외상회의는 유엔 사무총장의 이락 방문결과를 전달받은후, EC 수준의 새로운 외교적인 시어티브를 취하지 않기로 결정함.

5. 메이저 수상은 금 1.14(월) 오후 귀국하여 켄터베리 대주교와 웨스터민스터 대주교를 초치, 면담예정인 바, 걸프전에 대비한 대 국민홍보계획의 일환으로 관찰됨.끝

(대사 오재희-국장)

중아국 1차보 2차보 미주국 구주국 정문국 안기부

PAGE 1 91.01.15 08:53 WG

외신 1과 통제관

0170

관리번호	91-808

원 본

외 무 부

종 별 : 지 급

번 호 : UKW-0088 일 시 : 91 0114 1930

수 신 : 장관(중근동,미북,구일,경협,기정동문)

발 신 : 주 영 대사

제 목 : 걸프사태-전문가 분석

1.14.(월) 본직은 당지 런던대학의 중동문제 전문가 DR. CHARLES TRIPP 을 오찬에 초청, 걸프사태에 관해 의견교환 하였는 바, 동인의 발언요지 아래 보고함.(황서기관 배석)

1. 전쟁 가능성

가. 하기 예상에 비추어 사담 후세인이 전쟁을 회피할 가능성이 적으로므로전쟁발발 가능성이 75 대 25 로 상당히 높은 것으로 봄

1) 사담 후세인은 전쟁에 군사적으로 패배하더라도 1956 년 낫세르와 마찬가지로 정치적으로 아랍의 영웅이 될것으로 희망할 가능성

2)사담은 미국 주도하에 자신을 제거하기 위한 국제적 음모가 있기 때문에 쿠웨이트에서 철수하더라도 결국은 자신에 대한 어떤 형태의 공격을 예상할 가능성

3) 이미 쿠웨이트를 요새화 했으므로 전술적 견지에서도 쿠웨이트에서 전투를 벌이는것이 유리하다고 생각할 가능성

4) 이락의 군사적 열세에 관한 올바른 정보가 사담에게 제대로 전달되지 않음으로써, 이락 군대를 과대 평가하고 있을 가능성

5)전쟁이 시작되면 미국및 유럽에서의 반전문드 및 아랍세계의 반미감정 비등으로 이락의 완전 패배전에 휴전 가능성 상정

나. 전쟁 발발시기

1) 1.15 이후 수일간 마지막 협상 노력이 있을것으로 봄

2)사담이 동 수일간 철수의사 표명하지 않으면 곧 미국이 무력 사용 결정함으로써 전쟁발발 예상

다. 전쟁시 핵무기 사용 가능성 희박

1)이락이 화학. 생물학 무기 사용할 가능성이 크며 그경우 미국도 화학. 생물학

중아국 장관 차관 1차보 2차보 미주국 구주국 경제국 청와대 안기부

PAGE 1

91.01.15 08:03

외신 2과 통제관 BW

0171

무기 사용할지도 모름

2)미국의 핵무기 사용은 국제여론상 부정적 측면이 많으며, 핵무기 사용할 긴박한 필요성도 없다고 봄

2. 이스라엘 참전시 파급 효과

가. 이스라엘의 자위권 행사시에도 반 이락 연립에서 아랍제국이 이탈할 가능성 희박(하기 6 항 참조)

나. 사담의 수사(RHETORI7C)에도 불구, 평소 이스라엘의 군사력에 대한 높은 평가 때문에 실제로 이스라엘 공격하지 않을 가능성 농후

다. 이스라엘 공격시 이락은 군사적으로 큰 타격 자초

3. 전쟁의 장기화 가능성

가.1-2 주일내에 끝나기는 어려우나, 수개월 내지 1 년 가까이 지속되는 장기전은 아닐것으로 전망

나. 연합국의 공군력으로 이락 지휘부를 마비시키면 전방의 이락 육군은 급격히 약화(이락 군부대는 독자적인 의사결정 능력 부재)

다. 이락군 내부의 엄격한 규율 때문에 탈영 가능성은 희박하나 많은 이락군이 항복하여 전쟁포로 다량배출 가능성 농후

4. 이락의 쿠웨이트 침공의도 분석

가. 원래 의도는 쿠웨이트를 굴복시켜 두개의 섬 탈취 및 재정적 실리획득에 있었던 것으로 보임

나. 이락은 전통적으로 해상통로 확보에 관심지대(이락을 HUGE LUNG WITH ATINE THROAT 로 표현하기도 함)

다. 이란-이락 전쟁후의 국내정치적 동요 가능성, 경제적 궁핍, 거기에 미국의 사전경고 부재가 이락군 군사행동 배경으로 간주됨.

5. 이락 내부정세

이하 UKW-0089 로 계속

0172

관리번호	91-806

원 본

외 무 부

종 별 : 지 급

번 호 : UKW-0089　　　일 시 : 91 0114 1940

수 신 : 장관

발 신 : 주 영 대사

제 목 : UKW-0088 의 계속분

5. 이락 내부 정세

가. 이락은 대통령 중심의 전체주의적 사회인 바, 현재로서는 조직화된 반 사담세력 부재

나. 권력층의 75 프로가 사담 친척들로 구성, 응집력 강함

다. 사담은 이락 인구의 23 프로에 불과한 수니파 소속임. 근세 이락 역사상 지도자는 항상 수니파 아랍족에서 나왔는 바, 전 인구의 50 프로에 해당하는 시아파 아랍족은 시대조류에 따라 박해의 대상이 됨

라. 상기 이유로 이락은 내전의 위험에 대한 공포가 상존하고 있어 사담과 흡사한 강력한 지도자에 대한 선호도가 높음.

마. 사담이 제거되는 경우에도 사담과 흡사한 성향의 지도자 재등장 가능성있음

6. 아랍제국의 태도

가. 이집트

1) 무바라크 대통령은 사담의 쿠웨이트 침공을 인간적 배신으로 생각, 용서하기 어려움.(아랍세계에서는 지도자들의 개인적 관계가 대단히 중요)

2)전쟁시 이집트 육군은 사막전에서 상당히 실력 발휘 예상

나. 시리아

1)아랍내 세력다툼으로 인한 이락에 대한 반감, 미국과의 관계조정, 서방으로 부터의 재정적 지원 필요성등에 의해 반 이라크 연립에 가담

2)전쟁시 대 이락 교전은 되도록 피하고 쿠웨이트에 진주, 해방군 역할 담당 희망

다. 요르단

1)이락에 대한 경제적 의존도 높으며, 시리아 및 사우디 견제위해 그간 이락에 정치적으로도 편향

중아국 장관 차관 1차보 2차보 미주국 구주국 경제국 청와대 안기부

PAGE 1　　　91.01.15 08:05 외신 2과 통제관 BW

0173

2)반 이락 연립에 가담하지도 못하고 곤경에 처함

라. 아랍내부 문제로서 타협 절충 가능성은 희박

1)쿠웨이트 문제관련, 아랍세계의 의견통일은 거의 불가능

2)미국등 세계 주요국들이 걸프사태를 아랍문제로 간주하지 않음

7. 프랑스 및 소련의 태도

가. 프랑스

1)프랑스가 중동문제 국제회의 소집을 선호해도 실제 회의소집 능력 부재

2)타협 모색은 국내여론 무마 및 아랍권과의 전통적 관계 고려한 전시용 및전쟁시 정치적 피해 최소화 목표

나. 소련

1)프랑스와 마찬가지로 실제로 해결능력 부재, 전쟁시 자국에 대한 정치적 피해 최소화 추구

2)소련은 미국과의 관계유지가 최우선 고려사항

3)소련이 더이상 초강대국이 아니라는 사실이 사담에게는 치명적인 국제환경의 변화.끝

(대사 오재희-국장)

91.6.30. 까지

관리 번호	91-66

	분류번호	보존기간

발 신 전 보

번 호 : WJA-0203 외 별지참조 종별 : WUK-0100 910115 1927

수 신 : 주 수신처 참조 ~~대사, 총영사~~

발 신 : 장 관 (미북)

제 목 : UN 안보리 철군 시한 경과 관련 성명 발표

1. 페만 사태와 관련 UN 안보리가 설정한 1.15. 이라크군 철수 시한이 임박함에 따라 독일 정부는 상기 시한전 이라크군의 철군을 촉구하는 수상실 명의 성명을 1.14. 발표하였음.

2. 본부 조치 결정에 참고코자 하니, 1.15. 시한을 전후하여 주재국 정부의 여사한 입장 표명이 있을 경우 발표 즉시 지급 보고 바람. 끝.

(미주국장 반기문)

검토필 (91. 6. 30.)

예고 : 91.12.31. 일반

수신처 : 주일, 주영, 주불, 주카나다, 주이태리, 주벨지움, 주덴마크, 주그리스, 주터어키, 주호주대사
(사본 : 주미대사) 주카이로총영사, 주파키스탄, 주사우디, 주방글라데시, 주모로코, 주세네갈, 주체코, 주쏘 대사

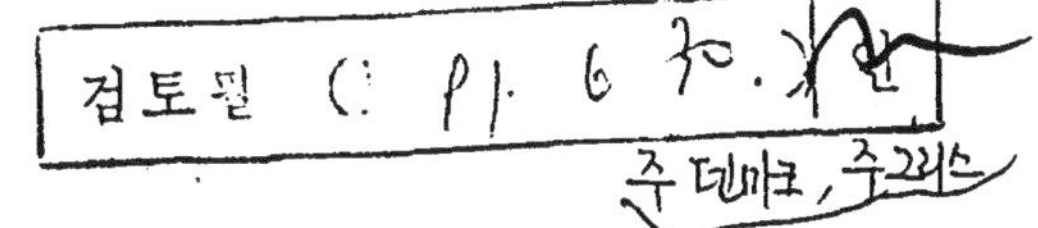
일반문서로 재분류(1991.12.31.)

중동 아국장 대변인

보안 통제	

앙 고 재	91년 1월 15일	북미과	기안자 성명		과 장	심의관	국 장		차 관	장 관
							전결			

외신과통제

0175

유엔 안보리 철군 시한 경과후

~~대한민국 정부~~ 외무부 대변인 성명(안)

1991. 1. 16.

1. 대한민국 정부는 유엔 안보리 결의가 설정한 1.15. 철수 시한이 지났음에도 불구하고 이라크 정부가 쿠웨이트에 불법 주둔중인 이라크군을 아직 철수치 않고 있음을 유감스럽게 생각합니다.

2. 이에 따라 페르시아만 지역정세가 전쟁 발발 일보 직전으로 치닫고 있어 페르시아만 인근지역 전체는 물론 전세계인들을 공포와 불안에 떨게하고 있는데 대해 우리는 깊은 우려를 갖고 있습니다.

3. 우리 정부는 이라크 정부가 지금이라도 전세계 평화 애호인의 염원에 부응하여 유엔 안보리 결의가 요구하고 있는 바와 같이 쿠웨이트로부터 즉각 철군할 것을 거듭 촉구하는 바입니다.

4. 대한민국 정부는 이 기회를 빌어 페르시아만 지역에 파견된 미국을 비롯한 다국적군의 헌신적인 평화유지 노력에 깊은 경의와 찬사를 보내고자 합니다.

끝.

중동아국장 대변인

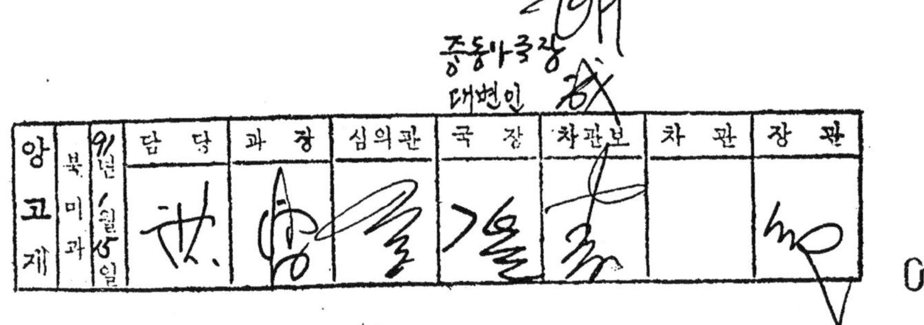

앙 고 재	북미과	91년 1월 15일	담 당	과 장	심의관	국 장	차관보	차 관	장 관

0176

관리 번호 91-115

외 무 부

종 별 : 지 급

번 호 : UKW-0104 일 시 : 91 0115 1800

수 신 : 장관(중근동,미북,구일,경협)

발 신 : 주 영 대사

제 목 : 걸프사태 성명발표

대: WUK-0100

1.15(화)) UN 시한당일, 메이저 수상은 주재국 하원 연설을 통해 이락군이 철수하지 않으면 군사력이 동원될 것이라는 주재국 입장을 재확인함. 동 연설문 FAX 송부함. 끝

예고: 91.12.31 일반

일반문서로 재분류(1991.12.31.)

검 토 필 (1991.6.30.)

중아국	장관	차관	1차보	2차보	미주국	구주국	경제국	청와대
안기부								

PAGE 1

91.01.16 07:46

외신 2과 통제관 BW

0177

주 영 대 사 관

총 8 매
(8-1)

번 호 : UKW(F)- 0027 DATE: 10115 1800

수 신 : 장관(중근동,미북,구일,경협)

제 목 : 1.15. 걸프사태관련 수상의 하원연설문

첨부: 연설문 7매. 끝

0178

8-2

PRIME MINISTER'S SPEECH IN THE DEBATE ON THE GULF ON TUESDAY 15 JANUARY 1991

in the House of Commons

Introduction

Mr Speaker, there is great overwhelming concern in Parliament and in the country about the situation in the Gulf. That concern is shared by everyone but must be most acutely felt by the families and friends of all our troops at present in the Gulf

The present situation has been brought about firstly by Iraq's illegal invasion of Kuwait; and secondly by its continued refusal to implement the resolutions of the United Nations Security Council and withdraw totally and unconditionally from the country they invaded. It is five and a half months since the first of these resolutions - and the deadline for Iraq to comply with them runs out today. Therefore, the Government thought it right for the House to debate the situation.

Since we last discussed these matters on 11 December last year, there have been important diplomatic and military developments. In addition my RHF (Right Honourable Friend) the Foreign and Commonwealth Secretary and I have both visited the Middle East to discuss the situation with the rulers and Governments there. I have recently met President Bush, President Mitterrand and Secretary Baker for the same purpose; and my RHF has been in constant contact with his European Community colleagues and others. Yesterday I also spoke at length to the Secretary General of the UN following his mission to Baghdad.

I intend to cover these developments shortly, although I shall not go into the detailed background to the present crisis, which was dealt with by my RHF the Member for Finchley with characteristic clarity in her speech on 6 September last year. I shall report on the various discussions which my RHF and I have had. I shall explain why the Government regard full implementation of the UN resolutions as so crucial. And finally, I shall set out how we intend to act.

Before doing so, I wish to make one general point. I would hope that this debate will not be seen as a party political or partisan occasion. With the danger of hostilities looming - through no wish of ours - it is very important that our forces in the Gulf should feel that they have the united support of the vast majority of this House and of ~~the nation~~ the country. That will be ~~the~~ spirit in which the Government approaches this debate.

Developments in Iraq and Kuwait

Mr Speaker, since the invasion on 2 August, the international community has repeatedly called on Saddam Hussein to withdraw from Kuwait.

- Twelve Security Council resolutions have been passed, unanimously or with substantial majorities.

- Dozens of visits to Baghdad and appeals to Saddam Hussein have been made by international statesmen.

15 JAN '91 18:47 FROM FCO ID GUID210 E341 01 210 E341 PAGE.002

0179

- Most recently, the US Secretary of State James Baker has met Tariq Aziz in Geneva, and the Secretary General of the United Nations has met Saddam Hussein in Baghdad.

Despite all this, Iraq is still in Kuwait and shows no sign of leaving.

Indeed, I fear the contrary is the case. In recent weeks, Iraq has continued to increase the size of its forces in and around Kuwait. There are now nearly 600,000 troops, over 4,000 tanks and over 3,000 artillery pieces. Their defences are continually being strengthened.

Chemical weapons - already used by Saddam Hussein against his own people - have been deployed. Contrary to international agreements, Iraq has produced and threatened to use both chemical and biological weapons - the use of which would ~~be~~ contrary to international agreements. And Iraq also continues efforts to develop a nuclear weapon, although we do not believe ~~it has so far~~ succeeded.

At the same time, Iraq has constantly and cynically changed the pretexts given for its invasion. At various times we have been told that the invasion took place

- first because Kuwait had artificially depressed the world price of oil;
- then it was because Kuwait had failed to pay compensation to Iraq for lost revenues;
- and then because it had occupied territory on Iraq's border.

We were told there had been a coup d'état in Kuwait and a new Government established which had appealed for Iraqi support. ~~Being~~ That absurd untruth soon disappeared without trace.

Then we were informed that Kuwait had been wholly absorbed into Iraq itself. The Iraqi Information Minister told the world - and I quote - 'to forget that a place called Kuwait had ever existed' ~~(reprise)~~. It was even suggested that Kuwait had been attacked because it posed a threat to Iraq's security - a notion so absurd that the world dismissed it with contempt.

Finally we were told - least credibly of all - that the purpose of the invasion had been to bring about a peaceful settlement of the Palestinian question. I must tell the House that non-Iraqi Arab leaders are particularly contemptuous of this excuse and have made that clear to me and my RHF, the Foreign Secretary. The real fact is that Iraq's action has made settlement of that long-standing - and very real - problem infinitely more difficult. Only when Iraq has withdrawn from Kuwait shall we be able to resume efforts to find a solution with any hope of success. And that ~~we will~~ do.

15 JAN '91 16:48 FROM FCO ID GUID210 6341 01 210 6341 PAGE.003

0180

8-4

Mr Speaker, rarely in history can there have been a more cynical catalogue of lies and deceit. The reality is there for all to see. Iraq has used military force to wipe Kuwait off the face of the map and plunder its resources. Nor is this all.

Intimidation, torture and murder of the Kuwaiti people has continued without respite. The appalling details have been carefully and shockingly catalogued in the report by Amnesty International. It should be compulsory reading for everyone who expresses a view on this issue. What it reveals is truly shocking. People executed - murdered is a better word -for failing to display a photograph of Saddam Hussein in their home. Teenage boys murdered in sight of their mothers and sisters, their bodies left on the street as garbage, their families forbidden from taking the corpses to give them a decent burial. It is horrifying - a tale of unbelievable and sickening cruelty. Those who caution delay because they hate war - as we all do - must ask themselves this question: how much longer should the world stand by and risk these atrocities continuing?

It is not only atrocities. Hundreds of thousands of Kuwaitis have been forced to leave their country, as part of a systematic effort to change populations, to expunge records and erase national identity. At the start of August there were 700,000 Kuwaitis in Kuwait. Now there are 250,000 - a drop of two-thirds. Organised robbery has taken place on a gigantic scale, with everything from cars and buses to medical equipment, even incubators in use in the hospitals, taken away as spoils of war to Iraq.

Mr Speaker, what we are seeing is not a simple dispute. Not an everyday difference of opinion. What we are seeing in Kuwait is an attempt to eliminate a State by a dictator who has shown himself to be a thorough force for evil.

The Diplomatic Effort to find a peaceful solution

And yet, despite all this, we have not given up our efforts to find a peaceful solution on the basis of full implementation of the UN Resolutions. The United Nations, the European Community, the Arab League and the Organisation of Islamic Conference - all have tried to persuade Iraq to comply with the Security Council resolutions. Many individual governments have also made their contribution. Yet what happened when Secretary Baker met the Iraqi Foreign Minister in Geneva last week, to try once again to bring about a peaceful solution? - Tariq Aziz refused even to mention Kuwait or to discuss withdrawal. He showed no flexibility whatsoever nor any remorse for the crimes that have been committed.

An invitation to Tariq Aziz to meet the European community was brusquely rejected.

Subsequently the United Nations Secretary General travelled to Baghdad, to offer his good offices. We welcomed that. Even at that late stage we hoped reason would prevail. His mission had the full support of Britain, the United States and the European Community. He enjoys the respect of the whole world community. His involvement demonstrated more clearly than anything else

15 JAN '91 15:49 FROM FCO ID GUID210 6341 01 210 6341 PAGE.004

0181

could that the confrontation is not one between US and Iraq, or the West and Iraq, but between the United Nations and an aggressor. But I am sorry to report that his efforts, too, were crudely brushed aside. When I spoke to him yesterday he told me that there was nothing favourable to report from his meeting with Saddam Hussein, not the slightest sign of willingness to comply with the Security Council's Resolutions, now or in the future.

The House will have seen reports of a French initiative, put forward a few hours after the EC Foreign Ministers had concluded that the conditions for an initiative did not exist. I think it would be more accurate to say that what is involved is an appeal to Saddam Hussein to reconsider and to withdraw, even at this late hour - and that is something which we all want to see.

But what we cannot do is water down the existing Security Council resolutions which call for total and unconditional Iraqi withdrawal, or extend the UN deadline, or in any way reward Iraq for its aggression. Those are the criteria on which we judge any proposal. Saddam Hussein must be given no false expectation that peace can be had without full implementation of the Security Council resolutions.

My clear impression from my own discussions with President Mitterrand yesterday is that, like all of us, he still hopes that hostilities can be avoided. But particularly in the wake of Iraq's totally negative response to the UN Secretary-General, he sees no realistic prospect that Iraq can now be persuaded to take the essential step of withdrawing from Kuwait.

Mr Speaker, nobody can claim that we have not tried for peace. If we have failed, we have failed because Iraq has rejected every attempt to reach a diplomatic solution.

In parallel with these diplomatic efforts, the international community has - with very few exceptions and contraventions - applied economic sanctions against Iraq. They are among the most sweeping sanctions ever agreed by the United Nations. They have interrupted ninety per cent of Iraq's foreign trade and caused widespread dislocation of the economy.

But what is the real test of sanctions? It is not whether they cause economic misery in Iraq. It is whether they bring about Iraq's withdrawal from Kuwait. So far they have failed to achieve that. And it is clear they are not going to succeed by the deadline set by the United Nations for Iraqi withdrawal - or indeed for a very long time after that.

There are those who argue - and I understand their concern - that we should give sanctions more time to work. But at what price? More time for sanctions to work has other implications. It also means more time for Iraq to continue to extinguish Kuwait. More time for Iraq to prepare its defences against Allied troops. More time during which Kuwaitis will be tortured and killed. And because sanctions are not having their intended effect, we would in practice be extending the deadline for Iraq's withdrawal, while relaxing pressure on Iraq to comply. To do so would destroy the credibility of the international community's response to Iraq's aggression.

15 JAN '91 16:50 FROM FCO ID GUID210 5341 01 210 5341 PAGE.005

0182

The United Kingdom's role and Forces

That, Mr Speaker, is the situation we face. Throughout recent months, the Government has taken great care to consult with its allies, both the United States, Europe and the Arab world. Last week I met the Amir of Kuwait, the King of Saudi Arabia, the Sultan of Oman and President Mubarak. My RHF the Foreign Secretary has just returned from visits to other Gulf states as well as Jordan and Turkey, on which he will report in his winding-up. Earlier this week I have spoken to Mr Mulroney and met both Secretary Baker and President Mitterrand.

~~During~~ Throughout my own visits, I found a rock-solid determination to make Saddam Hussein withdraw. There was - amongst our allies - no talk of compromise,

- no talk of concessions,
- no suggestion that the United Nations' deadline should be extended,
- no inclination whatsoever to weaken or back down in the face of Iraq's intransigence.

The resolve of our Arab allies to see the United Nations' Resolutions implemented remains unshaken and unshakeable. And it was also clear that they value very highly the United Kingdom's role and contribution.

Mr Speaker, it is to restore the independence of Kuwait, to defend Saudi Arabia and to back up these diplomatic efforts and the peaceful pressure of sanctions that over 30 nations have contributed to the multinational effort in the Gulf. Over the past few weeks, the scale of those forces has grown steadily. They now constitute an awesome assembly of military power, on a scale not seen since the Second World War.

Britain's contribution to this force numbers over 35,000 servicemen and women. I was able to meet some of them in the desert while I was in the Gulf last week. Their morale is high. Their professionalism is obvious. And their confidence is impressive. They have the equipment which they need and the determination we would expect. They are working well with their American and other allies.

I explained why we had to ask them to be there, and what might lie ahead. I told them, too, of the great concern felt for them by everyone at home, as well as the tremendous pride in their performance. I am in no doubt they understand the risks and dangers. They know what they may be asked to do. They left me in no doubt they are both able and ready to do it.

The Principles at Stake

Mr Speaker, peaceful means of persuading Iraq to withdraw - the diplomatic efforts, the sanctions, the allied military presence - have been tried for nearly six months now. But without success.

A line has to be drawn somewhere. And it has been drawn: not hastily by us or by any one state, but deliberately and collectively by the United Nations Security Council with Resolution 678.

From tomorrow the situation changes. We continue to look for peaceful solution. But we shall also be justified in using all necessary means of bringing about Iraq's withdrawal. And that includes the use of force.

That is not a pleasant prospect, Mr Speaker, but, as we face it let us never forget that the decision to use force was taken first by Saddam Hussein, entirely of his own choosing, when he decided to invade Kuwait.

But the principles at stake are crucial and we must uphold them

First, - and I hope this is not too simplistic but I feel it deeply - first, because there is a clear dividing line between what is right and what is wrong: and what Saddam Hussein has done in Kuwait is, in the simplest terms, just plain wrong and unforgivable.

Secondly, if he were to get away with his aggression and gain from it, other small countries in the vicinity, and those elsewhere in the world with large and potentially aggressive neighbours, will all too likely face similar problems and similar dangers. That is the second reason why there can be no deals, no partial withdrawal, no artificial linkage to solutions of other problems, nothing but an absolute commitment to implement the Security Council's resolutions in full and without delay.

Thirdly, failure to secure Saddam Hussein's withdrawal would have grave implications for the balance of power in the Middle East. It would mean putting off difficulties today at the expense of greater difficulties in the not too distant future, as Iraq acquires even more devastating and dangerous weapons and their appetite for conquest grows.

But there is a fourth, over-riding point. We have made progress particularly over the last twelve months, towards establishing a more peaceful world, in which there is greater respect for the United Nations and its resolutions. At last, it has seemed, the UN might live up to the aspirations of its founders. All our hopes for this would fall away if we were to allow Saddam Hussein to get away with swallowing up Kuwait. It cannot be permitted. So, if we are ever to have a safe world, we must demonstrate conclusively that aggression does not succeed. If we fail to do so - where nearly the whole world is united against Iraq - then we would bear a heavy responsibility for any future aggression there may be.

The Way Ahead

For all these reasons, we have - all of us - made it clear to Saddam Hussein that he must withdraw. But we have also made it clear that if he leaves Kuwait and returns within the borders of Iraq, force will not be used against him: let me reiterate that point. If he voluntarily withdraws into Iraq he will not be

15 JAN '91 18:51 FROM FCO ID GUID210 6341 PAGE.00

0184

attacked there. But if he does not leave then force will be used and he will be expelled from Kuwait.

I hope he understands the sheer weight of the forces that are arranged against him, the scale of armour and equipment which the multi-national alliance has at its disposal. Because if he does realise that, he will also realise that he cannot win: and that the only consequence of failing to withdraw is to bring about the destruction of his armed forces and great damage to his country

Mr Speaker, we do not want a conflict. We are not thirsting for war - though if it comes, I have no doubt it would be a just war. However great the costs of such a war, in my view, they would be less than those of failing to stand up for principle and for what is right - now. I do myself believe that, if Iraq does not withdraw, the time has come to make a stand.

But even now it is not too late for Saddam Hussein to relent and pull his forces out. We have always seen the possibility that he will do that at the last moment. But I must tell the House we see no sign at present that that is likely. Nonetheless, we must hope he sees sense. We must hope that he does not force us to fight.

But let him be under no misapprehension at all. If necessary, we will commit our forces to fight. From tomorrow we are ready, with our allies, to do whatever is necessary to implement the resolutions of the United Nations in full. To ensure that Iraqi forces leave Kuwait without condition and without delay and without reward.

Over the months we have worked for peace. And hoped for peace. But we are prepared for war. The choice is Saddam Hussein's.
must be

0185

관리번호	91-1512

원 본

외 무 부

종 별 : 지 급

번 호 : UKW-0104 일 시 : 91 0115 1800

수 신 : 장관(중근동,미북,구일,경협)

발 신 : 주 영 대사

제 목 : 걸프사태 성명발표

대: WUK-0100

1.15(화)) UN 시한당일, 메이저 수상은 주재국 하원 연설을 통해 이락군이 철수하지 않으면 군사력이 동원될 것이라는 주재국 입장을 재확인함. 동 연설문 FAX 송부함. 끝

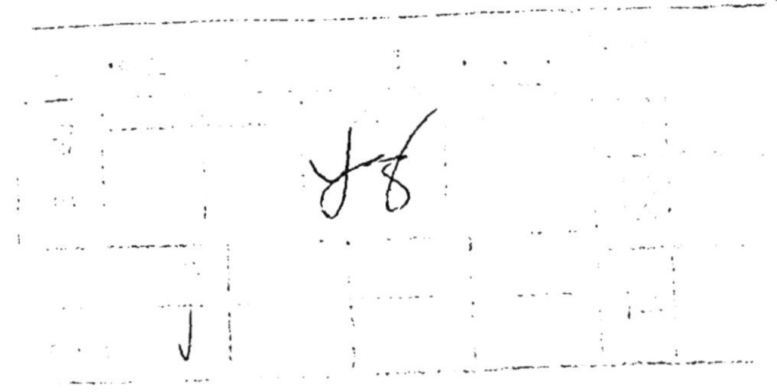

1991.6.30. 에 예고문에 의거 일반문서로 재분류됨.

중아국 장관 차관 1차보 2차보 미주국 구주국 경제국 청와대 안기부

PAGE 1

91.01.16 07:46

외신 2과 통제관 BW

0186

주 영 대 사 관

총 8 매
(8-1)

번 호 : UKW(F)- 0027 DATE: 10115 1800

수 신 : 장관(중근동,미북,구일,정협)

제 목 : 1.15. 걸프사태관련 수상의 하원연설문

첨부: 연설문 7매. 끝

0187

[illegible]E MINISTER'S SPEECH IN [illegible] DEBATE ON THE GULF ON TUESDAY 15 JANUARY 1991
in the House of Commons

8-2

Introduction

Mr Speaker, there is ~~great~~ overwhelming concern in Parliament and in the country about the situation in the Gulf. That concern is shared by everyone but must be most acutely felt by the families and friends of all our troops at present in the Gulf.

The present situation has been brought about firstly by Iraq's illegal invasion of Kuwait; and secondly by its continued refusal to implement the resolutions of the United Nations Security Council and withdraw totally and unconditionally from the country they invaded. It is five and a half months since the first of these resolutions - and the deadline for Iraq to comply with them runs out today. Therefore, the Government thought it right for the House to debate the situation.

Since we last discussed these matters on 11 December last year, there have been important diplomatic and military developments. In addition my RHF the Foreign and Commonwealth Secretary and I have both visited the Middle East to discuss the situation with the rulers and Governments there. I have recently met President Bush, President Mitterrand and Secretary Baker for the same purpose; and my RHF has been in constant contact with his European Community colleagues and with others. Yesterday I also spoke at length to the Secretary General of the UN following his mission to Baghdad.

Right Honourable Friend

I intend to cover these developments shortly, although I shall not go into the detailed background to the present crisis, which was dealt with by my RHF the Member for Finchley with characteristic clarity in her speech on 6 September last year. I shall report on the various discussions which my RHF and I have had. I shall explain why the Government regard full implementation of the UN resolutions as so crucial. And finally, I shall set out how we intend to act.

Before doing so, I wish to make one general point. I would hope that this debate will not be seen as a party political or partisan occasion. With the danger of hostilities looming - through no wish of ours - it is very important that our forces in the Gulf should feel that they have the united support of the vast majority of this House and of ~~the nation~~ the country. That will be the spirit in which the Government approaches the debate.

Developments in Iraq and Kuwait

Mr Speaker, since the invasion on 2 August, the international community has repeatedly called on Saddam Hussein to withdraw from Kuwait.

- Twelve Security Council resolutions have been passed, unanimously or with substantial majorities.

- Dozens of visits to Baghdad and appeals to Saddam Hussein have been made by international statesmen.

15 JAN '91 16:47 FROM FCO ID GUIDZ10 6341 01 210 6341 PAGE.002

0188

- Most recently, the US Secretary of State James Baker has met Tariq Aziz in Geneva, and the Secretary General of the United Nations has met Saddam Hussein in Baghdad.

Despite all this, Iraq is still in Kuwait and shows no sign of leaving.

Indeed, I fear the contrary is the case. In recent weeks, Iraq has continued to increase the size of its forces in and around Kuwait. There are now nearly 600,000 troops, over 4,000 tanks and over 3,000 artillery pieces. Their defences are continually being strengthened.

Chemical weapons - already used by Saddam Hussein against his own people - have been deployed. Contrary to international agreements, Iraq has produced and threatened to use both chemical and biological weapons - the use of which would be contrary to international agreements. And Iraq also continues efforts to develop a nuclear weapon, although we do not believe it has so far succeeded.

At the same time, Iraq has constantly and cynically changed the pretexts given for its invasion. At various times we have been told that the invasion took place

- first because Kuwait had artificially depressed the world price of oil;
- then it was because Kuwait had failed to pay compensation to Iraq for lost revenues;
- and then because it had occupied territory on Iraq's border.

We were told there had been a coup d'état in Kuwait and a new Government established which had appealed for Iraqi support. That absurd untruth soon disappeared without trace.

Then we were informed that Kuwait had been wholly absorbed into Iraq itself. The Iraqi Information Minister told the world - and I quote - 'to forget that a place called Kuwait had ever existed' (reprise). It was even suggested that Kuwait had been attacked because it posed a threat to Iraq's security - a notion so absurd that the world dismissed it with contempt.

Finally we were told - least credibly of all - that the purpose of the invasion had been to bring about a peaceful settlement of the Palestinian question. I must tell the House that non-Iraqi Arab leaders are particularly contemptuous of this excuse and have made that clear to me and my RHF, the Foreign Secretary. The real fact is that Iraq's action has made settlement of that long-standing - and very real - problem infinitely more difficult. Only when Iraq has withdrawn from Kuwait shall we be able to resume efforts to find a solution with any hope of success. And that we will do.

15 JAN '91 16:48 FROM FCO ID GUID218 6341 PAGE.003

0189

8-4

Mr Speaker, rarely in history can there have been a more cynical catalogue of lies and deceit. The reality is there for all to see. Iraq has used military force to wipe Kuwait off the face of the map and plunder its resources. Nor is this all.

Intimidation, torture and murder of the Kuwaiti people has continued without respite. The appalling details have been carefully and shockingly catalogued in the report by Amnesty International. It should be compulsory reading for everyone who expressed a view on this issue. What it reveals is truly shocking. People executed - murdered is a better word -for failing to display a photograph of Saddam Hussein in their home. Teenage boys murdered in sight of their mothers and sisters, their bodies left on the street as garbage, their families forbidden from taking the corpses to give them a decent burial. It is horrifying - a tale of unbelievable and sickening cruelty. Those who caution delay because they hate war - as we all do - must ask themselves this question: how much longer should the world stand by and risk these atrocities continuing?

It is not only atrocities. Hundreds of thousands of Kuwaitis have been forced to leave their country, as part of a systematic effort to change populations, to expunge records and erase national identity. At the start of August there were 700,000 Kuwaitis in Kuwait. Now there are 250,000 - a drop of two-thirds. Organised robbery has taken place on a gigantic scale, with everything from cars and buses to medical equipment, even incubators in use in the hospitals, taken away as spoils of war to Iraq.

Mr Speaker, what we are seeing is not a simple dispute. Not an everyday difference of opinion. What we are seeing in Kuwait is an attempt to eliminate a State by a dictator who has shown himself to be a thorough force for evil.

The Diplomatic Effort to find a peaceful solution

And yet, despite all this, we have not given up our efforts to find a peaceful solution on the basis of full implementation of the UN Resolutions. The United Nations, the European Community, the Arab League and the Organisation of Islamic Conference - all have tried to persuade Iraq to comply with the Security Council resolutions. Many individual governments have also made their contribution. Yet what happened when Secretary Baker met the Iraqi Foreign Minister in Geneva last week, to try once again to bring about a peaceful solution? - Tariq Aziz refused even to mention Kuwait or to discuss withdrawal. He showed no flexibility whatsoever nor any remorse for the crimes that have been committed.

An invitation to Tariq Aziz to meet the European community was brusquely rejected.

Subsequently the United Nations Secretary General travelled to Baghdad, to offer his good offices. We welcomed that. Even at that late stage we hoped reason would prevail. His mission had the full support of Britain, the United States and the European Community. He enjoys the respect of the whole world community. His involvement demonstrated more clearly than anything else could that the confrontation is not one between the US and Iraq, or the West and Iraq, but between the United Nations and an aggressor. But I am sorry to report that his efforts, too, were crudely brushed aside. When I spoke to him yesterday he told me that there was nothing favourable to report from his meeting with Saddam Hussein, not the slightest sign of willingness to comply with the Security Council's Resolutions, now or in the future.

The House will have seen reports of a French initiative, put forward a few hours after the EC Foreign Ministers had concluded that the conditions for an initiative did not exist. I think it would be more accurate to say that what is involved is an appeal to Saddam Hussein to reconsider and to withdraw, even at this late hour - and that is something which we all want to see.

But what we cannot do is water down the existing Security Council resolutions which call for total and unconditional Iraqi withdrawal, or extend the UN deadline, or in any way reward Iraq for its aggression. Those are the criteria on which we judge any proposal. Saddam Hussein must be given no false expectation that peace can be had without full implementation of the Security Council resolutions.

My clear impression from my own discussions with President Mitterrand yesterday is that, like all of us, he still hopes that hostilities can be avoided. But particularly in the wake of Iraq's totally negative response to the UN Secretary-General, he sees no realistic prospect that Iraq can now be persuaded to take the essential step of withdrawing from Kuwait.

Mr Speaker, nobody can claim that we have not tried for peace. If we have failed, we have failed because Iraq has rejected every attempt to reach a diplomatic solution.

In parallel with these diplomatic efforts, the international community has - with very few exceptions and contraventions - applied economic sanctions against Iraq. They are among the most sweeping sanctions ever agreed by the United Nations. They have interrupted ninety per cent of Iraq's foreign trade and caused widespread dislocation of the economy.

But what is the real test of sanctions? It is not whether they cause economic misery in Iraq. It is whether they bring about Iraq's withdrawal from Kuwait. So far they have failed to achieve that. And it is clear they are not going to succeed by the deadline set by the United Nations for Iraqi withdrawal - or indeed for a very long time after that.

There are those who argue - and I understand their concern - that we should give sanctions more time to work. But at what price? More time for sanctions to work has other implications. It also means more time for Iraq to continue to extinguish Kuwait. More time for Iraq to prepare its defences against Allied troops. More time during which Kuwaitis will be tortured and killed. And because sanctions are not having their intended effect, we would in practice be extending the deadline for Iraq's withdrawal, while relaxing pressure on Iraq to comply. To do so would destroy the credibility of the international community's response to Iraq's aggression.

0191

15 JAN '91 15:50 FROM FCO ID GUID210 6341 01 210 6341 PAGE.005

The United Kingdom's role and Forces

That, Mr Speaker, is the situation we face. Throughout recent months, the Government has taken great care to consult with its allies, both the United States, Europe and the Arab world. Last week I met the Amir of Kuwait, the King of Saudi Arabia, the Sultan of Oman and President Mubarak. My RHF the Foreign Secretary has just returned from visits to other Gulf states as well as Jordan and Turkey, on which he will report in his winding-up. Earlier this week I have spoken to Mr Mulroney and met both Secretary Baker and President Mitterrand.

Throughout my own visits, I found a rock-solid determination to make Saddam Hussein withdraw. There was - amongst our allies - no talk of compromise,

- no talk of concessions,
- no suggestion that the United Nations' deadline should be extended,
- no inclination whatsoever to weaken or back down in the face of Iraq's intransigence.

The resolve of our Arab allies to see the United Nations' Resolutions implemented remains unshaken and unshakeable. And it was also clear that they value very highly the United Kingdom's role and contribution.

Mr Speaker, it is to restore the independence of Kuwait, to defend Saudi Arabia and to back up these diplomatic efforts and the peaceful pressure of sanctions that over 30 nations have contributed to the multinational effort in the Gulf. Over the past few weeks, the scale of those forces has grown steadily. They now constitute an awesome assembly of military power, on a scale not seen since the Second World War.

Britain's contribution to this force numbers over 35,000 servicemen and women. I was able to meet some of them in the desert while I was in the Gulf last week. Their morale is high. Their professionalism is obvious. And their confidence is impressive. They have the equipment which they need and the determination we would expect. They are working well with their American and other allies.

I explained why we had to ask them to be there, and what might lie ahead. I told them, too, of the great concern felt for them by everyone at home, as well as the tremendous pride in their performance. I am in no doubt they understand the risks and dangers. They know what they may be asked to do. They left me in no doubt they are both able and ready to do it.

The Principles at Stake

Mr Speaker, peaceful means of persuading Iraq to withdraw - the diplomatic efforts, the sanctions, the allied military presence - have been tried for nearly six months now. But without success.

15 JAN '91 16:58 FROM FCO ID GUID210 6341 PAGE.006

0192

A line has to be drawn somewhere. And it has been drawn: not hastily by us or by any one state, but deliberately and collectively by the United Nations Security Council with Resolution 678.

From tomorrow the situation changes. We continue to look for peaceful solution. But we shall also be justified in using all necessary means of bringing about Iraq's withdrawal. And that includes the use of force.

That is not a pleasant prospect, Mr Speaker, but, as we face it let us never forget that the decision to use force was taken first by Saddam Hussein, entirely of his own choosing, when he decided to invade Kuwait.

But the principles at stake are crucial and we must uphold them.

First, - and I hope this is not too simplistic but I feel it deeply - first, because there is a clear dividing line between what is right and what is wrong: and what Saddam Hussein has done in Kuwait is, in the simplest terms, just plain wrong and unforgivable.

Secondly, if he were to get away with his aggression and gain from it, other small countries in the vicinity, and those elsewhere in the world with large and potentially aggressive neighbours, will all too likely face similar problems and similar dangers. That is the second reason why there can be no deals, no partial withdrawal, no artificial linkage to solutions of other problems, nothing but an absolute commitment to implement the Security Council's resolutions in full and without delay.

Thirdly, failure to secure Saddam Hussein's withdrawal would have grave implications for the balance of power in the Middle East. It would mean putting off difficulties today at the expense of greater difficulties in the not too distant future, as Iraq acquires even more devastating and dangerous weapons and their appetite for conquest grows.

But there is a fourth, over-riding point. We have made progress particularly over the last twelve months, towards establishing a more peaceful world, in which there is greater respect for the United Nations and its resolutions. At last, it has seemed, the UN might live up to the aspirations of its founders. All our hopes for this would fall away if we were to allow Saddam Hussein to get away with swallowing up Kuwait. It cannot be permitted. So, if we are ever to have a safe world, we must demonstrate conclusively that aggression does not succeed. If we fail to do so - where nearly the whole world is united against Iraq - then we would bear a heavy responsibility for any future aggression there may be.

The Way Ahead

For all these reasons, we have - all of us - made it clear to Saddam Hussein that he must withdraw. But we have also made it clear that if he leaves Kuwait and returns within the borders of Iraq, force will not be used against him: let me reiterate that point. If he voluntarily withdraws into Iraq he will not be

15 JAN '91 19:51 FROM FCO TO GUIDS10 E341 PAGE.007

0193

attacked there. But if he does not leave then force will be used and he will be expelled from Kuwait.

I hope he understands the sheer weight of the forces that are arranged against him, the scale of armour and equipment which the multi-national alliance has at its disposal. Because if he does realise that, he will also realise that he cannot win: and that the only consequence of failing to withdraw is to bring about the destruction of his armed forces and great damage to his country

Mr Speaker, we do not want a conflict. We are not thirsting for war - though if it comes, I have no doubt it would be a just war. However great the costs of such a war, in my view, they would be less than those of failing to stand up for principle and for what is right - now. I do myself believe that, if Iraq does not withdraw, the time has come to make a stand.

But even now it is not too late for Saddam Hussein to relent and pull his forces out. We have always seen the possibility that he will do that at the last moment. But I must tell the House we see no sign at present that that is likely. Nonetheless, we must hope he sees sense. We must hope that he does not force us to fight.

But let him be under no misapprehension at all. If necessary, we will commit our forces to fight. From tomorrow we are ready, with our allies, to do whatever is necessary to implement the resolutions of the United Nations in full. To ensure that Iraqi forces leave Kuwait without condition and without delay and without reward.

Over the months we have worked for peace. And hoped for peace. But we are prepared for war. The choice is Saddam Hussein's.

0194

관리번호	91-802

원 본

외 무 부

종 별 :

번 호 : UKW-0105　　　　　　일 시 : 91 0115 1800

수 신 : 장관(중근동,경일,사본: 재무부)

발 신 : 주 영 대사

제 목 : 중동전 발발시 런던 증권거래소의 폐장 가능성

1. 1.14. 런던 증권거래소측에 확인한바에 따르면 현재로서는 중동에서 이라크와의 전쟁이 발발한다 하더라도 런던 증권거래소의 폐장은 검토하지 않고있다함.

2. 런던 증권거래소측은 실제로 2 차 대전중 독일 공군의 런던 공습시에도 폐장하지 않고 전시 국채 소화등 전비조달에 기여했던 점을 상기시키면서 87 년 BALCK MONDAY 시에도 유럽의 다른 증권거래소, 홍콩등 세계 주요 증권거래소가 폐장했던 반면, 런던 증권거래소는 계속 개장하여 독일, 프랑스 주식이 호가, 거래되었던 점을 자랑함.

3. 증권거래소는 개방 및 폐장에 관한 결정은 "THE COUNCIL OF THE STOCK EXCHANGE" 라는 독립된 의결기구가 독자적인 결정으로 하게되어 있음. 끝

(대사 오재희)

예고: 91.6.30 일반

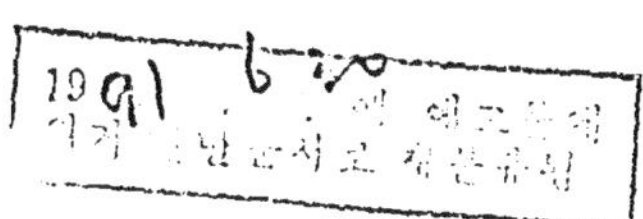

중아국	차관	1차보	2차보	경제국	재무부

PAGE 1

91.01.16　08:12

외신 2과　통제관 BW

0195

관리번호	91/291

원 본

외 무 부

종 별 : 지 급

번 호 : UKW-0110 일 시 : 91 0115 2000

수 신 : 장관(중근동,미북,조약,구일)

발 신 : 주 영 대사

제 목 : 걸프사태

대:WUK-0096

1. 본직은 금 1.15(금) MR.MCLAREN 외무성 부차관과 면담기회에 걸프사태에관해 탐문한 바, 동 부차관의 발언요지 아래 보고함.

가. 유엔 사무총장의 이락방문이 무위로 끝나고, EC 외상회의가 이락에 대한 대표파견을 포기하였으며, 안보리에서 어떠한 해결책이 나올수도 없는 상황이므로 특별히 새로운 상황이 전개되지 않는한 사태는 낙관을 불허하고 있음.

2. 프랑스의 제의는 이락의 철수와 팔레스타인 문제에 관한 국제회의를 연계시키고 있으며, 지금까지의 결의에 근거가 없는 것으로서 안보리에서 지지를 얻기 힘들 것으로 보며, 영국과 미국도 이를 지지하지 않고있음.

다. 전쟁이 발발할 경우 어떠한 형식으로 종료될 수 있을 것인지는 전쟁이 어떠한 상황으로 전개될 것인지, 예컨데 이스라엘과 시리아는 어떠한 역할을 할것인지 등에 달려있다고 보나, 서방측은 전쟁전보다 안정적인 역내질서를 수립하기 위하여 노력할 것임.

2. 본직은 한편, 아국의 의료단 파견방침을 설명하고 동 신속한 파견을 위하여 영정부가 과거 군대의 해외파견 및 의료단 파견경험에 기초한 조언을 하여주기를 요망하면서 특히 사우디정부와의 협정문 사본 또는 대호 사항에 관하여 자료제공 협조 요청함.

3. MCLAREN 부차관은 사우디 정부와의 협정내용이 비밀로 되어있어 어려움이 있으나 가능한 협조방안을 강구하겠다고 말함. 끝

(대사 오재희-국장)

예고: 91.6.30.일반 예고문에 의거 일반문서로 재 분류됨.

검토필(1991.6.30.)

중아국	장관	차관	1차보	2차보	미주국	구주국	국기국	청와대
총리실	안기부							

PAGE 1

91.01.16 08:03

외신 2과 통제관 BW

0196

주 영 대 사 관

총 5 매
(5-1)

번 호 : UKW(F)- 0028 DATE: 10115 1800
수 신 : 장관(중근동,미주)
제 목 : 이라크군 전략평가

첨부: 전략평가 4매. 끝

12M32

배부처	장관실	차관실	一차보	二차보	기획실	의전장	아주국	미주국	구주국	중아국	국기국	경제국	통상국	정문국	영교국	총무과	감사관	공보관	외연원	청와대	총리실	안기부	공보부
	/	/	/	/				/		(三)				/	/					/	/	/	

0197

5-2

IRAQI STRENGTHS & WEAKNESSES

AIR DEFENCES

91. 1. 15. 세미나
The Royal Institute of International Affa.
발표자: Michael Armitage 전공군

25 x Mig 25 FOXBATS

30 x Mig 29 FULCRUM

250 x Mig 21 FISHBEDS

2 x Il 76 AWACS

4000 AA Guns

700? Med & Hvy SAM

Numerous man-portable SAM

STRENGTHS

Some Hi Qual a/c (Mig 25 & 29)

Some combat experience

Effective SHORAD

Some med & hi level warning

Redundant Bases?

WEAKNESSES

Poor INT

Poor Surveillance

Weak LL Warning

Most a/c old types

A/C EW Systems last generation

Poor Battle Management

AD Systems not integrated

Vuln to surprise attacks

All Bases in range of attack

Poor Night Capability

0198

5-3

AIR ATTACK

50? x Mirage F1EQ

16 x Su 24 FENCER

150 x Mig 23 FLOGGER

70 x Su 20 FITTERS

60 x Su 25 FROGFOOT

30 Mig 19/J6 FARMERS

8 x Tu 22

6 x Tu 16 + 6 H-6D(Chin)

STRENGTHS

Some good a/c (esp Mirage & FENCER)

Some modern wpns (incl Exocet)

Some well-trained crews

Numbers

Some combat experience

WEAKNESSES

Poor INT

Most a/c older models

Poor targetting capability

Many Allied Tgts out of range

Poor Battle coordination

Poor air/ground cooperation

Poor EW capability

0199

5-4

IRAQI ARMY

5500? MBT

2600 Lt Armd Vehs

7500 AIFV & APCs

3000 Towed Arty

500 SP Arty

500? SSM

530,000 Troops in South

160 Armed Helos

330 Other Helos

STRENGTHS

On own ground

Very good Arty

Very good Combat Engnrs

Good Logistics

Good lateral mobility

Good Tech Improvisation

Combat Experienced Cdrs

WEAKNESSES

Rigid Cmd Structure

Poor All-Arms coord

Poor Land/Air Coop

0200

5-5

Slow response to surprise

Poor counterattack capability

Equipment ahead of concepts

Weak in Urban warfare

Poor night capability

Poor INT

EW capability weak

Weak on manouevre warfare

0201

외 무 부

종 별 : 지 급

번 호 : UKW-0117 일 시 : 91 0115 2300

수 신 : 장 관(중근동,미북,구일,경협)

발 신 : 주 영 대사

제 목 : 걸프사태

1.15(화) UN 시한 당일, 당지 BBC-TV 방송요지를 아래 보고함.

1. 프랑스 제안실패

가. UN 시한을 8시간 앞둔 현재 걸프사태의 외교적 해결 가능성은 거의없음. 마지막 협상안으로 간주된 프랑스안은 미.영의 반대에 부딪혀 UN 안보리에서 채택되지 않았으며, 채택되었더라도 이락이 프랑스안의 출발점인 이락군 철수를 거부한다는 의사를 확인했으므로 결국 의미가 없는것임.

나. 프랑스인에 대해서는 그간의 12개 UN 결의를 희석시킨다는 견지에서 영국이 반대를 주도했으며, 여기에 걸프사태와 팔레스타인 문제의 연계를 반대해온 미국이 동조 함.

다. 이에따라 프랑스도 더이상 외교적 해결의 가망이 없다는데 의견을 같이하고 1.15(화) 저녁 주 이락대사대리를 철수했으며 전쟁시 적극 참여할것임을 명백히함.

2. 영 하원동향

가. 하원은 금 1.15 (연말연시 휴회를 마치고 1.14.개원) 걸프사태를 토의하고 부표를 실시, 정부정책을 절대다수로 지지함.(반대 57표)

나. 메이저 수상은 쿠웨이트내 이락군의 잔학성을 신랄히 비판하고 무력으로 이락군을 철수시킬것임을 분명히함. 또한 경제제재 조치가 실효를 거두기를 기다리는 것은 이락에게 전쟁준비할 여유를 더주는 것이며 그동안에 쿠웨이트는 처참하게말살될 것 이라고 말함.

다. 키녹 노동당수는 인명손실 최소화 견지에서 경제제재 조치에 좀더 시간을 주어야 한다고 강조했으나, 부표시에는 정부를 지지할 것을 소속의원들에게 권장함.

라. 정부정책 반대론을 주도한 TONG BENN 노동당의원은 협상을 강조하면서, 전쟁발발시 결국 이스라엘과 팔레스타인이 전쟁에 개입되어 연계론 반대의 의미가

중아국 1차보 2차보 미주국 구주국 중아국 경제국 안기부

PAGE 1

91.01.16 09:04 WG

외신 1과 통제관

0202

없게될 것이라고 말함.

3. 이락태도

1.15.에도 이락의 입장에는 전혀 변화가 없음.이락 공보상은 전쟁준비가 되어있다고 강조하고, 미국의 공격시 이락은 이스라엘을 공격할 것이며, 미국은 크게 후회하게 될 것이라고 경고함.

4. 전망

가. BBC-TV 는 미.영 그리고 이락 정복에서도 전쟁이 불가피한 것으로 생각하고있다고 평가하고, 연합국의 공격시기를 1.17(목)밤 (바그다드 특파원)또는 내주 (사우디 특파원) 정도로 예측함.

나. IISS 의 한 중동전문가는 연합국들 사이에 이미 군작전관련 주요사항들이 협의 완료된 상태인 것으로 보고, 부쉬 대통령이 영, 불, 쏘, 이집트, 시리아, 사우디등 주요 연합국정상들에게 전화 메세지를 전하는 것으로 공격개시될 것이라고 전망함.끝

(대사 오재희-국장)

PAGE 2

0203

관리번호	91/667

원 본

외 무 부

종 별 :

번 호 : UKW-0131 일 시 : 91 0116 1400

수 신 : 장관(중근동,미북,구일)

발 신 : 주 영 대사

제 목 : 걸프사태

1. 본직은 1.15(화) 당지 LUXEMBOURG 대사 주최 만찬에 참석한 바, 동 만찬에 참석한 HEISBOURG 국제전략문제연구소(IISS) 소장은 걸프사태 전망에 관하여 아래 요지 언급함

가. 모든 외교노력이 진전을 보지 못함으로써 사태는 전쟁으로 발전할 것이분명해지고 있음

나. 연합군의 공격이 금주말 이전에 개시된다 해도 놀라지 않을 것임

다. 무력충돌은 2주 정도 계속될 것으로 보며, 연합군의 지휘통제 체계상 문제에 비추어 전쟁이 장기화되면 곤란이 있을것임

2. 한편, 허드외상은 금 1.16(수) 기자회견에서 사담 후세인에 대한 희망이없어졌고, 무력행사는 장기간 지속되지는 않을 것이라고 전망하면서, 전후 중동의 안정을 확보하기 위한 새로운 체제 구축에 관하여 머지않아 협의가 개시될 것이라고 말함. 끝

(대사 오재희-국장)

예고:91.6.30 까지 예고문에 의거 일반문서로 재 분류됨.

검토필(1991.6.30.)

중아국	장관	차관	1차보	2차보	미주국	구주국	청와대	총리실
안기부	대책반							

PAGE 1

91.01.17 00:38

외신 2과 통제관 CE

0204

외 무 부

암호수신

종 별 : 지 급

번 호 : UKW-0133 일 시 : 91 0116 1530

수 신 : 장관(중근동,미북,국연,경일,구일,기정동문)

발 신 : 주 영 대사

제 목 : 걸프사태

걸프전쟁 발발을 전제로한 1.15.(화) 왕립국제문제연구소(RIIA) PANEL 에서의 각계 전문가 발언요지 아래 보고함

1. 군사적 측면

(RIIA 국제안보부장 TREVOR TAYLOR 교수)

0 대 이락 연립(COALITION)의 공격은 이락에 의한 선제공격을 막는 의미에서라도 1.15 시한이 지난후 조속한 기간내 있을 것이며, 비행시설, 석유시설등에대한 수일간의 집중적 공격이될 가능성이 큼

0 연립측은, 위험이 전혀 없는 것은 아니나, 용이하게 제공권을 확보하고 이락이 사태를 검토하도록 수주일간의 여유를 줄 것으로 봄

0 메이저 수상이 핵 사용 가능성을 부인한점 등으로 보아 일단 핵전쟁으로 발전하지 않을것이나 금번 전쟁은 그간 발전된 군사기술의 시험무대가 될것임

0 금번 전쟁은 집단적 행동으로서 상당한 피해를 유발할 가능성이 있으며, 전후에는 특히 OECD 국가간에 비용분담(BURDEN SHARING) 문제가 대두할 것임

(전 공군대장, 현 FREELANCE CONSULTANT, SIR MICHAEL ARMITAGE)

0 이락의 군사능력에 대한 평가(FAX 기 송부)

0 MIG 25/MIG 29/ MIG 21/등 이락의 방어용 항공기에 관해서는 소련 조종사 일본 망명시(MIG25)와 동독(MIG 29) 및 이집트(MIG21)의 채널을 통하여 서방측이 잘 파악하고 있음

2. 대 이락 연맹(ALLIANCE)관계(LONDON SCHOOL OF ECONOMICS, FRED HALLIDAY 교수)

0 대 이락 연맹은 국별로 참여 목적이 다기하고 광범위한 특수연맹인 바, 금후 비용분담, 전쟁목표, 핵무기 사용문제등을 위요하고 논란이 계속될 것임

중아국	장관	차관	1차보	2차보	미주국	구주국	국기국	경제국
청와대	총리실	안기부	대책반					

PAGE 1

91.01.17 06:06

외신 2과 통제관 CE

0205

0 서방측은 쿠웨이트의 사태를 사전에 예측하지 못함으로써 중대한 정치적 취약점을 드러냈음

0 전후에 석유, 안보, 민주주의 문제가 당면과제로 될것임

0 사담은 국제관계에 관한 비현실적 견해를 가진 50 년대의 인물로서 인명을 살상하거나 자신이 죽는것을 두려워 하지않는 인물임

3. 역내영향(RIIA 중동부장 DR PHILIP ROBINS)

0 이스라엘은 선제공격에 나서지는 않을것이나, 공언한대로 공격을 받을경우 보복조치를 취할것이며, 특히 이락이 화학무기를 사용할 경우 신속하고 강력하게 대응할 것임

0 시리아는 당초부터 전쟁방지가 연립에의 참여 목적이었으며, 이락이 굴욕을 당하는 것을 원치않을 것이므로 군사행동에 동참할 것으로 보기 어려울 것임

0 터키는 전후 중동지역에서 더욱 중요한 역할을 해나갈 것임

0 이란은 선언한 바와 같이 중립적 태도를 취할것임

0 사담이 연립의 군사적 대응에 굴복하지 않는것은 그에 응할 경우에도 자신을 제거하려는 국제적 시도가 계속될 것이고 경제제재, 배상, 전쟁범죄 문제등에 시달릴 것이라는 생각 때문인 것으로 봄

4. 원유(RIIA 에너지 환경위 의장 MR SILVAN ROBINSON)

0 원유는 현재 걸프사태에 의한 사우디, UAE, 나이제리아등의 증산과 가격상승, 경기침체, 계절적 요인 등으로 공급에 여유가 있는 상황임

0 쿠웨이트내의 유정발화 기타 사보타즈등 이례적인 사태를 상정한다 해도 심리적, 일시적 유가상승은 있을 것이나 확장된 현 공급체제를 갑자기 조정하기가 어려울 것이므로 국제 에너지기구(IEA)등의 조정하에 조만간 안정을 회복할 수 있을 것으로 봄

5. 경제(RIIA 국제경제부장 MR JIM ROLLO)

0 전쟁으로 OECD 는 GNP 성장의 0.5 프로 저하, 인플레이숀 1 프로 추가 상승요인이 있을 것으로 보며, 대부분의 동구제국이 심각한 영향을 받고, 소련은 유가상승의 이득을 볼 수 있을것임

0 걸프지역이 계속 불안정하 상태하에서 에너지 안보문제가 더욱 부상될 것이며 독일, 일본등에 대한 비용분담 압력이 강해질것임

6. 국제법(런던대학 UNIVERSITY COLLEGE 국제법 교수, MR MAURICE MENDELSON)

PAGE 2

0206

0 이락에 대한 공격은 우선 헌장 51 조 상의 집단적 자위권의 행사로 가능할 것이나, 이경우에는 일반 국제법상 비례의 원칙(PRINCIPLE OF PROPORTIONALITY)이 적용되어야 한다는 한계가 있을 것임

0 헌장 51 조상의 집단적 자위권은 안보리가 필요 조치를 취할때 까지라는 시한이 정해져 있으므로 기본적으로는 헌장 42 조 이하 소정의 안보리 제재 조치가 취해져야 할 것인 바, 안보리결의 678 호는 그러한 안보리 제재조치에 해당한다고 볼 수 없고, 한국전 당시 무력행사와 유사한것임

0 678 호에 의한 무력행사나 헌장 42 조상의 안보리제재 조치에는 비례의 원칙은 적용되지 않을 것이나 인권에 관한 국제법, 전쟁법상의 제반 한계가 계속적용될 것임.끝

(대사 오재희-국장)

외 무 부

종 별 : 지 급

번 호 : UKW-0141 일 시 : 91 0116 1940

수 신 : 장 관 (중근동,미북,구일,기정동문)

발 신 : 주 영국 대사

제 목 : 걸프 사태

걸프사태 관련, 1.16(수) BBC TV 보도요지 아래보고함

1. 1.15 UN 시한이 지난 금 1.16 미군의 사우디 추가 배치와 미 항공모함 및 폭격기의 전방 이동이 계속되고 있으며, 사담 후세인도 전방을 시찰, 전의를 북돋우고 있는바, 양측은 전쟁준비를 강화하면서 결전의 시기만을 기다리고 있는듯함.

2. 1.16 레바논에 있는 PLO 대변인이 미.영국에 대한 테러공격을 발표함에 따라, 영 정부는 주요 공공건물, 공항, 대중교통 시설등에 대한 보안경계를 강화하고 있음. 특히 런던 외곽 히드로 공항에는 탱크 수대가 경비에 가담함

3. 영국 보건성 장관은 전시 상병자 치료를 위해 병원에 보조금 지원을 약속하고병원들은 예산에 구애됨이 없이 임무를 수행해야 할것이라고 말함

4. 1.16 바그다드시는 많은 사람들이 빠져나가고 상점들도 많이 닫힌채 매우 우울한 분위기임. 불행하게도 바그다드 시민들은 금번 전쟁의 파괴력을 전혀 인식하지 못하고 있는것 처럼 보임

5. 현재 바그다드에 잔류하고 있는 서방 외교관은 전혀 없음. 바그다드 주재 외국 기자 수는 며칠전 200여명에서 금일 60명으로 줄었으며, 금일 미백악관의 언론인 철수 권유에 따라 명일에는 20-30 명 정도 밖에 남지 않을 것으로 예상함 (BBC 특파원은 잔류)

6. BBC TV 논평은 현재 연합국의 임전태세와사기, 사담의 자진 철수 가능성 극히 희박, 대 이룩연합의 성격등을 고려할때 이미 1.15 시한을 넘긴 상태에서 전쟁을 계속 연기하기는 어려울 것으로분석함. 따라서 수일내로 전쟁 발발할 것으로 전망하고, 연합공군의 초기 공격에 역사상, 전례없는 대 규모 화력이 집중될 것으로 예측함.끝

(대사 오재희-국장)

중아국 장관 차관 미주국 구주국 안기부 1차보 2차보 영교국

김문국

PAGE 1

91.01.17 08:14 CT

외신 1과 통제관

0208

외 무 부

종 별 : 초긴급

번 호 : UKW-0143 일 시 : 91 0117 0530

수 신 : 장관(중근동,미북,구일)

발 신 : 주 영 대사

제 목 : 걸프사태-전쟁발발

대: WUK-0113

당지시간 1.17 (목) 새벽까지의 진전사항에 대한 BBC TV 의 보도요지 아래 보고함

1. 반이락 연합국은 1.16 (수) 밤 이락 및 쿠웨이트내의 전략 거점에 대한 공중폭격을 개시했음

1.16.- 23:00(이하 GMT 시각) 부쉬 대통령은 메이저 수상 기타 연합국 수뇌에게 공격 임박 통보

-23:15 바레인에서 영국 TORNADO 전투기 이륙

-23:50 바그다드에서 폭격과 대공사격 목격

1.17 00:05 백악관 대변인 쿠웨이트 수복전 개시 발표

2. 동 공격은 사우디 공군기지에 배치된 미.영. 사우디.쿠웨이트 전투기에 의해 이루어지고 있음. 아직 구체적으로 이락 및 쿠웨이트내의 어떤 시설들이 파괴되었는지에 대한 확인된 정보는 없으나 작전이 계획대로 진행되고 있는 것으로부쉬 미대통령의 대 국민 연설에서 밝힘

3. 부쉬 대통령은 상기 TV 연설(1.17 02:00)에서 다음사항을 강조함

-모든 외교적 해결 노력 실패

- 연합국의 공격은 이락의 핵시설 화학무기 공장등 군사적 거점에 집중

- 목표는 이락군의 쿠웨이트 철수, 쿠웨이트의 정통 정부 회복, 쿠웨이트의자유회복

- 경제제재 조치로 상기 목표달성 불가 판단

- 동 사태 종결로 이락의 국제사회 복귀, 탈 냉전후의 새로운 국제질서 구축 희망

-신속한 승리, 희생자 극소화 지향

4. 영 국방성은 1.17 0 시경 성명을 발표, 영국군을 포함한 다국적군이 행동을

중아국 장관 차관 1차보 2차보 미주국 구주국 청와대 총리실 안기부

PAGE 1

91.01.17 15:26

외신 2과 통제관 BA

0209

개시했다고 말함. 메이저 수상은 금 1.17 아침 대국민 메세지를 발표하고 10 시에 긴급전쟁 각의를 주재할 예정임

5. 키녹 노동당 당수는 전쟁이 개시된 이상 신속한 승리를 이루기를 희망하고 영국군에 대한 초당적인 지원을 재확인함

6.BBC TV 논평은 이렇다할 이락의 반격이 없는것과 관련, 이락군의 무능인지 또는 사담의 작전인지에 관심을 집중시키고 있으며, 아직 이스라엘이 공격당하지 않은 사실에 주목함. 끝

(대사 오재희-장관)

긴

외 무 부

종 별 : 지 급

번 호 : UKW-0147 일 시 : 91 0117 0850

수 신 : 장관(중근동,미북,구일)

발 신 : 주영대사

제 목 : 걸프사태

1.17(목) 아침의 당지 BBC-TV 보도요지 아래 보고함.

1. 베이저 수상은 1.17.08:00 수상실 앞에서 아래요지로 간단히 연설함.

-UN 결의(678호)하에 미, 영, 사우디, 쿠웨이트 4개국 공군이 1.17. 0시 조금전에 대 이락 공격개시

-TOM KING 국방상의 보고에 의하면, 동 공격은 대단히 성공적이었으며 아직 영국군 희생자는 없는 것으로 보임.

-연합국의 공격은 군사거점을 목표로 하며, 민간인 희생자 극소화를 위해 모든노력 경주

-금일 오전중 국방상의 브리핑 예정, 오후에는 하원에서 수상성명 발표 예정

2. 이어 베이저 수상은 기자들의 질문에 다음과 같이 답변함.

-연합국의 공격은 쿠웨이트 해방이라는 명백한 전쟁목표가 달성될 때까지 계속될 것임. 사담후세인과의 협상을 위한 공격중지는 없을 것임.

-무력행사는 부쉬 대통령과의 긴밀한 협의를 거쳐 1.15(화) 밤에 결정됨.

3. 연합국의 공격에 대해 사담후세인은 '모든 전투의 도화선 (THE MOTHER OF ALLBATTLES HAS NOW BEGUN)이라고 말하고 쿠웨이트를 돌려주지 않을 것이라고 종전 입장 을 되풀이 함.끝

(대사 오재희-국장)

중아국 장관 차관 1차보 2차보 미주국 중아국 정문국 청와대
총리실 안기부 대책반

PAGE 1

91.01.17 20:28 CG
외신 1과 통제관

0211

주 영 대 사 관

번 호 : UKW(F)- 034 DATE: 10117 1300

수 신 : 장관(중근동,미북,구일)

제 목 : 걸프사태 - 1.17(목) 08:00 메이저수상 연설 및 질의응답 전문

연 : UKW-0147

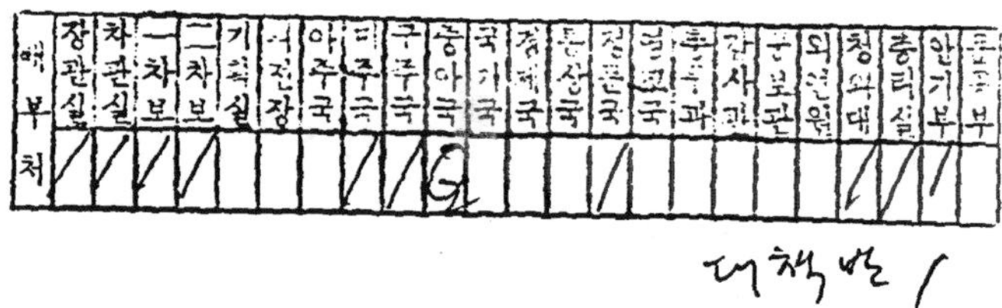

배부처	장관실	차관실	一차보	二차보	기획실	의전장	아주국	미주국	구주국	중아국	국기국	경제국	통상국	정문국	영교국	총무과	감사관	공보관	외연원	청와대	총리실	안기부	통일부
	/	/	/	/				/	/	G			/							/	/	/	

대책반 /

0212

FROM JAMES LEE FOR COI RADIO TECHNICAL SERVICES

J-2

GULF CRISIS - OUTBREAK OF HOSTILITIES

TRANSCRIPT OF STATEMENT BY
THE PRIME MINISTER, MR. JOHN MAJOR,
IN LONDON
ON THURSDAY, 17 JANUARY 1991

Issued All Posts

Outbreak of Hostilities

PRIME MINISTER:

I thought you might care to know the information that I have thus far. As you almost certainly will know, Allied forces attacked military targets in Iraq and Baghdad last night.

The operation began just before midnight our time and is a very large and continuing operation. The attack was carried out by a four-nation force - United States forces, British forces, Saudi Arabian forces and Kuwaiti forces - and it was, of course, carried out under the authority of United Nation Resolution 678.

Early indications are that it has been a very successful operation. I have just received an initial report this morning from the Secretary of State for Defence, Tom King, and from the Chief of the Defence Staff. I am pleased to tell you that at the present time I am not yet aware of any British casualties. We will provide further information on the detailed success of the operation at a later stage when that is available.

0213

2-3

Tom King will hold a press conference later on this morning and I shall ~~myself of course~~ be making a Statement to the House of Commons this afternoon.

I know that everybody would share my feelings at the moment that our principal thoughts and prayers are with the troops who have been carrying out this operation and with their families who must be so concerned about the matter at home. Immense trouble has been taken of course to ensure that it is military targets that are the target of this attack and an enormous amount of effort and care has gone into ensuring that there are the minimum possible number of civilian casualties.

If I may, I will take what questions you may have and answer them insofar as I am yet able.

------ooo------

0214

8-4

QUESTIONS AND ANSWERS

QUESTION:

~~Prime Minister~~, ~~may I ask you first of all~~ would you consider a pause to allow for negotiations to take place?

PRIME MINISTER:

No. This is an ongoing operation. If Saddam Hussein were prepared to start withdrawing from Kuwait, then that is a separate matter but for the moment this is an ongoing operation. I am not prepared to risk the potential lives of British forces - and I am sure the other commanders feel the same - by a pause that would allow Saddam Hussein to regroup his forces and perhaps launch a substantial attack. I do not think that would be right and I think the security of our forces must be a matter to which we will give overriding concern.

QUESTION:

~~Prime Minister~~, can you tell us a little bit about your conversation with President Bush before this began? What was the sort of mood of the discussion that you had with him and what the format that you agreed, the context in which you would all work?

PRIME MINISTER:

No-one enters into an operation of this scale or of this nature lightly. I have had a considerable number of conversations

0215

with President Bush about the possibility of us needing to use force at the end of the deadline over a considerable period of time.

The final decision that we would use force if Iraq did not remove themselves from Kuwait was taken very shortly after the conclusion of the House of Commons debate on Tuesday.

QUESTION:

~~Prime Minister~~, do you honestly believe that you have used force as a last resort and that there was no other way of getting Saddam Hussein out?

PRIME MINISTER:

Yes. That has been our position for a long time.

Of course, the United Nations Resolution was set some time ago with a particular deadline so that there was no doubt that in international law there was a proper authority to use force after the expiry of the deadline on the 15th. I do not think Saddam Hussein could have been in any doubt at all from what has been said over recent weeks that at the expiry of that there was authority to use force and that we would find it necessary to do so to expel him from Kuwait. I am myself satisfied that that was necessary and I hope this will be a speedy and successful operation.

QUESTION:

~~Prime Minister~~, do you have any assessment at this stage of how long military action might have to continue?

0216

8-6

PRIME MINISTER:

No. There can be no assessment of that at this stage. We have some preliminary assessments of the damage that has been done but we will need a considerable degree of extra information before we can be precisely clear about that.

QUESTION (INAUDIBLE)

PRIME MINISTER:

Thus far, the assessments are that a considerable amount of damage has been done but they are very preliminary assessments and we will have a good deal more information later.

QUESTION:

When did you first hear about the attack?

PRIME MINISTER:

I, ~~of course,~~ have known about the timing of the attack, as I ~~said a few moments ago~~, from consultations I had with President Bush at the conclusion of the House of Commons debate on Tuesday. I therefore was aware of the time the attack would take place.

QUESTION:

How have you spent the night and what are your feelings now that war has started?

0217

PRIME MINISTER:

No-one wanted this conflict. No-one can be pleased about the fact that this conflict has been necessary and I regret that as much as anyone. I have been up throughout the night; we have had an open line to the White House and there has been very considerable consultation throughout the night.

I hope now that it is clear to Iraq that the scale of the Allied operation is such that they cannot win. I hope that Saddam Hussein will now make a very swift decision that he must do what he has been invited to do by the world community for a long time - that he should get out of Kuwait and enable this matter to end swiftly and decisively. I hope that he will do that.

QUESTION:

~~Prime Minister~~, could the war be over in a matter of days?

PRIME MINISTER:

I cannot forecast that. We will prosecute this war until it comes to a successful conclusion. There is no doubt at all what the world community wants: it wants Saddam Hussein to leave Kuwait and Kuwait to return to its rightful government. When that matter is concluded, the war will end but there should be no doubt about our determination to prosecute it to that end. International will is very strong; international law is quite clear; and it has been made absolutely clear by the Allies over recent weeks that that is our determination and our intention - it remains so.

0218

~~I will now leave you if I may but~~ I will report to the House of Commons this afternoon.

(END OF TRANSCRIPT)

0219

관리번호	91/234

외 무 부

종 별 : 지 급

번 호 : UKW-0151 일 시 : 91 0117 1050

수 신 : 장관(조약,중근동)

발 신 : 주 영 대사

제 목 : 사우디와의 주둔군 지위 협정

대: WUK-0096

연: UKW-0110

대호 사항에 대해 당관 무관이 국방성 관계관에게 협조를 요망한 바, 주재국 주둔군 협정(의료단에 포함)에 관하여 1.17(목) 하기내용의 회신을 접수했기 보고함. 내용, 보안에 유의바람. 끝

(대사 오재희-국장)

예고: 91.3.31 일반

STATUS OF FORCES AGREEMENT WITH SAUDI ARABIA

1. YOUR FAX OF 15 JANUARY ASKED FOR SOME DETAILS OF OUR STATUS OF FORCES AGREEMENT WITH SAUDI ARABIA. AS I EXPLAINED AT OUR MEETING ON 15 JANUARY, THE AGREEMENT IS CONFIDENTIAL BETWEEN THE SIGNATORY GOVERNMENTS, BUT WECAN OFFER AN OUTLINE OF THE MAIN ELEMENTS:

-PURPOSE OF UK FORCES IN SAUDI ARABIA

-TERMS OF DEPARTURE OF UK FORCES FROM SAUDI ARABIA (AT BOTH SAUDI AND UK REQUEST)

-FORMAL COMMAND ARRANGEMENTS

-BROAD REFERENCE TO PROVISION OF SUPPORT BY HOST NATION

-RESPECT FOR LAWS OF SAUDI ARABIA BY UK FORCES

-FREEDOM FROM SAUDI IMPORT DUTIES

-JURISDICTION AND IMMUNITIES

-MUTUAL WAIVER OF CLAIMS BETWEEN GOVERNMENTS.

2. DEALING WITH YOUR DETAILED QUESTIONS IN TURN:

국기국 중아국

PAGE 1

91.01.17 22:33

외신 2과 통제관 CF

0220

A. COMMAND STRUCTURE. UK FORCES REMAIN ULTIMATELY UNDER NATIONAL COMMAND, THOUGH IN SOME CASES UNDER US TACTICAL CONTROL WHERE THIS MAKES LOCAL AND TACTICAL SENSE. USE OF BRITISH FORCES IN OFFENSIVE OPERATIONS WOULD BETHE SUBJECT OF JOINT DECISON WITH THE SAUDI GOVERNMENT.

B. WITHDRAWAL OF FORCES. UK FORCES WILL LEAVE SAUDI ARABIA WHEN ASKED TO DO SO BY THE SAUDI GOVERNMENT.

THE UK MAY WITHDRAW ITS FORCES AFTER CONSULTING THE SAUDI GOVERNMENT, AT NOT LESS THAN ONE MONTH'S NOTICE.

C. DEPLOYMENT OUTSIDE SAUDI ARABIA. WE DO NOT BELIEVE THAT A SEPARATE AQREEMENT WITH OTHER PARTICIPANT NATIONS IS NECESSARY TO DEPLOY ON OPERATIONS OUTSIDE SAUDI ARABIA (IN KUWAIT, FOR EXAMPLE). COMMAND ARRANGEMENTS WITH SAUDI ARABIA ARE A MATTER FOR THE KOREAN GOVERNMENT.

D. IMMUNITY. ALL UK FORCES IN SAUDI ARABIA ENJOY THE IMMUNITIES OF ADMINISTRATIVE AND TECHNICAL STAFF OF A DIPLOMATIC MISSION.

E. CLAIMS. --CH GOVERNMENT WAIVES CLAIMS AGAINST THE OTHER GOVERNMENT'S PERSONNEL FOR DAMAGE OF INGURY CAUSED BY ACTS IN THE COURSE OF THEIR DUTIES.

F. VISAS. UK FORCES ARRIVING IN SAUDI ARABIA BY MILITARY TRANSPORT DO NOT REQUIRE VISAS. 끝

관리번호	91/2048

	분류번호	보존기간

발 신 전 보

번 호 : WUS-0179 910117 1105 FK 종별 : 초긴급

수 신 : 주 수신처 참조 대사. ~~총영사~~

발 신 : 장 관 (중근동)

제 목 :

WJA -0228 WUK -0113
WGE -0079 WFR -0087
WCA -0056 WJO -0081
WSB -0116 WTU -0027

귀지에서 파악할수 있는 페르샤만의 전황을 수시로 긴급 보고 바라며, 이스라엘의 참전 여부가 금후 사태 발전의 큰 변수가 될것인바, 이에 관한 정보도 적극 수집 보고 바람. 끝.

(장 관) ~~미 상 목~~

수신처 : 주 미, 일, 영, 독, 불, 카이로, 요르단, 사우디, 터키 대사

예 고 : 91.6.30. 일반

보안통제	기

앙고재	91년 1월 17일	중근동과	기안자 성명		과 장		국 장		차 관	장 관
			김현		기					기

외신과통제

0222

원 본

암 호 수 신

외 무 부

종 별 : 지 급

번 호 : UKW-0153 일 시 : 91 0117 13050

수 신 : 장관(중근동,미북,구일,기정동문)

발 신 : 주 영 대사

제 목 : 걸프사태

연호 1.17(목) 당지 BBC TV 보도요지 아래 보고함

1. TOM KING 국방성 기자회견(1.17 1215)

- 연합군 공격은 미.영. 불.사우디.쿠웨이트 공군에 의해 수행중

-동 공격은 쿠웨이트 해방과 UN 결의 이행시까지 계속

-현재까지 이락 군사 거점에 상당한 타격 가하고, 민간인 희생자는 최소화 하는데 성공하고 있는 것으로 보임

-영국군은 모두 무사하나 1 대의 TORNADO 전투기가 엔진발화, 조종사 실종

-이락의 반격은 대단히 저조, 쿠웨이트 국경 넘어 사우디 쪽으로 포격이 약간 있었음

-이락의 반격 작전 미지수

-연합군은 상호 협조체제, 전력및 사기등 모든면에서 만족할만한 수준

-대단히 고무적인 초반전 이지만, 이락의 군사력 규모등에 비추어 성급한 결론은 금물이라고 봄

2. 이보다 앞서 오전에 긴급 전시 각의(WAR CABINET) 소집, 종합적 대책 협의함

3. 보수당뿐 아니라 노동당, 자유민주당 의원들중 압도적 다수가 정부정책을 지지하고 영국군의 대 이락 선전에 격려 보냄

4. 금일 오전 허드 외상은 프랑스의 연합군 작전 적극 참여에 만족을 표함

5.BBC TV 논평은 상금 미.영의 효과적인 안전보장으로 이스라엘이 전쟁에 끌어들여지지 않은것을 높이 평가함. 이락이 예상외로 조속히 굴복할지도 모른다는 낙관론이 대두되고 있는 가운데, TOM KING 국방상의 신중론을 주시하고, 이락의 반격작전이 어떤 형태로 전개될 것인지에 관심 집중함. 끝

(대사 오재희-국장)

중아국 차관 1차보 2차보 미주국 구주국 청와대 안기부

PAGE 1

91.01.17 23:53

외신 2과 통제관 CF

0223

외 무 부

암호수신

종 별 : 지 급

번 호 : UKW-0160 일 시 : 91 0117 1800

수 신 : 장관(중근동,미북,구일,기정동문)

발 신 : 주 영 대사

제 목 : 걸프사태

연: UKW-0153

연호 1.17(목) 오후 당지 BBC TV 보도 요지 아래 보고함

1. 메이저 수상 하원연설 및 의원 질의에 대한 답변요지(1.17. 1515-1600)

-이락군의 쿠웨이트 무조건 완전철수 재촉구

-연합군의 무력행사는 쿠웨이트 해방이 달성될때까지 계속. 사담 정권 전복이 아님

-폭격의 목표물 적중율이 80 프로에 달함으로써 민간인 희생자 극소화

-연합군의 용기와 실력 치하

-연합군의 승리 확신, 그러나 얼마나 빨리 승리할지는 미지수

-사태 종결시 UN 중심으로 중동지역의 평화와 안정을 위한 국제회의 개최등 다각적인 노력 경주

2. 상기 하원 토의에서 일부 의원들이 이락 민간인들의 희생을 거론하는등 무력행사에 유보적 태도를 표명했으나, 전체적으로는 정부정책 지지함

3. 금일 영 내무성은 35 명의 이락인을 안보상 이유로 추방함

4.1.17. 오후 이락은 BBC, CNN 등을 포함, 외국 언론의 바그다드발 방송을 금지함

5. 100 기 이상의 크루즈 미사일이 이락의 주요 군사거점을 강타한 것으로 알려졌으며, 연합국 육군 일부가 쿠웨이트 접경지역으로 이동하고 있는 것으로 관측됨

6. 상금 연합국에 고무적인 전황을 방영, 런던 증시 주가와 파운드화는 상승세를 보이고 있으며, 유가는 하락함. 끝

(대사 오재회-국장)

중아국	장관	차관	1차보	2차보	미주국	구주국	청와대	안기부

PAGE 1

91.01.18 04:38

외신 2과 통제관 CF

0224

외 무 부

종 별 : 지 급

번 호 : UKW-0163 일 시 : 91 0117 2400

수 신 : 장 관(중근동,미북,구일)

발 신 : 주 영 대사

제 목 : 걸프사태

동 사태 관련, 1.17(목)밤 당지 BBC-TV 보도 요지아래 보고함.

1. 메이저 수상 TV연설 (1.17.21:00-21:05) 요지

- 사태 해결을 위한 세계각국 및 UN의 외교적노력을 사담 후세인이 무시하고 전쟁을 선택함.

- 사담의 잔학한 침략행위는 희생을 치루더라도 격퇴해야함.

- 연합국의 무력행사 목적은 이락의 쿠웨이트 철군, 쿠웨이트의 전통정부 회복, UN 권위지탱임.

- 1.15(화) 하원에서 정부정책은 압도적 지지획득

- 연합군의 승리확신

- 사대 종결후 중동지역의 새로운 안보체제 구축노력 및 영국군의 귀환약속

2. 공격개시 21시간이 지난 1.17.21:00 현재 연합공군은 1200회 출격, 이락의 100 개에 달하는 비행장과 이락 전투기의 반이상에 큰 타격을 주고, 이락의 스커드미사일중 이스라엘을 겨냥하고 있는것은 대부분 파괴한 것으로 알려짐.

3. 연합군의 미사일 공격으로 바그다드내 국방부건물 및 집권당인 BA'ATH 당본부가 부서짐.이락군의 지휘통제 체제가 일부 마비된 것으로 관측되고 있음.

4. 대량 폭격에도 불구하고 군사거점에 대한 정확한 공격때문에 이락의 인명피해는 많지않음.(수십명 정도) 연합군측은 미.영.쿠웨이트의 전투기 각 1대씩과 탑승조종사 들을 제외하고는 확실히 드러난 피해없음.

5. 사담은 라디오 회견에서 미국이 철수하지 않으면 패배를 맛보게 될것이라고말 함. 그러나 1.17. 현재사담의 소재와 활동은 불명함.

6. 공중공격에 노출되지 않은 무기를 동원, 이락이 조만간 반격할 것으로 예상되나, 전세를 뒤집을 가능성은 희박함.

중아국 장관 차관 1차보 2차보 미주국 구주국 중아국 정문국
청와대 총리실 안기부

PAGE 1

91.01.18 08:48 WG
외신 1과 통제관

0225

7. 이락이 항복하지 않는다면 약 50만에 달하는 쿠웨이트내 이락군을 제거해야 하는바, 치열한 지상전이 불가피함. 연합국 육군일부가 쿠웨이트 국경쪽으로 이동중에 있는 것으로 관측됨.끝

(대사 오재희-국장)

PAGE 2

0226

외 무 부

종 별 : 긴 급

번 호 : UKW-0165 일 시 : 91 0118 1000

수 신 : 장 관 (중근동,미북,구일,구일,기정동문)

발 신 : 주 영 대사

제 목 : 이락의 대 이스라엘 미사일 공격

1. 이락은 1.18. 0시 30경 텔아비브, 하이파 지역에 스커드미사일(약 8기)을 발사했으며, 금번 미사일 공격으로 사망자는 없으나 15명이하의 가벼운 부상자가 발생한것으로 이스라엘 당국이 밝힘

2. 동 미사일 공격에 사용된 무기는 재래식 폭탄으로서 화학무기는 투하되지 않은 것으로 확인되었음

3. 이스라엘 각의는 상기 공격에 대한 대응책을 금 1.18 오전 각의에서 협의중이며, 부쉬 대통령은 샤미르 수상과의 통화에서 이스라엘의 자제를 권고한 것으로 보도되고 있음. 메이저 수상도 동공격이 용납될 수 없는 도발되지 않은 공격이라고 규탄하는 동시에 이스라엘측이 대응에 신중을 기하도록 접촉중인 것으로 보도됨

4. 미사일 공격은 이락 서부 미사일 기지내에 연합군 공습으로 파괴되지 않은 이동식 스커드 미사일에서 발사되었으며, 연합군은 이미 동 파괴작전에 임하고 있는 것으로 보도됨

5. 이스라엘 군 참모총장, 외무차관등은 금 1.18 아침 당지 BBC TV, 라디오등 회견에서 시기와 수단은 고려되어야 하겠지만 이스라엘이 보복권리를 유보한다는 점을분명히 함

6. 한편, 1.18 사우디 동부 다란지역에도 스커드 미사일이 발사되었으나 파괴된목표물은 없는 것으로 보도됨

7. 당지 전문가들은 이스라엘의 보복 가능성을 전망하고 있으며, 특히 금후 미사일 공격이 재개되고 화확무기가 투하될 경우 사태가 심각해질 것으로 보고있음.끝

(대사 오재희-국장)

중아국 ✓장관 차관 1차보 2차보 미주국 구주국 구주국 중아국
정문국 ✓청와대 총리실

PAGE 1 91.01.18 20:18 FC
외신 1과 통제관

0227

외 무 부

종 별 : 지 급

번 호 : UKW-0170 일 시 : 91-0118 1700

수 신 : 장관(중근동,미북,구일,기정동문)

발 신 : 주영대사

제 목 : 걸프사태

연:UKW-0165

1.이사라엘의 미사일 피격 관련, 허드 외상의 하원성명(GMT 1.18(금) 오전) 요지

-금일 새벽 이락은 이동 미사일 기지에서 7기의 SCUD미사일을 발사, 이스라엘의텔아비브,하이파 및 나자렛 지역을 공격함

-동 미사일들은 재래식 무기 탄두를 장진함

-영국은 이스라엘 민간인에 대한 이락의 포학한 공격을 규탄함. 이는 전쟁을 확대하려는 이락의 무분별한 책략임. 동 무차별적인 미사일공격에서 사망자가 없는것은기적임

-영국은 미국,이스라엘 및 몇몇 아랍국가와 긴밀한 협의를 가졌으며, 금일 아침에는 이스라엘 외상 및 이집트 외상과 통화하였음.

-이스라엘의 분노를 이해하며, 어느 누구도 자위권을 박탈할 수는 없음. 그러나현시점에서는 이스라엘의 자제는 자신감으로 해석될 수 있을것임.

2. TOM KING 국방상 기자회견(91.1.18.오후) 요지

-연합군의 이락 군사거점에 대한 계속 공습으로 이미 이락의 공군력에 중대한 타격을 가했으며 스커드 미사일 이동식 기지 파괴에 노력 집중

-연합군의 정밀폭격으로 최소한의 민간인 희생하에 최대효과 거양

-사우디 겨냥 이락의 스커드 미사일은 항진중 미 PATRIOT 미사일에 의해 공중폭파

-최첨단 기술을 바탕으로 한 정밀공격력은 지상전에서도 위력발휘 예상

-현재까지 연합군측 피해는 7개의 전투기와 그 조종사들임. 이중 영국 TORNADO 2대 포함.

-전쟁포로에 관한 국제협약 준수 촉구

-고무적인 초반전에도 불구, 아직 갈길이 간단치 않다고 봄.

중아국	장관	차관	1차보	2차보	미주국	구주국	정문국	청와대
총리실	안기부							

PAGE 1 91.01.19 06:58 DQ

외신 1과 통제관

0228

3. 연합군 공군은 이락 남부에 주둔하고 있는 정예부대인 REPUBLICAN GUARD 에 대하여 공격을 개시한 것으로 보됨.

4. 이스라엘 전투기가 이락 향발 했을지도 모른다는 추측이 있는 가운데 이스라엘 참전경우 반 이락 국제연립의 균열 가능성에 관심이 모아지고있으며, 이스라엘 전투기의 요르단 상공통과에 따르는 요르단의 대 이스라엘 개전 가능성에 대한 우려가있는 것으로 보도됨.끝

(대사 오재희-국장)

PAGE 2

0229

P.01

주 영 대 사 관

종 3 매
(3-1)

번 호 : UKW(F)- 0036 DATE: 10118 1720

수 신 : 장관(중근동,미북,구일)

제 목 : 걸프사태 - 이락의 이스라엘 미사일 공격관련, 허드외상의 하원 성명문 (01.1.18)

연 : UKW- 0170

첨부: 2매. 끝

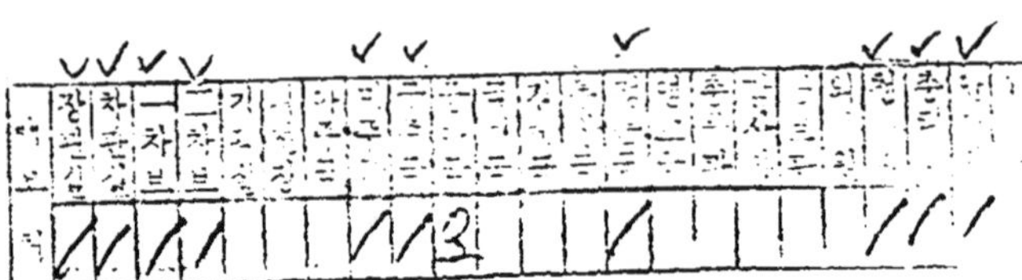

0230

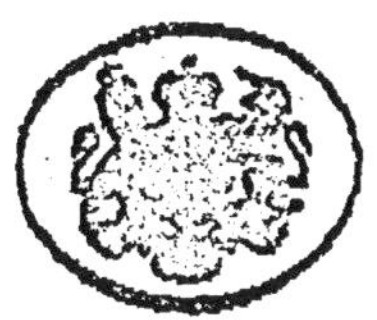

STATEMENT BY THE FOREIGN SECRETARY, THE RT. HON. DOUGLAS HURD IN THE HOUSE OF COMMONS, ON FRIDAY 18 JANUARY 1991.

IRAQI MISSILE ATTACK ON ISRAEL

Earlier this morning seven Scud missiles, fired from mob[ile] launchers in Iraq, struck Israel. They are reported to [have] landed at or near Tel Aviv, in Haifa and near Nazareth. [The] missiles carried conventional warheads.

The Israeli Government have shown great restraint over the last 5½ months, restraint which we warmly applaud. Earlier this morning the Prime Minister issued a statem[ent] saying that he was appalled at the unprovoked Iraqi atta[ck]. The House will wish to join the Prime Minister and me in condemning this outrageous attack on Israel's civilian population. It will be seen in all parts of the world a[s a] reckless ploy to widen the conflict. The House will no[te] the attack was wholly indiscriminate, and it is a miracle [that] no-one was killed.

During the night we were in close touch with the United [States] Administration and with the governments of Israel and o[f] Arab countries. I have spoken this morning to the Israeli Foreign Minister and to the Egyptian Foreign Minister.

We understand fully the anger of the Israeli government [and] people and their responsibility for the defence of their country. We have asked them to understand in turn the

0231

** TOTAL PAG

3-3

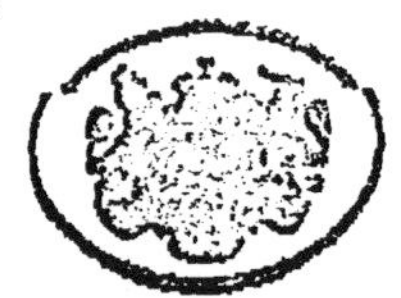

retain the greatest possible support for the military [illegible]
being undertaken against Iraq, including among the Ara[illegible]
nations who have joined us in that action or support it[illegible]
Israel has the right of self-defence and no-one can ta[illegible]
decision from them; but we believe that restraint by Is[illegible]
at this time would be interpreted as strength not weak[illegible]
given the powerful military operation now under way ag[illegible]
Iraq in pursuit of the objectives laid down by the UnS[illegible]

0232

원 본

외 무 부

종 별 : 지 급

번 호 : UKW-0175 일 시 : 91 0119 1050

수 신 : 장관(중근동,미북,구일,기정동문)

발 신 : 주 영대사

제 목 : 걸프사태-이락의 대 이스라엘 공격

금 1.19(토) 아침 당지 BBC TV 보도요지 아래 보고함

1. 1.19 새벽 이락은 SCUD 미사일(5기) 발사, 텔아비브 공격함. 미사일은 재래식 폭탄을 장진했으며 이스라엘 피해는 크지 않은바 사망자는 없고 16 명이 부상한것으로 알려짐

2. 2회째 미사일 공격을 받은 이스라엘 정부는 자위권에 의한 대 이락 보복을 강하게 시사하고 있으나 언제 어떻게 보복할지는 미지수 임

3.이스라엘의 대 이락 공격의 경우 이스라엘 전투기의 요르단 상공 비행이 예상되는바, 요르단 정부는 이를 영공 침해 행위라고 경고하고 있음.

그러나 이같은 반응은 즉각적인 대 이스라엘 개전을 의미하지는 않으며, 요르단국민 (다수가 팔레스타인)의 반 이스라엘 감정에도 불구하고 정부는 조심스러운태도를 견지하고 있는 것으로 분석 됨

4.이스라엘이 참전 경우에도 이집트와 시리아가 바로 반 이락 국제연립에서 탈퇴하지는 않을 것으로 전망됨. 그러나 이스라엘의 보복이 지나치거나 이스라엘이 참전한 동 전쟁이 장기화되면 아랍인들의 여론 악화에 따라 국제연립내 아랍국 정부들은 큰 딜렘마에 빠질것으로 보임

5.이스라엘의 대 이락 공격 자제를 강하게 희망하고 있는 연합국측은 이스라엘을 표적하고 하고 있는 이락의 이동 미사일 기지 분쇄에 최대 역점을 두고 있음. 미국방성 발표에 의하면 이락의 25 개 이동 미사일 기지중 11 개는 이미 파괴 되었다 함

6.금일 아침 이락 당국은 주바그다드 외국 언론인들의 출국을 명령했음. BBC 바그다드 특파원은 자신이 요르단 국경 쪽으로 이송되고 있는것 같다고 말함.

끝

(대사 오재희-국장)

중아국	장관	차관	1차보	미주국	구주국	중아국	정문국	청와대
총리실	안기부	대책반						

PAGE 1 91.01.19 21:26 DA

외신 1과 통제관

0233

외 무 부

종 별 : 지 급

번 호 : UKW-0178 일 시 : 91 0119 1600

수 신 : 장관(중근동,미북,구일,기정동문)

발 신 : 주 영대사

제 목 : 걸프사태

연: UKW-0175

(메이저 수상 기자회견(1.19.(토) 12:50) 요지

-이락의 다이스라엘 미사일 공격은 한탄스럽고 용서할수 없는 일

-이스라엘의 자제 찬양. 연합군은 이락의 미사일기지 분쇄에 최대 역점

-이락측의 민간인을 표적으로 한 미사일 테러는 연합군측의 정밀폭격(PRE SISION BOMBING) 과 대조적

-금일 오전 외무성은 주영 이락대사를 불러, 대 이스라엘 미사일 공격에 대한 경악 표명하고 전쟁포로에 관한 제네바 협약 준수 촉구

-상금 연합군측의 무력행사는 성공적 그러나 이락의 막대한 군사력 규모에 비추어 전쟁 목표달성을 위해서는 아직도 많은 것을 해야함

-전쟁이 얼마나 빨리 종결될지는 예측할수 없으나, 이락이 승리할수 없다는 점에는 의심의 여지가 없음

-(기자질문에 대해) 이스라엘의 대이락 보복할 권리가 있음을 충분히 이해함. 이집트와 시리아도 이를 이해하고 있음

2. 메이저 수상은 다우닝 10번지와 백악관간의 직통전화를 통해 부시 미대통령과긴밀한 협조관계를 유지하고 있는 것으로 보도됨

3. 이락 당국은 금일 아침 바그다드 잔류 약 30 명의 서방 언론인들을 요르단으로 이동시킴. 이락 당국에 의하면 이 조치가 동 기자들의 보도 내용과는 무관하며취재조건 악화에 따른 잠정적 대피라고 함

4. 상금 이락의 군사시설 피해는 막대하나, 민간인 희생자는 많지 않은것으로 알려짐. 그러나 바그다드 시내 전기.수도시설등 기본적 생활여건이 악화됨으로써 민간인들의 생활고는 심화되고있는 것으로 관측되고 있음

중아국	장관	차관	1차보	2차보	미주국	구주국	중아국	정문국
청와대	총리실	안기부						상황실

PAGE 1 91.01.20 03:51 DA

외신 1과 통제관

0234

5. 이락측 작전분석 (당지 TV 회견전략.중동문제 전문가들)

-이락은 공군력의 절대적 열세하에서 전쟁초반 연합군의 대규모 공습에 정면대결하면 오히려 물리적.심리적 피해만 극심하게될 것으로 판단함. 따라서 주력무기는 (생.화학무기 포함)및 정예부대들은 아직 숨어있는 상태임

-이들은 연합군의 쿠웨이트 수복을 위해 지상전에 돌입할때 부터 출동, 연합군특히 미군에게 최대한의 인명피해를 입힘으로써 사기저하와 반전여론 비등을 꾀함

-이락은 군사력의 열세에도 불구하고, 치열한 지상전에서 연합군보다 인명 희생감수라는 심리적 면에서 우세하기 때문에 전쟁에서 승리할수도 있다고 기대함.

끝

(대사 오재희-국장))

0235

외 무 부

종 별 : 지 급

번 호 : UKW-0181 일 시 : 91 0120 1550

수 신 : 장관(중근동,미북,구일,기정동문)

발 신 : 주영대사

제 목 : 걸프사태

연: UKW-0178

1. 이스라엘 보복 자제

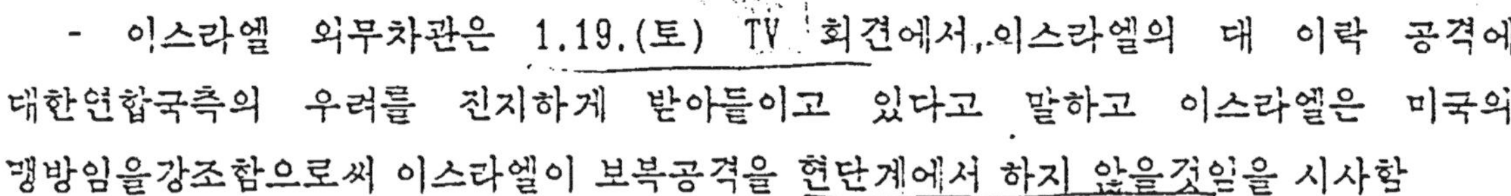

- 이스라엘 외무차관은 1.19.(토) TV 회견에서, 이스라엘의 대 이락 공격에 대한연합국측의 우려를 진지하게 받아들이고 있다고 말하고 이스라엘은 미국의 맹방임을강조함으로써 이스라엘이 보복공격을 현단계에서 하지 않을것임을 시사함

- 1.19 이스라엘에 미국의 PATRIOT 미사일(이락의 SCUD 미사일 방어용)이 배치됨

- 대이저 수상은 1.20(일) TV 회견에서 지난밤 동안에는 이락의 대 이스라엘 미사일 공격이 없어서 큰 다행이라고 말하고, 이스라엘의 자제를 찬양함

2. 연합군의 이락 지상군 공격

-연합군은 이락의 공군시설,미사일 기지,군수공장들에 대한 공습을 계속하는 한편, 이락 지상군에 대한 폭격을 강화하고 있음. 특히 이락 남부 및 쿠웨이트 북부 지역에 집결해 있는 이락 정예부대(REPUBLICAN GUARD) 에 대하여 융단 폭격중이며, 후방(이락 북부)에 배치된 육군 분쇄를 위해 터키의 INCIRLIK 공군기지에서 부터 전폭기들이 출격하고 있는 것으로 보도됨

-이락 육군에 대한 전면공습으로 전쟁은 새로운 국면에 접어들었으나 이것이 연합군의 지상전 돌입이 임박했음을 의미하는것은 아님.연합군측은 육군의 쿠웨이트 진격전에 이락 육군력을 최대한 분쇄하여 지상전에서 희생을 극소화 하고자 하는 것으로 관측되고 있음

3.터키의 참전 가능성

-상기 연합군이 터키내 공군기지를 사용함에 따라 이락의 터키 공격 가능성이 있는바, NATO 사무총장은 NATO 회원국인 터키에 대한 공격은 NATO 에 대한 공격으로 간주할 것이라고 경고함

중아국	장관	차관	1차보	2차보	미주국	구주국	정문국	청와대
총리실	안기부							

PAGE 1

91.01.21 03:56 DQ

외신 1과 통제관

0236

외 무 부

종 별 : 지 급

번 호 : UKW-0188 일 시 : 91 0121 1500

수 신 : 장관(중근동,미북,구일,경일)

발 신 : 주영대사

제 목 : 걸프전쟁

91.1.21(월) 12:00(GMT) 현재 주요 진전사항은 아래와 같음.

1. 사우디에 대한 SCUD 미사일 공격

-리야드지역에 1.20(일)밤 이락군의 미사일 공격이 있었으며, 미군 관계자들은 리야드지역에 4기,다란지역에 6기의 미사일이 발사되었으나, 진로를벗어나 바다에 투하된 1기를 제외하고는 전부 PATRIOT 미사일로 공중 폭파되었다고 말함.

-TOM KING 국방장관도 1.21(월) 12:00 브리핑에서 이를 확인함.

2. 포로처우 문제-이락에 의해 체포된 연합군측 포로의 처우에 관하여 연합군측은 제네바협약의 준수를 요구하고 있으나, 주불 이락대사는 1.20(일)밤 BBC-TV와의 회견에서 이락은 연합군측이 실종되었음을 인정하는 수의 포로에 대해서만 제네바협약을 준수할 것이라고 말함.

-이락은 또한 금 1.21(월) 발표에서 현재 약20명에 달하는 연합군 포로들이 이락내 과학.경제시설에 대한 인간방패로 사용될 것이라고 발표했으며, 체포된 포로들의 심문모습을 TV 방영함.

-허드외상은 이락이 제네바협약에 규정되어 있지않은 기준을 적용함은 용납할 수 없다고말했으며, 금 1.21(월) 오전 외무성은 당지 이락대사를 외무성으로 불러 이락에 대해 항의하고,제네바협약의 완전한 준수를 요구함.

3. 전쟁방향

-메이저 수상은 1.20(일) 부쉬 대통령과의 통화를마친후 기자들에게 연합군의 지속적인 공중폭격으로 이락의 파괴력이 손상되고 있음을 지적하고, 이러한 단계가 상당기간 계속될 것이라고 말함으로써 지상공격이 임박하고 있지 않음을 시사함.

-수상이외에도 주말이래 TOM KING 국방장관등 관계자들은 전쟁이 예상보다 장기화될 가능성을 경고함.

중아국	장관	차관	2차보	미주국	구주국	경제국	정문국	정와대
안기부								

PAGE 1

91.01.22 01:40 DP

외신 1과 통제관

0237

-금 1.21(월) 오전 전시 내각회의에서는 현재까지 공개적으로 부인되어온 사담후세인에 대한 직접적인 공격 가능성에 관하여 협의가 있었던 것으로 보도됨.

4. 바그다드 상황

-이락의 요구에 따라 1.20(일) 요르단으로 철수한 BBC 특파원은 바그다드 공습이후 상황에 관하여,주요시설의 극심한 파괴와 전기 및 수도의 단절,연합군측의 정확한 파괴력등으로 시민들의 사기가 저하되고 있음을 지적함.끝

(대사 오재희-국장)

원 본

외 무 부

종 별 :

번 호 : UKW-0191 일 시 : 91 0121 1800

수 신 : 장관(중근동,기협) 사본: 재무부

발 신 : 주 영대사

제 목 : 유가 및 주식동향(1.21. 1800 현재)

1.유가동향

- BRENI 원유(3월 인도분) 가격은 19.20 BBL로서 지난 주말(1.18) 막장시 17.80 BBL 까지 하락했던 것이 걸프전쟁 장기화 조짐등으로 약간 반등하는 수준에서 가격이 형성됨

-금후 유가 전망은 일가의 사우디 유전 파괴 가능성이 희박하고 공급 감소시 소비국 (IEA 회원국)의 비축유 방출이 계획되고 있어, 이스라엘 참전등 돌발사태가발생 하지 않는한 현 유가 수준을 중심으로 소폭적인 변화가 예상되고 있음

2.주식동향

- FTSE 100 주가지수는 2,084.00 로서 주말보다 18.7포인트 하락하였는 바 이는걸프전 전황이 연합군에 불리하게 전개될지도 모른다는 조심성 매문인 것으로 분석하고 있음.

끝

(대사 오재희-국장)

중아국	장관	차관	1차보	2차보	미주국	구주국	경제국	청와대
총리실	안기부	재무부	대책반					

PAGE 1

91.01.22 20:43 DA

외신 1과 통제관

0239

외 무 부

종 별 : 지 급

번 호 : UKW-0201 일 시 : 91 0122 1500

수 신 : 장 관(중근동,미북,구일)

발 신 : 주 영 대사

제 목 : 걸프전쟁

91.1.22(화) 12:00(GMT) 현재 주요 진전사항 아래보고함.

1. 연합군 공습성과의 한계성 부상

- 6일째 계속된 연합군 공습 (약 9,000회출격)에도 불구하고 이락의 전투력에 대한 결정적 타격은 아직 없는것이 아니냐는 평가등장

- 이락의 SCUD 미사일은 500여개 잔존하고 있으며, 미사일 발사대 (이동식 포함)도 수십개 남아있는 것으로 관측됨. 이락의 전투기는 약 800대중 30여대만이 파괴되었으며, 비행장도 상당수 가동가능한 것으로 보도되고 있음.

- 지난 2일간 연합국은 흐린날씨 매문에 공습 및 공습성과 평가에도 어려움을 겪은 것으로 보도됨.

- 메이저 수상은 1.21(월) 하원에서 상존 인명피해가 적었다고 해서 이전쟁이 쉽고 고통이 적은전쟁이 될 것이라고 기대해서는 안된다고 경고함.

2. 전황 특기사항

- 1.22(화) 새벽 이락은 SCUD 미사일로 사우디를 공격함. 다란지역에 4기, 리야드에 2기의 미사일이 발사된 것으로 보이며, 이중 2개는 미 PATRIOT미사일에 의해 공중폭 파되고 나머지는 바다 또는 비주거지역으로 떨어져 인명피해는 없는 것으로 보도됨.

- 1.22.오전 이락이 쿠웨이트내 2개의 정유시설을 방화하여 연기가 주변하늘을 메우고 있는 것으로 확인됨. 이는 연합군의 공군력 저하는 물론, 효과적인 지상전 수행에도 방해되는 것으로 보임.또한 심리적인 유가상승 효과가 있으며, 장기적으로는 환경을 크게 오염시야 것으로 관측됨.

3. 전쟁포로 문제

- 이락의 연합군 포로 처우문제에 비상한 관심이 모아지고 있음. 이락이 포로를

중아국 장관 차관 1차보 2차보 미주국 구주국 정문국 청와대
총리실 안기부

PAGE 1 91.01.23 09:18 WG

외신 1과 통제관

0240

학대한후 TV에 그모습을 방영했으며, 향후 전략거점에 대한 인간방패로 사용될 것으로 예상됨.

- 1.21(월) 외무성 HOGG 국무상은 당지 이락대사를 불러 전쟁포로에 관한 제네바협약의 중대한 위반을 규탄하고 이같은 전쟁범죄에 대해서는 관계자들의 개인적인 책임을 면할수 없을것이라고 경고함.

4. 쏘련의 휴전제의 거절

1.21. 고르바쵸프의 휴전제의 (쿠웨이트 철군포함)에 대해, 사담은 이를 거절하고 부쉬 대통령이 침략행위를 자행했으므로 그 댓가를 치뤄야한다고 말한것으로 보도됨. 끝

(대사 오재희-국장)

0241

외 무 부

암호수신

종 별 : 지 급

번 호 : UKW-0205 일 시 : 91 0122 1730

수 신 : 장관(중근동,미북,구일)

발 신 : 주 영 대사

제 목 : 걸프전쟁

1.22(화) 외무성 대변인은 외무성 간부와 이락 재야대표와의 접촉관련, 아래와 같이 언급함.

1. 다마스커스에 근거를 두고있는 이락 재야의 2 사람(이락 시아파대표 및 쿠르드대표)은 1.21(월) 각각 GORE-BOOTH 외무성 차관보를 면담하고, 민주이락 건설을 위한 그들의 계획을 설명함.

2. 동 차관보는 이들의 민주화 의지를 환영하고, 걸프전쟁에서 영국은 UN 결의 이행을 위해 필요한 이상으로 이락을 파괴할 의도가 없음을 설명함. 끝

(대사 오재희-국장)

중아국 장관 차관 1차보 미주국 구주국 청와대 안기부

PAGE 1

91.01.23 11:38

외신 2과 통제관 BT

0242

관리 번호	91/164

원 본

외 무 부

종 별 : 지 급

번 호 : UKW-0208 일 시 : 91 0122 2000

수 신 : 장관(중근동,미북,경일,구일)

발 신 : 주 영 대사

제 목 : 걸프사태 전망

1. 전쟁전망(1.22. 현재)

가. 대 이락 공격의 한계성 부상

-연합군측이 이락 주요 전략거점 (군수공장, 지휘본부, 통신센터, 비행장, 발전소등)에 대해 약 10,000 회 출격으로 6 일째 가한 공습과 미사일공격은 민간인 희생을 최소화한 정밀폭격으로 이락의 기간시설에 막대한 타격부여

-그러나, 이락의 잠.... 전으로 말미암아 상금 이락의 전쟁 수행수단들은 대부분 건재, 이락 전폭기 약 800 대중 불과 30 여대가 파괴된 것으로 보이며, 약 5,500 대의 탱크, 약 90 만 병력잔존

-상금 연합군은 제공권 우위는 확보하였으나, 제공권 장악에는 미달

-전문가들은 이락측이 모든 군사장비의 확산배치, 대피처에서의 소개등으로연합군 공습의 예봉을 피하고 금후 지상전 가능성에 대비하고 있는 것으로 분석

-연합군의 공격개시 1-2 일동안 팽배했던 낙관론은 거의 사라지고 전쟁 장기화 가능성에 대한 불안감 점증

나. 전쟁 장기화 가능성

-사담은 전쟁이 장기화되면 승산이 있다고 기대할 가능성 농후. 특히, 지상전이 벌어져서 양측에 희생자가 급증할 경우 연합국측의 희생감수 능력이 이락에비해 훨씬 약하므로 정치적, 심리적으로 연합국들은 곤경에 처하고, 결국 이락에 유리한 휴전조건이 제시되기를 기대할 것으로 추정

-따라서 이락의 자진철수 가능성이 희박한 가운데 결국 지상전으로 쿠웨이트 수복을 달성할 때까지 전쟁이 지속될 것으로 전망

-지상전 돌입전에 연합군은 이락의 전쟁수행 능력에 대한 타격을 심화시키기 위해 공습을 상당기간 계속할 것으로 보이며, 지상전 돌입 이후에도 노출된 이락

중아국	장관	차관	1차보	2차보	미주국	구주국	경제국	청와대
총리실	안기부							

PAGE 1 91.01.23 13:03

외신 2과 통제관 BW

0243

전쟁수단에 대한 공중폭격 지속예상

-육. 해.공군을 총 동원한 쿠웨이트 수복전에서 연합군의 승리 가능성다대.그러나 이는 연합군의 제공권 장악에 의한 보급로 차단, 지휘통신체제 분쇄등이 얼마나 효과적으로 이락군의 전쟁수행 능력을 약화시킬 수 있느냐에 크게의존

-걸프전쟁은 화학무기의 광범위한 사용이 우려되고 있으나 핵전쟁으로 비화될 가능성 희박

-전쟁 소요기간에 관한 일반적 관측은 당초 예상했던 수주일보다 상당히 장기간이 될것으로 예상. 그러나, 금번전쟁은 전쟁목표와 군사력의 균형문제등을 감안할때 어느정도 한시적 성격농후

다. 전쟁목표의 추이에 따른 사태진전

-쿠웨이트 수복이라는 안보리결의상의 현 전쟁목표 하에서는 이락내의 군사적 피해에 불만을 품은 군부요인의 쿠테타나 연합군측의 공작으로 사담이 실각되지 않는한 수복시까지 연합군의 군사작전 불가피

-다만, 쿠웨이트 수복만으로 전선을 고정시키는 경우 역내 안정을 위해 진전이 확보되지 않고 사담이 정치적 승리를 주장하는 가운데 미국뿐 아니라 사우디, 이집트, 시리아등에 부담스러운 강력한 국제군의 장기주둔 필요성 대두

-연합군 지상군에 의한 이락 침공으로 전쟁목표 수정 가능성. 사담에 대한 결정적 패배를 안겨주기 위한 불가피한 요건으로 등장할 수 있으며, 허드 외상도이락군이 자국내로 밀려간 후에 계속 쿠웨이트를 폭격할 경우, 동 가능성 시사. 다만, 이 경우 안보리결의 획득이 거의 불가하며 아랍제국간 전후 협조체제 확보에 장애유발.

(이하 UKW-209 로 계속)

PAGE 2

0244

관리번호	91/164

원 본

외 무 부

종 별 : 지 급

번 호 : UKW-0209 일 시 : 91 0122 2000

수 신 : 장관(중근동,미북,경일,구일)

발 신 : 주 영 대사

제 목 : UKW-0208호의계속분(PART 2)

2. 전지 종결후에 예상되는 중동정세 변화

가. 쿠웨이트 및 이락정세

-연합군의 완전 승리하에 사담이 제거될 경우, 쿠웨이트 왕정복귀와 이락의온건지도자가 등장전망. 연합국은 이락의 국내정치에 간여하지 않도록 신중을 기하되, 이락의 군사력 억제확보에 주력예상

-연합군이 쿠웨이트를 탈환하더라도 사담이 계속 집권할 경우, 다국적군과의 대치리에 불안한 정세 지속전망

나. 중동문제 해결방안 적극추진

-어느 경우에도 연합국측은 종전직후 팔레스타인문제, 집단안전보장, 군축,개발원조를 포함하는 중동문제 해결방안 추진전망

-특히 팔레스타인 문제의 중요성에 비추어 미국은 이스라엘에 대해 과거 양국간의 특수관계에도 불구하고 점령지역 통치, 팔레스타인 국가건설, 안보이익 추구등 문제에 있어 융통성있는 태도를 요구할 것으로 예상

-전후 중동문제 해결모색에 있어 특히 이집트, 이란, 시리아의 역할과 미.영의 조정노력 강화예상. 전후 이스라엘의 발언권은 이스라엘의 개입자제 노력에대한 서방의 평가와 함께 이랍. 이스라엘간의 힘의 균형에 기초한 이스라엘의 현실적 태도에 의존

-어느경우에도 중동 아랍제국간의 상호견제, 경쟁관계는 지속예상, 어느 한국가의 아랍패권 확보는 불가전망

다. 전후 평화확보의 한계성

-중동 각국에서 반미감정의 확산과 현 지도체제에 대한 불만고조 가능성

-이스라엘이 미국의 요구에 호응하지 않고 팔레스타인 문제에 관한 강경입장을

중아국	장관	차관	1차보	2차보	미주국	구주국	경제국	청와대
총리실	안기부							

PAGE 1

91.01.23 13:05

외신 2과 통제관 BW

0245

고수하는 가운데 자국안보에 근시안적으로 대처

-이락의 사담체제 및 군사력 잔존 가능성

3. 아국의 대응책 건의

가. 걸프전쟁과 한반도정세의 연계성 고려

-한국전 당시와 같이 유엔안보리 결의에 의거

-북한정권에 대한 영향

나. 비용 또는 책임분담 문제

-한국전 당시 유엔참전 경위와 북한의 대남 자세를 상기시키면서 아국이 연합국의 노력을 적극 지지한다는 입장을 교섭과정에서 강조

-다만, 실제 책임분담은 능력의 범위내를 강조하면서 가급적 아국의 실리가확보되도록 물품, 기술, 용역등 선정에 있어 유의

-파병문제는 한반도 안보에 직결된다는 시각에서 전쟁추이에 따라 예외적 상황에서만 검토

다. 전후 복구사업 참여

-비용 또는 책임분담 교섭시 사업참여 가능성 확보

-미국등의 기업과 공동사업 모색

-라. 원유확보 문제

-전쟁발발전 세계 원유증산 체제와 금번 전쟁의 한시성 감안. 끝

(대사 오재희-장관)

예고: 91.6.30 일반

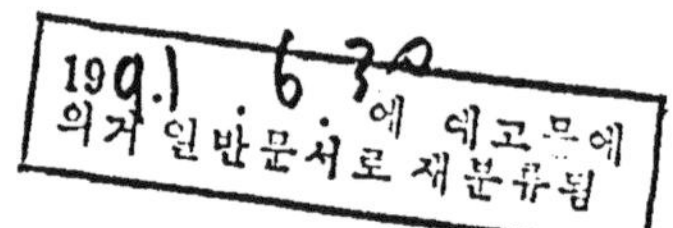

PAGE 2

0246

외 무 부

종 별 : 지 급

번 호 : UKW-0210 일 시 : 91 0122 2230

수 신 : 장 관(중근동, 미북, 구일)

발 신 : 주 영 대사

제 목 : 걸프사태

이스라엘 미사일 피격

1. 금 1.22(화) 밤 걸프전쟁 발발후 세번째로 텔아비브지역에 이락의 SCUD 미사일이 발사되었으며, PATRIOT 미사일의 공격을 피한 2개의 미사일이 주거지역에 낙하되어 약 60명의 부상자와 상당한 재산피해를 초래한 것으로보도됨.

2. 이스라엘 정부대변인은 당지 TV 인터뷰에서 이스라엘 정부의 방침이 결정되는대로 적절한 상황하에서 보복조치를 취할 것이라고 말함.

3. 메이저 수상과 외무성은 성명을 발표, 이스라엘의 민간인 목표물에 대한 이락의 공격을 규탄하면서 이스라엘이 지속적으로 보복을 자제해 줄 것을 촉구함.

4. 당지 군사전문가는 TV 회견에서 이락의 영공상에서의 작전을 위해서 미국이 연합군의 통합 지휘체제를 유지하고 있고, 연합군이 현재 발휘하고있는 작전능력에비추어 이스라엘공군의 능력은 제한되어 있으므로 미국의 양승이없는한 이스라엘에의한 보복조치에는 현실적 한계가 있을것으로 분석함.끝.

(대사 오재희-국장)

중아국 ② 장관 차관 1차보 2차보 미주국 구주국 정문국 청와대
총리실 안기부

PAGE 1

91.01.23 13:14 FG

외신 1과 통제관

0247

원 본

외 무 부

종 별 : 지 급

번 호 : UKW-0216 일 시 : 91 0123 1500

수 신 : 장 관(중근동,미북,구일,경일,기정동문)

발 신 : 주영대사

제 목 : 걸프사태

연: UKW-0210

91.1.23.(수) 1400 GMT 현재 주요 진전사항 아래보고함

1.이스라엘 미사일 피격

0 1.22.(화) 밤 이락은 텔아비브에 대하여 세번째 SCUD 미사일 공격을 가했는바,3 기 미사일중 2기는 PATRIOT 에 의해 공중 폭파되고 1 기가 아파트지역에 떨어져 3명이 사망하고 98 명이 부상함. 동 미사일도 재래식 폭탄으로 장전되어 있었음

0 미국은 이스라엘 특사로 파견된 이글버거 국무차관보의 이스라엘 체류를 연장함

2.이스라엘 보복 공격시 파급효과

0 이스라엘의 보복 목표물이 SCUD 미사일인 경우,이집트,시리아,사우디등 연합내 아랍국가들도 이를수긍할 것으로 관측되고 있음

0 그러나 이는 연합군이 이미 하고 있는 일이므로 이스라엘 공군이 굳이 개입할실익이 없음. 이스라엘은 연합군의 공습 목표가 아닌 이락 산업시설 내지 공공건물등에 대한 공격을 감행하려고 할 가능성이 있으나 이는 연합국의 단결 유지에 미치는영향을 고려, 미국의 묵인내지는 긴밀한 협조없이는 시행하기 어려울 것으로보임

0 이스라엘 공군의 요르단 영공통과 경우 요르단이 참전할 우려가 있는바, 미국은 이를 방지하기 위해특사를 파견함

3. 사담에 대한 규탄 강화

0 메이저 수상은 1.22 오후 하원에서, 이락인들이 스스로 사담을 제거하려고 할것으로 생각하며, 잔인하고도 도덕성이 마비된 (AMORAL) 그에게 무슨일이 일어나도울지 않을 것이라고 말함으로써 사담 개인에 대한 공격을 강화함

0 이는 상금 공식적인 부인에도 불구하고 사담 제거가 전쟁의 정당한 목표중 하나

중아국	장관	차관	1차보	2차보	미주국	구주국	경제국	청와대
총리실	안기부	대책반						

PAGE 1

91.01.24 05:28 CT

외신 1과 통제관

0248

라는 것을 암시하는 것으로 해석되기도 함

4.영 국방성 전황보고 (1.23 1200 국방성 국무상 및 합참차장)

0 연합군 공습은 7일째 계속되고 있으며, 금일은 맑은 날씨로 연합군에 매우 유리함

0 이락의 전쟁 지탱 능력이 상당히 감소되고있음

0 이락의 미사일, 비행장, 지휘통신체제, 발전시설, 산유설비, 핵 및 화학무기설비, 벙키시설, 방공엄폐물 (SHELTER) 등이 다수 파괴되었음

0 연합군측 희생은 당초 예상했던것 보다훨씬 낮음

0 영 공군이 저공비행 폭격등 위험한 임무수행을 많이 하는바, 상금 TORNADO 전부기 5 대가 실종또는 격추됨

5.걸프사태와 EC 정치통합

0 메이저 수상은 1.22 하원에서 유럽 각국의 걸프사태 해결을 위한 기여도에 상당한 차이가있다고 말함. 또한 EC 의 정치통합 또는 공동 외교안보정책 수립은 말을넘어 행동이 따라야하는바, 유럽은 그럴 준비가 안되어 있으며, EC정부간 회의(IGC)에서 정치통합에 대한지나친 기대는 어려울 것이라 말함

0 이같은 벌언은 영.불.이태리 3개국을 제외하고는 EC 제국이 연합군에 직접 참여하지 않고 있을뿐 아니라, 재정적 지원 또는 군수품 지원에도 극히 인색한데 대하여 영국 정계에 불만이 노정되고 있는것과 때를 같이함. 영국을 걸프사태로 인하여 이미 10억 파운드 이상을 지출한것으로 알려짐.끝

(대사 오재희-국장)

원 본

외 무 부

종 별 :

번 호 : UKW-0226 일 시 : 91 0124 1730

수 신 : 장 관(중근동,기협)

발 신 : 주 영 대사

제 목 : 유가 및 주식동향

1. 유가동향

- 1.24(목) 15:30현재 BRENT 원유 (3월 인도분)가격이 19.95 BBL로서 전일종가 대비 0.61 하락함.

- 금일 유가는 연합군측의 효과적인 작전수행에 힘입어 약간 하락하였으나 보합세를 유지하고 있음.

2. 주식동향

- 1.24(목) 15:00현재 FT-SE 100 지수는 2,080.5 로서 전일종가 대비 1.1. 포인트 하락함.끝

(대사 오재희-국장)

중아국 2차보 경제국 안기부 동자부

PAGE 1 91.01.25 10:04 WG

외신 1과 통제관

0250

외 무 부

종 별 : 지 급

번 호 : UKW-0230 일 시 : 91 0124 1900

수 신 : 장 관(중근동,미북,구일)

발 신 : 주 영 대사

제 목 : 걸프전쟁

연: UKW-0216

91.1.24(목) 15:00(GMT) 현재 주요 진전사항 아래보고함.

1. 전황 특기사항

- 연합군의 공습이 계속되고 있으며, 특히 이락지상군에 대한 공격이 강화됨.

- 이락은 이스라엘 및 사우디에 대하여 또다시 스커드미사일 공격을 가하였으나 패트리오트 미사일로 방어됨.

- 연합군 육군은 지상전에 대비 쿠웨이트접경지역에 집결중임.

- 상금 영 TORNADO 전투기 6대 실종됨.

2. 메이저 수상은 금 1.24(목) 하원 질의답변에서 당지 이락대사가 불원 귀임할 것이라고 밝힘.이락대사의 귀임은 본국정부의 지시에 따른것으로서 당분간 당지 이락 대사관은 대사대리를 포함하는 3명의 외교관으로 운영될 것으로 보도됨.

3. 허드외상은 전후 새로운 중동체제와 비용 분담문제등 협의를 위해 금일 파리를 방문 '뒤마' 불외상과 회담함.

4. 영 정계동향

- 집권 2개월에 불과한 메이저 수상은 걸프사태처리에 있어서 차분하고 결연한 자세로 국민 및 의회의 분위기를 잘 이끌어온 것으로 높이평가받음.

- 동시에 노동당의 키녹 당수도 걸프사태에 임하여 평시에 정당정치 스타일에서 벗어나 정부정책에 대하여 적절하고도 분명한 입장표명을 함으로써 수권정당 당수로서의 정치적 입지를 강화함.

- EC 통합문제가 대처수상 사임의 도화선이 된이후, EC 제국과의 관계강화에 정가의 관심이 지대하였으나, 금번 걸프사태로 인하여 EC제국간의 이해관계 격차가 부각되면서 대신 전통적인 영.미간의 특수관계가 재강조되고 있는 것으로 관측됨.끝

중아국 장관 차관 1차보 2차보 미주국 구주국 중아국 정문국
청와대 총리실 안기부

PAGE 1

91.01.25 13:51 WG

외신 1과 통제관

0251

암호수신

외 무 부

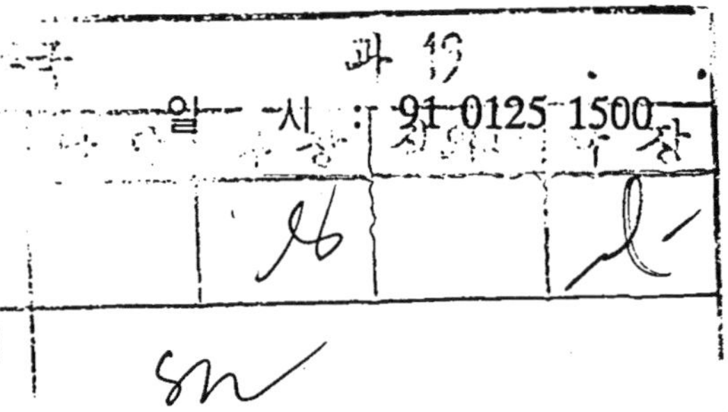

종 별 :

번 호 : UKW-0236

일 시 : 91 0125 1500

수 신 : 장관(통이,중근동) 사본: 해운항만청

발 신 : 주 영 대사

제 목 : GULF 전지역 선박운항

1.당관 해무관이 주재국 운수성 및 선주협회 관계관과 접촉한바에 의하면 영국 운수성은 자국 선박에 대해 GULF 지역 운항을 전박적으로 금지하는 조치를 취하고 있지 않으며 지역 및 사태발전에 따라 운항안내 지침을 제공, 이에따라 선주협회는 전반적인 전쟁지역 선박운항 지침서를 발간, 회원선사에 배부하고 있고(현재 입수중이며 입수되는 대로 정파편 보고) 운항 여부를 당해 회사가 최종적으로 결정하도록 하고 있음

2. 영국 선주협회와 해원 노조는 사우디아라비아의 전항구를 포함하는 경도 55 도 E 의 동쪽 GULF 만을 전쟁구역으로 설정, 이지역을 항행할 경우 선원들에게 100 프로의 전쟁 상여금을 지급하기로 합의하였으며 해원노조는 전쟁지역을 수에즈운하, 홍해, 이스라엘 항구까지 확대할것을 공식 요구하고 있음

3.LLOYD'S LIST(91.1.25) 보도 및 일본 선주협회 런던지부에 의하면 일본정부는 일본 해원노조와 선주협회와 합의하에 자국 선박에 대해 경도 52 도 E 의 동쪽 걸프만 지역 운항을 금지 조치하였으며, 최근 사태발전에 따라 GATAR 의 동쪽 항구인 DOHA 및 UMM SAID 항에 대해 운항을 허용하였으나, 일본 정유회사및 선사들은 현재 SAUDI 항에 대한 위험도가 극히 적으며 원유의 원할한 안정 수송및 과다한 외국선박 용선료 부담 때문에 동 제한조치를 더욱 완화하여 줄것을 강력히 희망하고 있다함

4. 런던 유조선 중개인들에 의하면 전황상 현재 연합군이 공중및 해상에서 통제권을 행사하고 있고 이라크가 걸프 지역 운항 상선대를 공격할만한 여유가 없다는 점을 감안할때 동 지역 운항 위험도는 높지 않는 것으로 평가하고 있으나이는 추후 전황 발전 여하에 달려 있는바 걸프지역 SINGAPORE 기준 탱카 운임지수는 WORLDSCALE 135 도 100 도 정도 상승하였다고 함

5. 또한 사우디 당국은 극동지역으로의 석유 안전 수송을 위해 32-50 만톤급대형

통상국 차관 2차보 중아국 안기부 해항청

PAGE 1

91.01.26 06:30

외신 2과 통제관 BW

0252

유조선을 용선, 사우디의 RS TANURA 항에서 GATAR 나 GULF OF LMAN 까지 SHUTTLE SERVICE 를 개시할 것이라는 미확인 소식이 런던 유조선 시장에 퍼져 있음. 끝

(대사 오재희-국장

0253

외 무 부

종 별 : 지 급

번 호 : UKW-0239 일 시 : 91 0125 1740

수 신 : 장관 (중근동,미북,구일,기정동문)

발 신 : 주 영 대사

제 목 : 걸프전갱

연: UKW-0230

91.1.25.(금) 1400 현재 주요 진전사항 아래 보고함

1.전황 특기사항

-1.24(목) 이락의 전방 감시소 역할을 해온 쿠웨이트 QARUH 섬 탈환

-동 과정에서 이락 소해정 2 척 침몰, 이락 전투기 미라쥬 2 대 격추, 이락군 3명 사망, 51명 포로 체포

-연합공군 1.24 하루동안 3 천회 출격. 카나다 및 바레인 전투기 처음으로 가담. 쿠웨이트 이내로 작전범위를 한정해왔던 프랑스 공군도 이락내 REPUBLICAN GUARD폭격에 참가

-연합군, 쿠웨이트 상륙작전에 대비 한국전 이래 최대규모의 육.해.공 합동군사 연습 시행

2.영국 군사령관 SIR PETER 중장 브리핑 (1.25. 1400 리야드) 요지

-지휘통신 및 군수지원등 관련 연합국간의 유기적 협조관계 매우 인상적

-이락군 사기 현저히 저하

-지상전 돌입시기는 말할수 없음. 지상전에서 일시적인 후퇴는 있을수 있으나 연합군의 승리에는 의심의 여지가 없음

-(영 TORNADO 전투기의 저공비행 폭격과 관련)영 공군의 용기와 실력 찬양

3.1.24 영 내무성은 지난 수일간 구금중이던 33 명의 이락인들을 전쟁포로 신분으로 국방성에 이관 하였다고 발표함. 이들은 학생신분으로 입국 하였으며, 최근 추방 통고를 받고도 계속 체류하고 있었다 함.

끝

(대사 오재희-국장)

중아국 장관 차관 1차보 2차보 미주국 구주국 청와대 총리실
안기부 대책반

PAGE 1 91.01.26 06:53 DA

외신 1과 통제관

0254

원 본

외 무 부

종 별 :

번 호 : UKW-0242 일 시 : 91 0125 1830

수 신 : 장관(중근동,기협)

발 신 : 주영대사

제 목 : 유가 및 주식동향

1. 유가동향

-2.25(금) 16:00현재 BRENT 원유 3월인도분가격은 20.25로서 전일 종가와 같은가격에 거래되고 있음.

-걸프전황에 급격한 변화가 없어 유가는보합세를 유지하고 있음.

2. 주식동향

-1.25(금) 16:00현재 FT-SR 100 지수는 2,102.90 로서전일대비 3.6포인트 상승되었음.

-금일 장세는 특이사항 없으며 약간의 기술적반등세를 보이고 있을 뿐임.끝

(대사 오재희-국장)

중아국 경제국

PAGE 1

91.01.26 08:21 ER

외신 1과 통제관

0255

원 본

외 무 부

종 별 : 지 급

번 호 : UKW-0244 일 시 : 91 0125 1900

수 신 : 장 관(중근동,미북,구일)

발 신 : 주 영 대사

제 목 : 걸프전쟁

1.25(금) 18:00(GMT)현재 주요 진전사항 아래보고함.

1. 이스라엘의 텔아비브, 하이파지역은 금 1.25.저녁 전쟁발발후 5번째로 이락의 스커드 미사일에 의해 피격되었으며, 발사된 약 7기의 스커드 미사일 대부분이 패트리오트에 의해공중 폭파된 것으로 보도됨. 공중폭파에 의한 파편이 주거지역에 낙하되어 약 30여명이 부상함.

2. 영 국방성은 즉각적인 논평을 통해, 민간인을 표적으로한 테러행위를 규탄하고 이스라엘의 계속적인 자제를 촉구함.

3. 사담후세인이 상금 저조한 전과의 책임을 물어 몇몇 이락 군장성들을 처형했다는 쏘련발보도에 대하여 당지 언론은 쏘련이 이락과 가져온 군사협력의 경험과 이락군이 처해있을 군사적 곤경에 비추어 가능성이 있는 보도로 받아들이고 있음. 다만 영 국방 참모총장은 TV회견에서 이를 확인할 수 없다고 말함.

4. 이락은 걸프해상에 연합군의 해군력을 약화시킬 목적으로 다량의 석유를 방류하고 있으며, 이로써 초래될 심각한 환경오염에 관하여 보도되고 있음.

5. 이락은 연합군 포로들을 TV에 방영하는 것을 당분간 중지하며, 적절한 때에 재개할 것이라고 발표함.끝

(대사 오재희-국장)

중아국	차관	1차보	2차보	미주국	구주국	정문국	청와대	총리실
안기부								

PAGE 1

91.01.26 08:46 WG

외신 1과 통제관

0256

원 본

외 무 부

종 별 : 지 급

번 호 : UKW-0248 일 시 : 91 0226 2230

수 신 : 장관(중근동,미북,구일)

발 신 : 주영대사

제 목 : 걸프전쟁

91.1.26(토) 18:00(GMT) 현재 주요 진전사항 아래보고함.

1. 이락 전투기 7대가 이란 북부에 비상 착륙하였음.상금 정확한 경위는 밝혀지지 않았으며, 이락이 즉각적인 송환을 요구하고 있는 반면, 전쟁에 중립을 유지하고있는 이란 당국은 이들을 전쟁종결시까지 돌려보내지 않을 것이라고밝힘.

2. 1.25(금)밤 이락의 스커드 미사일 공습으로 사우디리야드에서 1명이 사망하고약 30여명이 부상하였으며,이스라엘에서는 1명이 사망하고 7명이 부상한 것으로보도됨. 스커드 미사일에 의한 사우디의 첫사망자발생으로 사우디 동부지역 민간인들이동요하고있으며, 일부 외국인들은 계속 보복자제 정책을견지하고 있는 것으로 보도됨.

3. 쿠웨이트 연안의 석유오염이 계속 확장되고있는 바, 현재 가로,세로 30마일, 8마일의 바닥가석유로 덮혀있음. 이는 사상최대의 석유해상오염으로서 환경폐해는 막대할 것으로 보이나연합군의 상륙작전 기타 작전 수행에는 별영향이 없을 것으로 관측되고 있음.

4. 연합군의 이락 REPUBLICAN GUARD 에 대한폭격은 계속되고 있으며, 금일 새벽에는 이락미그전투기 2대를 격추함.

5. 영 국방성의 ALAN CLARK 국무상은 BBC 라디오회견에서 걸프전쟁에 대한 유럽의 기여가 보잘것없다(SEEBLE)고 말하고, EC의 공동외교안보정책 추진등 정치통합 움직임에 회의를표명함. 일부 의원들은 동인의 노골적인 비난이현재 EC 제국으로 부터 더많은 지원을확보하려는 허드 외상의 외교적 노력에 좋지못한영향을 줄 뿐아니라, EC우방국들과 영국의거리감을 부각시킨 것으로 보고, 동 발언을 문제시하고있음.

6. 금일 한 당지 여론조사에 의하면 메이저 수상의인기가 최근 급격히 상승, 집권초기 처칠수상인기도에 필적하고 있음.끝

중아국	차관	1차보	2차보	미주국	구주국	정문국	청와대	총리실
안기부	대책반	장관						

PAGE 1 91.01.27 09:24 ER

외신 1과 통제관

0257

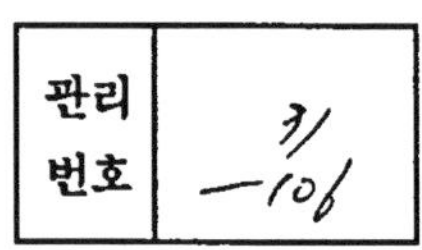

외 무 부

종 별 : 지 급

번 호 : UKW-0251 일 시 : 91 0128 1530

수 신 : 장관(중근동,미북,구일,기정동문)

발 신 : 주 영 대사

제 목 : 걸프전쟁-이락 및 쿠웨이트 잔류자

대: WUK-0176

1. 외무성관계관에 의하면, 이락 및 쿠웨이트 잔류 영국인은 약 50 명으로 추정되며, 이들 대부분은 자진해서 잔류를 희망하고 있는 것으로 알고 있다함

2. 따라서 특별한 철수계획이 없으며, 그들중 일부가 비록 철수할 의사가 있다 하더라도 현 전쟁상황에서 정부가 취할 수 있는 조치는 매우 제한적일 것으로 생각한다 말함. 끝

(대사 오재희-국장)

91.6.30 까지

중아국 미주국 구주국 안기부

PAGE 1

91.01.29 06:01

외신 2과 통제관 FE

0258

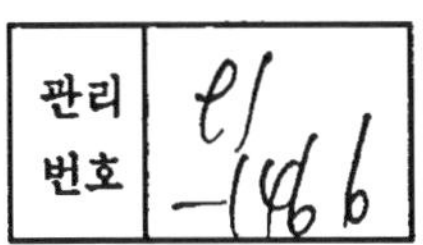

외 무 부

종 별 : 지 급

번 호 : UKW-0253 일 시 : 91 0

수 신 : 28 1530000장관(통일,중근동) 사본: 해운항만청

발 신 : 주 영대사

제 목 : 걸프전 지역 선박운항

연: UKW-0236

1.LLOYD'S LIST(91.1.25) 보도 및 일본 선주협회 런던지부에 의하면 일본정부, 선주협회, 해운노조는 일본 정유회사들의 강력한 건의에도 불구, 자국 선박의 걸프만 운항금지조치를 해제하지 않기로 하였다 하며 이는 일본 해운노조의 강력한 반대 때문으로, 이란. 이라크 전쟁 경험에 비추어 볼때 전황의 급속한 진전이 없는한 해원노조를 설득, 이를 해제하지 못할 것으로 전망된다함

2. 이에따라 일본 주요 정유회사및 해운선사는 외국적 유조선을 용선하거나, 자국 선박을 외국으로 국적변경, 외국선원을 채용하여 운항하는 방안을 검토하고 있으며, 일본국적 선박은 운항금지지역외의 항구를 이용하는바 이는 항구 능력상 원유수송에 한계가 있는것으로 분석되고 있음

3. 당지 유조선 중개인들에 의하면 기뢰 및 이라크 MIRAGE 제트기에 의한 EXOCET 미사일의 상선대 공격 가능성은 상존하고 있는바, 상선대의 동지역 항행의 경우 선내 비상대책 계획수립 및 이에따른 선원에 대한 사전 특별 훈련이 필요한 것으로 판단하고 있음

4. 연호 내용중 제 2 항 경도 " 55 도 E 의 서쪽 걸프만" 을 "경도 55 도 E의 동쪽 걸프만"으로, 제 3 항의 " 경도 52 도 E 의 서쪽 걸프만"을 "경도 52 도 E 의 동쪽 걸프만"으로 정정 보고함. 끝

(대사 오재희-국장)

1991.6.30. 에 예고문에 의거 일반문서로 재 분류됨.

통상국 중아국

PAGE 1 91.01.29 06:02

외신 2과 통제관 FE

0259

관리 번호	91/640

원 본

외 무 부

종 별 : 지 급

번 호 : UKW-0257 일 시 : 91 0128 1830

수 신 : 장 관(중근동,미북,구일,기정동문)

발 신 : 주 영 대사

제 목 : 걸프 사태

연: UKW-0248

1. 금 1.28(월) GMT 1400 현재 언론보도 중심으로 종합한 주요 진전사항은 아래와 같음

가. 금 1.28(월) 소집된 전시 내각은 연합군이 조만간 제공권을 장악(AIRSUPREMACY)할 정도로 공중폭격이 실효를 거두고 있으며, 최근 4 일간 연합군의 공격 과정에서 별다른 연합군측의 피해가 없었던 것으로 평가함

나. 이란에 도착한 이락 전투기는 현재 69 대에 달하는 것으로 보도되고 있음. 이와관련 주이란 영국대사대리가 1.27(일) 이란 외무성과 동 문제를 협의한 결과, 이란 정부는 UN 결의의 이행을 확인하면서 이락 공군기들은 전쟁 종결시까지 이란을 떠나지 못할 것임을 강조했다고 1.28(월) 영국 외무성 대변인이 밝힘.당지 관측통들은 사담이 자국의 전투기에 대한 피해를 최소화 하기 위해 이란에 대피시키고 있으며, 밝혀진 69 대 보다 훨씬 많은 전투기가 대피해 있을 가능성을 배제하지 않음

다.TOM KING 국방장관은 1.27(일) 사담이 쿠웨이트에서 밀려난후 6 개월후에라도 다시 전쟁을 시작할 수 있도록 비열한 군사조직(OBSCENE MILITARY MACHINE)을 남겨두어서는 아니된다고 강조하고, 유엔결의 678 호 말미 부분의 "역내 평화와 안전을 수복하기 위하여(TO RESTORE PEACE AND SECURITY IN THE AREA)"라는 규정에 근거하여 필요 조치를 취할 것이라고 경고함으로써, 단순한 쿠웨이트 수복에서 전쟁목표를 확대할 수 있음을 명백히 함

라. 주재국은 일일평균 3.6 백만 파운드에 달하는 전비 충당을 위해서, 91 년 1/4 분기를 위해서 출연된 사우디, 쿠웨이트, 일본, 독일등 각국의 기여금(총약 360 억불)을 일부 지원받는 방안과 EC 차원에서 독일등의 추가지원을 요구하는 방안을 적극 추진하고 있음. 영국은 독일에 대한 책임분담을 요구하는데 있어 특히 금후 EC

중아국 장관 차관 1차보 2차보 미주국 구주국 청와대 총리실 안기부

PAGE 1

91.01.29 07:26

외신 2과 통제관 BW

0260

의 정치협력 문제와 연계시키면서 구체적인 지원 내역을 성안하고 있는 것으로 보도됨

2. 전쟁상황 보도와 관련, 당지 언론들은 정부의 발표내용이 미 국방성의 발표에 비하여 부실함을 비판하고 있는바, 영국군의 지휘권이 미 군사령관의 통할하에 있으며, 영국의 참전 규모가 부분적이고 제한적인 상황하에서, 이는 어느정도 불가피한 측면이 있는 것으로 관찰되오니 본부에서의 상황 파악에 있어서 (605)를 감안하여 주시기 바람. 끝

(대사 오재희-국장)

19 91.6.30.까지 예고문에 의거 일반문서로 재 분류됨.

검토필(1991.6.30.)

PAGE 2

0261

외 무 부

종 별 : 지 급

번 호 : UKW-0266

수 신 : 장 관(중근동,미북,구일)

발 신 : 주 영 대사

제 목 : 걸프전쟁

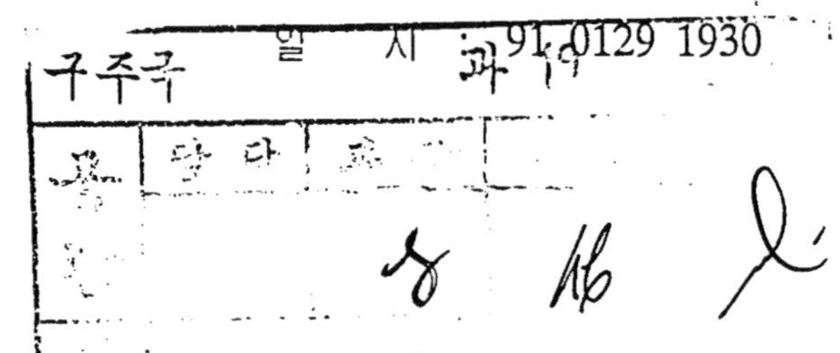

금 1.29(화) 16:00(GMT) 현재 주요 진전사항을 아래 보고함.

1. 100대 이상의 이락 공군기가 이란에 도착한 것으로 알려진 가운데, 이란은 계속 전쟁중립 유지를 주장하고 있음. 이와관련 사담과 이란과의 공모에 의한 대피인지 여부와, 사담이 현 전쟁을 어느선에서 적당히 마무리 짓고 전후 군사력 유지를 생각하고 있는것이 아닌가에 대하여 관심이 모아지고 있음.

2. 바그다드발 라디오는 이락군 대변인을 인용, 연합군의 이락 상공부 건물 폭격으로 그곳에 있던 1명의 연합군 포로가 피살되었다고 밝힘.이는 이락이 전쟁포로를 인간방패로 사용하고 있음을 증명하는 것으로 주재국 정부 및 언론의 민감한 반응을 초래함.

3. 외무성 대변인 발표에 의하면, 외무성의 HOGG국무상은 금 1.29. 당지 이락대사를 불러, 연합군포로를 전략거점에 구금하는 것은 제네바협약 (제19조)의 중대한 위반 이며, 이와관계된 인사들은 개인적인 책임을 추궁받을 것이라고 강조함. 또한 이락정부가 국제적십자사 대표의 포로접견을 허용하도록 강력히 촉구함. 이에대하여 이락대사는 포로들이 전략시설이 아닌 경제.과학 시설에 배치되었다고 얼버무렸는 바, 동 국무상은 제네바협약을 준수하지 않는 어떠한 포로 대우도 인정할수 없다고 말함. 이락 대사는 곧귀국 예정이며, 후임대사는 임명되지 않고 공관원 3명으로 유지될 것인바, 이락과의 외교관계 유지는 공식대화 채널을 최소한이나마가지고 있어야 한다는 판단때문이라 함.

4. 금 1.29 TOM KING 국방장관은 지상전 돌입전에 연합군의 공습이 어느기간 계속 될것이라며 이는 지상전이 가장 신속하고 효과적으로 끝내기 위한 것이라고 말함.

5. 당지 보도에 의하면 1.29.0시 현재 연합공군은 25,000회 출격하였으며, 상금 연합군측 피해는 공군기 24대 (영 6대 포함)와 군인 27명 (영 10명포함)임. 또한

중아국	장관	차관	1차보	2차보	미주국	구주국	정문국	청와대
총리실	안기부							

PAGE 1

91.01.30 09:09 WG

외신 1과 통제관

0262

1.29.0시 현재 이락의 스커드 미사일 56기가 이스라엘 및 사우디를 향해 발사되었으며 이중 대 다수가 패트리오트에 의해 방어되었다함.

6. 사담이 1.28(월) 기자회견에서 스커드 미사일에 핵 및 생화학 무기를 적재할수 있다고 말한데 대해 당지 전문가들은 그 가능성에 관해 의견이 나뉘어있으나, 사담이 특히 이란과의 전쟁에서 화학무기를 사용한바 있음에 비추어 신중히 받아들어야 할 것이라는 견해가 많으며, HAMILTON국방성 국무상도 1.29(화) 모든 가능한 대책을 강구해야 할 것이라고 강조함.끝

(대사 오재희-국장)

0263

외 무 부

종 별 : 지 급

번 호 : UKW-0274 일 시 : 91 0130 2000

수 신 : 장 관 (중근동,미북,구일,기정동문)

발 신 : 주 영 대사

제 목 : 걸프 전쟁

금 1.30(수) 1700 GMT 현재 주요 진전사항을 당지 언론보도 중심으로 아래 보고함

1.지상전

가.이락은 사우디-쿠웨이트 국경지대에서 지상전을 도발하였음. 이락은 작 1.29밤과 금일 오전에 걸쳐 기계화 부대, 탱크,보병등으로 4차례에 걸쳐 사우디내 연합군을 공격하였으며 이에대해 연합군은 지상군 외에 공군, 해병등이 동원되어 반격하였음

나.일부 국경지역에서는 상금 무력충돌이 계속되고 있으며, 동 지상전으로 이락은 수백명의 사상자를낸 반면, 연합군측 희생은 적은 것으로 보도됨

다.한 정부 소식통은 이락이 대규모 지상전을 도발하려고 시도하였으나 연합군의 효과적인 대응으로 주춤하고 있다고 말함

2.해전

영 해군은 북부 걸프해상에서 엑소세 미사일, 수뢰등을 적재한 이락 군함 6 척을 침몰 또는 파괴시킴. 이는 전쟁 발발후 가장 두드러진해전 성과라고 보도됨

3.미.쏘 공동성명 반응

가.1.30 영 외무성 대변인은 미.쏘 외상회담 결과발표된 공동성명에 대하여 이를 환영하면서, 영국의 입장도 반영하고 있는것이라 말함

나.동 대변인은 공동성명에서 이락의 명백한 철수 약속이 즉각적인 구체적 조치로 실천되어야한다고 강조하고 있음을 상기시키고, 사담에게 전쟁을 종식시키고 유엔 결의를 이행할 수있는 또 한번의 기회를 준것이라고 말함

4.전쟁목표가 쿠웨이트 수복차원을 넘어서 이락침공으로 까지 확대될 가능성에 대하여 주재국 정계의 관심이 큰바, 작 1.29 하원에서 메이저수상은 직접적인 답변을 회피하면서 전쟁목표는 유엔안보리 결의에 설명되어 있다고만 말함

중아국	장관	차관	1차보	2차보	미주국	구주국	정문국	청와대
총리실	안기부							

PAGE 1 91.01.31 08:53 WG

외신 1과 통제관

0264

5.허드외상은 금 수상 및 겐셔 외상과의 회담을 위해 금 1.30 독일 방문함.끝
(대사 오재희-국장)

PAGE 2

0265

외 무 부

종 별 : 지 급

번 호 : UKW-0288

수 신 : 장 관(중근동,미북,구일)

발 신 : 주 영 대사

제 목 : 걸프전쟁

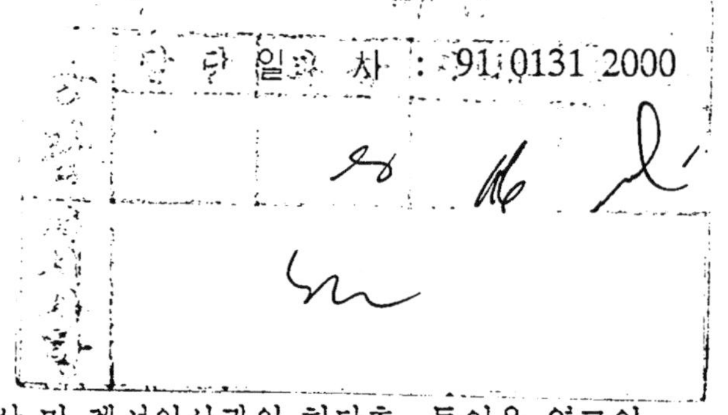

1. 독일의 대영국 전비원조

가. 작 1.30(수) 허드외상의 독일 콜수상 및 겐셔외상과의 회담후, 독일은 영국의 걸프참전을 지원하기 위해 금년 1/4분기동안 2억7,500만파운드를 제공하고, 이외에 군장비 (구체적 규모미상)도 영측에 원조키로 했다고 발표함.

나. 이에대해 허드외상은 만족스럽다고 말하고, 독일은 영국의 매우 중요한 동맹국으로서 현실적인 방법으로 파병연합국과의 일체감을 보여주었다고 평가함.

2. 독일의 군사적 역할변화 가능성에 대한 영국입장

1.30. 허드외상은 독일 헌법상 걸프전 관련 행동에 한계가 있음을 이해한다고 말하고, 현재 독일내에 기본법을 개정하여 UN 평화유지 목적의 집단안보상 필요시에는 독일군을 해외 파병할 수 있도록 하는 움직임이 있는바, 독일인들이 그렇게 결정할 경우, 환영한다고 밝힘.

3. 걸프전쟁과 EC 정치통합

가, 메이저 수상은 THE TIMES 지와의 회견 (1.31.게재)에서 EC의 공동 외교.방위정책 추진과 관련, 유럽은 NATO에 보다 큰기여를 해야한다고 말해 EC가 방위면에서NATO를 대체하는 기구로 발전하는 것에 반대한다는 기존입장을 재확인함.

나. 허드외상은 1.30 독일 본에서 가진 BBC-TV회견에서, 걸프사태 대응과정에서보여준 EC각국간의 불협화가 EC 정치통합 논리를 후퇴시켰느냐는 질문에 대해, 후퇴 시킨 것은 아니지만 EC의 실체를 있는 그대로 보여준 기회였다고 말하고, EC 12개국간에 정치적의사 결정 체제 및 방법에 관하여 논의하기 전에 우선 공동의 정책 내용에 관하여 많은 협의가 필요하다고 지적함.

다. 금 1.31. THE TIMES지 사설은 걸프사태 진전과정에서 프랑스와 독일이 소극적으로 끌려왔다고 비판하고, 영국은 EC의 장래를 염두에 두고 불.독의 태도를

중아국	장관	차관	1차보	2차보	미주국	구주국	중아국	정와대
총리실	안기부							

PAGE 1

91.02.01 09:40 WG

외신 1과 통제관

0266

주시하고 있다고함.

4. 국방장관 하원발언

가. TOM KING 국방장관은 금 1.31. 하원에서 걸프참전 영국군은 4만명이며, 일간 4백만파운드의 전비가 들고있다고 말함.

나. 또한 미국의 B-52 폭격기중 일부가 영국을 기지로 사용하게 될 것이라고 밝히면서 지상전이 개시되기 전에 당분간 공중폭격이 계속될것이라고 말함.

5. 퀘일 미부통령 방영

가. 미국의 퀘일 부통령은 금 1.31. 당지 방문 메이저 수상과 회담함. 회담후 양은 걸프전관련 양국간의 협력정도에 대하여 만족을 표함.

나. 동 부통령은 다이 TV회견에서 걸프전쟁이 결코 쉬운 전쟁이 아니라고 말하고 이락의 화학무기사용 가능성에 대해서 우려를 표명함. 또한 미군의 걸프지역 주둔기간과 관련 필요할때 까지 미군이남아있을 것이라고 밝힘.끝

(대사 오재희-국장)

PAGE 2

0267

외 무 부

종 별 : 지 급

번 호 : UKW-0306

일 시 : 91 0201 2000

수 신 : 장 관 (중근동,미북,구일)

발 신 : 주 영 대사

제 목 : 걸프전쟁

금 2.1(금) 17:00 현재 주요 진전사항 아래 보고함.

1. KHAFJI 탈환

-연합군은 사우디 국경지대의 KHAFJI 시가전에서 이락군을 몰아내고 동 시를 탈환함.

-이 과정에서 이락군은 300여명이 사망하고, 500여명이 포로로 체포되었으며, 80대의 탱크, 장갑차가 파손됨.

-SCHWARZKOPF 사령관은 동 시간전이 본격적인 지상전 돌입을 의미하는 것은 아니며, 군사적 견지에서는 아주 소규모 전투에 불과하다고 말함.

2. KHAFJI 전투의 정치적 의미(2.1. THE TIMES 지 사설)

-사담은 보수적인 군사전략가인 반면, 급진적인 정치도박사인 바, 금번 부분적인 지상전 도발은 첫째, 이락군의 사기를 올리고 둘째, 아랍세계에 대하여 이락이 아직 싸울힘이 있다는 것을 보여주는 동시에 세째, 미군 희생을 초래함으로써 미국인들의 기를 꺾으려는 정치적 계산에 의거한 것임.

-금번 전투에서 이락군은 낡은 장비로 무장하고 매우 무모한 공격을 감행했는 바, 사담은 이락군이 막대한 희생을 예상하면서도 이것이 미군 수명의 희생과 정치적으로 상응한다고 믿음.

-사담은 연합군의 공습에 대해서는 이락이 숨어 있을 수 밖에 없고, 지상에서는전투가 벌어지지 않자 초조해 지고 있는 바, 사담은 이제 전쟁이 길어질수록 이락에유리하다고 생각할 수 없게 되었음.

3. 이락군 전진배치

-작 1.31.밤 6만명의 병사와 240대의 탱크등 대규모의 이락군이 쿠웨이트 국경지역으로 전진배치되고 있는 것으로 관찰됨.

중아국 장관 차관 1차보 2차보 미주국 구주국 정문국 청와대
총리실 안기부 대책반

PAGE 1

91.02.02 08:14 FC
외신 1과 통제관

0268

-이락군의 동 움직임에 대규모 공격개시를 의미하는지 또는 작전수정에 따른 부대 배치전환인지 아직 확실치 않음.

4. 허드외상 및 GAREL-JONES 외무성 국무상은 2.4(월) 브럿셀 방문, EC 외상회의에 참석예정임.끝

(대사 오재희-국장)

외 무 부

종 별 : 지 급

번 호 : UKW-0325 일 시 : 91 0204 2030

수 신 : 장관(중근동,구일,미북,기정)

발 신 : 주 영대사

제 목 : 걸프전쟁

1.전후 중동평화 구축 관련 허드 외상 언급요지 (91.2.2. LEICESTERSHIRE 연설)

가.전쟁 종결후 걸프 아랍제국은 자체적으로 안전보장 체제를 고안하여야 하며,그러한 구상하에서 해.공군력의 파견을 요청해오면 영국이 고려해볼수 있을것임. 그러나 영 지상군 주둔은 현명한 방법이 아닌것으로 생각함

나.중동지역 평화를 위해서는 화학, 생물, 핵무기에 관해서 이락을 포함한 어느나라도 제조 또는 사용하지 않도록 하는 조치가 취해져야 함

다.이스라엘과 팔레스타인 문제의 해결 없이는 중동의 항구적 평화는 달성될수없는바, 전후에는 새롭고 보다 원대한 상상력을 동원하여 해결책을 모색해야 할것임

라.긴급한 선결과제는 전쟁에서 승리하는 것이지만 전쟁의 희생을 값진것으로 하기 위해서는 전후 중동 평화체제의 구축이 뒤따라야 하며, 이점에 있어서 영국은 2번째 규모의 참전국으로서, 유엔 안보리 상임 이사국으로서, 또한 다수 아랍국가 및 이스라엘의 전통 우방국으로서 중심적인 역할을 수행해 갈것임

2.전황 특기사항(2.4.(월) 1800 현재)

가.영 공군은 그간 저공비행에 의한 이락 비행장 폭격에 큰 역할을 담당, 타국에 비해서 희생이 컸으며, 이에대해 영 여론의 비판이 있었음. 금 2.4. 영 군사당국 발표에 의하면 이제 비행장 폭격의 필요성이 감소되었는 바, 영 공군은 주로 이락의 지상군, 미사일 기지, 통신망, 도로 및 교량공격에 역점을 두고 있다고 함

나.연합군 발표에 의하면, 전쟁 발발후 현재까지 44,000 회의 출격이 있었으며, 평균 1 분에 1 회 폭격이 있었다 함

다.이락 군당국 성명은 연합군이 이락 주거지역에 대하여 무차별 공습을 자행하고 있다고 비난함

중아국 장관 차관 1차보 2차보 미주국 구주국 정문국 청와대
총리실 안기부 대책반

PAGE 1

91.02.05 06:59 DA
외신 1과 통제관

0270

3.각국 주요동향

가.금 2.4. 샤미르 이스라엘 수상은 세계 각국이 PLO를 팔레스타인의 대표기구로서 인정한 것을 철회해야 하며, 전후 중동 평화회의를 개최 하겠다는 생각을 버려야 한다고 말함

나.금 2.4. 라프산자니 이란 대통령은 자신이 부쉬 대통령과 후세인 대통령을 만나 즉각적인 휴전을 포함한 평화안을 제시할 것이라고 말함. 외교 소식통들은 최근 이란은 중동 신체제를 모색하는 중립국으로서 '걸프의 스위스'(THESWITZERLANDOF THE PERSIAN GULF) 로 자칭하며, 영향력 신장을 시도하고 있다 함.

끝

(대사 오재희-국장)

英은 미국과 같이 이스라엘의 보복자제를 요망하고 있는데
중동평화회의 개최여부와 관련 양국 견해 대립 → 보복자제대목

PAGE 2

0271

관리 번호	91-133

원 본

외 무 부

종 별 :

번 호 : UKW-0330 일 시 : 91 0205 1800

수 신 : 장관(중근동,미북,구일)

발 신 : 주 영 대사

제 목 : 걸프사태

연: UKW-0325

당관 조참사관은 금 2.5(금) 외무성 중동과장 MR.E.GLOVER 를 면담한 바, 최근 걸프사태에 관한 동 과장 발언요지는 아래와 같음.

1. 걸프전쟁은 예상보다 시간이 오래걸릴 가능성이 있으나 전반적으로 큰 차질없이 진전되고 있는 것으로 평가하며, 연합군은 이락의 전쟁 수행능력이 현저히 감소될 때까지 공습을 계속하고, 이어 지상전에 돌입할 것으로 전망함.

2. 지상전의 개시 시점이나 소요기간에 관하여는 예측하기 어려우나 KHAFJI 전투에서 보는것 처럼 이락군의 상당한 저항이 예상되고, 스커드 미사일 공격, 석유방류등에 이어 화학무기를 사용할 가능성을 배제할 수 없는 상황하에서 계절적인 한계등 여건도 감안하여 연합군으로서는 신중을 기해 대처할 것임.

3. 이란은 중립 표방에도 불구하고 전후 역내 영향력 확보를 위해서 각종 책략을 기도할 것으로 보며, 라프산자니 대통령의 중재제안도 이러한 기도의 일환이나 이락의 철수가 관철되지 않는한 의미없는 것으로 봄. 이락 항공기들의 이란 대피 배경에 관해서는 확실치 않으나 양국간의 사전밀약은 없었다 하더라도 사담이 이란의 호의를 기대할 수 있는 정황하에서 이루어졌을 가능성이 큰 것으로 추측함.

4. 소련의 태도와 관련, 쉐바르드나제 외상 사임전후 군부를 중심으로 대 걸프정책에 대한 비판이 고조된바 있으나, 어떠한 심각한 정책전환이 있을 것으로 예상되지 않으며, 안보리결의 678 호에 따른 과정이 종결될 때까지 사태를 주시하면서 전후 지역내 자국의 이익확보를 모색해 나갈 것으로 봄.

5. 전쟁의 종결보다 더욱 어려운 상황이 전후에 전개될 것으로 보며, 지역안보 구상에 관해서 영국은 허드외상이 밝힌것 처럼 걸프협력위(GCC)를 중심으로하고, 이란의 역할을 감안한 집단적 안보체제가 태동하기를 기대하고 있으나, 해. 공군은

중아국	장관	차관	1차보	2차보	미주국	구주국	청와대	총리실
안기부								

PAGE 1

91.02.06 04:43
외신 2과 통제관 CW

0272

모르겠지만 지상군의 장기주둔을 염두에 두고있지는 않음.,6. 팔레스타인 문제는 전쟁개시 전보다 더욱 악화된 것으로 보며, PLO 가 이락을 지지하는 상황하에서 점령지역을 어떤 형태로든지 양보한다는데 대해 이스라엘의 여론이 강경히 반대해 나갈 것으로 관찰함. 끝

(대사 오재희-국장)

예고: 91.12.31 일반

검토필(1991. 6. 30)

PAGE 2

0273

외 무 부

종 별 : 지 급

번 호 : UKW-0345

수 신 : 장 관(중근동,미북,구일,기정동문)

발 신 : 주 영대사

제 목 : 걸프전쟁

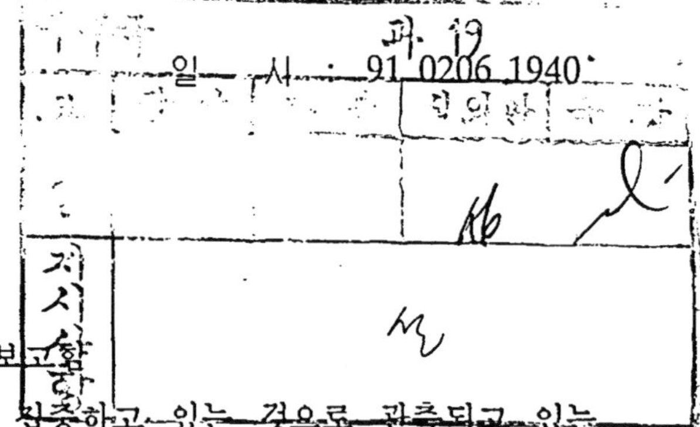

금 2.6.(수) 1700 현재 주요 진전사항 아래 보고함

1.영국은 전후 중동체제 모색에 외교력을 집중하고 있는 것으로 관측되고 있는 가운데, 허드 영 외상은 시리아 외상(92.7(목), 런던) 이집트외상(2.8(금), 카이로, 걸프국 중 1 개국, 이태리외상(내주초,로마)등과 연쇄 회담을 갖고 전후 중동지역 안정 회복문제를 협의할 것으로 보도됨. 동 기회에 허드 외상은 전쟁의 목표가 유엔 안보리결의 이상으로 확대되지 않을것임을 재확인하고, 중동지역의 평화체제 수립관련 영국의 기본적 역할은 각 당사자들간의 대화를 고무시키는 것이라고 생각하며, 어떠한종합적 해결책을 제시하거나 강요할 의도가 없다는 점을 강조할것으로 예상됨

2.연합군측 발표에 의하면 이란으로 도주하는 전투기2대를 격추했으며 지난 하루동안 약 20 대의 이락공군기가 이란으로 넘어가서 이란내 이락 공군기 수는 총 120대에 달한다고 함

3.2.6 베이커 미 국무장관은 전쟁 종결후 이락복구사업에 미국이 적극 참여할것이며 이락국민들에 대해서는 어떠한 적개심도 없다고 말함. 한편 바그다드발 방송은 연 합군이 이락의 기간시설을 체계적으로 파괴하고 있다고 비난함.끝

(대사 오재희-국장)

중아국 1차보 미주국 구주국 정문국 안기부 2차보 차관 장관 청와대

총리실

PAGE 1

91.02.07 07:20 WH

외신 1과 통제관

0274

외 무 부

종 별 :

번 호 : UKW-0358

수 신 : 장 관(중근동,구일,미북)

발 신 : 주 영 대사

제 목 : 걸프전쟁

구주국	과 19 . .
담당	과장	국장	91 0207 1800 장
지시사항	

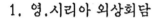

금 2.7(금) 주재국 관련 주요사항 아래 보고함.

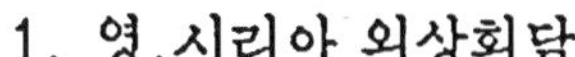

1. 영.시리아 외상회담

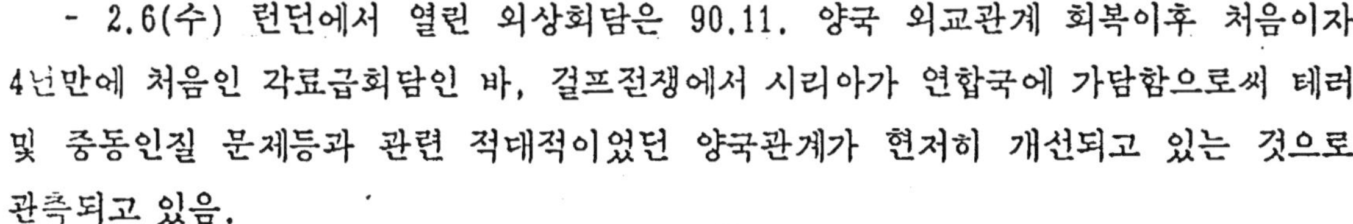

- 2.6(수) 런던에서 열린 외상회담은 90.11. 양국 외교관계 회복이후 처음이자 4년만에 처음인 각료급회담인 바, 걸프전쟁에서 시리아가 연합국에 가담함으로써 테러 및 중동인질 문제등과 관련 적대적이었던 양국관계가 현저히 개선되고 있는 것으로 관측되고 있음.

- 동 회담후 허드외상은 걸프전쟁에 대하여 견해의 일치를 보았다고 말하였으며, 외무성 대변인은 주시리아 영대사에 A.GREEN 씨를 임명하였다고 발표함.

- 허드 외상은 동 회담에서 전후 중동 안보체제는 아랍 주도하에 이루어져야하며 영국은 걸프지역에 항구적인 영국군 주둔을 원치않는다고 말한것으로 보도됨. 또한 허드 외상은 중동지역에서의 핵, 화학, 생물학 무기 제한조치와 아랍-이스라엘분쟁의 타결이 긴요함을 역설한 것으로 알려짐.

- AL-SHARA 시리아 외상은 걸프파견 시리아군은 이락영토내 작전수행에는 참가하지 않을 것임을 강조하는 한편, 레바논에 억류된 영국 인질의 석방을 위해 가능한 노력할 것을 동의했다고함.

2. 이란 중재에 대한 반응

금 2.7(금) 외무성 대변인은 이란이 테헤란을 방문한 이락 부수상에게 쿠웨이트 철수를 요구한데 대하여 환영한다고 말하고, 누구를 통해서건 사담에게 명백한 메세지가 전달되는 것이 중요하다고 말함.

3. 요르단 후세인 국왕 연설에 대한 반응

2.7. 외무성 대변인은 요르단이 처해있는 어려운 사정을 이해하지만, 연합군의 목표가 이락 파괴에있다고한 후세인 국왕의 2.6. 연설은 유감스럽게 생각한다고 말함.

중아국 장관 차관 1차보 2차보 미주국 구주국 정문국 청와대
총리실 안기부

PAGE 1

91.02.08 08:57 WG

외신 1과 통제관

0275

또한 영국은 UN 안보리에 명시된 목표를 많은 아랍 및 회교국가들과 함께 지지하고 있으며, 연합국은 민간인 희생및 성지파손 방지를 위해 모든 수단을 강구하고 있다고 말함.끝

(대사 오재희-국장)

외 무 부

종 별 :

번 호 : UKW-0361 일 시 : 91 0207 1900

수 신 : 장 관(중근동,미북,구일)

발 신 : 주 영 대사

제 목 : 다국적군 현황

대: WUK-0203

대호, 다국적군 참여국가 명단 아래 보고하며, 국가별 병력파견 현황은 추보 위계임.

1. 다국적군 참여국(28개국)

- 미, 영, 불, 이태리, 사우디, 쿠웨이트, 바레인, UAE, 오만, 카탈, 이집트, 시리아, 모로코, 파키스탄, 세네갈, 방글라데쉬, 니제, 호주, 뉴질랜드, 스페인, 벨기에, 덴마크, 화란, 그리스, 노르웨이, 카나다, 스웨덴, 아르헨티나

2. 다국적군 지원국(6개국)

- 체코, 폴란드, 헝가리, 일, 독일, 한국.끝

(대사 오재희-국장)

중아국	장관	차관	1차보	2차보	미주국	구주국	중아국	청와대
총리실	안기부							

PAGE 1

91.02.08 09:09 WG

외신 1과 통제관

0277

관리 번호	91-196

외 무 부

종 별 : 지 급

번 호 : UKW-0376 일 시 : 91 0208 1930

수 신 : 장관(중근동,미북,구일,기정)

발 신 : 주 영 대사

제 목 : 걸프전 전망

대:WUK-0242

본직은 금 2.8(금) 이임 예방차 주재국 외무성의 SIR PATRICK WRIGHT 사무차관을 면담한 기회에 대호 걸프전 평가 및 전망 관련 논의한 바, 동 차관 언급요지 아래 보고함.(황서기관 배석)

1. 연합군 전과 평가

가. 상금 연합군의 전과에 대해서는 군사전문가들이 분석중이므로 상세히는모르지만, 이락의 공군력과 해군력이 현저히 약화된 것으로 알고 있으며, 이락공군기의 100 대 이상 이란 대피가 연합군의 제공권 장악을 이락측이 인정하고있는 것으로 해석할 수 있을것임

나. 이락 공군기의 이란 대피 관련, 양국간에 사전 협의가 있었는지 여부는불확실하지만 사담의 의도에 따른 것으로 보여짐

다. 이락군 포로들의 진술과 모습으로 미루어 보건대 쿠웨이트내 이락군의의. 식 등과 관련된 기본적인 공급 부족으로 곤란을 겪고 있는 것으로 보여짐.그러나 정예부대인 REPUBLICAN GUARD 에 대한 공격 성과에 관해서는 확실한 정보를 받지 못했음

라. 이락군의 전쟁수행 능력이 현저히 저하된 것으로 관측됨에도 불구하고 사담의 쿠웨이트 병합 의사에 변화가 생기고 있다는 증거는 전혀 없음

2. 지상전 개시시기

가. 전면적인 지상전 돌입이 불가피한 것 처럼 보이며, 그 개시시기는 쿠웨이트내 이락군에 대한 군수지원및 지휘통제 체제가 충분히 약화되고 따라서 지상전에서 연합군측 인명피해가 상당히 낮을 것으로 판단되는 때가 될것임

나. 지상전 개시시기 결정에 있어서 상기 군사적 고려사항 외에 정치적 요인이

중아국 장관 차관 1차보 2차보 미주국 구주국 청와대 안기부

PAGE 1 91.02.09 07:46

외신 2과 통제관 BT

0278

끼어들 여지는 거의 없는 바, 연합국의 무력행사에 대한 지지여론(특히 아랍내 여론)이 상당히 확고하고 전쟁의 목표 또한 UN 안보리 결의에 의해 정당성이 확보되어 있기 때문임

다. 지상전의 추이에 따라서는 이락 영토로 연합군이 진입하는 사태도 가능할 것으로 보이는바, 이에대한 결정은 정치적 고려보다는 전쟁목표 달성을 위한군사 작전상 필요 여부에 대한 판단에 따를 것으로 사료됨

3. 화학무기 사용 가능성

이락의 화학무기 사용 가능성(PROPABILITY 보다는 POSSIBILITY)은 상존하고있으며, 연합군측은 이에 충분히 대비하고 있음. 이스라엘은 비교적 대비가 잘되어 있으나 이락이 다란, 리야드, 바레인 등을 목표로 화학무기 공격을 할 경우 인명 희생이 클 것으로 봄.끝

(대사 오재희-국장)

예고:91.12.31. 일반

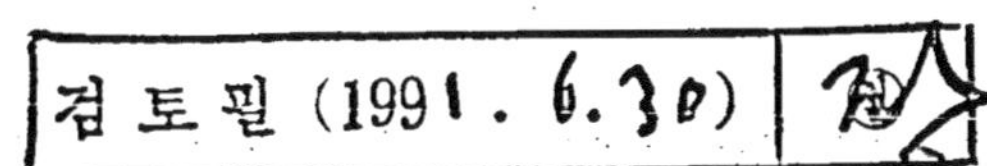

예고문에의거재분류 (1991.12.31.)
직위 성명

PAGE 2

0279

원 본

외 무 부

종 별 :

번 호 : UKW-0378 일 시 : 91 0209 1100

수 신 : 장 관 (중근동,미북,구일)

발 신 : 주 영 대사

제 목 : 걸프전 전망

표제관련 주요사항을 아래와 같이 보고함.

1. 다국적군 전과 평가

가. TOM KING 국방장관은 2.8(금) 기자회견에서 쿠웨이트내 이락군의 탱크, 화력등 지상군전력의 15-20 가 파괴된 것으로 평가함으로써 이락의 군사력이 아직도 상당한 수준에 있음을 시사함.

나. 사우디주둔 영국군 사령관 SIR PERTE DE LABILLIERE 장군은 2.7(목), 공중폭격에도 불구하고 이락군이 지상전 임박한 시기에 굴복할 것으로 보이지 않는다고 관찰하고, 지난 3주간의 대 이락공격이 그 강도에 있어 보잘것 없는 것이 될만큼 금후개시될 공격은 강한 것이 될 것이라고 말함.

다. 사우디주둔 영국군 대변인은 2.8. 이락군의 보급로로 이용되고 있는 교량의절반이 파괴되었으며, 이란으로 대피한 이락 항공기는 147대에 달한다고 말함. 이락 항공기는 상기 대피한 항공기외에 약 100대가 파손되고 약 60대가 활주로 사정등으로 운항불가 상태로서, 현재 약 200대가 전투에 사용될수 있는 것으로 추정되는 것으로 보도됨.

2. 지상전 개시시기

가. TOM KING 국방장관은 2.8. 회견에서 지상전개시를 결정하는데 있어 미국이 영국을 비롯한 연합국내 다른 국가들과 협의절차를 가지게 될 것이라고 강조했으며, 당지 언론은 동국방장관이 내주 방미 예정인 것으로 보도함.

나. DE LA BILLIERE 장군은 2.7. 전황이 공중전에서 지상전에로의 이전되는 과정에 있다고 말하고, 지상전이 불가피하다고 지적함.

다. 당지 언론은 연합군이 금주말에 이어 내주초 대이락 공습을 가속화하고 이어 지상전에 돌입할 것으로 전망하고 있으며, 특히 연합국에 가담한 아랍제국내의

중아국 장관 차관 1차보 2차보 미주국 구주국 정문국 청와대
총리실 안기부 대책반

PAGE 1 91.02.09 23:58 FC

외신 1과 통제관

0280

국내여론과 라마단 기타 계절적 요인으로 지상전에 의한 조속한 전쟁종결이 긴요한 사정임이 지적되고 있음.끝

(대사 오재희-국장)

0281

외 무 부

종 별 :

번 호 : UKW-0395 일 시 : 91 0211 1930

수 신 : 장 관(중근동,미북,구일,기정)

발 신 : 주 영 대사

제 목 : 걸프사태

2.11(월) 현재 주요 진전사항을 아래와 같이 보고함

1. 메이저 수상은 2.11.(월) 독일을 방문, 콜수상과 약 2시간에 걸쳐 회담함.

걸프전쟁 발발후 독일의 연합국에 대하 기여도에 대해 영국내에 비판적인 여론이 고조된 바있으나, 독일정부가 10 일전 영국에 대해 8억마르크 (2억 75백만 파운드)를 추가 지원하기로 발표했으며, 금번 정상회담을 통해서도 걸프전뿐만 아니라 EC정치, 경제 통합문제에 관해 양국간 협조 강화가 모색될 것으로 관측되고 있음

2. 메이저 수상은 본에서의 회견에서 걸프전이 유엔결의의 테두리 내에서 수행될것임을 강조했으며, 콜 수상은 필요시 독일의 추가경제 지원을 검토할 용의를 표명함

3. 한편, 허드 외상은 2.9(토) 사우디 TAIF 에서 쿠웨이트 국왕과 회담한후, 쿠웨이트 정부가 영국에 6억 6천만 파운드를 기여하기로 약속했다고 밝힘. 영국의 걸프전 참전 경비는 현재까지 약12억 5천만 파운드가 소요된 것으로 추정되고 있으며, 그간 독일 (총 약 3억 7천만 파운드), 사우디 (3억 파운드) 및 일본 (2천6백만 파운드)으로부터 총 약 7억 파운드의 지원 약속이 있었던 것으로 보도됨

4. 허드 외상은 2.10(일) 리야드 방문중 회견에서 자신이 최근 접촉한 바로서는 시리아, 사우디, 이집트등 연합군에 가담해 있는 아랍제국이 지상전을 서둘러야 한다는 입장을 취하고 있지 않다고 밝힘

5. TOM KING 국방장관은 2.12(화) 워싱톤에서 CHENEY 미국방장관과 회담 예정임

6. 당지 THE SUNDAY TIMES 지는 2.10 ROYAL FAMILY ATWAR 라는 제하에 영국이 걸프전에 참여하고 있는데도 불구하고 젊은 왕족들이 평시의 생활태도하에서 벗어나지 못하고 있다고 비판하는 사설을 게재했으며, 2.11 자 여타 신문들도 이에 관하여 크게 보도함. 왕실은 이를 반박하는 성명을 발표했으며, 메이저 수상도 왕실의 기여를 옹호함. 끝.

중아국 장관 차관 1차보 2차보 미주국 구주국 중아국 정문국
정와대 총리실 안기부

PAGE 1

91.02.12 09:18 WG
외신 1과 통제관

0282

외 무 부

종 별 :

번 호 : UKW-0411 일 시 : 91 0213 1940

수 신 : 장관(중근동,미북,구일)

발 신 : 주영대사

제 목 : 걸프사태

2.13.(수) 현재 주재국 관련, 주요 진전사항 아래와같음

1.TOM KING 국방장관은 2.12 부쉬 미대통령과의 회담에서 이락군과 연합군간의 전력상 불균형이 지속되는 한(A TILT IN THE BALANCE), 쿠웨이트 해방을 위한 지상전이 개시되지않을것이라는데 입장을 갈이함. KING국방장관은 양측의 균형이 확보되는데는 아직 상당한 거리가 있다고 말함

2.바그다드 교외의 건물 피격에 의한 다수의 민간인 희생에 대해 허드 외상은 2.13.(수) 하원에서 전쟁은 민간인 희생을 피하기 위한 면밀한주의에도 불구하고 비극을 초래할 수 있으며, 금번사건의 책임은 침략을 자행하고 평화적 해결을거부하는사담 후세인에 있다고 말함. BBC바그다드 특파원은 피격 건물이 군사시설이라는 증거를 발 견할 수 없었다고 보도함

3.UAE 정부가 영국에 대해 2억 5천만 파운드를 기여하기로 약속했으며, 사우디도 1억 내지 2억파운드의 석유 기타 현물 원조를 약속한 것으로2.12 보도됨. 이로써 영국에 대한 각국의 지원총액은 약 13억 파운드(쿠웨이트 6억6천만, 독일2억7천5백만,일 본 2천5백만 파운드 포함)에달하며, 걸프전 개시전 까지의 전쟁에 대비한군비 순증액 7억4천만 파운드와 100 일간의 경상전비 8억 파운드(전투기,탱크등 파손장비불포함)를 포함하는 영국의 전비 추산액은 약15억 파운드에 달할 것으로 보도됨.(THE TIMES2.13자)

한편 DAVID MELLOR 재무성 국무상은 2.12 BBC회견에서 현재까지 영국의 전비는 10억 파운다가소요되었다고 말함.끝

(대사 오재희-국장)

중아국 미주국 구주국 정문국 안기부 1차보 2차보 차관 장관 총리실 청와대

PAGE 1

91.02.14 10:40 ER

외신 1과 통제관

0283

외 무 부

종 별 :

번 호 : UKW-0420 일 시 : 91 0214 1930

수 신 : 장 관(중근동,미북,구일,기정)

발 신 : 주 영대사

제 목 : 걸프전

금 2.14.(목) 주재국 관련 주요 진전 사항 아래보고함

1.금일 메이저 수상은 하원에서 작 2.13 의 바그다드 방공 시설 폭격에 의한 막대한 인명피해 발생과 관련, 민간인 희생은 심히 유감으로 생각하지만 미 공군의 폭격은 그시설이 이락의 전쟁 수행 능력과 직접 연관이 있는 군사 목표라는 판단에 따른것이라 고 말하면서 미측 입장을 옹호함

2.동 사건으로 야당인 노동당 일각에 현 연합국 작전에 대한 회의가 일고 있는 바, 일부 노동당의원들(예비 각료 포함)은 이락 영토내에 계속되는 공습은 전쟁 목표가 유엔 안보리 결의 이상으로 확대된 느낌을 주며, 이락의 쿠웨이트 철군을 보장하지도 못한다고 말하고 있음

3.문제의 시설이 군사 벙커 였느냐 또는 민간인 방공호 였느냐에 대한 면밀한 조사를 연합국측이 진행중인 것으로 알려진 가운데 주재국 언론에서는 그 조사 결과와는 관계없이 향후이같은 참사가 발생할 가능성이 있는곳에는 연합군의 공습이 자제되어야 할 것이라는 논평이 지배적임.

2.14 자 THE TIMES 지 사설은, 사담의 선전술에 말려들지 않기 위해서라도 연합군의 공습은 쿠웨이트내 주둔하고 있는 이락군 및 군장비에 치중되어야 할 것이며, 아직도 이락 도시내에 파괴하지 않으면 안될 군사시설이 있다고 하면 서방 여론은이를이 해하는데 어려움이 있을 것이라고 말함

4. 한편, 영국은 2.13.(수) 걸프전 발발후 처음 갖는동 전쟁관련 유엔 안보리 회의를 비공개로 여는것을 제의하여 이를 9:2(기권 4)로 통과시켰는바, 이는 안보리공식 회의로서는 1975년 이래 첫비공개 회의로서, 영국 및 미국등은 공개회의가 될경우 상기 민간인 희생에 대한 성토장이 될것을 우려한 것으로 보도됨.끝

(대사 오재희-국장)

중아국 미주국 구주국 안기부 장관 대책반

PAGE 1 91.02.15 11:04 CT

외신 1과 통제관

0284

외 무 부

종 별 : 지 급

번 호 : UKW-0430 일 시 : 91 0215 1910

수 신 : 장관(중근동,미북,구일,기정)

발 신 : 주영대사

제 목 : 걸프사태

1.금 2.15.(금) 이락의 조건부 철군의사 표명과 관련한 주재국 주요 반응은 아래와같음

가.메이저 수상: 이락측 제의는 실망스럽고(CISAPPOINTING), 기만(BOGUS) 이며,평화를 위한진지한 시도가 아님

나.허드 외상: 사담의 제의는 자세히 보면 어떤 결정적 전화(DECISIVE SHIFT)가 있다고 볼 수없음

다.키녹 노동당수: 이락이 조건부이기는 하지만 처음으로 철군의사를 표명한 것은 방향이 변하고 있음을 의미하며, 유엔 결의가 성공하기 시작한 것으로 볼 수 있음

라. P.ASHDOWN 자유당수: 사담의 제안에 새로운 것이 없음

2.당지 BBC 특파원들은 금번 사담의 조건부 제의에 대해 쿠웨이트가 이락의 19번째 지방이라는 것을 인정한 정도의 의미 밖에없으며, 사담이 어떠한 협상을 시도할대상이 되지못함을 드러냈으나, 자신이 장성들의 지지를 상실할지 모르는 극히 각박한 상황하에서 취한조치로서 군사적으로 상당한 의미가 있을 것으로 분석하는 한편연합군이 일체의 휴전 가능성을 배제하고 공격을 계속할 것으로 전망함.끝

(대사 오재희-국장)

중아국 미주국 구주국 청와대 안기부 장관 차관 1차보 2차보 정문국 총리실 대책반

PAGE 1

91.02.16 09:09 FA

외신 1과 통제관

0285

외 무 부

종 별 :

번 호 : UKW-0459 일 시 : 91 0219 1600

수 신 : 장관(중근동,미북,구일)

발 신 : 주 영대사

제 목 : 걸프사태

1. 허드 외상은 2.18(월) 하원에서 지난주 이락의 제의는 쿠웨이트로 부터의 철수를 명백히 선언하는 것이 아니고, 연합국측이 일련의 조건을 받아 들이도록 요구하고 있는 것이므로 받아들일수 없다고 하면서 하기요지 언급함.

가. 외무성은 지난 금요일 이락이 제의한 내용에 관한 영문번역을 전달받은바, 일부보도와 다르게 이락의 제의가 극히 조건부적 성격임이 명백함.

나. 이락의 제의는 연합국의 균열을 유발하기 위한 것이나, 모로코를 제외하고는 연합국내 모든 회원국들이 이락의 제의가 받아들일 수 없는것이라는데 이의가 없을 것임.

다. 쏘련이 이락에 제의한 내용이 안보리 결의의 범위내의 것이될 것이라는데대해 어느정도 자신을 가지고 있음.

2. 당지 쏘련대사는 2.18(월) 밤 메이저 수상에게 쏘련의 평화제의 내용을 전달했으며, 2.19(화) 주재국 전시 각의는 동 내용을 협의함. 한편, 외무성은 금 2.19(화) 군사작전이 계속될 것임을 강조함.

3. EC 외상회담은 2.19(화) 룩셈부르그에서 개최되어 EC의 전후 중동정책이 협의되며, ANDRIESSEN EC 외교 집행위원장 등의 주말 모스크바 방문 결과를 논의하게 될것임. EC 내에서 이태리 및 스페인은 이락의 제의에 대해 협상은 불가하다해도 대화를 위한 기초가 된다고 보고있어, 이락이 시간을 벌기위한 책략이라고 보는 영국 및 화란등과 대조를 보이고 있는 것으로 보도됨.

4. 이락의 쿠웨이트로 부터의 철수에는 2주내지 1개월 이상이 소요될 것인바, 연합국 측은 휴전협상에 14일 정도의 신속한 철수를 주장하여, 이락이 쿠웨이트에 가지고 있는 중장비등을 철수시킬 여유가 없도록 시도할 것으로 당지 군사 전문가들이 보고있는 것으로 보도됨.

중아국 장관 차관 1차보 2차보 미주국 구주국 정문국 청와대
총리실 안기부 대책반

PAGE 1 91.02.20 06:25 DA

외신 1과 통제관

0286

외 무 부

종 별 :

번 호 : UKW-0462 일 시 : 91 0220 1400

수 신 : 장 관(중근동,미북,구일)

발 신 : 주 영 대사

제 목 : 걸프사태

연: UKW-0459

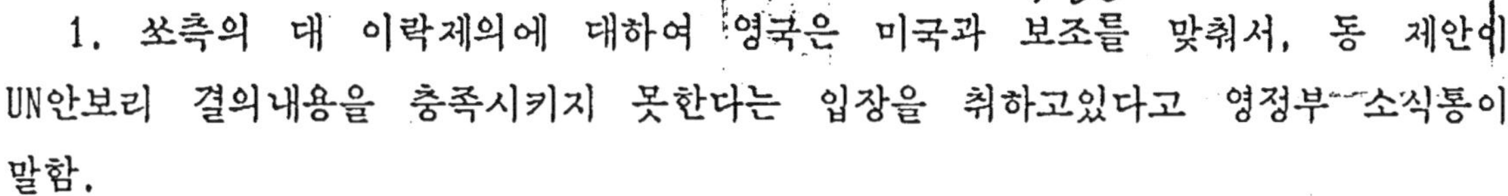

1. 쏘측의 대 이락제의에 대하여 영국은 미국과 보조를 맞춰서, 동 제안이 UN안보리 결의내용을 충족시키지 못한다는 입장을 취하고있다고 영정부 소식통이 말함.

2. 2.19(화) 메이저 수상은 하원에서 쏘측 제의의 내용을 밝히지 않은채 사담이 UN 결의를 이행하지 않는한 전쟁은 계속될 것이라고말함.끝

(대사 오재희-국장)

중아국 1차보 2차보 미주국 구주국 정문국 안기부

PAGE 1

91.02.21 09:35 WG

외신 1과 통제관

0287

관리 번호	91-889

원 본

외 무 부

종 별 :

번 호 : UKW-0465 일 시 : 91 0220 1700

수 신 : 장관(중근동,구일,미북)

발 신 : 주 영 대사

제 목 : 걸프전쟁 전비지원

영국정부의 걸프전쟁 전비에 대한 각국정부의 재정지원 공약내역(91.2.19 현재)을 외무성으로 부터 입수, 아래와 같이 보고함.

-독일: 275 백만 파운드(8 억 마르크)

-일본: 26 백만 파운드(5 천만불)

-홍콩: 15 백만 파운드(2 억 3 천만 홍콩불)

-쿠웨이트: 660 백만 파운드

-UAE: 250 백만 파운드(5 억불)

-덴마크: 89 백만 파운드(약 1 억 크로너)

-총액: 1,315 백만 파운드. 끝

(대사 오재희-국장)

예고: 91.12.31 일반

91.6.30. 검토필

중아국 차관 1차보 2차보 미주국 구주국 청와대 안기부

PAGE 1

91.02.21 07:59

외신 2과 통제관 CW

0288

외 무 부

종 별 : 지 급

번 호 : UKW-0473 일 시 : 91 0220 1850

수 신 : 장관(중근동,미북,구일,기정)

발 신 : 주영대사

제 목 : 걸프 사태

금 2.20(수) 당지 보도요지는 아래와 같음

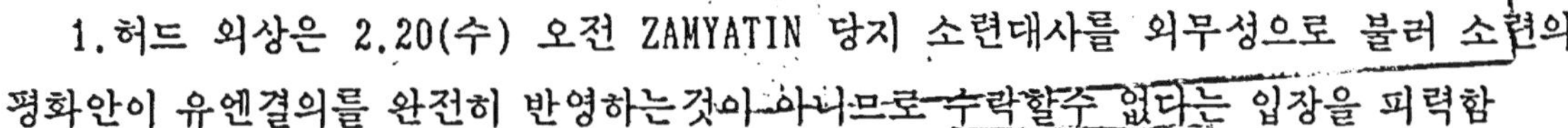

1.허드 외상은 2.20(수) 오전 ZAMYATIN 당지 소련대사를 외무성으로 불러 소련의 평화안이 유엔결의를 완전히 반영하는것이 아니므로 수락할수 없다는 입장을 피력함

2.소련 제안의 내용에 관해서는, 이락이 무조건 철수의사를 선언하고, 24시간내철수 개시의 징표를 보이며, 그 이후에 유엔제재 조치 해제,팔레스타인 문제등에 관해서 소련이 협조하는 것을 주요내용으로 하는것으로 알려짐

3.영측은 상기 소련 제안이 전쟁포로 석방,쿠웨이트 왕정 복구,기타 유엔 결의 내용을 포함하고 있지 않은데 대해 불만을 가진 것으로관측됨

4.불란서 DUMAS 외상은 2.20(수) 상원 외교위 비공개 회의에서 연합국측이 이락으로 하여금 2.21밤 까지 24 시간의 시한을 주고, 철수를 요구했다고 언급한 것으로 알 려짐.끝

(대사 오재희-국장)

중아국	장관	차관	1차보	2차보	미주국	구주국	정문국	청와대
총리실	안기부	√대책반						

PAGE 1

91.02.21 06:16 DQ

외신 1과 통제관

0289

외 무 부

종 별 : 긴 급

번 호 : UKW-0475 일 시 : 91 0221 1640

수 신 : 장관(중동일,미북,구일,기정)

발 신 : 주 영대사

제 목 : 걸프사태

1.사담 후세인은 금 2.21.(목) GMT 1500 개시된 대국민 연설에서 이락군과 국민이 결연하게 투쟁을 계속하여 승리할 것임을 선언하면서 요지 아래와 같이 말함

가.이락이 취한 길 외에 다른 길이 없음

나.화드 사우디 국왕과 무바라크 이집트 대통령은 배반자임

다. AZIZ 외상은 새로운 이락의 제안을 휴대하고 소련을 방문하고 있음

2.메이저 수상은 15:15 하원 질의 답변에서 이락이 즉각 모든 유엔 결의를 완전히 준수해야 할것임을 다시 강조 하면서, 사우디에 금일 오전 스커드 미사일 2발이 발사되고 있는 사정을 상기시키고, 사담의 상기 연설 내용에 대한 기대를 배제함

3.한편, 사우디와 쿠웨이트 국경 부근에서 금 2.21 최대 규모의 포격전이 계속되고 있으며, 사담의 연설이 계속되는 동안 일시중단 되었던 연합군의 공습도 재개된 것으로 보도됨.

끝

(대사 오재희-국장)

중아국	장관	차관	1차보	2차보	미주국	구주국	정문국	청와대
총리실	안기부	대책반						

당직실

PAGE 1 91.02.22 05:03 DA

외신 1과 통제관

0290

외 무 부

종 별 : 지 급

번 호 : UKW-0483 일 시 : 91 0221 1900

수 신 : 장관(중동일,미북,구일)

발 신 : 주 영대사

제 목 : 걸프사태

금 2.21(목) 사담의 연설에 관한 당지반응은 아래와 같음.

1. 메이저 수상 (수상실앞 회견)

-사담의 연설에 실망했으며, 동 연설에서 평화적 해결이나 타협을 위한 희망이없음.

-사담의 연설내용을 볼때, 자신의 불법적 행동으로 저지른 과오나 손해를 깨닫고 있는것 같지 않으며, 유엔결의의 준수를 시사하는 내용이 전혀 없는바, 이락이평화를 위한 기회를 상실한 것으로 봄.

-이락은 분명히 전쟁에 패배하여 쿠웨이트로 부터 물러나게 될 것이며, 쿠웨이트는 그 합법적인 소유자에게 복원될 것임.

-영정부는 평화를 위해 모든 가능한 노력을 경주해 왔는바, 이락이 유엔 결의를 완전히 준수하지 않는한 지상전이 개시될 것임.

-소련의 평화안에 AZIZ 외상이 어떠한 회답을 보내는 것과 관계없이 동 평화안자체가 불완전한 것임.

2. 허드외상

-영국은 이락이 유엔 결의를 수락하도록 모든 가능한 노력을 경주 했으나, 사담의 태도는 실망스럽고 잘못된 것으로 봄. 지상전은 이순간에 이미 진행되고 있음.

3. KINNOCK 노동당수

-사담은 평화를 위한 모든 기회를 저버렸음.

4. ASHDOWN 자민당수

-지상전은 불가피하며, 최소의 희생으로 신속한 승리가 거두어 지길 기대함.

5. BBC 보도진 관측

-사담은 무조건 항복에 의해 정치적 생명을 거는것 보다 자신이 아랍세계에

중아국 장관 차관 1차보 2차보 미주국 구주국 정문국 청와대
총리실 안기부 대책반

PAGE 1

91.02.22 06:45 DA

외신 1과 통제관 ·

0291

승리자임을 주장하기 위해 어느정도 피해를 감수할 책략인 것으로 분석됨.

-지상전은 조만간 본격화될 것이고, 일시적인 대규모 공격보다 점진적 확전 가능성이 크며, AZIZ 외상의 소련과의 회담등 외교적 접촉은 별다른 영향을 미치지 못할 것으로 봄.

끝

(대사 오재희-국장)

PAGE 2

0292

외 무 부

종 별 : 지 급

번 호 : UKW-0497

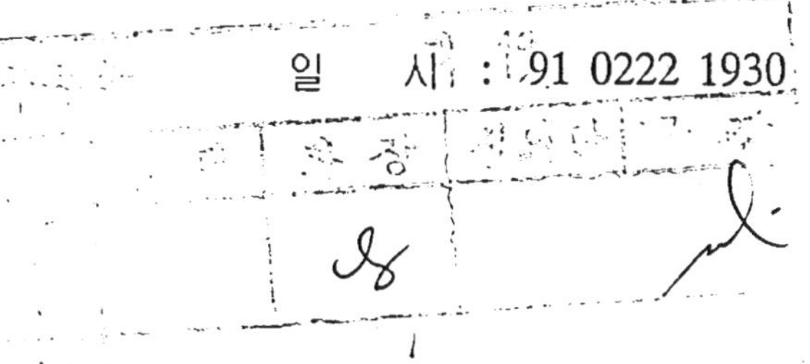

수 신 : 장 관(중동일,미북,구일)

발 신 : 주 영 대사

제 목 : 걸프사태

부쉬 대통령이 금 2.22(금) 이락에 대해 명 2.23(토)17:00 (GMT)까지 철수를 요구한데 대한 당지반응은 아래와 같음.

1. 메이저 수상 (수상실앞 회견)

- 부쉬 대통령의 성명내용은 모든 연합국간에 긴밀한 협의를 거쳐 결정된 것으로서 교섭이나 흥정의 여지가 없음.

- 연합국측의 요구사항은 분명한 바, 이락이 이를 받아들이지 않을 경우, 전쟁은 계속될 것이며 중대한 결과를 초래하게 될 것임.

- 사담은 자신이 무엇을 해야될 것인지 알고있으며, 그것이 실행될 경우에만 종전이 있을 것임.

2. 허드외상

- 부쉬 대통령의 제안은 극히 명백하고 구체적인 것으로서 협상의 여지가 없음.끝

(대사 오재희-국장)

중아국	장관	차관	1차보	2차보	미주국	구주국	정문국	청와대
총리실	안기부	대책반						

PAGE 1

91.02.23 09:16 WG

외신 1과 통제관

0293

외 무 부

종 별 :
번 호 : UKW-0500 일 시 : 91 0223 1000
수 신 : 장관(중동일,미북,구일)
발 신 : 주영대사
제 목 : 걸프사태

연: UKW-0497

부쉬 대통령의 대 이락 최후통첩에 대한 당지 언론반응의 요지는 아래와 갈음.

1.특별한 이변이 없는한 사담 후세인의 과거형태와 전쟁상황에 비추어 이락이 부쉬 제의를 수락할 가능성이 희박한 것으로봄.

2.연합군측이 철수를 실행에 옮기기 어려운 시한을 제시한 것은 이락군이 철수시쿠웨이트내 장비를 모두 이동해감으로써 사담의 군사력이 지탱되고,전후 재부상에 기 여할 가능성을 사전에 봉쇄하기 위한것임.

3.부쉬 대통령이 고르바초프의 이니시어티브에 사의를 표했으나, 미국은 쏘련의행태에 대한 의심을 버리지 못하고 있으며,사담이 최후 순간에 철수를 선언해도 쏘련과 합의한 조긴에 따른 철수임을 주장함으로써 연합국측의 단결된 지상공격을 어렵게할 가능성이 우려되고 있음.끝

(대사 오재희-국장)

중아국 장관 차관 1차보 2차보 구주국 정문국 상황실 청와대
총리실 안기부

PAGE 1

91.02.23 22:24 BX
외신 1과 통제관

0294

외 무 부

종 별 : 지 급

번 호 : UKW-0502 일 시 : 91 0223 1500

수 신 : 장관(중동일,미북,구일)

발 신 : 주영대사

제 목 : 걸프사태

연: UKW-0500

쏘련의 6개항 수정 제의에 대한 주재국내 동향및 반응등을 아래 보고함.

1. 당지 쏘련대사 ZAHYATIN은 금 2.23(토) 메이저수상을 방문, 쏘련의 제의내용을 설명함.

2. 메이저 수상은 동 대사와의 면담이후 고르바쵸프와 1시간에 걸친 전화통화에서쏘련의 평화노력에 감사를 표시하고, 그러나 연합국측으로서는 부쉬대통령이 요구한 즉각적이고 무조건 철수이외의 다른 제의는 받아들일 수 없음을 설명함.

3. 주재국 언론은 쏘련의 금번 제의가 철수전 휴전을 요구하고 있고, 쿠웨이트 왕가및 정부의 복귀문제등 향후 쿠웨이트 주권에 대한 보장등이없어 연합국측으로서는 받아들이기 어렵다는 반응을 보이고 있음. 끝

(대사 오재희-국장)

중아국	장관	차관	1차보	2차보	미주국	구주국	정문국	상황실
청와대	총리실	안기부						

PAGE 1

91.02.24 01:32

외신 1과 통제관

0295

외 무 부

종 별 : 지 급

번 호 : UKW-0506

일 시 : 91 0224 1000

수 신 : 장관(중동일,미북,구일)

발 신 : 주영대사

제 목 : 걸프사태

2.24(일) 01:00(GMT) 지상공격 개시와 관련, 당지 언론보도를 중심으로 아래와 같이 보고함.

1. 연합군은 사우디 국경지역에 4-6개 전선으로 부터 공격을 개시했으며, 전황의상세는 보도관제로 명확치 않으나, 사우디군 대변인은 작전이 계획대로 성공적으로진행되고 있다고 밝힘.

2. 연합군은 1차적으로 쿠웨이트 북서방 전략요충인 FAYLAKAH 섬을 탈환한 것으로 보도되었으며,REUTER 통신은 쿠웨이트 소식통을 인용,쿠웨이트 시내에 미 낙하산부대가 대거 낙하하고 있다고 보도했으나 확인되지 않음.

3. 사담 후세인은 2.24.아침 바그다드 방송을 통하여 연합군의 공격은 이락에 대한 범죄행위라고 규탄하면서 이락 국민들에게 최후까지 투쟁을 계속 할 것을 촉구했으며, 바그다드 시내에는 공습이 계속되고 있는 것으로 현지 특파원들이 보도함.

4. 영국군을 비롯한 연합군측은 전황에 관하여 철저한 보도통제를 실시하고, 전황 브리핑 실시를 일체 중단함.

5. 메이저 수상은 2.23(토) 지상전 개시전에 부쉬대통령과 긴밀한 협의를 가졌으며, 여왕은 현지 영국군들의 노고를 치하하면서 위로와 기도를 보낸다는 메세지를 영국군 사령관에게 보냄.지상전 개시에 관한 수상 성명은 FAX 송부함.

6. 당지 군사전문가들은 공격이 단시간내 과감하게 진행될 것이며, 쿠웨이트 수복에는 가장 낙관적인 시각에서는 72시간, 길게는 3주간이 소요될 것으로 전망하고 있음.끝

(대사 오재희-국장) Q

√중아국	장관	차관	1차보	2차보	미주국	구주국	정문국	청와대
총리실	안기부							

PAGE 1

91.02.24 23:25 DQ

외신 1과 통제관

0296

외 무 부

종 별 : 지 급

번 호 : UKW-0507

수 신 : 장관(중동일,미북,구일)

발 신 : 주영대사

제 목 : 걸프사태

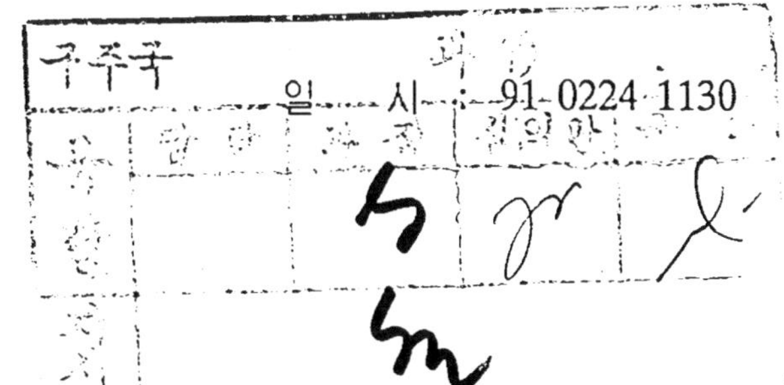

메이저 수상은 금 1.24(일) 01:00(GMT)시를 기한 지상공격의 개시에 관하여, 하기요지의 성명을 금일 03:00(GMT) 발표함.(전문 FAX 송부함)

1. 작 1.23(토) 17:00(GMT)까지 철수개시를 요구하는 최후 통첩에도 불구하고 이락이 이에 호응하지 않았으므로 연합군은 안보리 결의의 이행을 위해 대규모 지상공격을 개시함.

2. 연합군은 최소한의 희생으로 소정의 목표를 신속히 달성코자하며, 영국군은 금번 작전에 적극 참여할 것임.

3. 모든 국민들의 영군군 및 연합군에 대한 적극적 지지를 기대함.끝

(대사 오재희-국장)

중아국 장관 차관 1차보 2차보 미주국 구주국 정문국 청와대
총리실 안기부 대책반

PAGE 1

91.02.24 23:26 DQ

외신 1과 통제관

0297

외 무 부

종 별 : 지 급

번 호 : UKW-0508 일 시 : 91 0224 1250

수 신 : 장관(중동일,미북,구일)

발 신 : 주영대사

제 목 : 걸프사태

1. 메이저 수상은 1.24(일) 오전 CHEQUERS 수상 별장앞 회견에서 지상전 개시에 관해하기 요지 언급함.

가. 금번 개시된 대규모 지상전은 이락이 쿠웨이트를 포기할 때까지 계속될 것임.

나. 지상전 개시전의 제반 외교적 노력을 평가하나 이락으로 부터 유엔결의 수락을 확보하는데 모두 실패했음.

다. 이락은 쿠웨이트내 200여 유전을 발화시키고,쿠웨이트를 조직적으로 파괴하고 있으며, 젊은 쿠웨이트인들을 학살하고 있어 지상전 개시가 불가피했음.

라. 금번 공격은 연합국간의 긴밀한 협조하에 잘 준비된 상황하에서 시작되었으나, 많은 위험과 불확실성이 개재되어 있음.

마. 금번 전쟁은 오래 계속되지는 않을 것이나 격렬한 전쟁이 될 것이며, 분명히 정당한 전쟁으로서 우리는 승리할 것임.

사. 병사들의 안전을 위해 보도를 통제하고 있으나,발표할 수 있는 구체적인 사항이 있는대로 발표하겠음.

2. 한편, 엘리자베드 여왕도 1.24. 정오 방송된 대국민 메세지에서 걸프전에 참여하고 있는 영국병사들을 치하하고 신속한 승전과 최소의 희생을 기원함.끝

(대사 오재희-국장)

중아국	장관	차관	1차보	2차보	미주국	구주국	정문국	청와대
총리실	안기부							

PAGE 1 91.02.24 23:28 DQ

외신 1과 통제관

0298

외 무 부

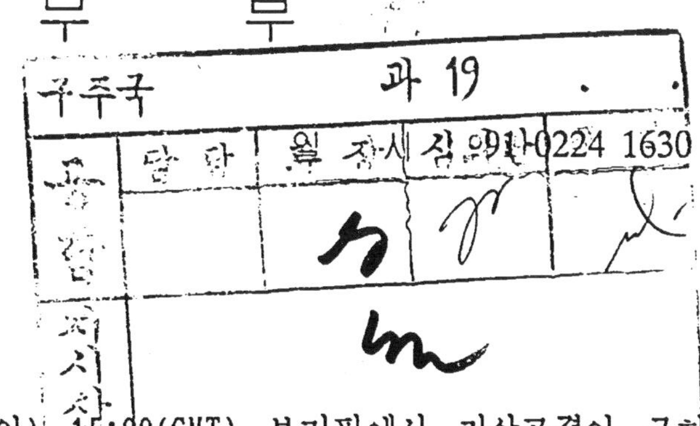

종 별 : 지 급

번 호 : UKW-0509

수 신 : 장 관(중동일,미북,구일)

발 신 : 주 영대사

제 목 : 걸프전쟁

1. SCHWARZKOPF 사령관은 1.24(일) 15:00(GMT) 브리핑에서 지상공격이 극히 성공적으 로 진행되고 있으며, 공격 제1일의 모든 목표가 달성되었다고 하기요지 언급함.

가. 1.24. 04:00(사우디 시간) 연합국의 공격은 미,사우디, 영, 불, UAE, 바레인, 카탈, 오만, 시리아 및 쿠웨이트가 공동으로 개시했으며, 육.해.공군에 의한 지상전 수륙양용 합동작전,공습등이 순조롭게 진행됨.

나. 공격개시 이래 10시간 현재 5,500명의 포로가 나포되었으며, 희생자는 극히현저하게 경미하나 전쟁은 아직 초기단계에 있음.

다. 전쟁이 얼마나 계속될지에 관해서는 예측 하기 어려우며, 화학무기가 사용되었다는 보도는 없음.

2. 관련국 주요동정(1.24)은 아래와 같음.

가. CHENEY 미 국방장관은 전쟁이 비교적, 단기간에 종료될수 있을 것으로 전망하고, 쿠웨이트 점령 이락군의 이락내로의 대피를 용인하지 않을 것이나, 연합군이 이락 을 점령할 의향이 없음을 분명히함.

나. 바그다드 라디오 방송은 아랍인들에게 서방 진영의 목표에 대한 공격과 테러를 강화하도록 촉구함.

다. 소련은 자국의 평화안이 연합국의 입장과 큰차이가 없음에도 결실을 거두지못한데 유감을 표명하고, 연합군의 성급한 공격개시를 비난함.

라. 이란은 연합군의 공격을 비난하면서도 이스라엘이 개입하지 않는한 중립을 지킨다는 입장을 견지함.

마. 주 영 쿠웨이트 대사는 연합군이 이미 쿠웨이트 시내에 일부 진입했다고 말함.

3. 전쟁 전망에 관해 당지 언론에 보도된 전문가들의 견해 요지는 아래와 같음.

중아국	장관	차관	1차보	2차보	미주국	구주국	정문국	청와대
안기부	대책반 V							

PAGE 1

91.02.25 05:13 CT

외신 1과 통제관

0299

가. 사우디.쿠웨이트 접경지역에 배치된 이락군은 주로 징집된 병사들로 구성되어 있으므로 공격이용이했을 것이나, 금번 공격의 결정적 관건은 REPUBLICAN GUARD 를 어떻게 대처하느냐에 달려있을 것임.

나. 전쟁기간에 관하여는 연합군의 지속적인 단합하에 이락군에 대한 기선을 제압하기 위한 격렬한 전투가 초기 수일간 내지 약 2주일간 성공적으로 진전되면, 이어연합군의 우세가 확보되어 전쟁이 종료될 수 있을것으로 전망함.

다. 미국은 금번 전쟁에서 군사적으로 승리할것이나 정치적으로는 전후 극히 어려운 국면에 처하게 될 것이며, 이에 반하여 소련은 자국이 평화를 위한 노력을 경주했음을 강조하면서 역내에서 유리한 위치를 확보할 수 있을것임.끝

(대사 오재희-국장)

PAGE 2

0300

외 무 부

종 별 :

번 호 : UKW-0521 일 시 : 91 0225 2050

수 신 : 장 관(중동일,미북,구일,기정)

발 신 : 주 영 대사

제 목 : 걸프사태

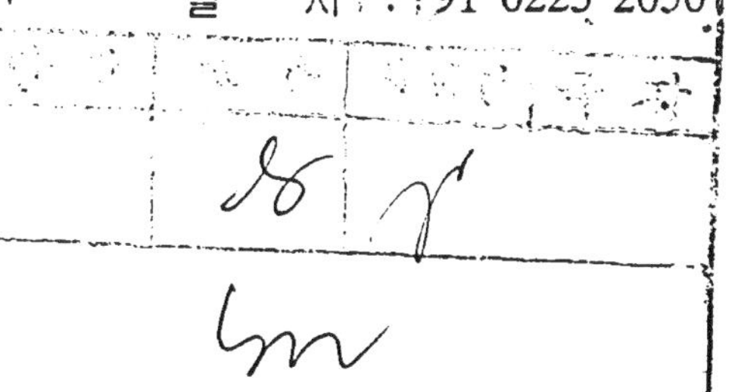

2.25.(월) 현재 주요 전황은 아래와 같음.

1.연합군 대변인은 2.25 브리핑에서 연합군의 작전이 계획된대로 상당히 성공적으로 진행되고 있으며, 이락측의 저항은 그다지 크지않다고 (MODERATE RESISTENCE) 말함. 동 대변인은또한 2.25 현재 연합군이 이락 의 탱크 270대를 파괴하고, 2만명의 포로를 나포했다고 밝힘

2.일부 보도는 연합군이 쿠웨이트시를 외곽으로 부터 포위해 가고 있다고 전하고 있으나, 아직 본격적으로 전투에 임하지 않고 있는 REPUBLICAN GUARD 가 대항해올 경우 격렬한 전투가 있을 것으로 예상되고 있음

3.연합군의 당면 주요 문제점으로서 전진에 상응하는 보급체제 확보와 엄청난 인원의 포로처리 방안이 지적됨.끝

(대사 오재희-국장)

중아국	장관	차관	1차보	2차보	미주국	구주국	정문국	청와대
총리실	안기부							

PAGE 1

91.02.26 10:08 WG

외신 1과 통제관

0301

원 본

외 무 부

종 별 : 지 급

번 호 : UKW-0534 일 시 : 91 0226 1830

수 신 : 장관(중근동,미북,구일)

발 신 : 주영대사

제 목 : 걸프사태

1. 사담후세인은 금 2.26(금) 중 쿠웨이트로 부터의 철수를 선언한데 대해 메이저 수상은 금일 하원에서 전쟁이 종식되기 위해서는 이락이 항복하고, 모든 유엔결의를 수락해야 한다고강조함.

2. TOM KING 국방장관도 하원 발언에서 연합군의 작전결과 이락군이 여러지역에서 퇴각하고 있으나, 전반적 철수의 증거가 없다고 강조하면서 사담이 공개적으로그리고 명백히 모든 유엔결의를 받아들일 것을 요구함. KING 국방상은 또한 쿠웨이트 점령중 이거나 동점령을 지원하기 위해 작전에 참여하고 있는모든 이락군이 무기와 장비를 포기하도록 요구하고,그렇지 않을경우 적대행위자로 취급할 것이라고 선언함.

3. 금 2.26.저녁 당지 TV들은 수복된 쿠웨이트시로부터의 보도를 방영하고 있음.끝

(대사 오재희-국장)

중아국	장관	차관	1차보	2차보	미주국	구주국	정문국	청와대
총리실	안기부	대책반						

PAGE 1

91.02.27 08:13 AQ

외신 1과 통제관

0302

외 무 부

종 별 :
번 호 : UKW-0544 일 시 : 91 0227 1930
수 신 : 장 관(중동일,미북,구일,기정)
발 신 : 주 영 대사
제 목 : 걸프사태

1. 메이저 수상은 금 2.27(수) 당지주재 쿠웨이트대사를 면담한 후, 수상실 앞에서 가진 회견에서 쿠웨이트시가 완전히 수복되었으며, 연합군의 많은 병력이 이미 쿠웨이트 시에 진주해 있고, 여타군사작전이 극히 잘 진전되고 있다고 밝힘

2. 메이저 수상은 사담의 제거 가능성을 묻는질문에 대해 안보리 결의의 완전한 수락이 있어야 한다는 기본입장만 재 강조했으며, 이락영토내 영국군 작전기간에 대해서는 영국이 이락영토를 점령할 의향이 전혀 없으며, 사태가 조만간 정상화 될 것이나 얼마나 오래 걸릴지는 분명치않다고 말함

3. 이락이 2.27 주유엔대사를 통해, 휴전을 조건으로 안보리 결의 662,674등 일부 유엔결의를 수락한다고 밝힌데 대해, 메이저 수상과 허드 외상은 이락이모든 유엔결의를 수락해야 한다는 기존입장을 재강조하면서 전쟁은 계속되고 있다고 말함

4. 수상은 한편 주쿠웨이트 영국대사 MR. MICHAELWESTON 이 2.28(목)중 쿠웨이트에 도착 예정이라고 밝혔음. 외무성 대변인은, 작년 12.16 서방대사로서는 마지막으로 쿠웨이트를 떠난 WESTON대사가 2등서기관 1 명을 대동하고 현지도착예정이라고 말하고, 그간 영국정부는 주쿠웨이트 대사관의 참사관 1 명을 TAIF 의 쿠웨이트 정부와의 관계를 위해 주 사우디 대사관에 주재시켜 왔다고 설명함

5. 허드 외상은 미측과의 긴급 협의를 위해 금2.27 방미함.끝

(대사 오재희-국장)

중아국	장관	차관	1차보	2차보	미주국	구주국	정문국	청와대
총리실	안기부	대책반						

PAGE 1

91.02.28 09:52 WG

외신 1과 통제관

0303

외　무　부

종　별 : 지　급

번　호 : UKW-0560

수　신 : 장관(중동일,미북,구일)

발　신 : 주영대사

제　목 : 걸프사태

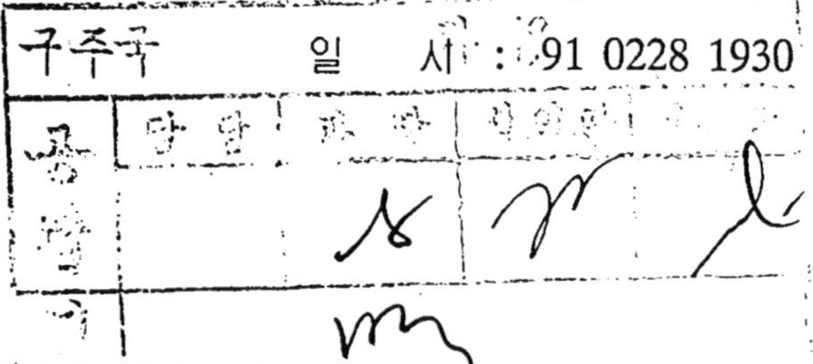

1. 메이저 수상은 금 2.28(목) 하원에서 연합군이 훌륭한 군사작전으로 승리를 거두었으며, 영국군병력은 가급적 조속한 시일내 귀국할 것이라고 말하는 한편, 이락이국제감시하에 모든 미사일과 대량파괴 무기를 파괴할 것을 요구함.

2. 여왕은 영국군이 신속한 승전에 결정적인 역할을 했다고 치하하고, 전사자의가족에 조의를 표했음.

3. 주 쿠웨이트 영국대사관은 2.28(목) 업무를 재개했으며, 금번 전쟁으로 16명의 영국군이 사망하고, 12명이 행방불명됨.

4. 허드외상은 2.27. 워싱톤에서 가진 기자회견에서 전후처리 주요문제로서 걸프지역 안보문제, 대량파괴 무기문제, 아랍.이스라엘 분쟁을 거론하고 요지 아래와 같이 말함.

가. 국제평화회의 개최안이 안보문제를 염두에 둔것이라면 이는 유엔안보리에서처리될 수 있으므로 별도의 대규모 회의가 필요한지 의문이나,아랍.이스라엘 분쟁을위해서는 어느정도 필요성이 있을 것으로 봄.

나. 다만, 어느 경우에도 어떠한 대규모 평화회의보다 개별적 문제를 위한 적절한 체제가 필요하다고 보며, 관계국 예컨데 아랍국, 이스라엘 및 팔레스타인 인들이 문제 해결을 위해 건설적으로 준비하는 노력이 중요하다고봄.

다. 사담의 장래는 이락인들이 결정할 것이나 이락을 통치하기에 적절하지 않은인물로 보며,경제제재는 만족스러운 평화가 정착될 때 까지 계속될 것임.

라. 배상문제에 관해서는 안보리 결의도 있는 바,이락의 석유수출 재개와 연계시켜 배상을 받는 방법을 생각할 수 있겠으나 구체적인 것은 결정된 바 없음.

마. 평화유지군 주둔문제는 이락정세의 발전에 달려있으나, 미.영. 또는 불란서는 지상군을 상당기간 주둔시키는 것을 바라고 있지 않음.

중아국	장관	차관	1차보	2차보	미주국	구주국	정문국	청와대
총리실	안기부							

PAGE 1　　　　91.03.01　07:14 DQ

외신 1과　통제관

0304

바. 소련이 평화정착 과정에서 긍정적 역할을 수행할 것이라는데 대해 전적인 확신은 없지만 어느정도 낙관하고 있음.끝

(대사 오재희-국장)

원 본

암호수신

외 무 부

종 별 :

번 호 : UKW-0592　　　　일 시 : 91 0305 1640

수 신 : 장관(중동일,미북,구일)

발 신 : 주 영 대사

제 목 : 걸프전후 손해배상 청구검토

대: WUK-0383

연: UKW-0560

1. 대호 외무성 관계자에 의하면, 안보리결의 674 호에 원칙적인 사항이 규정되어 있으나 전후 처리의 대강이 관계국간에 합의될 때까지는 어떠한 방향으로처리해 나가야 할지 예상하기 어려운 상태라고함.

2. 다만 외무성은 금후 배상청구가 구체화될 경우에 대비해서 영국민 또는 업체가 입은 손실의 상세에 관하여 신문광고등을 통해 신고토록 하고있으며, 동 신고내용을 기초로 가급 정확한 자료를 준비코자하고 있다고함.

3. 배상문제에 관한 연호 4 항 라. 허드외상 발언 참고바람. 끝

(대사 오재희-국장)

중아국　장관　차관　1차보　2차보　미주국　구주국　정와대

PAGE 1　　　　91.03.06　10:09

외신 2과　통제관 BW

0306

외 무 부

종 별 :

번 호 : UKW-0600　　　　　　　　　　일 시 : 91 0306 1600

수 신 : 장 관(동구일,구일,중동일,미북)

발 신 : 주 영 대사

제 목 : 메이저 수상,소련 및 쿠웨이트 방문

연: UKW-0565

1. 메이저 수상은 3.5(화) 4시간에 걸쳐 고르바쵸프 대통령과 오찬 및 회담을 가졌으며, 회담후 가진 기자회견에서 영국은 고르바쵸프와 매우 만족스럽게 지속적으로 일해 나갈 수 있을 것이라고 말함.

2. 금번 정상회담에서는 전후 걸프정책에 관해서 안보리 5개 상임이사국의 공동정책에 대한 소련의 지속적 지지확인등 의견일치를 보았으나 군축 및 볼틱문제에 대해서는 견해의 차이를 보인 것으로 보도됨. 메이저 수상은 다만, 기자회견에서 볼틱문제가 협상으로 해결되어야 한다는데는 양측이 의견을 같이 했으며, 헌법상절차에 따라 협상이 종료되면 볼틱제국의 독립가능성이 있는 것으로 본다고 밝힘.

3. 전후 걸프전쟁에 관해서 양인은 중동제국 자신들이 장래의 안보체제를 마련해야 하며, 팔레스타인 문제의 해결방안이 우선적으로 강구되어야 한다는데 의견을 같이했고, 핵 및생화학 무기의 수출을 자제하고 재래식 무기의 수출에 있어 신중을 기해야한다는 데도 견해의 일치를 봄.

4. 수상은 또한 소련이 구주재래식무기감축 (CFE)조약을 비준하지 않고 그 적용을 면하기 위한 조치를 취하고 있는데 대해 거론했으며, 소련내 경제개혁도 속도에 관해서도 소련측과 다른 견해를 피력한 것으로 관측됨.

5. 수상은 고르바쵸프 자신에 대해서는 그 정치적 공적을 높이 치하하여 양인간의 개인적 친분관계가 돈독해지고 있음을 시사함.

6. 수상은 한편, 3.5(화) 조찬시 볼틱 3국 대표를 접견했으며, 이어 레닌그라드시장, DR ALEKSEIARBATOV 세계경제문제 연구소장등을 면담하고 오후에는 PAVLOV 수상, YAZOV 국방상, BESSMERTNYKH 외상등과 회담함.

구주국　1차보　미주국　구주국　중아국　정문국　안기부　2차보　차관　장관

중아국

PAGE 1　　　　　　　　　　91.03.07　10:02 WG

외신 1과　통제관

0307

7. 메이저 수상은 고르바쵸프를 방영토록 초청했으며, 고르바쵸프도 메이저 수상의 공식 재방소와 대처 전수상의 방소를 희망한 것으로 보도됨.

8. 수상은 금 3.6(수) 소련에서 귀로에 걸프전 종료후 연합국 지도자로서는 최초로 쿠웨이트를 전격 방문중이며, 현지주둔 영국군 병사들을 만나치하하고, 영국병력이 가급적 조속한 시일내 귀국할 수 있을 것이라고 말함.

9. 수상실은 한편 걸프전후 중동안보문제 협의를 위해 메이저 수상이 부쉬대통령과 3.16(토)버뮤다에서 회담한다고 3.5(화) 발표함. 메이저수상은 또한 3.11(월) 독일을 방문, 콜독일수상과 회담 예정인 것으로 보도됨.끝

(대사대리 최근배-국장)

PAGE 2

0308

외 무 부

종 별 :

번 호 : UKW-0637　　　　일 시 : 91 0308 1930

수 신 : 장 관(중동일,구일,미북)

발 신 : 주 영 대사대리

제 목 : 걸프

1. 메이저 수상은 참전 영국군이 3.10(일) 부터 철군을 개시할 것이라고 3.7(목) 하원에서 발표하였으며, 걸프전중 사망한 영국군의 유해 17구가 3.8(목) 주재국에 도착함.

2. 외무부 DOUGLAS HOGG 국무상은 3.7(목) BBC방송 인터뷰에서 걸프전 전후처리 문제에 대하여 아래와 같이 언급함.

가. 쿠웨이트 정부의 팔레스타인인에 대한 보복방지를 위하여 다국적군에 의한 과도기적인 조치를 취할 필요성이 있느냐는 질문에 대하여, 이는 전적으로 쿠웨이트 소관문제로 보며, 다만 우리는 쿠웨이트 정부에 대하여 '법에의한 지배' 의 필요성과 보복에 의한 처형이 있어서는 안된다는점을 강조할 것임.

나. 사담을 제거하기 위하여 반대파를 지원하는 문제에 대하여, 사담이 '사악한적' 임은 틀림없으나 그의 제거문제는 이락 국민이 결정할사안으로 봄.

3. 한편, 동 국무상은 동일 당지에서 이락반정부대표 5명을 접견함.끝

(대사대리 최근배-국장)

중아국　1차보　미주국　구주국　정문국　안기부

PAGE 1　　　　91.03.09　09:39 WG

외신 1과 통제관

0309

외 무 부

종 별 :

번 호 : UKW-0688 일 시 : 91 0318 1130

수 신 : 장 관(구일,미북,중근동)

발 신 : 주 영 대사대리

제 목 : 메이저-부쉬 회담결과

영.미 정상은 3.16(토) 버뮤다에서 회담한 후기자회견을 가진 바, 요지 아래와 같이 보고함.

1. 부쉬 대통령은 사담이 휴전협정을 계속 위반하는 한, 이락에 대한 군사행동의 재개가능성을 배제하지 않는다고 강조했으며, 사담이남아있는 한 이락과의 정상관계를 생각하기 어려울 것이라고 말함.

2. 양 정상은 또한 이락의 화학무기가 파괴되지않는 한 영구적 휴전은 있을 수 없다는데 의견을 같이 했으며, 메이저 수상은 이락에게 쿠웨이트 포로의 송환과 전쟁피해 배상을 요구하였고, 부쉬 대통령은 사담이 반대파 제거를 위한 무력을 사용해서는 안 된다는 것을 재강조함.

3. 양 정상들은 또한 이락과의 공식적 휴전을 위한 조건을 제시하기 위해 금주제 안될 새로운 안보리결의에 관해서 논의했다고 밝혔으며, 그러한 조건으로서는 국제감시하의 이락 화학무기파괴, 잔여 미사일에 대한 통제, 쿠웨이트 독립에 대한 이락의 공식승인, 쿠웨이트의 피해에 대한배상등이 포함될 것으로 알려짐.

4. 양인은 또한 유럽지역 안보문제와 관련, 나토와 미군의 계속적인 구주주둔에 대한 지지입장을 재확인하였음. 메이저 수상은 다만 미국으로 부터 더욱 큰 군사 부담을 넘겨 받는문제는 구주제국들에 달렸다고 덧붙임.끝

(대사대리 최근배-국장)

구주국 1차보 미주국 중아국 정문국 안기부

PAGE 1 91.03.19 09:05 WG

외신 1과 통제관

0310

관리번호	91/385

외 무 부

종 별 :

번 호 : UKW-0762 일 시 : 91 0328 1800

수 신 : 장관(구일,국연,아이,동구일,중동일,정이)

발 신 : 주 영 대사

제 목 : 외무부 간부면담

본직은 금 3.27(수) 부임인사차 외무부 PATRICK WRIGHT 사무차관 및 CAITHNESS 국무상을 방문, 면담하였는 바(각 40 분 정도), 요지 아래 보고함

1.WRIGHT 사무차관

0 동 차관은, 본직이 걸프사태의 원만한 해결에 대하여 치하하자, 아국정부의 전비지원 결정에 대하여 심심한 사의를 표함

0 주시리아 및 사우디대사를 역임한 동인은, 종전후 이락의 장래에 대하여 사담이 당장은 반군을 CONTROL 할 가능성이 높으나, 최근 수년간 2 개의 큰 전쟁(이.이전및 걸프전)에 실패하였으므로 멀지않아 축출될 것으로 봄

0 소련정세에 관련, 소련이 PRESTROIKA 체제를 기반으로 정치안정을 도모해나가는 것이 가장 바람직하나, 현재 소련의 문제는 고르바쵸프와 옐친간의 PERSONAL CLASH 성격이 강하므로 쉽사리 해결되지 않을 것으로 봄

0 또한 동인은 북한의 핵 개발과 무기수출에 대하여 우려를 표시하면서, 우리 모두는 이에 대하여 강경한 입장을 취해야 할 것이라 함

0 본직은 대호 아국의 유엔가입 문제와 관련, 중국의 태도가 종전과는 달리상당히 유동적임을 감안, HURD 외상 방중시 중국측에 아국입장을 적극 설득 노력하고, 중국측의 반응을 예의 주시해 줄 것을 요청하였는바, 이에 대하여 동 차관은 호의적인 반응을 보였음

2.CAITHNESS 국무상

0 동 국무상 역시 아측의 걸프전 전비지원 결정에 대하여 사의를 표하면서 상기 아국의 유엔가입 문제에 대하여는 HURD 외상에게 적극 건의하겠다고 다짐함

0 동인은 최근 중국정세에 대하여, 중국내부에서는 POWER STRUGGLE 이 있는것 같으며, 등소평 세대가 교체되어야 전체적인 전망이 밝아지지 않겠느냐는 의견을

구주국 차관 1차보 아주국 구주국 중아국 국기국 정문국

PAGE 1

91.03.28 08:29

외신 2과 통제관 CA

0311

피력함

0 최근 일본.북한간 교류에 대한 동인의 질문에 대하여, 본직은 일 정부는 사전에 아측과 협의하고자 노력하고 있으나 자민당내 파벌간의 이견등으로 어느정도 어려움이 있다고 답변함

0 동인은 최근 한국에서 진행되고 있는 지방자치 선거에 대하여 이는 민주화 진전의 표시로서 영국인들은 모두 환영한다 함

0 동인은 한. 영 관계가 문화, 학술, 정치 모든면에서 문제가 없으나 다만 TRADE 에 있어 다소 개선할 여지가 있다고 하면서 특히 위스키, 지적소유권및 증권시장 개방에 있어 한국정부가 더욱 적극적이기를 희망한다고 발언함. 끝

(대사 이홍구-국장)

예고: 91.12. 31. 일반

외 무 부

종 별 :

번 호 : UKW-0893 일 시 : 91 0416 1500

수 신 : 장관(구일,중동일,아이)

발 신 : 주영대사

제 목 : HURD 외상 연설

HURD 외무장관은 91.4.10(수) 당지 외교단을 위한 런던시장 주최 연례 만찬에서(본직 참석)연설하였는 바, 요지 아래 보고하며, 동 연설문은 파편 송부함

1.작년은 동 유럽의 억압으로 부터의 탈피,남아공에서의 인종차별 종식등 세계평화를 위한 진보의 해였으나 이락의 쿠웨이트 침공과 같은 전쟁도 있었음

2.쿠웨이트의 합법정부가 재건되었으나, 아직 이락내에서 자행되는 잔혹성과 고통에 대하여 우리의 입장을 정립할 필요가 있음. 어떤 국가가 비인도적인 정책 추구시, 다른 나라가 좌시할 수만은 없으며, 이러한 측면에서 쿠르드족의 자치를 위한 MAJOR 수상의 제안은 시의 적절한 것임

3.전세계가 험난한 곳으로 계속 남아 있다 하더라도 절망하여 아무것도 하지않고 있을 이유는 없음.지난 2년간 불가능하다고 생각한 것들을 많이 성취함. 불가능한것과 어려운 것은 구별되어야 함

4.홍콩문제와 관련, 영.중간 상호 협력증진,홍콩당국 입장존중을 기본원칙으로 1984년 체결된 영.중 협정은 계속 유지. 시행되어야 함.80년도 홍콩경유 중국의 교역량은 전체교역의 11프로였으나 작년에는 35프로로 증가하는등 중국 관문으로서의 홍콩의 역할이 증대되고 있음.끝

(대사 이홍구-국장)

구주국 1차보 2차보 아주국 중아국

PAGE 1 91.04.17 08:10 DQ

외신 1과 통제관

0313

외교문서 비밀해제: 걸프 사태 38
걸프 사태 구주지역 동향 1

초판인쇄 2024년 03월 15일
초판발행 2024년 03월 15일

지은이 한국학술정보(주)
펴낸이 채종준
펴낸곳 한국학술정보(주)
주 소 경기도 파주시 회동길 230(문발동)
전 화 031-908-3181(대표)
팩 스 031-908-3189
홈페이지 http://ebook.kstudy.com
E-mail 출판사업부 publish@kstudy.com
등 록 제일산-115호(2000. 6. 19)

ISBN 979-11-6983-998-3 94340
979-11-6983-960-0 94340 (set)